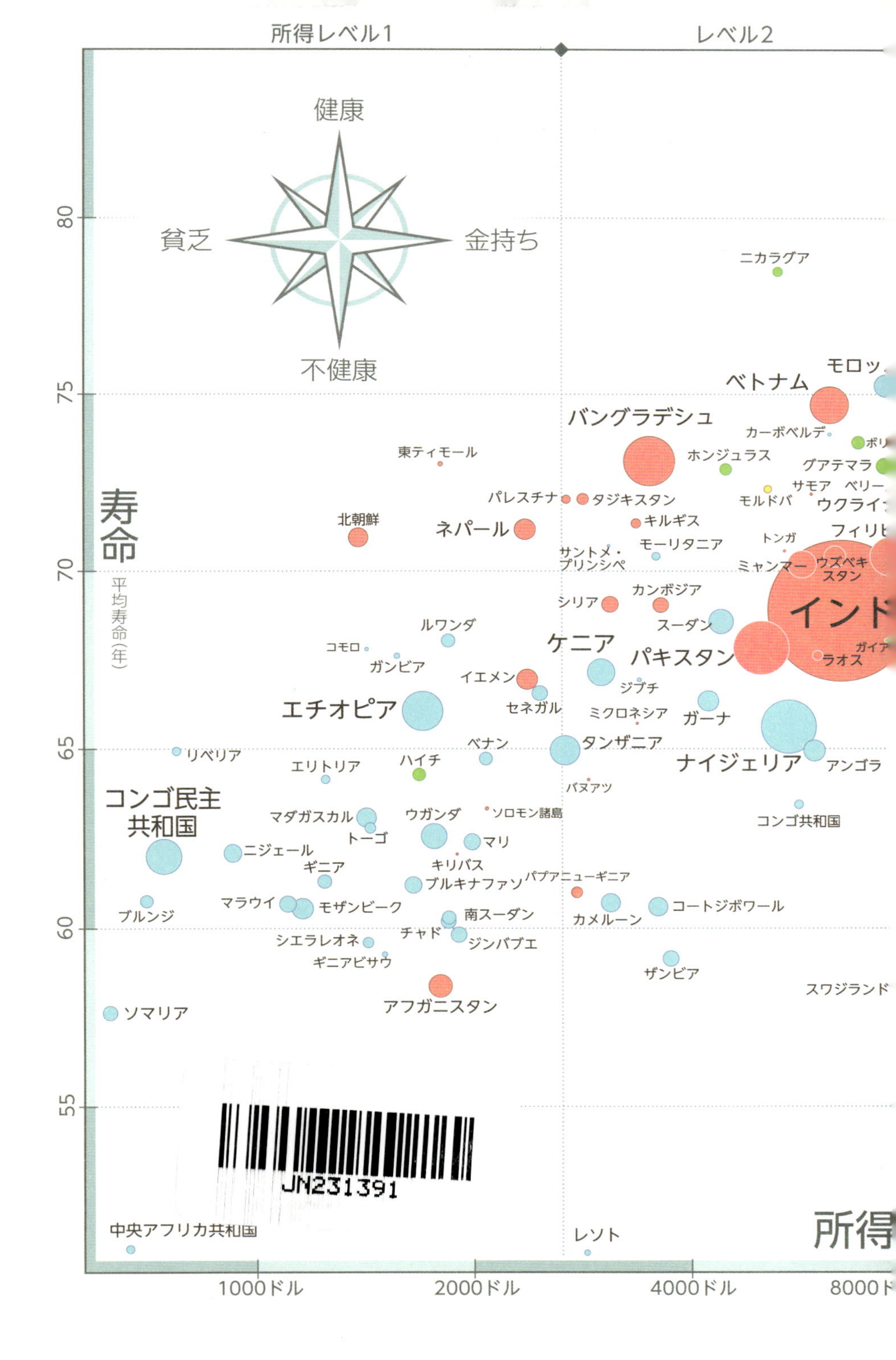
所得レベル1
レベル2
健康
貧乏
金持ち
不健康
寿命
平均寿命(年)
80
75
70
65
60
55
ニカラグア
モロッ
ベトナム
バングラデシュ
カーボベルデ
ボリ
東ティモール
ホンジュラス
グアテマラ
サモア
ベリー
パレスチナ
タジキスタン
モルドバ
ウクライ
北朝鮮
ネパール
キルギス
フィリピ
トンガ
サントメ・プリンシペ
モーリタニア
ミャンマー
ウズベキスタン
カンボジア
シリア
インド
ルワンダ
スーダン
ケニア
コモロ
パキスタン
ガイア
ラオス
ガンビア
イエメン
ジブチ
エチオピア
セネガル
ミクロネシア
ガーナ
ベナン
タンザニア
リベリア
エリトリア
ハイチ
ナイジェリア
アンゴラ
バヌアツ
コンゴ民主共和国
マダガスカル
ウガンダ
ソロモン諸島
コンゴ共和国
トーゴ
マリ
ニジェール
キリバス
ギニア
パプアニューギニア
ブルキナファソ
マラウイ
モザンビーク
コートジボワール
ブルンジ
南スーダン
カメルーン
チャド
シエラレオネ
ジンバブエ
ギニアビサウ
ザンビア
スワジランド
アフガニスタン
ソマリア
中央アフリカ共和国
レソト
所得
1000ドル
2000ドル
4000ドル
8000ド

10の思い込みを乗り越え、
データを基に
世界を正しく見る習慣

FACTFULNESS

ハンス・ロスリング、
オーラ・ロスリング、アンナ・ロスリング・ロンランド 著
上杉周作、関美和 訳

日経BP社

本書のイラストやチャートは、
オーラ・ロスリングとアンナ・ロスリング・ロンランドがデザインし、
ギャップマインダー財団が
無償で公開している資料を基につくられている。

Illustrations and charts are based on free material from the Gapminder Foundation,
designed by Ola Rosling and Anna Rosling Rönnlund

ファクトフルネス

10の思い込みを乗り越え、データを基に世界を正しく見る習慣

はじめに

「ファクトフルネス」はわたし、ハンス・ロスリング自身の言葉で、わたしの人生経験をもとに書かれている。著者はわたしひとりだけのように見えるかもしれない。でも、誤解しないでほしい。この本はひとりではなく、３人が力を合わせて書いたものだ。わたしのＴＥＤトークや、世界中で行っている講義がそうであるように。

表舞台に出るのはいつもわたしだ。壇上に立ち、講義を行い、喝采を浴びる。しかし、わたしの講義や、この本の内容のすべては、18年間にわたる３人の濃密な共同作業の賜物（たまもの）だ。その３人とは、わたしと、息子のオーラ・ロスリング、オーラの妻のアンナ・ロスリング・ロンランドだ。

わたしたち３人は２００５年にギャップマインダー財団を設立し、事実に基づいた世界の見方を広め、人々の世界にまつわる圧倒的な知識不足をなくそうと決意した。わたしの役割は、自分の熱意と好奇心、そして医師・研究者・講師として培った経験を活かすこと。オーラとアンナの役割はデータを解析し、見やすく工夫し、それを物語にして、シンプルなプレゼンテーションにまとめ上げることだった。２人は人々の知識不足を客観的に測り、動くバブルチャートを見事に設計・開発してくれた。写真で世界を深く理解できるようになる「ドル・ストリート」もアンナのアイデアだ。

世間は世界のことを知らなさすぎるといら立つわたしをよそに、オーラとアンナは冷静に分析を続けてくれた。「ファクトフルネス」の概念が親しみやすく、気張らないものになったのも2人のおかげだ。本書に記した、日々の生活で実践できる思考法の数々も3人で考え出したものだ。

本書は、よくありがちな「ひとりの天才による著作」ではない。異なる才能・知識・視点を持った3人が議論と共同作業を重ねてできたものだ。本の書き方としては風変わりで、時にいら立たしかったが、同時にとても生産的だった。こうして生まれた世界の見せ方、とらえ方は、わたしひとりでは到底考えつかなかっただろう。

目次

イントロダクション

サーカスが大好きな理由

わたしはサーカスが大好きだ。唸りをあげる電動のこぎりを宙に投げるジャグラー。網（安全ネット）の上で宙返りをくり返す綱渡り芸人。ハラハラドキドキの舞台や、不可能が可能になるときの驚きや感動が、好きでたまらない。

小さい頃の夢はサーカスの団員になることだった。しかし、まともな教育を受けられなかった両親の期待を背負ったわたしは、気づけば医学の道に進んでいた。

医学部時代のある昼下がりのこと。その日の講義は喉（のど）の機能についてだった。退屈だなあと思って聞いていたら、教授がこんな説明を始めた。

「喉に何かが詰まったときは、あごの骨を前に押し出せばいい。通り道がまっすぐになるからね」

教授はそう言って、口から剣を飲み込む芸人のレントゲン

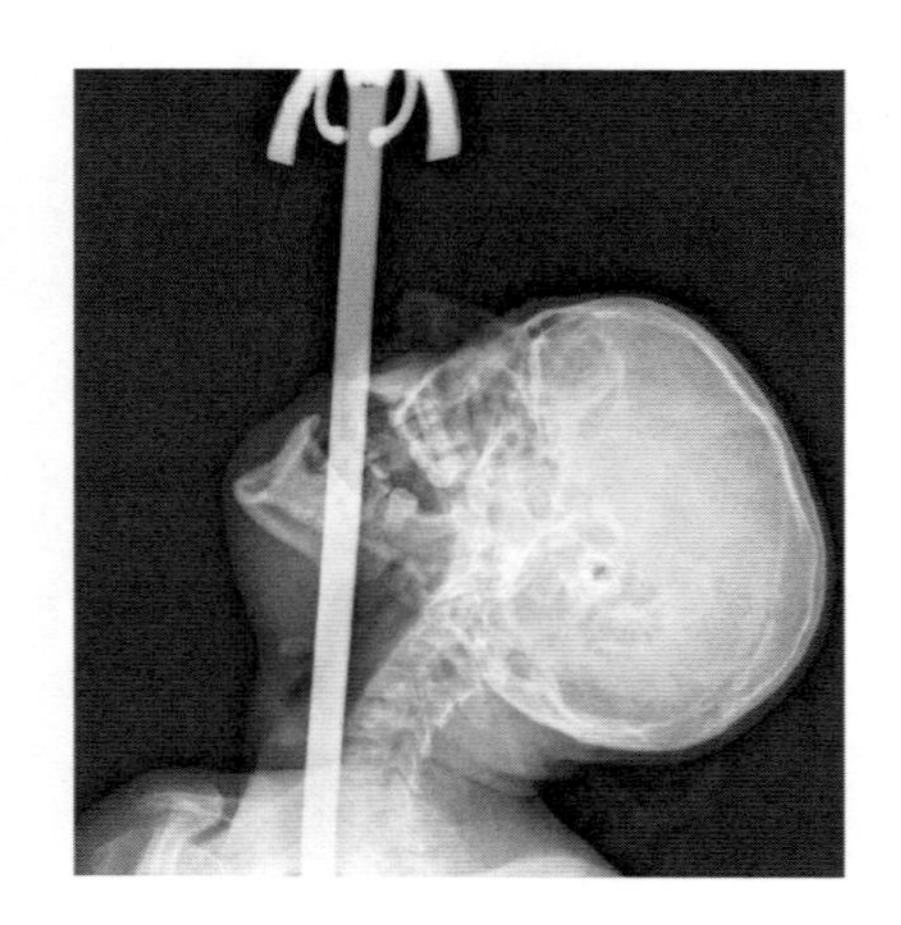

写真を紹介した。

わたしはハッとした。剣飲み芸人になれば夢を叶えられるかもしれない。

数週間前、反射について学んでいたとき、クラスのみんなでとある実験を行った。吐き気がするまで喉に指を突っ込むというものだったが、最も奥まで指を進められたのはわたしだった。

そのときは、「こんな特技なんて何の役にも立ちやしない」と思っていたが、とんでもない。役に立つ職業があるじゃないか。それに気づいた途端、せきを切ったように、昔の夢が蘇ってきた。

決めたぞ。わたしは剣飲み芸人になるんだ。

決心はしたものの、初めは失敗続きだった。そもそも剣すら持ち合わせていなかったので、代わりに釣り竿を使うことにした。だが、洗面台の鏡の前で何度試しても、釣り竿を3センチほど飲み込むのが限界。結局、わたしはまたしても夢をあきらめてしまった。

その3年後、研修医になったわたしは、内科病棟で診察していた。わたしが初めて診た患者のひとりは、咳(せき)が長引く年配の男性だった。わたしは診察の際、必ず患者の職業を尋ねるようにしている。何かの手がかりになるかもしれないからだ。するとこの男性、以前は剣飲み芸人をしていたという。しかも驚くべきことに、彼はあの時教授が見せたレントゲン写真の男性その人だった。そして、釣り竿を飲もうとして挫折したことを彼に話してみると、もっと驚く答えが返ってきた。

「若先生さんは、喉が平たいことを知らないのかい？　平たいものしか、喉の奥に入れられないんだよ。だから、剣を使うんだ」

その晩、わたしはスープのおたまを見つけ、平たい取っ手の部分でさっそく練習を再開した。そしてすぐに、取っ手を全部飲み込めるようになった。だが、喜ぶのはまだ早い。わたしはおたまの取っ手飲み芸人になりたいわけじゃないのだから。

次の日、わたしは新聞広告で剣の募集をかけ、1809年製のスウェーデン陸軍の銃剣を手に入れた。そしてこの剣も、見事に飲み込むことができた。やったぞ！　わたしも捨てたもんじゃない。剣もムダにせずにすんだし、言うことなしだ！

剣飲みの芸はインドで生まれた。一見不可能なことが可能になり得ることや、常識にとらわれない発想の大切さを、古来から人類に教えてくれた。

わたしの国際開発の授業では、たまに講義の締めくくりに剣飲みの芸を披露することがある。わたしは演台によじ登り、地味なチェックのシャツを脱ぎ捨てる。下に着ているのは、金のスパンコールで稲妻をかたどった、黒のベスト。教室が静けさに包まれると、スネアドラムの音が鳴り響く。それに合わせて、銃剣をゆっくりと飲み込む。腕を広げる頃には、教室は大騒ぎだ。

クイズに挑戦してみよう

この本は世界についての本なのに、なぜサーカスの話をしたのか？　なぜわたしは講義の最後に、けばけばしい服装で芸を披露するのか？　その理由を説明する前に、あなたがどれほど世界のことを知っているかチェックしてみてほしい。紙とペンを用意して、世界の事実に関する13問のクイズに答えてみよう。

質問1 現在、低所得国に暮らす女子の何割が、初等教育を修了するでしょう？

A 20%
B 40%
C 60%

質問2 世界で最も多くの人が住んでいるのはどこでしょう？

A 低所得国
B 中所得国
C 高所得国

質問3 世界の人口のうち、極度の貧困にある人の割合は、過去20年でどう変わったでしょう？

A 約2倍になった
B あまり変わっていない
C 半分になった

質問4 世界の平均寿命は現在およそ何歳でしょう？

A 50歳
B 60歳
C 70歳

質問5 15歳未満の子供は、現在世界に約20億人います。国連の予測によると、2100年に子供の数は約何人になるでしょう？

A 40億人
B 30億人
C 20億人

質問6 国連の予測によると、2100年にはいまより人口が40億人増えるとされています。人口が増える最も大きな理由は何でしょう？

A 子供（15歳未満）が増えるから
B 大人（15歳から74歳）が増えるから
C 後期高齢者（75歳以上）が増えるから

質問7　自然災害で毎年亡くなる人の数は、過去100年でどう変化したでしょう？

A　2倍以上になった
B　あまり変わっていない
C　半分以下になった

質問8　現在、世界には約70億人の人がいます。下の地図では、人の印がそれぞれ10億人を表しています。世界の人口分布を正しく表しているのは3つのうちどれでしょう？

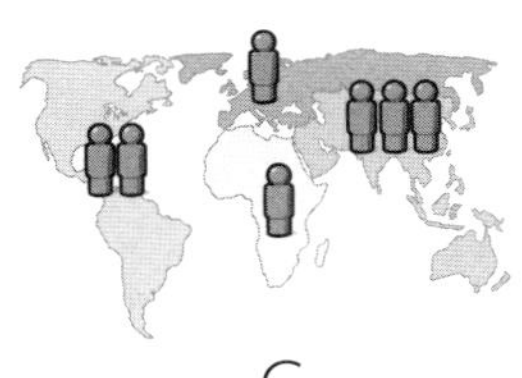
C

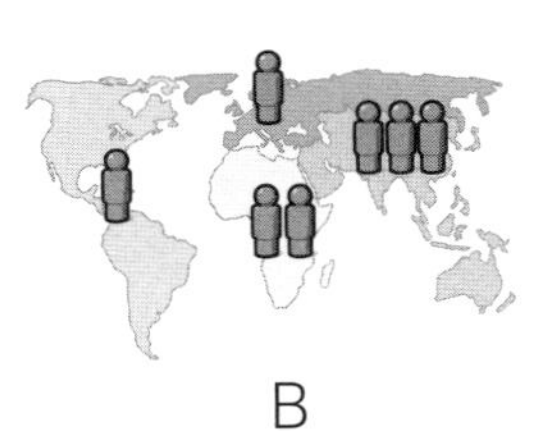
B

A

質問9　世界中の1歳児の中で、なんらかの病気に対して予防接種を受けている子供はどのくらいいるでしょう？

A　20%
B　50%
C　80%

質問10 世界中の30歳男性は、平均10年間の学校教育を受けています。同じ年の女性は何年間学校教育を受けているでしょう？

A　9年
B　6年
C　3年

質問11 1996年には、トラとジャイアントパンダとクロサイはいずれも絶滅危惧種として指定されていました。この3つのうち、当時よりも絶滅の危機に瀕している動物はいくつでしょう？

A　2つ
B　ひとつ
C　ゼロ

質問12 いくらかでも電気が使える人は、世界にどのくらいいるでしょう？

A　20％
B　50％
C　80％

質問13 グローバルな気候の専門家は、これからの100年で、地球の平均気温はどうなると考えているでしょう？

A　暖かくなる

B　変わらない

C　寒くなる

正解はこちら。何問正解したか計算してみよう。

1 C、**2** B、**3** C、**4** C、**5** C、**6** B、**7** C、**8** A、**9** C、**10** A、**11** C、**12** C、**13** A

科学者と、チンパンジーと、あなた

結果はどうだっただろうか？　たくさん間違えた？　ほとんど適当に選んでしまった？　でも心配はいらない。その理由を2つ説明しよう。

まず、この本を読み終える頃には、もっと良い点が取れているはずだ。もちろん、世界の統計を丸暗記しろなんて言うつもりはない。わたしは公衆衛生学の教授だが、鬼ではない。暗記の代わりに、これからシンプルな世界の見方を伝授しよう。それさえ身につければ、細かい数字を覚えなくとも、世界の全体像をつかめるようになるはずだ。

また、このクイズには多くの人が間違える。どれほど優秀な人でもだ。

質問3の正解率

世界の人口のうち、極度の貧困にある人の割合は、過去20年でどう変わったでしょう?
(答え: 約半分になった)

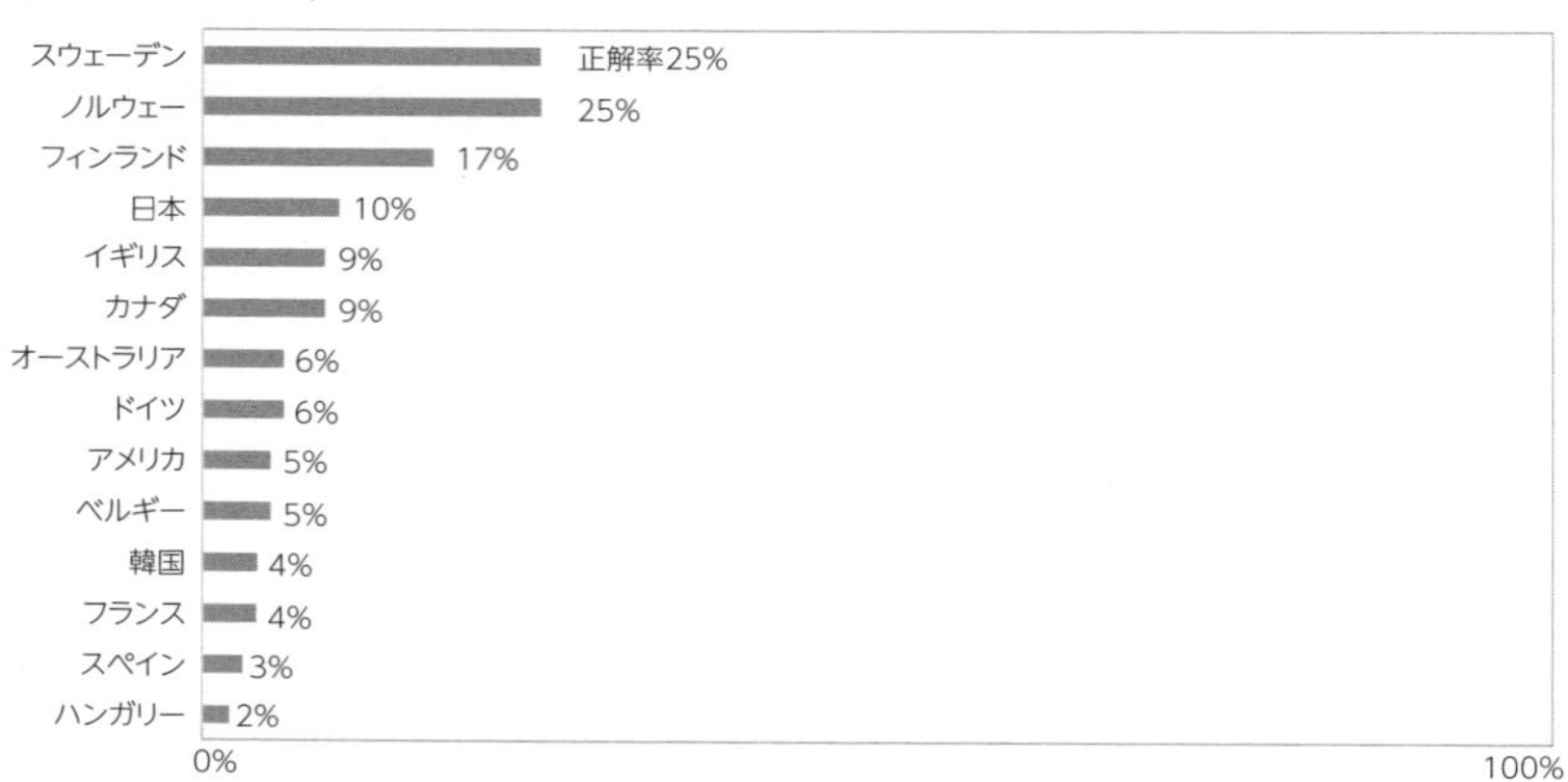

出典: Ipsos MORI[1]、Novus[1]

ここ数十年間、わたしは何千もの人々に、世界の事実について数百個以上の質問をしてきた。貧困、富、人口、出生、死亡、教育、保健、ジェンダー、暴力、エネルギー、環境など、どれも世界を取り巻く状況の変化にまつわる質問だ。複雑な質問や、ひっかけ問題はひとつもない。それなのに、まともに正解できる人はほとんどいない。

たとえば、3問目。これは極度の貧困についての質問だ。世界の人口のうち、極度の貧困層の割合はここ20年で半減した。なんとすばらしいことだろう。わたしが見てきた世界の変化の中で、最も重要なものだと言える。

しかし、これほど初歩的な世界の事実でさえ、広くは知られていない。正解率は平均で7%。正しく答えられたのは10人にひとりもいなかった(スウェーデンが1番になったのは、わたしがスウェーデンのメディアによく出演し、世界の貧困率の低下を訴え続けたからかもしれない)。

アメリカではどうだろう。民主党の支持者と共和党の支持者は、互いに相手のことをバカ呼ばわりしている。だが、「そもそも自分は世界についてどれほど知っているの

質問9の正解率

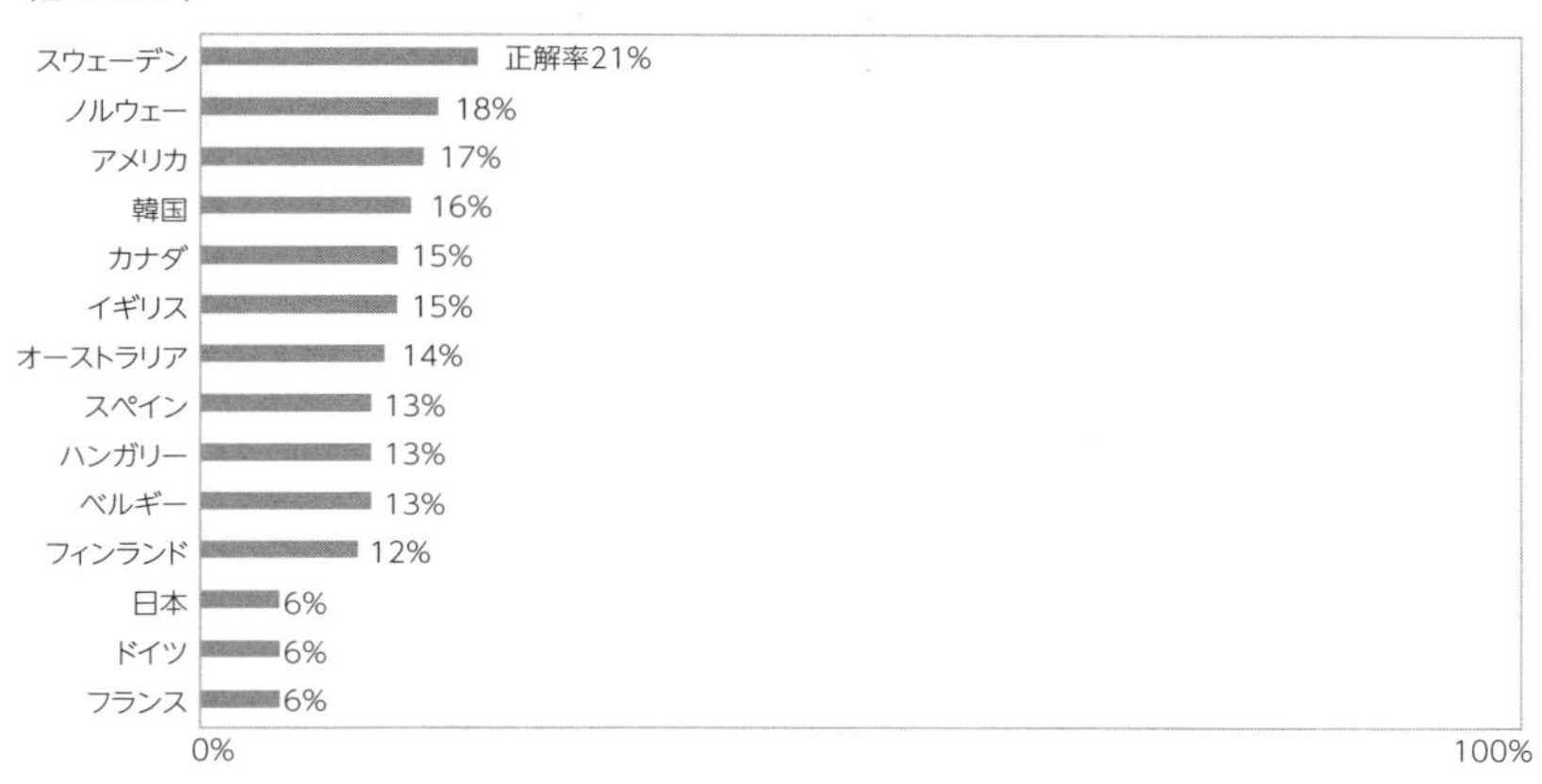

か？」と胸に手を当てて考えてみれば、両者とも少しは謙虚になれるはずだ。

というのも、アメリカでの正解率はたった5%だった。95%の人々は、極度の貧困層の割合は20年間そのままか、倍増したと考えていた。実際にはその正反対で、半減していたのに。支持政党が違っても正解率は変わらなかった。

次は9問目、ワクチンについて。いまや、世界のほとんどどの子供がワクチンを接種している。またしても、すばらしいことだ。もはや誰もが最低レベルの近代的医療を受けられる時代になった。しかし、ほとんどの人はこの事実を知らない。正解率は平均でわずか13%だった。

一方、最後の地球温暖化についての質問には、86%の人が正解した。クイズを実施した先進国すべてで、気候専門家の予測が知れ渡っている。たった数十年のうちに、研究室から世間へと、科学の発見が広まったということだ。意識向上キャンペーンとしては大成功と言っていい。

ただし、正解率が高かったのは地球温暖化の質問だけ。あとの12問はすべて、人々の圧倒的な知識不足を裏付けることになった（ひとこと加えておくと、わたしたちが測ったのは「頭の良し悪し」ではなく、あくまで「知識量」だ）。

２０１７年に14カ国・１万２０００人に行ったオンライン調査では、地球温暖化の質問をのぞけば、平均正解数は12問中たったの２問。全問正解者はおらず、スウェーデンの参加者ひとりが唯一、12問中11問正解した。全問不正解だった人は、なんと15％もいた。

学歴が高い人や、国際問題に興味がある人に限れば、正解率は高いのでは？とお考えだろうか。わたしもそう考えていたが、それは間違いだった。

このクイズは、さまざまな国の、さまざまな分野で活躍する人々に実施してきた。医学生、教師、大学教授、著名な科学者、投資銀行のエリート、多国籍企業の役員、ジャーナリスト、活動家、そして政界のトップまで。間違いなく、高学歴で国際問題に興味がある人たちだ。しかし、このグループでさえも、大多数がほとんどの質問に間違っていた。一般人の平均スコアを下回り、とんでもなく低い点数をとったノーベル賞受賞者や医療研究者もいた。優秀な人たちでさえ、世界のことを何も知らないようだ。

何も知らないというより、みんなが同じ勘違いをしているといったほうが近いかもしれない。世界について本当に何も知らなければ、クイズの正解率は、当てずっぽうに答えた場合と近くなるはず。しかし実際の正解率は、それよりずっと低い。

仮に、このクイズを動物園のチンパンジーに出したとしよう。まず、Ａ・Ｂ・Ｃのいずれかが書かれた大量のバナナを用意し、囲いの中に放り込む。わたしは囲いの外からクイズの問題文を大声で読み上げる。チンパンジーが最初に選んだバナナの文字が答えというわけだ。

もちろん実際にはやらないが、想像してみてほしい。チンパンジーの正解率は33%に近くなる。つまり12問中、だいたい4問正解する。先ほど書いた通り、人間の平均点は12問中2問正解だった。チンパンジーは適当にバナナを拾うだけで、高学歴の人たちに勝てる。

また、それぞれの3択問題には不正解の選択肢が2つあるが、チンパンジーはどちらも同じ確率で選ぶ。かたや人間はというと、不正解の2つのうち、よりドラマチックなほうを選ぶ傾向が見られた。ほとんどの人が、世界は実際よりも怖く、暴力的で、残酷だと考えているようだ。

なぜ、チンパンジーに負けてしまうのか

多くの人が、チンパンジーにすら勝てないのはなぜだろう？ランダムに答えた場合よりも、たくさん間違えてしまうのはなぜだろう？

人々の圧倒的な知識不足に、わたしが初めて気づいたのは1990年代半ばだった。あの時は驚くどころか、むしろホッとした。当時、スウェーデンのカロリンスカ医科大学で公衆衛生学を教えることが決まったわたしは、うまくやれるか不安だった。ここに集まっている学生はとても賢い。わたしが教えられることは何もないのでは？しかし、ふたを開けてみれば、学生たちはチンパンジーより世界のことを知らないではないか。いやあ、助かった。

しかし、より多くの人にクイズを出すにつれ、教室の中だけでなく、社会全体に知識不足が広がっていることに気づいた。みんな、世界のことについて知らなさすぎる。わたしはいら立ちと焦りを隠せなかった。

たとえば、カーナビは正しい地図情報をもとにつくられていて当たり前だ。ナビの情報が間違っていたら、

目的地にたどり着けるはずがない。同じように、間違った知識を持った政治家や政策立案者が世界の問題を解決できるはずがない。世界を逆さまにとらえている経営者に、正しい経営判断ができるはずがない。世界のことを何も知らない人たちが、世界のどの問題を心配すべきかに気づけるはずがない。

わたしは次に、知識不足を明るみに出すだけでなく、その根っこにある原因を探ろうとした。世界についての知識不足が、なぜこれほど根付いているのだろう。わたしを含め、間違いは誰にでもある。だがこれほど多くの人が、チンパンジー以上に間違えてしまうのはおかしい。

ある晩、夜遅くに大学で働いていたわたしは、答えの糸口をつかんだ。何も知らないままクイズに臨めば、チンパンジーと同じ点数になるはず。人々がそれ以下の点数を取るのは、間違った知識を身につけているからに違いない。では、どこで間違った知識を仕入れたのか？

そうか。わかったぞ！これは、アップデートの問題だ。公衆衛生を学ぶ学生たちや、わたしのクイズを受けた人たちが持っている知識は、数十年前からアップデートされていない。彼らや彼女らの先生が、学校に通っていた時代の知識が、そっくりそのまま受け継がれているのではないか。

何年も後にこれは見当違いだと気づいた。だが、当時のわたしは「とにかく人々の知識をアップデートしなくては」と意気込んでいた。そのためには、データをわかりやすく説明する教材が必要だ。夕食の席で息子のオーラとその妻のアンナに相談してみたら、2人も乗り気になって、アニメーション付きのグラフをつくってくれた。できあがったピカピカの教材を片手に、わたしは世界を飛び回った。

招待されたのは、モントレー、ベルリン、カンヌのTEDカンファレンス、コカ・コーラやイケアなどの企業、グローバル銀行やヘッジファンド、アメリカ国務省など。みんなの世界の知識をアップデートすべく、わたしはアニメーション付きの動くチャートを披露し、世界がどう変わったかを説明した。お偉方に向かって、「あなたは世界について何も知らない、裸の王様なのですよ」と告げるのは、はっきり言って気分がよかった。

しかし、やがて知識のアップデートだけが問題ではないことに気づいた。いくらわかりやすいアニメーションを使っても、いくら良い教材を使っても無駄骨に終わることが多かったのだ。残念なことに、講義を気に入ってくれた人にすら、わたしの言葉が届かなかった。話を聞いている最中はよくても、聞き終わった途端に元の悲観的な考え方に戻ってしまう。貧困や人口増についての誤解を解いたと思ったら、プレゼン終了後にまったく同じ誤解を口にする人もいた。これにはさすがに音を上げそうになった。

人はなぜ世界を悲観的にとらえ続けてしまうのか？　メディアのせいだろうか？　もちろんその可能性も考えた。だが、問題の元凶ではなさそうだった。後に詳しく説明するが、メディアにも責任はある。だが、メディアを悪役に仕立ててヤジを飛ばすだけでは何も変わらない。

転機が訪れたのは２０１５年の１月。おしゃれでこじんまりとしたスイスの街、ダボスにて、世界経済フォーラムに参加したときのことだ。

わたしは、ビル・ゲイツとメリンダ・ゲイツとともに、持続可能な社会・経済発展についての基調講演を行った。聴衆は、世界で最も権力や影響力がある政治家や経営者、起業家、研究者、活動家、ジャーナリスト、国連の上層部を含む約１０００人。ステージの上からは、国の首脳や国連の元事務総長、国連専門機関の代表、多国籍企業の幹部、テレビで見たことのあるジャーナリストの姿も見えた。

用意した質問は、貧困・人口増・ワクチン接種率についての３問。正直、かなり不安だった。全員が、すでに質問の答えを知っていたらどうしよう。「ごらんなさい、みなさんはこれほど間違っています。正解はこちらです」と書いた、残りのスライドが使えなくなってしまう。

だが、それは余計な心配だった。

1問目の貧困についての問題の正解率は、一般人よりはるかに高い61%だった。さすが、世界について語り合うためにやってきた選りすぐりたちだ。しかし、人口増やワクチン接種率についての問題になると、またもや正解率はチンパンジー以下だった。いつでも最新のデータにアクセスでき、アドバイザーから逐次情報を得ている人たちでさえ、世界についての基本的な問題に答えられない。ということは、知識のアップデート不足が原因ではない。

ダボスでそう確信したわたしは、ひとつの結論にたどり着いた。

ドラマチックな本能と、ドラマチックすぎる世界の見方

なぜ、一般市民から高学歴の専門家までが、クイズでチンパンジーに負けるのか。知識不足を解決する方法はあるのか。何年もの間、事実に基づく世界の見方を教え、目の前の事実を誤認する人を観察し、そこから学んだことを一冊にまとめたのがこの本だ。

あなたは、次のような先入観を持っていないだろうか。

「世界では戦争、暴力、自然災害、人災、腐敗が絶えず、どんどん物騒になっている。金持ちはより一層金持ちになり、貧乏人はより一層貧乏になり、貧困は増え続ける一方だ。何もしなければ天然資源ももうすぐ尽きてしまう」

少なくとも西洋諸国においてはそれがメディアでよく聞く話だし、人々に染みついた考え方なのではないか。わたしはこれを「ドラマチックすぎる世界の見方」と呼んでいる。精神衛生上よくないし、そもそも正しくない。

実際、世界の大部分の人は中間所得層に属している。わたしたちがイメージする「中流層」とは違うかもしれないが、極度の貧困状態とはかけ離れている。女の子も学校に行くし、子供はワクチンを接種するし、女性ひとりあたりの子供の数は2人だ。休みには海外へ行く。もちろん難民としてではなく、観光客として。時を重ねるごとに少しずつ、世界は良くなっている。何もかもが毎年改善するわけではないし、課題は山積みだ。だが、人類が大いなる進歩を遂げたのは間違いない。これが、「事実に基づく世界の見方」だ。

わたしのクイズで、最もネガティブで極端な答えを選ぶ人が多いのは、「ドラマチックすぎる世界の見方」が原因だ。世界のことについて考えたり、推測したり、学んだりするときは、誰でも無意識に「自分の世界の見方」を反映させてしまう。だから、世界の見方が間違っていたら、正しい推測もできない。だが、「ドラマチックすぎる世界の見方」をしてしまうのは、知識のアップデートを怠っているからではない。最新の情報にアクセスできる人たちでさえ同じ罠にはまってしまうのだ。また、悪徳メディア、プロパガンダ、フェイクニュース、低質な情報のせいでもない。

わたしは何十年も講義やクイズを行い、人々が目の前にある事実を間違って解釈するさまを見聞きしてきた。その経験から言えるのは、「ドラマチックすぎる世界の見方」を変えるのはとても難しいということ。そして、その原因は脳の機能にあるということだ。

目の錯覚と、世界の錯覚

次の2つの横線のうち、長いのはどちらだろうか？

どこかで見たことがある問題かもしれない。下の横線のほうが長く見えるが、2つは同じ長さだ。しかし、同じ長さだと知っていても、実際に測ってみて確認しても、やっぱり違う長さに見えてしまう。

出典: Müller-Lyer illusion

わたしは視力矯正用の眼鏡をかけているが、それでも目の錯覚は防げない。錯覚は目で起きるのではなく、脳で起こるからだ。長さを見間違えてしまう仕組みは、個人の視力とは無関係だ。

ほとんどの人が惑わされるのだから、間違えても恥じることはない。むしろ、「なぜ錯覚をしてしまうのだろう？」と、興味をそそられないだろうか。

例のクイズの平均点はとても低い。だから、自分の点を恥じることはない。それよりも、なぜ世界についての錯覚が起きるのかに関心を持ってほしい。どうしてわたしたちの脳は、こんなにも世界を見間違えてしまうのだろう？

人間の脳は、何百万年にもわたる進化の産物だ。わたしたちの先祖が、少人数で狩猟や採集をするために必要だった本能が、脳には組み込まれている。差し迫った危険から逃れるために、一瞬で判断を下す本能。唯一の有効な情報源だった、うわさ話やドラマチックな物語に耳を傾ける本能。食料不足のときに命綱となる砂糖や脂質を欲する本能。

これらの本能は数千年も前には役立ったかもしれないが、いまは違う。砂糖や脂質が病みつきになり、肥満が世界で最も大きな健康問題になっている。大人も子供も甘いものやポテトチップスを避けるようにしたほうがいい。同じように、瞬時に何かを判断する本能と、ドラマチックな物語を求める本能が、「ドラマチックすぎる世界の見方」と、世界についての誤解を生んでいる。

念のために言っておこう。ドラマチックな本能は、人生に意味を見出し、毎日を生きるために必要不可欠だ。すべての情報をふるいにかけ、すべてを理屈で判断しようとすれば、普通の暮らしは送れない。砂糖や脂質を完全に断つべきではないし、手術で感情を司（つかさど）る脳の部位を切除すべきでもない。

けれども、ドラマチックな本能は抑えるべきだ。さもなくば、ドラマチックなものを求めすぎるあまり、ありのままの世界を見ることはできない。何が正しいのかもわからないままだ。

ファクトフルネスと、事実に基づく世界の見方

わたしは人生をかけて、世界についての人々の圧倒的な知識不足と闘ってきた。この本は、わたしにとって本当に最後の闘いだ。何かひとつ世界に残せるとしたら、人々の考え方を変え、根拠のない恐怖を退治し、誰もがより生産的なことに情熱を傾けられるようにしたい。

これまでの闘いでは、たくさんのデータと、あっと驚くようなソフトウェアと、躍動感のあるプレゼンと、スウェーデンの銃剣がわたしの武器だった。これらだけでは、まだまだ力不足だった。でも、この本があれば勘違いとの闘いに勝てると信じている。

ほかの本と違い、この本にあるデータはあなたを癒してくれる。この本から学べることは、あなたの心を穏やかにしてくれる。世界はあなたが思うほどドラマチックではないからだ。健康な食生活や定期的な運動を生活に取り入れるように、この本で紹介する「ファクトフルネス」という習慣を毎日の生活に取り入れてほしい。訓練を積めば、ドラマチックすぎる世界の見方をしなくなり、事実に基づく世界の見方ができるようになるはずだ。たくさん勉強しなくても、世界を正しく見られるようになる。判断力が上がり、何を恐れ、何に希望を持てばいいのかを見極められるようになる。取り越し苦労もしなくてすむ。

この本では、ドラマチックすぎる話を認識する術と、あなたのドラマチックな本能を抑える術を学べる。間違った思い込みをやめ、事実に基づく世界の見方ができれば、チンパンジーに勝てるようになるだろう。

サーカス、再び

わたしが時おり講義の終わりに剣飲みの芸を披露するのは、一見不可能なことが可能になり得ることを、身をもって証明するためだ。芸をする前にはいつも、世界についてのクイズを出すようにしている。そこでまず、世界が想像とはまったく違っていること、解決不可能に見えた世界の課題がすでに解決していることを伝える。それでも、いままでの思い込みや、毎日ニュースで流れていることから頭を切り離して、世界には可能性があふれていることに気づいてもらうのは難しい。

だからわたしは剣を飲む。直感がどれほど現実とかけ離れているかを知ってもらうために。想像できないことも、ありえないと思うことも、実現できてしまうことを知ってもらうために。

世界について誤解していたと気づいたときには、恥ずかしいと思わないでほしい。むしろ、子供のように純粋な興味を抱いてほしい。わたしはいまでもサーカスの興奮を忘れていないし、自分の間違いに気づくたびに、「すごい！ そんなことがあるなんて！」と思うようにしている。

この本は世界の本当の姿についての本でもあり、あなたについての本でもある。あなたや、わたしが出会うほとんどの人がありのままに世界を見ることができないのはなぜだろう。どうすれば世界を正しく見られるのだろう。そんな疑問にこの本は答えてくれる。

そして、この本を読み終えたら、サーカスを見たあとのように心が軽くなり、前向きになり、世界に希望が持てるようになるはずだ。

というわけで。

自分の殻に閉じこもるよりも、正しくありたいと思う人へ。世界の見方を変える準備ができた人へ。感情的な考え方をやめ、論理的な考え方を身につけたいと思う人へ。謙虚で好奇心旺盛な人へ。驚きを求めている人へ。

ぜひとも、ページをめくってみてほしい。

第 1 章

「世界は分断されている」という思い込み

分断本能

教室に潜む魔物を、１枚の紙に封じ込める。

すべてはここから始まった

1995年10月のある日、世界についての誤解を解くための闘いに、わたしは一歩足を踏み入れた。それが生涯続く闘いになろうとは、当時のわたしは思ってもみなかった。

きっかけは、その日の夜に行った授業での出来事だった。

「サウジアラビアの乳幼児死亡率はどのくらいか知っているかい？　手は挙げなくていいから、わかる人は答えを言ってみてごらん」

学生にはあらかじめ、ユニセフの年報の表1から表5をコピーしたプリントを配布していた。一見退屈そうな内容のプリントとは対照的に、わたしは興奮気味だった。

「35」

何人かが声を合わせて言った。

「はい、35。正解だ。これはつまり、生まれてきた子供1000人のうち、35人が5歳の誕生日までに亡くなるということだ。では、マレーシアではどうだろう？」

「14」

学生からの答えを、わたしはスライドの上に緑のペンで書き込む。

「マレーシアは14と。サウジアラビアより少ないね！」

わたしはディスレクシア（読み書き障害）のせいで、うっかり「マレイシア」と書いてしまった。クスクス笑う学生をよそに、わたしは話を続ける。

「ブラジルは？」

「55」

「タンザニアは？」

「171」

わたしはペンを置き、学生に語りかける。「なぜ、わたしが乳幼児死亡率にこだわるかわかるかな？ もちろん子供は大事だが、話はそれだけではないんだ。乳幼児死亡率は、社会全体の体温を計ってくれる巨大な体温計みたいなものだ。子供はか弱い。だから、命を落とす原因なんていくらでもある。マレーシアで、1000人の子供のうち14人だけが死ぬということは、残りの986人は生き延びるということ。その子たちの親、そして社会が、病原菌、飢餓、暴力などから、子供たちの命を守ったからだ。この14という数字を見るだけでも、マレーシアのほとんどの家庭には十分な食料があり、水道水に下水が混ざることもなく、誰もが基本的な医療を受けることができ、母親も読み書きができることがわかる。乳幼児死亡率からは、子供の健康状態だけでなく、社会全体の健康状態もわかるんだ」

わたしは続けた。「そして数字よりも、数字から見えてくる人々の生活のほうが面白い。14、35、55、171。それぞれの国で数字はかなり違う。ということは、人々の生活もまったく違うんじゃないかな」

ふたたびペンを握る。「35年前のサウジアラビアはどうだろう？ 1960年には、何人の子供が亡くなったかな？ 2つめの列を見てごらん」

「……242です」

242。学生たちが、大きな数字を小さな声でささやいた。

「はい、正解。サウジアラビアは目覚ましい発展を遂げたと思わないかい？ 子供1000人あたりの死亡数が、たった33年間のうちに242人から35人に減ったんだ。スウェーデンは同じレベルまで発展するのに77年かかった。だからサウジアラビアはずっと速いペースだ。マレーシアはどうだろう？　いまは14。では、1960年はどうだった？」

「……93」

モゴモゴと誰かが言う。プリントの表をなぞる学生たちには困惑の表情が広がった。

実は、1年前の授業でもまったく同じ話をしたのだが、その時はプリントを持ってこなかった。そのせいで、誰もわたしの話を信じてくれなかった。

一方、動かぬ証拠を目の当たりにした今年の学生たちは、表にくまなく目を通し、わたしがあえて例外的な国を選んでないか確かめていた。それぞれが頭の中でイメージしていた世界と、データが示す世界の違いに、みんな驚いているようだった。

「いちおう言っておくけど」わたしは付け加えた。「乳幼児死亡率が上がった国はない。世界は基本的に良くなっているからね。というわけで、そろそろコーヒー休憩にしよう」

世界は分断されているという、とんでもない勘違い

わたしたちはみな、ドラマチックな10種類の本能を持っている。この章では第1の本能、「分断本能」について解説しよう。

人は誰しも、さまざまな物事や人々を2つのグループに分けないと気がすまないものだ。そして、その2つのグループのあいだには、決して埋まることのない溝があるはずだと思い込む。これが分断本能だ。世界

の国々や人々が「金持ちグループ」と「貧乏グループ」に分断されているという思い込みも、分断本能のなせるわざだ。

分断本能からくる勘違いは、さながら人前に姿を現さない魔物のようだ。わたしが初めてその尻尾をつかんだのは、前述した1995年10月の授業の途中、コーヒー休憩の直後だった。以来わたしは、とんでもない勘違いを探し出すことに病みつきになってしまった。

ただの勘違いではなく、「とんでもない」勘違いと呼ぶのは、それがとんでもなく的外れな世界の見方につながるからだ。特に、分断本能による勘違いはたちが悪い。「金持ち」対「貧乏」という、世界を間違った枠組みで分けてしまうと、頭の中にある世界のイメージが隅々まで歪められてしまうからだ。

第1の勘違いを捕まえる

コーヒー休憩の後は、熱帯雨林にある部族社会と、僻地にある昔ながらの農家について話した。これらは、世界で最も乳幼児死亡率が高い場所だ。

「ドキュメンタリー番組で見かける、原始的な暮らしをしている人たちは、世界のほかの誰よりも生き延びるのに必死なんだ。どれだけがんばっても、半分の子供は亡くなってしまう。だが幸運なことに、そのような暮らしを強いられている人たちは年々減ってきている」

最前列の若い学生が手を上げて、怪訝そうに首をかしげてこう言った。「あの人たちはいつまで経っても、わたしたちのような暮らしをすることはないと思います」。クラスのほとんどがうなずいた。

そう質問すれば、わたしが驚くと思っていたのかもしれない。でも、わたしは驚かなかった。こういった

「分断を強調する意見」は何度も耳にしてきた。驚くどころか、思惑通りの答えが返ってきてワクワクした。その後のやりとりはこんな感じだった。

「ええと、君が言う『あの人たち』とは誰のことかな？」

「ほかの国の人たちのことです」

「スウェーデン以外の国の人たちってこと？」

「いえ、えっと……西洋諸国以外の人たちです。彼らはわたしたちみたいに暮らせません。できっこない」

「なるほど！　たとえば日本みたいな？」

「いえ、日本は違います。日本は西洋化されているから」

「じゃあ、マレーシアは？　マレーシアは西洋化されてない？」

「はい、マレーシアや、ほかの西洋化されてない国は……やっぱり無理なんです。わかりますよね？」

「いいや、わからない。もう少し説明してくれるかい？『西洋諸国』と『その他の国々』の話をしてるんだよね？」

「はい、その通りです」

「じゃあ、メキシコは……西洋諸国かい？」

彼は黙り込んでしまった。

この学生をいじめるつもりはなかったが、おもしろい結論にたどり着きそうな気がして、わたしは質問を繰り返してみた。メキシコは「西洋諸国」だから、わたしたちのような暮らしができるのだろうか？それとも「その他の国々」だから無理なのだろうか？

わたしは続ける。「うーん、わからなくなってきたぞ。『あの人たち』と『わたしたち』から話が始まって、それが『西洋諸国』と『その他の国々』になった。でも、もっと詳しく説明してくれないか。『西洋諸国』や『その他の国々』という呼び方は何度も聞いたけど、厳密に何を指しているのかわからないんだ」

すると、3列目の若い女性が助け舟を出してくれた。どうやらわたしの挑戦を受けて立つらしい。

その彼女が次にとった行動には、さすがのわたしも驚いた。彼女は大きな紙を使って説明を始める。「それじゃあ、こういう定義の仕方はどうでしょう？『わたしたちが住む、西洋諸国』は子供の数が少なく、亡くなる子供の数も少ない。『あの人たちが住む、その他の国々』は子供の数が多く、亡くなる子供の数も多い」

彼女は、先ほどの学生の頭の中と、わたしのデータとの辻褄を合わせようとしている。きちんと世界の分け方を定義するあたり、なかなか賢いやり方だ。

そして、わたしにとっても都合が良い。なぜなら、すぐに彼女もわかることになるが、この考え方は完全に間違っているからだ。しかも、どれだけ彼女が間違っているかを正確に測ることができる。

「いいねえ、すばらしい！」わたしはペンを持ち、さっそく行動に移した。「それでは、子供の数と死亡率をもとに、世界を2つに分けることができるか試してみよう」

学生の目が、疑いの眼差しから好奇の眼差しに変わる。どうして教授はこんなにうれしそうなんだ？と言わんばかりに。

先ほどの彼女の定義がすばらしかったのは、それが正しいかどうか、データを用いて白黒はっきりさせられるからだ。勘違いに気づいてもらうには、その人の意見をデータと照らし合わせてみればいい。なお、この授業で行った検証のやり方は、わたしの仕事人生すべてに通じている。最初は、白黒のコピー機でプリントしたデータを見せ、勘違いに気づいてもらった。1998年にはカラープリンターが仲間に加わり、色鮮やかなバブルチャートで国別のデータを示せるようになった。

その後、機械だけではなく人の手も借りるようになると、勘違いとの闘いにも拍車がかかる。アンナとオーラも、色鮮やかなチャートや勘違いとの闘いに心を踊らせ、仲間に加わってくれた。2人がつくった動くバブルチャートは、はからずも革命的だった。おかげで何百ものデータの動向を表現できるようになり、「世界は分断されている」という勘違いと闘うための心強い武器が手に入った。

おかしい所を探してみよう

わたしの授業では「あの人たち」と「わたしたち」という言葉が飛び出した。似たような意味で、「途上国」や「先進国」といった表現もある。おそらくあなたも、このような言葉を使ったことがあるだろう。ジャーナリスト、政治家、活動家、教師、研究者たちが頻繁に使う言い回しだし、何ら問題はないように思える。

「途上国」や「先進国」という言葉を使うとき、人々の頭の中にあるのは「貧しい国」と「豊かな国」ではないだろうか。「西洋諸国」と「その他の国々」、「北国」と「南国」、「低所得」と「高所得」という言葉も使われるが、単語自体にあまり意味はない。それぞれの言葉が、人々の頭の中になんらかのイメージを植え付けることがポイントだ。

では、人々の頭の中にあるイメージはどんなもので、それは実情に合ったものなのだろうか？

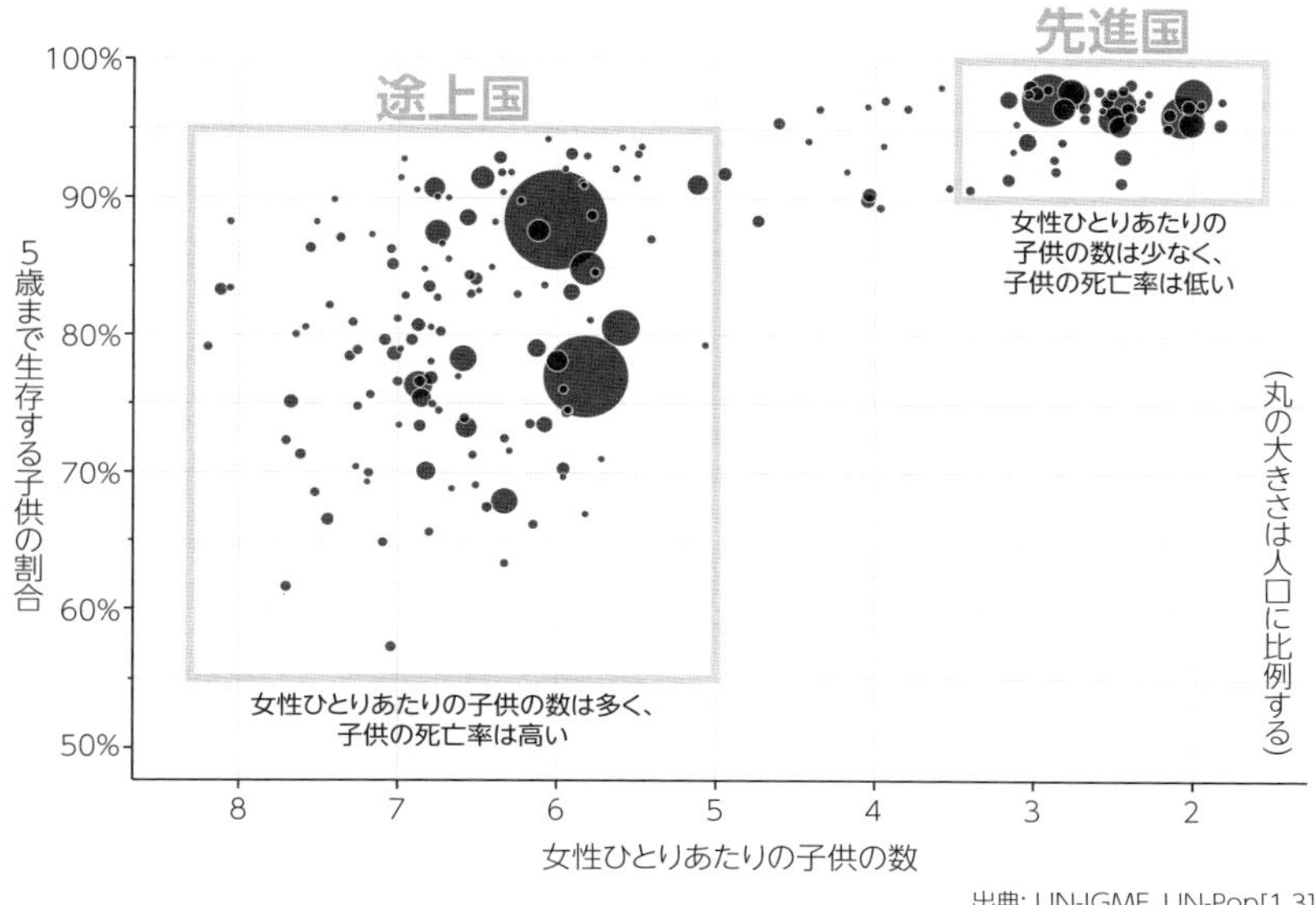

データで確かめてみよう。上のチャートは、それぞれの国ごとの、女性ひとりあたりの子供の数と乳幼児生存率を示したものだ。

チャート上の丸は国を表しており、丸の大きさは人口を表している。2つの大きな丸はインドと中国だ。チャートの左側にある国では女性ひとりあたりの子供の数が多く、右側の国では女性ひとりあたりの子供の数が少ない。チャートの上側にある国ほど、乳幼児の生存率が高い。

3列目に座っていた学生が定義した「あの人たち」と「わたしたち」、または「西洋諸国」と「その他の国々」が、このチャートに見事に当てはまる。わかりやすいように、「途上国」と「先進国」と名付けた枠でそれぞれの国を囲んでみた。

ほとんどの国々が、「途上国」と「先進国」どちらかの枠に収まっているのがおわかりだろうか。2つの枠のあいだには明らかな分断があり、そのすき間にはキューバ、アイルランド、シンガポールを含む小国15

カ国のみ、つまり世界人口の2%しかない。

「途上国」の枠内には、インドと中国を含む125カ国がある。これらの国の女性は子供を平均5人以上産み、命を落とす子供も多い。乳幼児の生存率は最も高い国でも95%に満たない。このグループで最も進んだ国でも、5%以上の子供が5歳の誕生日を迎えるまでに亡くなってしまう。

一方「先進国」の枠内にあるのは、アメリカとヨーロッパのほとんどの国を含む44カ国。こちらの国の女性ひとりあたりの子供の数は3・5人以下で、乳幼児の生存率は最も低い国でも90%を超える。

世界は2つの枠で分けることができ、その合間には分断がある。まさに、クラスで3列目に座っていた学生が指摘した通り。このチャートが動かぬ証拠だ。

ではいったい、このシンプルな世界の見方の何が問題なのだろう? どうして「途上国」と「先進国」という分け方は間違っているのか? どうして「あの人たち」や「わたしたち」という言葉を使った学生に、わたしは突っかかったのか?

なぜなら、先ほどのチャートは1965年の世界を表しているからだ。わたしがまだ若かりし頃だ。これでは話にならない。1965年の地図を載せたカーナビを使いたいと思うだろうか? 1965年時点で最新だった医療研究をもとに、治療をしようとする医者に診てもらいたいだろうか?

正しく現在の世界を表しているのは、次のページのチャートだ。

世界の姿は一変している。少人数の家族が当たり前になり、インドや中国を含むほとんどの国で、命を落とす子供の数は激減した。左下の枠に属する国はほとんどいない。ほとんどの国は、「出生率は低く、生存率は高い」ことを示す右上の小さな枠に向かう途中か、すでに到達済みだ。世界の全人口の85%は、以前

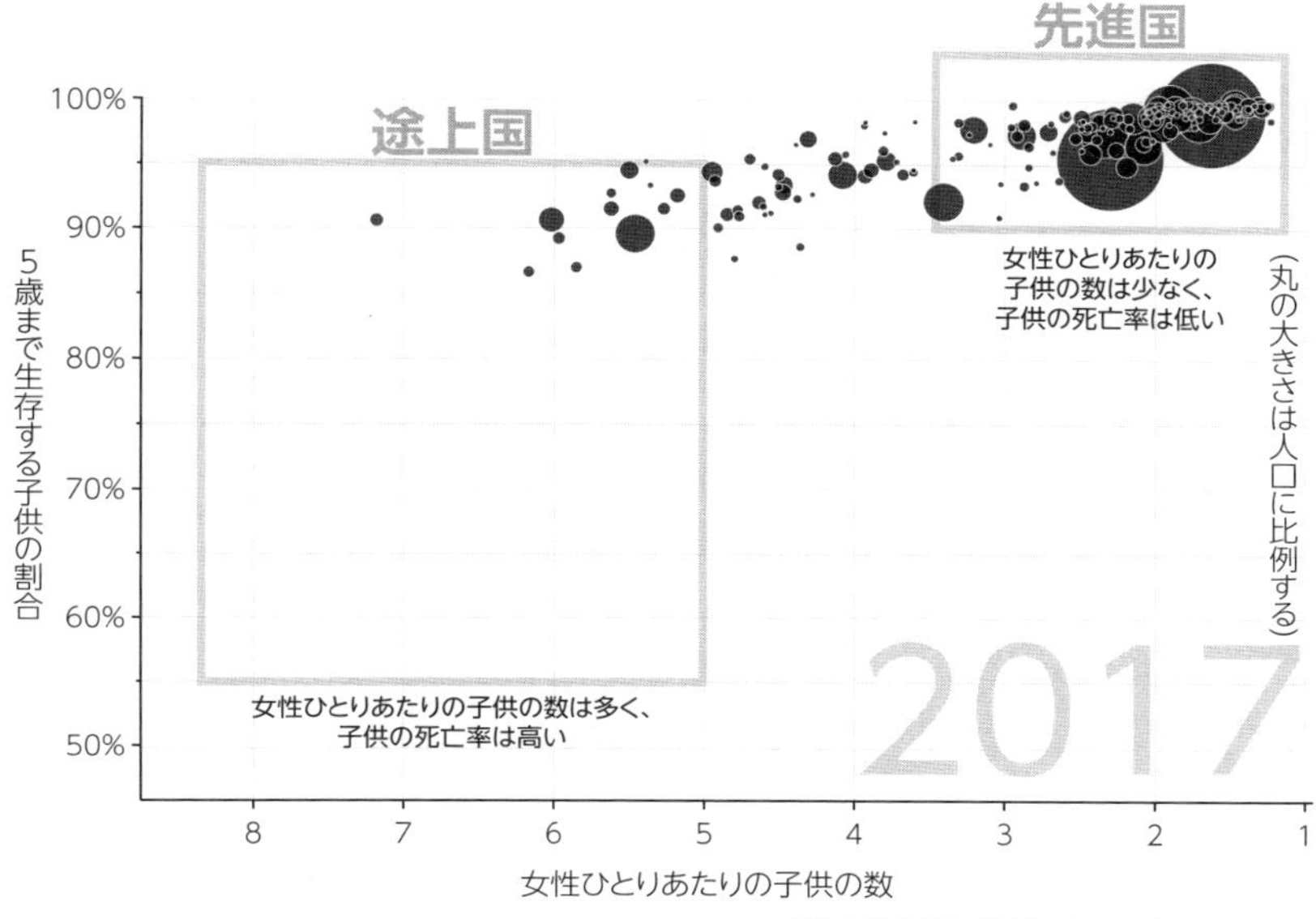

「先進国」と名付けられた枠の中に入っており、残りの15%のほとんどは2つの枠のあいだにいる。いまだに「途上国」と名付けられた枠内にいるのは、全人口の6%、たった13カ国だけだ。

これだけ世界が変わってきたのに、少なくとも「西洋諸国」においては、世界の見方は変わっていない。わたしたちの頭の中にある「その他の国々」のイメージは、とっくの昔に時代遅れになっている。

変わったのは家族の人数や乳幼児生存率だけではない。生活に関わるほかの指標においても、同じ変化が見られる。所得、観光客の数、民主化の度合い、教育・医療・電気へのアクセスなどでも、世界が分断されていたのは過去の話で、いまはもうそんなことはない。

いまや、世界のほとんどの人は中間にいる。「西洋諸国」と「その他の国々」、「先進国」と「途上国」、「豊かな国」と「貧しい国」のあいだにあった分断はもはや存在しない。だから、ありもしない分断を強調するのはやめるべきだ。

わたしの教え子たちはみな真面目で、広い視野を持ち、世界を良くしたいと思っている。だから、学生たちが世界の基本的な事実も知らないことがわかったときはショックだった。世界が「あの人たち」と「わたしたち」という2つのグループに分断されていると考える学生や、「あの人たちは、わたしたちみたいに暮らせない」と考える学生がいたことが信じられなかった。いったいどうしたら30年遅れの世界の見方のままでいられるのか、不思議でならなかった。

1995年10月のあの夜、わたしは雨に打たれながら、自転車で帰路についた。ハンドルを握る指の感覚が薄れていくなか、ひどく興奮していたのを覚えている。計画はうまくいった。データを授業に持ち込むことで、世界が分断されていないことを証明した。学生の勘違いを明らかにすることができた。

しかし、これだけでは物足りない。もっとデータをわかりやすく伝えられれば、より多くの人に、より説得力のある形で、「あなたの意見は、根も葉もないただの感情論ですよ」と伝えることができる。「知っていると思い込んでいるだけで、本当は印象に流されているだけですよ」と伝えることができる。

あれから20年。わたしはデンマークのコペンハーゲンにある、豪華なテレビスタジオに招かれた。「世界は分断されている」という考え方は20年ぶん古くなり、20年ぶん時代遅れになった。生放送の収録が始まると、ジャーナリストが首をかしげてわたしにこう語りかけた。「豊かな西洋の国々と、その他大勢の国々のあいだには、いまだにとても大きな差があります」

すかさず反論する。「でも、あなたは完全に間違っていますよ」

わたしはまたしても、「貧しい途上国」というグループが、もはや存在しないことを説明するはめになった。分断なんかない。現在、世界の人口の75％は中所得の国に住んでいる。貧しくも豊かでもないが、それなりの暮らしを営んでいる。

世界を見渡せば、国民の大半が、許しがたいほどの極度の貧困状態に陥っている国もある。一方、北アメリカやヨーロッパ、日本、韓国、シンガポールなど豊かな国もある。だが、大多数の人々はその中間にいる。

「根拠はあるんですか？」ジャーナリストがわざと煽ってくるものだから、わたしもカチンときてしまった。声を荒げ、口調も強くなる。

「特別な統計は使っていません。世界銀行と国連がまとめた、異論の余地がないデータです。わたしは正しい。間違っているのはあなただ」

魔物を捕まえる

わたしはかれこれ20年以上、世界が分断されているという勘違いと闘ってきた。だから、そんなふうに勘違いしている人を見つけても驚かなくなった。わたしの学生やデンマークのジャーナリストが特別なわけではない。わたしが知る限り、ほとんどの人は同じような勘違いをしている。

「ほとんどだって？　勘違いしている人が、そんなにたくさんいるはずがない」とお思いだろうか。疑ってみるのはいいことだ。どんな主張にも証拠を求めるのは当然だ。では疑い深いあなたのために、わたしたちが勘違いを明らかにするのに使った「2段階式の勘違いの罠」を紹介しよう。

初めに、いわゆる「低所得国」の生活がどんなものかを人々に想像してもらうことにした。これが「2段階式の勘違いの罠」の1段目だ。使った質問はこちら。

質問1 現在、低所得国に暮らす女子の何割が、初等教育を修了するでしょう?

A 20%
B 40%
C 60%

この質問の正解率はわずか7%。以前書いた通り、チンパンジーでも正解率は33%になる。正しい答えはCの60%。つまり低所得国の60%の女子は小学校を卒業するということだ。多くの人はAの20%を選んだのだが、20%以下の女子しか小学校を卒業しない国は世界でも稀だ。アフガニスタンや南スーダンなどがそうだが、そういう国に住む女子は世界で2%以下しかいない。

ほかにも、平均寿命、栄養不足、水質、ワクチン接種率などの質問を通して、低所得国に住む何割の人が、近代社会に欠かせないものにアクセスできるか、人々に予想してもらった。先に答えを言うと、低所得国の平均寿命は62歳だ。多くの人は食べ物に困らないし、多くの人はある程度安全な水道水を飲めるし、多くの子供はワクチンを接種するし、多くの女の子は小学校を卒業する。

結果は同じだった。どの質問も、正解率はチンパンジーの33%よりずっと低く、ほんの数%だった。大多数の人は「最悪の状況」を示す回答を選んでいた。しかし、それほどみじめな生活を強いられる人が出てくるのは、地球上で最も困窮している地域で大きな災害や紛争が起きたときくらいだ。

それでは次に「2段階式の勘違いの罠」の2段目を発動させて、勘違いを明らかにしてみよう。多くの人

質問1の正解率

現在、低所得国に暮らす女子の何割が、初等教育を修了するでしょう?
(答え: 60%.)

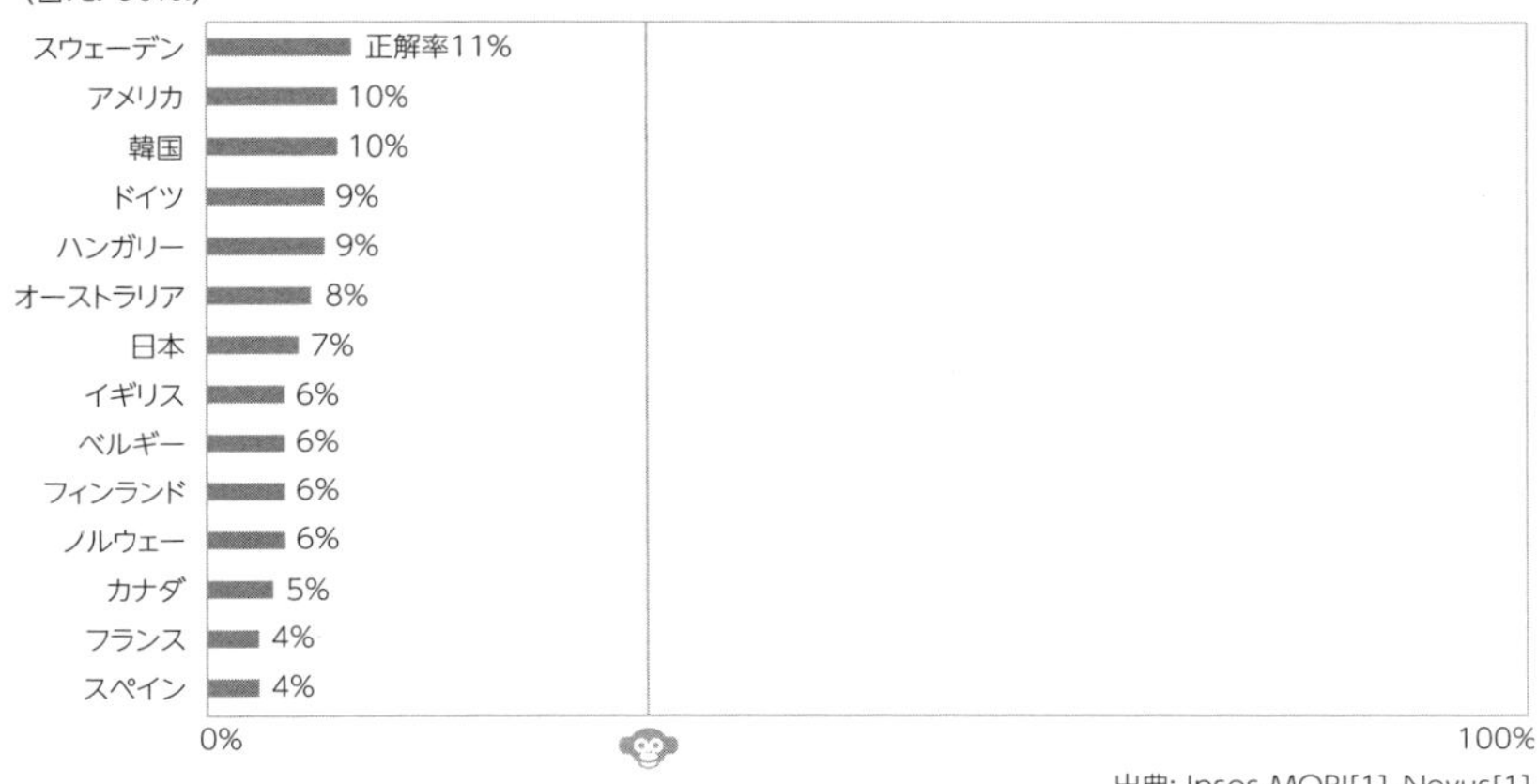

が、低所得国の暮らしは実際よりはるかにひどいものだと勘違いしていることはもうわかった。では、そんな哀れな暮らしをしている人たちはどれくらいいると思っているのだろう？　というわけで、スウェーデンとアメリカの人たちに聞いてみた。

「世界の人口の何%が、低所得国に住んでいると思いますか？」

この質問で最も多かった答えは「50%以上」で、平均回答は59%だった。

正しい答えは「9%」だ。低所得国に住んでいるのは、世界の人口の9%しかいない。そしてついさっき、低所得国の暮らしは人々が想像するほど酷くないことを証明したばかりだ。彼らも色々な面で苦しい暮らしをしているかもしれない。しかし、地球上で最も過酷な国であるアフガニスタン、ソマリア、中央アフリカ共和国ほどひどくはない。

まとめると、ほとんどの人が想像するほど低所得国の暮らしは苦しくないし、人口も多くはない。世界が分断され、大半の人が惨めで困窮した生活を送っているというのは幻想でしかない。はっきり言って、完全な勘違いだ。

どうしよう、みんないなくなっちゃった！

世界の大半の人が低所得国にも高所得国にも暮らしていないとしたら、いったいどこに暮らしているのだろう？

風呂の温度にたとえてみよう。あなたは、ひんやりと冷えた水風呂と、湯煙がのぼるあつあつの風呂、どちらがお好みだろうか？　もちろん、選べる温度はこれだけじゃない。凍てつくほどの冷水でも、ぬるま湯でも、煮えたぎるほどの熱湯でもいいし、その中間でも構わない。選択肢は無限にある。

質問2　世界で最も多くの人が住んでいるのはどこでしょう？

A　低所得国
B　中所得国
C　高所得国

（答え：B）

それと同じで、大半の人は低所得でも高所得でもなく、中所得の国に暮らしている。世界が分断されていると考える人には想像できないだろうが、これが事実だ。低所得国と高所得国のあいだには分断があると思われているが、実際に分断はなく、代わりに中所得国がある。そこには、人類の75%が暮らしている。

質問2の正解率

世界で最も多くの人が住んでいるのはどこでしょう?
(答え: 中所得国)

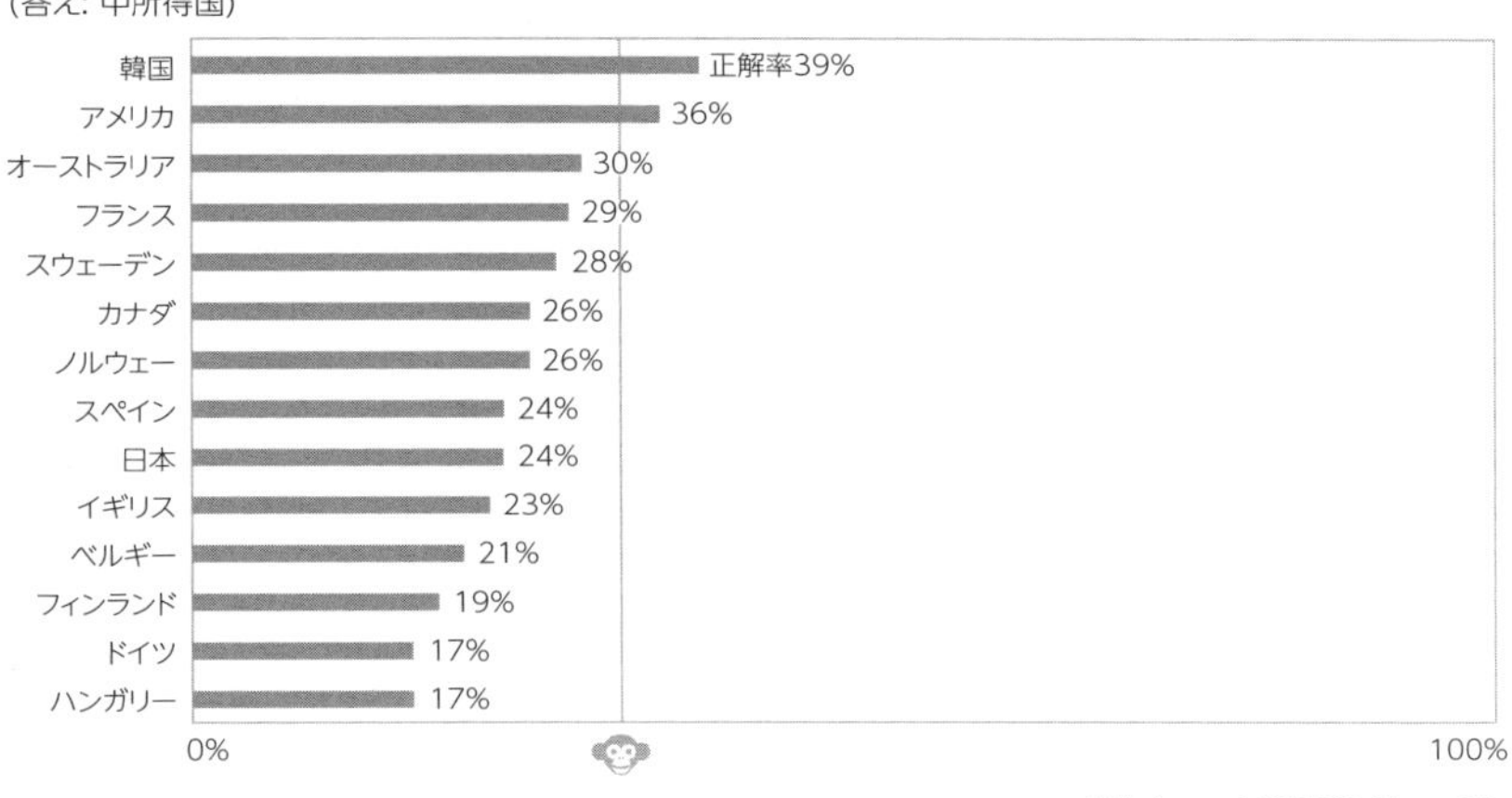

出典: Ipsos MORI[1]、Novus[1]

中所得の国と高所得の国を合わせると、人類の91%になる。そのほとんどはグローバル市場に取り込まれ、徐々に満足いく暮らしができるようになっている。人道主義者にとっては喜ばしいことだし、グローバル企業にとっても極めて重要な事実だ。

世界には50億人の見込み客がいる。生活水準が上がるにつれ、シャンプー、バイク、生理用ナプキン、スマートフォンなどの購買意欲も高まっている。そういう人たちを「貧困層」だと思い込んでいるうちは、ビジネスチャンスに気づけないだろう。

「わたしたち」は「あの人たち」を何と呼ぶべきか? 4つのレベルで考えよう

わたしはよく講演の中で、「途上国」という言葉を使うべきでないと唱えている。

だから、話の後で「では、わたしたちはあの人たちを何と呼ぶべきですか?」と聞かれることが多い。しかしよく考えてみると、この質問も勘違いのひとつだ。「わたしたち」と「あの人たち」という言葉を使うこと自体が間違っている。

まず、世界を2つに分けることはやめよう。もはやそうする意味はない。世界を正しく理解するのにも、ビジネスチャンスを見つけるのにも、支援すべき最も貧しい人々を見つけるのにも役に立たない。

しかし、世界を理解するためには、なんらかの分類方法が欠かせない。古い呼び名と決別するのなら、代わりの呼び名を用意すべきだ。では、どういう呼び名がふさわしいのだろう。

古い呼び名が広く使われているのは、なんといってもシンプルだからだ。しかし、シンプルでも間違っていたら意味がない。古い呼び名と同じくらいシンプルで、より現実に近く、世界を分類するのに効果的な呼び名が必要だ。

次の図のように、世界を2つのグループに分ける代わりに、所得レベルに応じて4つのグループに分けてみよう。

図の中の人の記号はそれぞれ10億人を表しており、全部で7つに分けて、世界の人口70億人の分布を表している。所得に応じて4つのレベルに分かれており、基準は1日あたりの米ドル換算の所得だ。図を見れば、大半の人が真ん中の2つのレベルに属していることがわかる。このレベルにいれば、生きるために必要なものはほとんど揃う。

面白いと思ってくれただろうか？　そうだと願いたい。先ほど、この本では「事実に基づく世界の見方」を学べると書いた。そして、この4つの所得レベルというシンプルな考え方こそが、「事実に基づく世界の見方」を支える、ひとつめにして最も重要な柱だ。本を読み進めていけばわかるが、この4つのレベルを使うだけで、テロから性教育まで、世界についてさまざまなことを理解できるようになる。

4つの所得レベル

所得ごとの世界の人口分布(2017年)。それぞれの記号は10億人を表している。

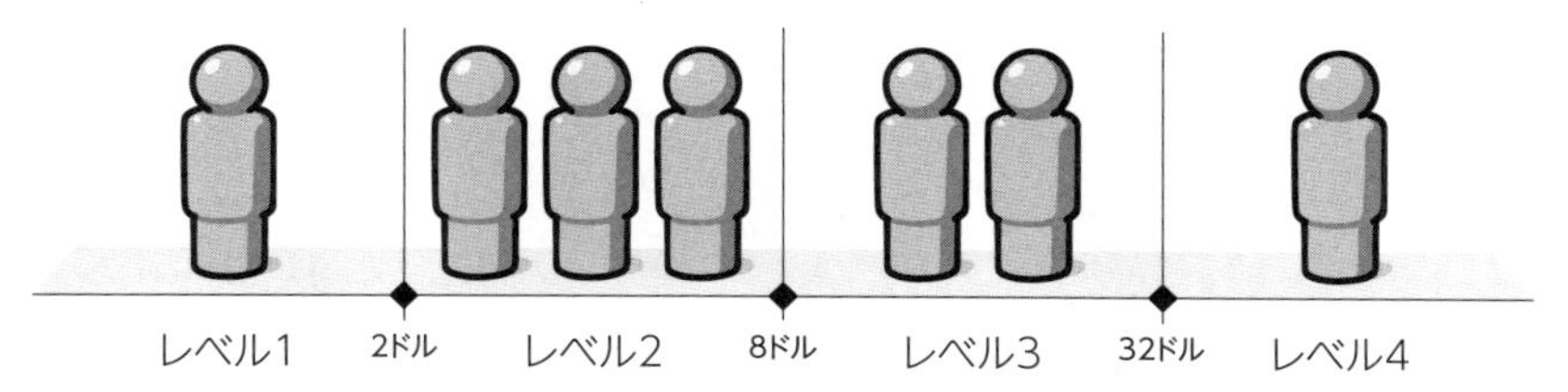

横軸はひとりあたりの1日あたりの所得(単位はUSドル)。購買力平価を用いて算出。

出典: Gapminder[3]

ではそれぞれのレベルで暮らしがどのように違うかを説明していこう。

4つの所得レベルを、ゲームのレベルにたとえてみるとわかりやすい。レベル1にいる人たちはレベル2に進むために努力するし、その後もみなレベルアップを目指すといった感じだ。ただ、よくあるゲームと違ってレベル1が最も難しい。早速プレイしてみよう。

レベル1

レベル1のスタートは1日1ドルから。5人の子供が、一家にひとつしかないプラスチックのバケツを抱え、裸足で数時間かけて歩き、ぬかるみに溜まった泥水を汲んでくる。帰り道で拾った薪で火を焚き、泥混じりのポリッジ（粥）を調理する。生まれてこのかた、口にしたことがあるのはこの粥だけ。土地は痩せ細り、不作の月にはお腹を空かせて床に就く。

そんなある日、末娘がひどい咳をするようになる。どうやら調理の煙が彼女の肺を蝕んでいるようだ。しかし抗生剤など買えるはずもなく、ひと月後に彼女は命を落としてしまう。まさに極度の貧困だ。それでも人生は続く。もし運良く豊作に恵まれて作物が多めに売れれば、1日2ドル以上の稼ぎが得られるかもしれない。そうすればレベル2に進める。がんばろう！

ちなみにこういう暮らしをしている人たちは、世界におよそ10億人いる。

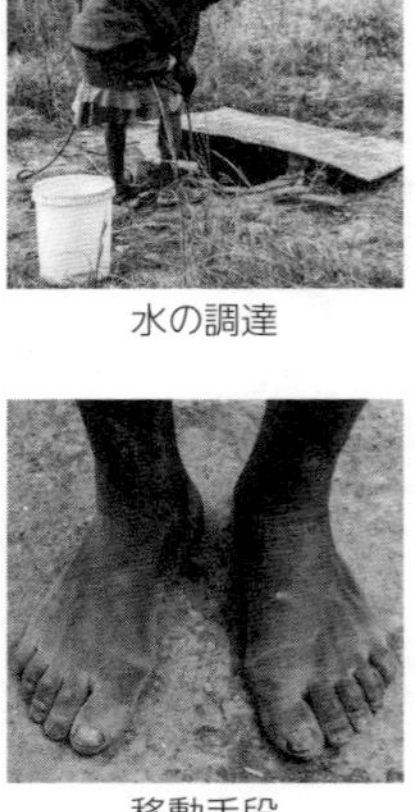

水の調達

移動手段

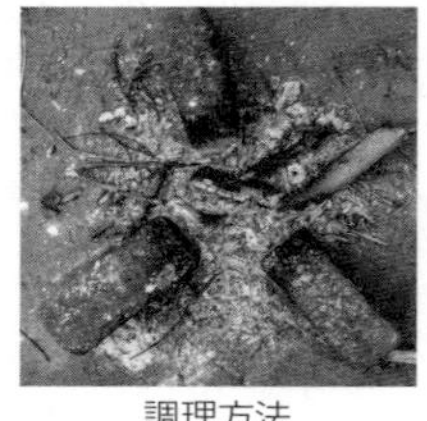

調理方法

料理

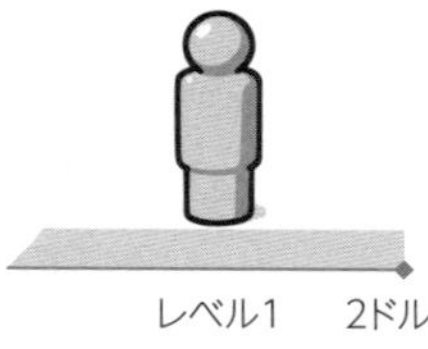

出典: Dollar Street

レベル2

ついにレベルアップ！　1日の稼ぎは以前の4倍、4ドルになった。毎日3ドルもおカネが余る。さて、何に使おうか？　自分で育てた作物以外にも、たとえば鶏を飼って卵を食べることもできる。少しおカネを貯めれば、子供たちにサンダルも買える。プラスチックのバケツを買い足したり自転車を手に入れれば、30分で1日分の水を汲んでこられる。灯油のストーブを買えば、子供たちは薪を集めてくる代わりに学校に行ける。電気も通りはじめ、冷蔵庫を使えるほどは安定していないが、停電がない日には電球の明かりで子供たちは宿題ができる。マットレスを買えば、地べたで寝る生活ともおさらばだ。

こうして暮らしはだいぶ良くなったが、将来には不安が残る。一度病気にかかったら、薬を買うために身の回りのものを売り払わないといけない。そうするとレベル1に逆戻りだ。あと1日3ドル余分にあればいくぶん楽になるが、劇的に生活水準を上げるには、収入をいまの4倍にしないといけない。どうにかして地元の繊維工場で働ければ、家族で初めて「給料」を稼ぐ人になれるのだが。

ちなみにこういう暮らしをしている人たちは、世界におよそ30億人いる。

水の調達

移動手段

調理方法

料理

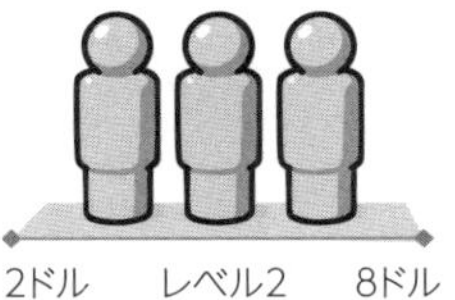

出典: Dollar Street

レベル3

すごい、またレベルアップ！　仕事を掛け持ち、毎日休みなく16時間働いて、1日の収入がまた4倍の16ドルになった。手元のお金も増えたところで、水道管を引いてみた。これで水を汲んでこなくてもいい。電力の供給も安定し、子供も毎日宿題ができるようになり、買いたての冷蔵庫も安定して使えるように。食料を保存できるようになり、毎日違うごちそうが食べられる。バイクも買ったので、少しでも給料が良い工場に通えるようになった。

そんなある日、通勤中にバイク事故に遭い、子供の教育費を前借りして医療費を支払うことに。治療の末、なんとか復帰。貯金が残っていたので、レベル2に逆戻りしなくてすむ。やがて子供2人が高校に入学。高校さえ出てくれれば、自分には手が届かなかった仕事に就かせてやれる。入学祝いとして、近くのビーチに日帰りで、初めての家族旅行に行くことに。

ちなみにこういう暮らしをしている人たちは、世界におよそ20億人いる。

水の調達

移動手段

調理方法

料理

出典: Dollar Street

レベル4

収入は1日32ドルになり、もはや裕福な消費者だ。1日3ドル余分に稼いでも暮らしに大差はない。極度の貧困に暮らす人たちにとっては、1日3ドルの違いが人生を左右するが、レベル4にいる人はむしろ、3ドルなんてはした金だと思っている。学校には12年以上通い、旅行のときは飛行機に乗る。月に一度は外食し、車を買うこともできる。蛇口からはお湯も出る。

ちなみにこういう暮らしをしている人たちは、世界におよそ10億人いる。

水の調達

移動手段

調理方法

料理

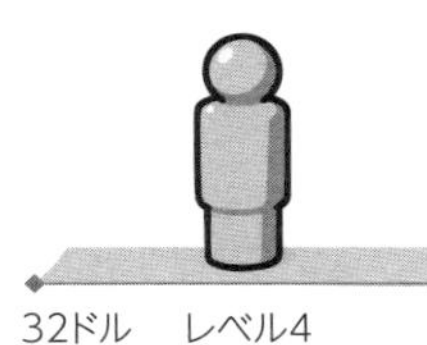

出典: Dollar Street

これ以上は説明しなくてもよいだろう。この本を読んでいるあなたは、レベル4の暮らしをしているに違いない。生まれたときからレベル4にいる人には、ほかの3つのレベルがそれぞれ大きく異なることを想像するのは難しい。世界の残りの60億人の生活水準を正しく理解するには、相当気をつけないといけない。

さて、ここまでは、あたかもひとりの人が何度もレベルアップするかのように話を進めてきた。現実的には、レベル1からレベル4に進むのに何世代もかかることが多い。それでもここまでの説明で、それぞれのレベルごとの生活水準や、国や人々が次のレベルに進んでいくイメージをつかんでもらえたらいい。そしてなにより、世界には2種類以上の暮らしがあることに気づいてもらえたら、とてもうれしく思う。

人類の歴史が始まった頃、誰もがレベル1にいた。最初の10万年間以上は、誰もレベル2に進めなかった。ほとんどの子供は、自分が子供を産める年齢まで生き延びられなかった。そしていまから200年ほど前までは、世界の85%がレベル1、すなわち極度の貧困の中に暮らしていた。現在、世界の大部分は真ん中のレベル、つまりレベル2とレベル3に暮らしている。これは1950年代の西ヨーロッパや北アメリカと同程度の生活水準だ。そしてこの状態は、ここしばらくのあいだ続いている。

分断本能

分断本能は非常にやっかいだ。1999年頃、わたしは初めて世界銀行の職員に向けて講義を行った。「途上国」と「先進国」という呼び名はもはや正しくないことを告げ、剣飲みの芸を披露した。しかし、世界銀行が「途上国」と「先進国」という言葉を使うのをやめ、代わりに4つのレベルを使うと公言したのは、最初の講義から17年も経った後だった。そのあいだ、さらに14回もの講義をわたしは実施している。国連やその他の国際機関は、いまだに「途上国」と「先進国」を使い続けている。

いったいなぜ、金持ちと貧しい者のあいだに分断が存在するという考え方が、ここまで根強く残っているのだろうか。

わたしが思うに、人はドラマチックな本能のせいで、何事も2つのグループに分けて考えたがるからだろう。いわゆる「二項対立」を求めるのだ。良いか悪いか、正義か悪か、自国か他国か。世界を2つに分けるのは、シンプルだし直感的かもしれない。しかも双方が対立していればなおドラマチックだ。わたしたちはいつも気づかないうちに、世界を2つに分けている。

ジャーナリストは人間の分断本能に訴えたがる。だから話を組み立てる際、対立する2人、2つの考え方、2つのグループを強調する。「世界には極度の貧困層もいれば、億万長者もいる」という話は伝わりやすく、「世界の大半は、少しずつだが良い暮らしをし始めている」という話は伝わりにくい。ドキュメンタリー制作者や映画監督も同じだ。弱い個人が悪徳大企業に立ち向かうさまは、ドキュメンタリー番組でよく描かれる。正義と悪との闘いは、大ヒット映画でお決まりの構図だ。

実際には分断がないのに人は分断があると思い込んだり、違いがないのに違いがあると思い込んだり、対立がないのに対立があると思い込んでしまう。どれも分断本能のしわざだ。

ニュースを見たり、政治団体のサイトを読んだりすると、2つのグループが対立している話や、「格差が拡大している」という話を目にするだろう。分断本能の影響は世の中に蔓延していて、どれもが大幅に歪んだデータの解釈につながってしまう。これこそが、分断本能を本書で最初に取り上げた理由だ。

分断本能を抑えるには

分断を誇張し、分断本能を刺激するような話を見分けるには3つの注意すべきポイントがある。誰かとの会話だけでなく、自分自身との対話でも気をつけてほしい。その3つのポイントをわたしは「平均の比較」「極端な数字の比較」「上からの景色」と呼んでいる。

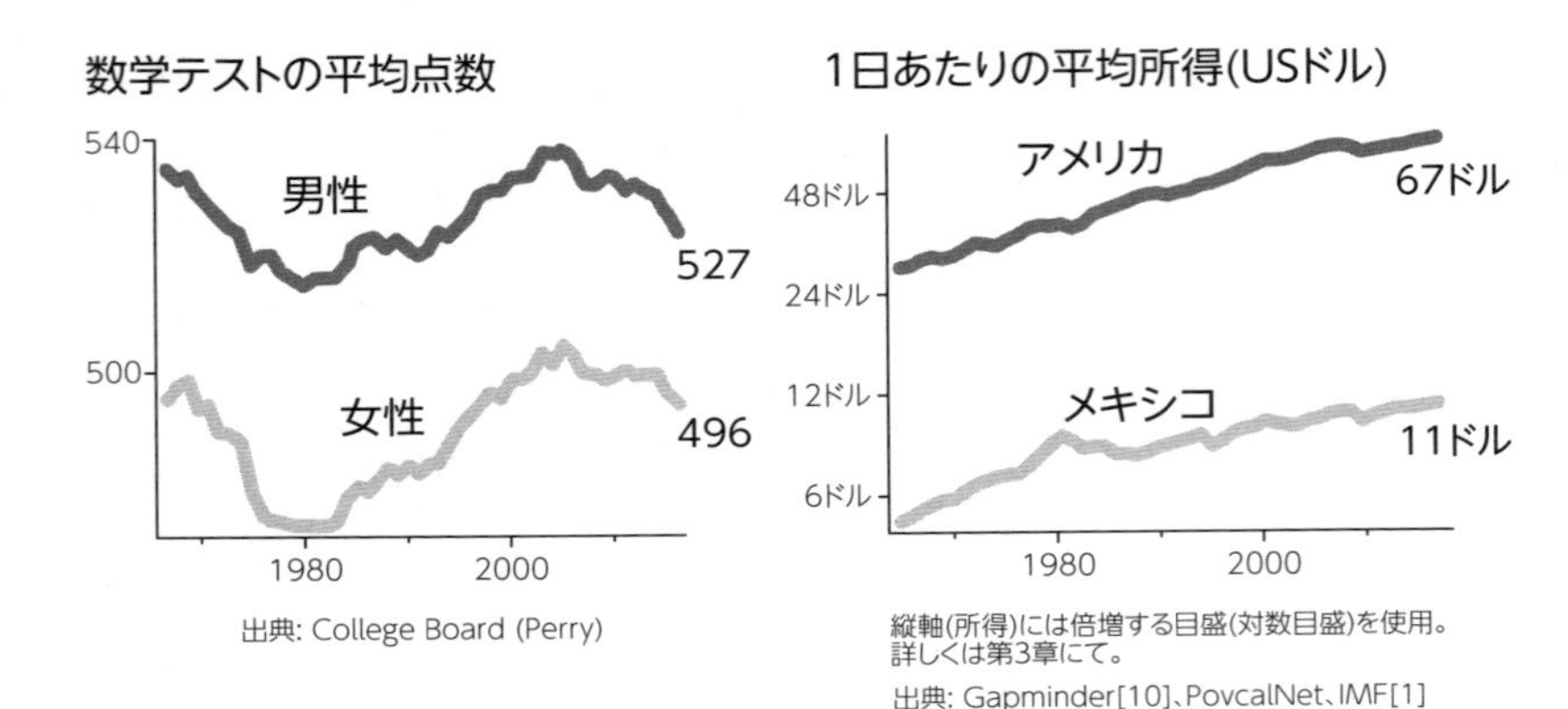

出典: College Board (Perry)

縦軸(所得)には倍増する目盛(対数目盛)を使用。
詳しくは第3章にて。
出典: Gapminder[10]、PovcalNet、IMF[1]

平均の比較

これから平均について手厳しいコメントをさせてもらう。念のために言っておくが、わたしは平均が大好きだ。情報を素早く伝えられる上に、役立つヒントを得られることが多い。平均を使いこなさないと現代社会はうまく回らないし、本書の議論も、たくさんの平均値を基に成り立っている。

しかし、情報を単純化すると見えなくなるものも多い。平均値というひとつの数字を用いた場合、分布が隠れてしまう（分布とは、各数値の出現頻度を示すもので、後に詳しく説明する）。

例をあげよう。

上の2つのグラフはそれぞれまったく違うデータを表している。左上のグラフは、アメリカの大学入試（SAT）の数学科目における、男女それぞれの平均点を表している。男女の平均点には分断があるのがわかるだろう。データは1965年から毎年記録されている。右上のグラフは、メキシコ国民とアメリカ国民のそれぞれの平均所得と、そのあいだにある分断を表している。

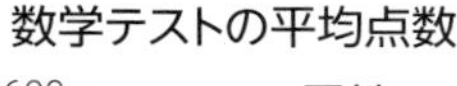

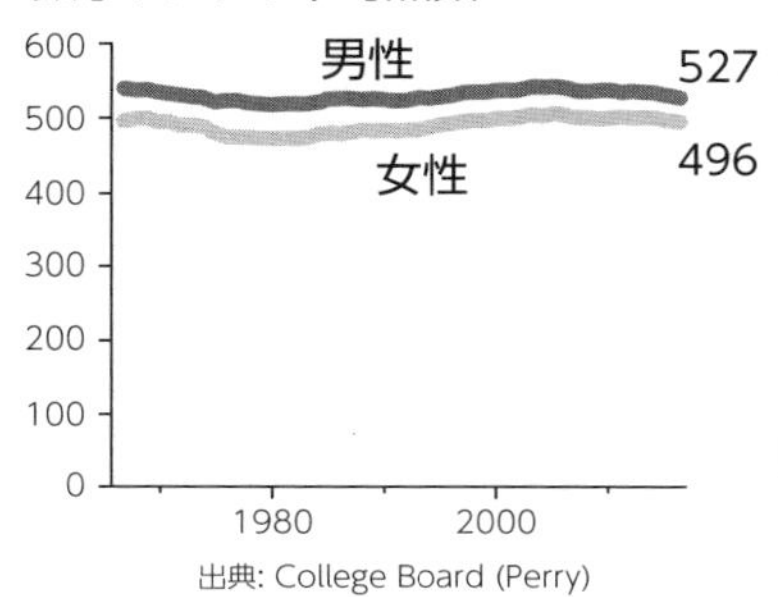

出典: College Board (Perry)

1日あたりの平均所得(USドル)

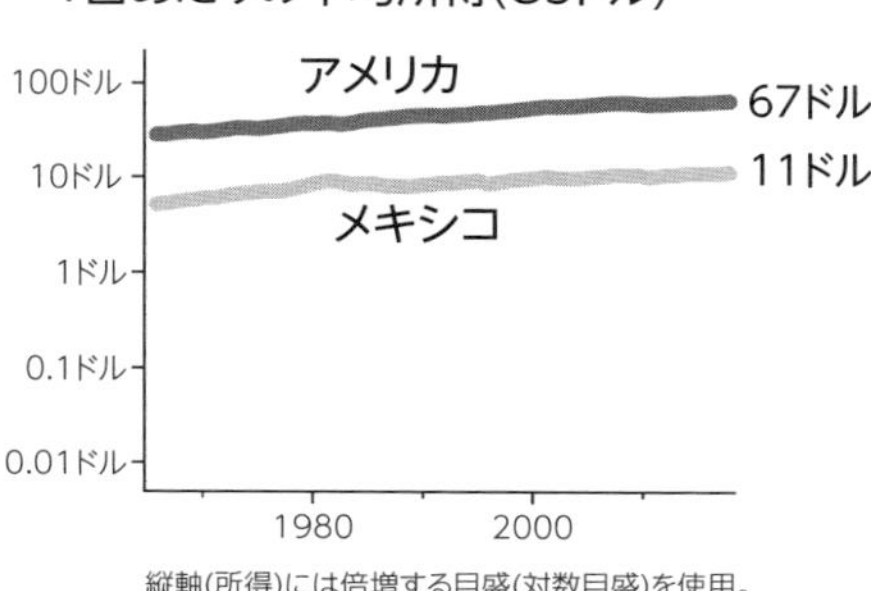

縦軸(所得)には倍増する目盛(対数目盛)を使用。
詳しくは第3章にて。
出典: Gapminder[10]、PovcalNet、IMF[1]

両方のグラフを見ると、分断が非常に大きいと感じないだろうか。男性と女性、アメリカとメキシコ。このグラフだけ見れば、男性は女性より数学が得意で、アメリカ国民はメキシコ国民より所得が多いように思える。これはある意味正しい。数字に偽りはないのだから。

でも、「ある意味正しい」とはどういうことだろうか。このグラフから導ける具体的な結論はなんだろう。すべての男性は、どんな女性よりも数学が得意と言えるだろうか。すべてのアメリカ人は、どんなメキシコ人よりも金持ちだと言えるだろうか。

手始めに、縦軸の目盛を変えてみた。それが上の2つのグラフだ。同じ数字を使っているのに、データがまったく違う印象になった。大きな分断がほとんど消えてしまったかのように見える。

次に、同じデータをさらに別の視点で見てみよう。年次平均を見るのではなく、あるひとつの年に注目し、その年の数学の点数や所得の分布をグラフにしてみる。すると数字の裏にある現実が見えてくる。

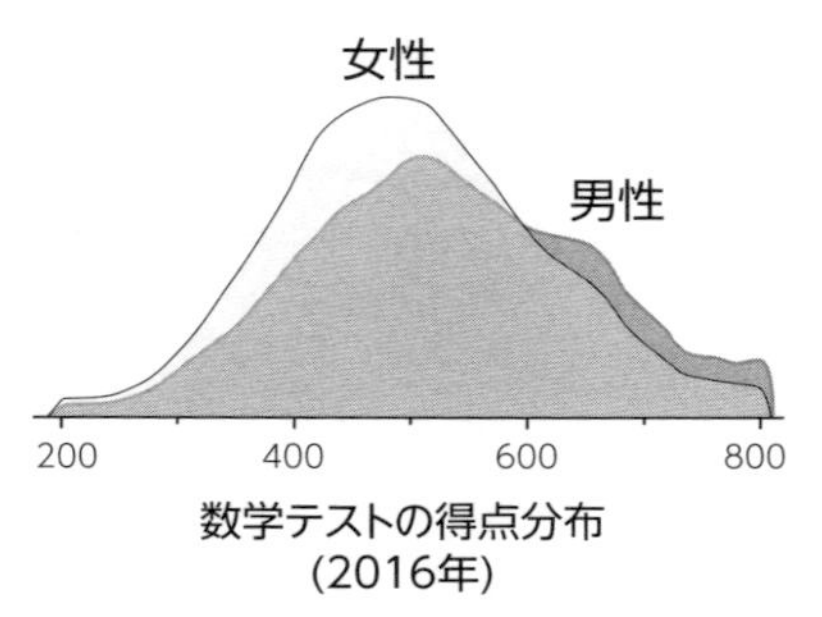

数学テストの得点分布
(2016年)

出典: College Board

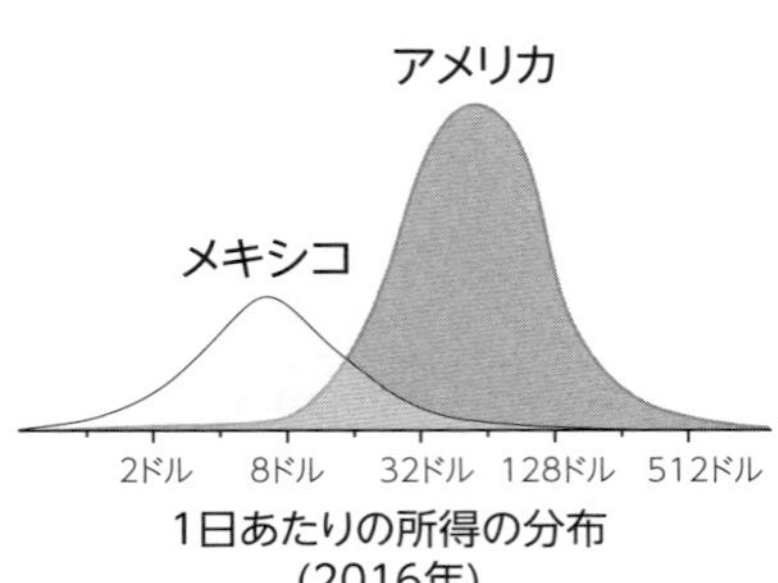

1日あたりの所得の分布
(2016年)

横軸(所得)には倍増する目盛(対数目盛)を使用。
詳しくは第3章にて。
出典: Gapminder[8]、ENIGH、US-CPS、PovcalNet

こうすれば、平均というひとつの数字の背後にいる大勢の人の存在に気づけるようになる。グラフをよく見てみると、男性の点数のグラフと、女性の点数のグラフはほとんど重なっている。同じ点数の男性と女性でペアを組むと、余る人がほとんどいないくらいだ。一方メキシコとアメリカの所得のグラフは、重なりはあるものの一部でしかない。

こうやってデータを見ることではっきりと言えるのは、男性と女性も、アメリカ国民とメキシコ国民も、それぞれ分断されてはいないということだ。2つのグループには重なりがある。

もちろん、「分断」という言葉が現実を表すのに**相応しい**場合もある。アパルトヘイト時代の南アフリカでは、黒人と白人はまったく違う暮らしをしていた。両者のあいだには大きな分断があり、重なりはほとんど無かった。このような場合なら、分断という言葉を使っても構わない。

しかし、アパルトヘイトは極めて特殊な出来事だ。ほとんどの場合において、分断という言葉は誤解を生む誇張表現だ。平均だけを見ると分断がありそうでも、実際に2つのグループが分断されていることは少ない。平均の一歩先にある「分布」に注目し、ひとくくりにされた数字よりも一人ひとりの数字を見ることで、より正確な全体像をつかむことができる。分断されているように見えても、重なりがあることは意外と多い。

極端な数字の比較

わたしたちは極端な話に興味を持ちやすいし、極端な話のほうが記憶に残りやすい。たとえば最近、世界の格差を思い出すような出来事はあっただろうか。もしかしたら、南スーダンの飢饉(ききん)のニュースを見て、何不自由なく暮らしている自分と比べたかもしれない。または、世界にはどんな政治体制があるか聞かれたらどうだろう。まず、腐敗した独裁政権がある。その一方で、スウェーデンのように社会保障が整っており、心優しい官僚たちが命をかけて国民の権利を守ろうとする国もある。あなたはそう答えるかもしれない。

このような両極端な例は興味をそそられるし、分断本能が刺激されて話に引き込まれてしまう。しかし、真実を理解するにはほとんど役に立たない。いつの世にも、大金持ちや極貧の人がいて、最高の政権や最悪の政権が存在する。でも、両極端な例から有益な学びは得られない。大半の人はその中間にいて、両極端な例はほとんど当てはまらないからだ。

世界で最も格差が大きい国のひとつであるブラジルを例にとってみよう。ブラジルでは、最も裕福な10%の人たちが、国全体の所得の41%を懐(ふところ)に入れている。ひどいと思わないか? いくらなんでも不公平すぎる。エリート層が、その他大勢から搾取している姿が目に浮かぶ。そしてメディアもそのイメージを助長している。トップ10%どころかトップ0・1%に注目し、超金持ちがクルーザーや馬や豪邸を見せびらかす様子を

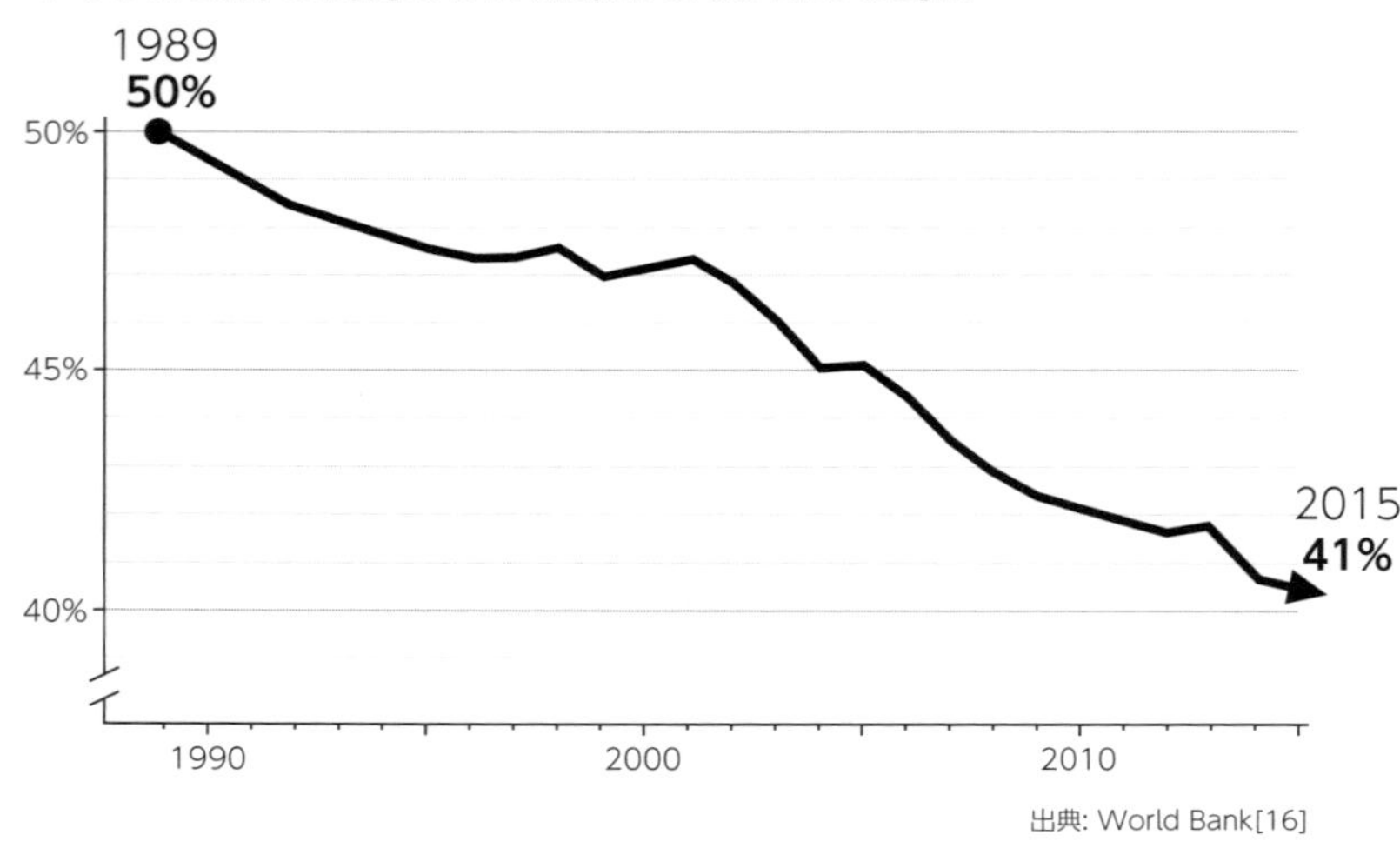

取り上げる。

たしかに41%は不公平なほど高い。とはいえ、41%という数字はここ数十年で最も低い数字なのだ。グラフを見れば一目瞭然だ。

統計は、政治的な意図のもと大げさに伝えられたりする。だが同時に、統計は物事の本質をとらえるのにも役立つ。例として、ブラジルの全人口を先ほどの4つの所得レベルに当てはめてみよう。

次のページのグラフを見ると、ブラジル国民の大半は極度の貧困を抜け出している。いちばん人数が多いのはレベル3だ。バイクや眼鏡を買い、貯金をすれば子供を高校に行かせたり、洗濯機を買うことができる世帯だ。世界的に見ても格差が大きい国でさえ、分断は見当たらない。ほとんどの人は真ん中にいる。

上からの景色

先ほど触れた通り、この本を読んでいるあなたはおそらくレベル4の暮らしをしているのだろう。あなたが住んで

ブラジルの所得の分布(2016年)

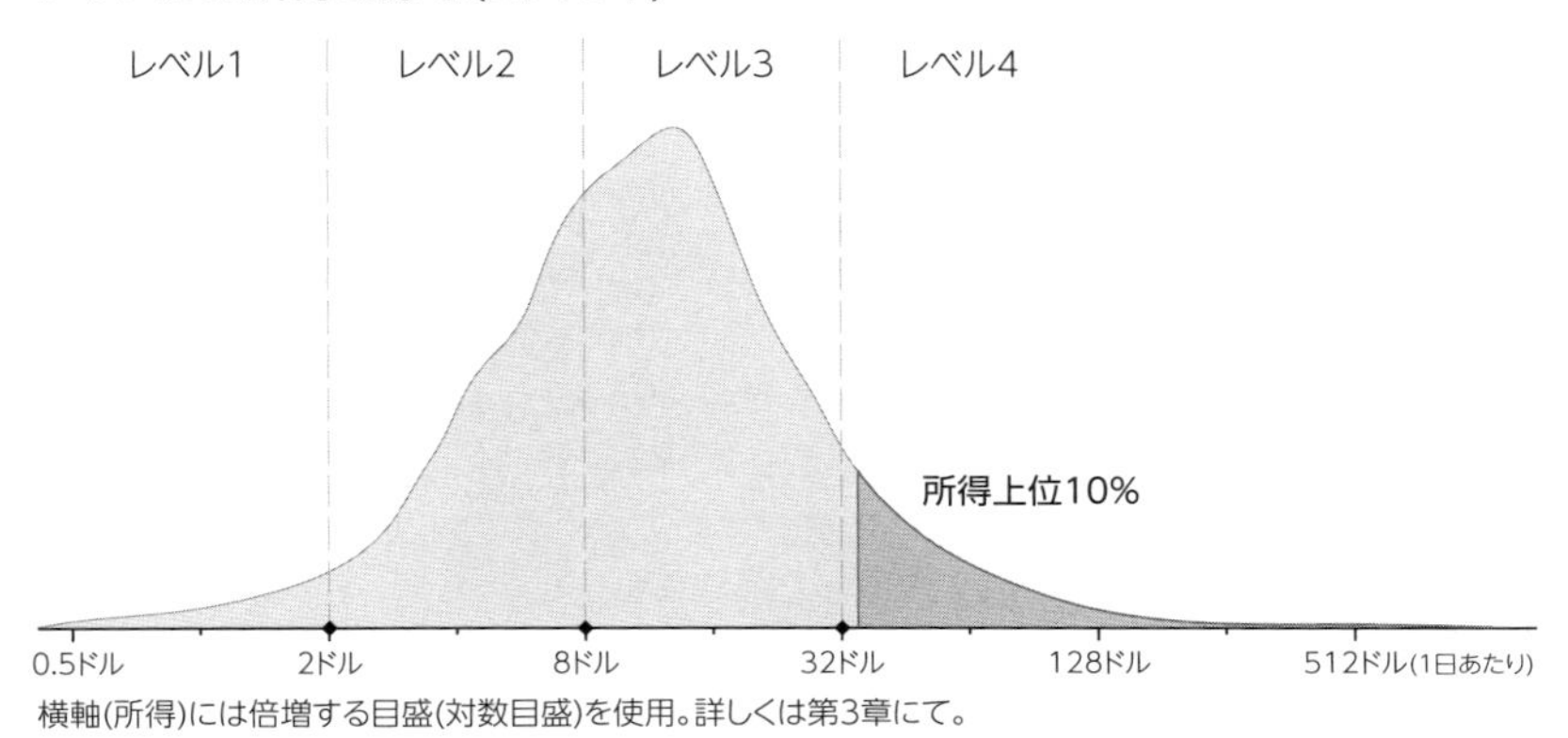

横軸(所得)には倍増する目盛(対数目盛)を使用。詳しくは第3章にて。

出典: Gapminder[8]、PovcalNet、CETAD Ministério da Fazenda (ブラジル)

いる国がメキシコなどの中所得国、すなわち平均所得がレベル2や3の国だとしても、あなた自身はレベル4の暮らしをしている可能性が高い。あなたの生活水準は、サンフランシスコ、ストックホルム、リオデジャネイロ、ケープタウン、北京に暮らす人とさほど変わらないだろう。あなたの国のいわゆる「貧困」は「極度の貧困」ではなく、「相対的貧困」だ。たとえばアメリカだと、レベル3の暮らしをしていても貧困層と呼ばれる。

よって、レベル1から2に、また2から3に進むための厳しさは、あなたには理解しがたいかもしれない。それを理解するのに、マスメディアの情報はまったく役に立たない(例外として、あなたはレベル4の暮らしをしているが、親戚がレベル2かレベル3の暮らしをしている可能性もある。それなら、もちろんどんな暮らしかは想像がつくだろう。ならば、この部分は読み飛ばしても問題ない)。

事実に基づいた世界の見方を身につけるにあたってのいちばんの障害は、自分の原体験のほとんどがレベル4から来ているということだ。そしてそれ以外の体験は、非現実的で極端な出来事を好むマスメディアのフィルターを通して得たものだろう。

レベル4の暮らしをしていると、レベル3、2、1はみな同じくらい貧しいように見える。すると、貧しいという言葉自体の意味があやふやになる。レベル4の人だって、壁のペンキが剝がれていたり、古びた車を運転していたりしたら貧しく見えてしまうかもしれない。

高層ビルの上から見下ろすと、低い建物の高さの違いがわかりにくい。どれも同じくらい低く見える。同じようにレベル4の人々には、世界が金持ち（あなたがいる高層ビル）と貧乏人（低い建物）に分かれているように見える。下界を見下ろして「みんな貧しいんだね」と言うのはたやすい。車を持っている人、バイクを持っている人、自転車を持っている人、サンダルを持っている人、履くものすらない人の違いがわからなくなる。

しかし「下界」に住む人にとって、レベル1とレベル2、レベル2とレベル3の違いは非常に大きい。すべてのレベルにいる人と出会い、接してきたわたしの言うことを信じてほしい。

1日1ドルの極度の貧困にいる人たちは、1日16ドルどころか、1日4ドルも稼げるようになれば、どれほど良い暮らしができるかを知っている。靴すら履けない人たちは、自転車があればどれだけ良い暮らしができるかを知っている。いままでより何倍も速く、そして楽に市場にたどり着けるようになれば、どれだけ豊かに暮らせるかを知っている。

ドラマチックすぎる「分断された」世界の見方の代わりに、4つのレベルで考える。これこそが、この本で伝授する「事実に基づいた思考法」のひとつめにして最も大事なポイントだ。意外と簡単だっただろう？

本書では、エレベーター、溺れ死ぬ子供、セックス、料理法、サイ（動物）などの例をあげて、世界のさまざまな事柄を、先ほどの4つのレベルを用いて説明する。4つのレベルを使えば、世界をはっきり正しくとらえることができる。

勘違いを見つけて、捕らえ、正しい理解に変えるには何が必要だろうか？ 答えはデータだ。データを見せ、データの裏側にある現実を見せることだ。ユニセフのデータ、バブルチャート、そしてインターネットはとても役に立つが、それだけではまだ足りない。4つのレベルのように、シンプルながらも正確な思考法を身につけたときこそ、勘違いは消えてなくなる。

ファクトフルネス

ファクトフルネスとは……話の中の「分断」を示す言葉に気づくこと。それが、重なり合わない2つのグループを連想させることに気づくこと。多くの場合、実際には分断はなく、誰もいないと思われていた中間部分に大半の人がいる。

分断本能を抑えるには、**大半の人がどこにいるか探すこと。**

- **「平均の比較」に注意しよう。**分布を調べてみると、2つのグループに重なりがあり、分断などないことが多い。

●**「極端な数字の比較」に注意しよう。**人や国のグループには必ず、最上位層と最下位層が存在する。２つの差が残酷なほど不公平なときもある。しかし多くの場合、大半の人や国はその中間の、上でも下でもないところにいる。

●**「上からの景色」であることを思い出そう。**高いところから低いところを正確に見るのは難しい。どれも同じくらい低く見えるけれど、実際は違う。

第 2 章

「世界はどんどん悪くなっている」という思い込み

ネガティブ本能

なぜ、わたしはある意味エジプトで生まれたと言えるのだろう。
「保育器の赤ちゃん」と「世界」に共通することは何だろう。

次のうち、あなたの考えに最も近い選択肢を選んでください。

A　世界はどんどん良くなっている。

B　世界はどんどん悪くなっている。

C　世界は良くなっても、悪くなってもいない。

ドブからの脱出

気づいたら、わたしは逆さまになっていた。小便の匂いがする暗闇の中、泥水が口と鼻に流れ込んでくる。息ができない。なんとか上を向こうとしても、ドロドロとした水に流されて沈んでいく。腕を後ろに伸ばし、茂みの中につかめるものがないか探していると、突然誰かがわたしの足首をつかみ、地上に引っ張り上げた。助けてくれたのは祖母だった。彼女はすぐさま流し台にわたしを入れ、まるで食器を洗うように、石鹸（せっけん）と温かいお湯で優しく汚れを落としてくれた。

わたしのいちばん古い記憶は、祖母の家の前にあるドブから救出されたときのものだ。危うく、これが人生最後の記憶になるところだった。前日の夜の雨と、工場から流れてきたヘドロが混ざり、ドブは氾濫しそうになっていた。わたしは水の中にある何かに興味を引かれ、のぞき込もうとして足を踏み外し、頭からドブに落っこちてしまった。両親は近くにいなかった。母は結核で入院しており、父は毎日10時間働いていた。平日は、祖父母がわたしの面倒を見てくれていた。

土曜になると、わたしは父の自転車の荷台に乗り、母が入院している病院に通った。わたしたちを乗せた自転車は、時には遊び心いっぱいに、大きな輪や八の字を描きながら走った。病院に着くと、3階のバルコニーに咳(せき)をする母の姿が見える。「病院の中に入ったら、おまえもわたしも同じ病気にかかってしまうんだ」と父が言った。わたしが手を振ると、母も手を振ってくれた。何か言っているように見えたが、母の声はか細く、言葉は風に吹き飛ばされてしまった。

わたしの前ではいつも、母はがんばって笑顔をつくってくれた。

「世界はどんどん悪くなっている」という、とんでもない勘違い

第2章では「ネガティブ本能」について解説する。人は誰しも、物事のポジティブな面より、ネガティブな面に注目しやすい。これはネガティブ本能のなせるわざだ。そしてネガティブ本能もまた、世界についての「とんでもない勘違い」が生まれる原因になっている。
その勘違いとは、「世界はどんどん悪くなっている」というものだ。世界の現状について、これほどよく聞く意見はほかに見当たらない。もちろん、暗い話は世界に数え切れないほどある。たとえば戦争による死者数は、第二次世界大戦を境に減り続けていたが、最近はシリア内戦が原因でまた増えつつある。テロの数も同じく増加中だ（これについては、第4章で詳しく説明する）
漁業での乱獲や海洋汚染もきわめて深刻な問題だ。生物が生きられない海域や、絶滅危惧種も増えている。温暖化で氷が溶け、次の100年で海面は1メートル弱ほど上昇するだろう。原因は間違いなく、人間が排出する温室効果ガスだ。これ以上の排出を止めたとしても、ガスが消散するまでには長い時間がかかる。
2008年にはアメリカで住宅バブルが崩壊した。誰も理解できないほど複雑な金融商品を、多くの人が安全だと信じ込んでしまった。これは政府も予期できなかった。金融の仕組みは以前と変わらず複雑なまま

で、同じような危機が明日起きてもおかしくはない。
金融システムや環境、そして世界の平和を守るには、人々が「事実に基づく世界の理解」を持ち、国の枠組みを越えて協力することが大切だ。だからこそ、世界についての知識不足が蔓延している現状は変えなければならない。

話を戻すと、「世界はどんどん悪くなっている」という意見を、わたしは嫌になるほど聞かされてきた。もしかしたら、わたしが悲観的な人とばかり会っているからかもしれない。では、データで確かめてみよう。

わたしたちは30カ国（特別行政区を含む）の人に、「世界はどのように変化していると思いますか？」と質問した。選択肢は「どんどん良くなっている」「どんどん悪くなっている」「あまり変わっていない」の3つだ。結果は次のページのようになった。

データには不確かさがつきものだから、鵜呑みにしないように気をつけたい。わたしが見るに、今回のデータはある程度正しいと思う。だが、それぞれの数値の差は小さく、国と国を比較するには不十分だ。統計を読み解く際には、「数値の差が10％程度かそれ以下である場合、その差を基になんらかの結論を出すことには慎重になるべき」と覚えておこう。このデータからはっきりと導き出せることは、「世界の大半の人は、『世界はどんどん悪くなっている』と考えている」ということだ。未来について不安になるのも無理はない。

セラピーとしての統計

世界についての暗い話はニュースになりやすいが、明るい話はニュースになりにくい。メディアはよく、暗いニュースの合間に「心の温まるいい話」を織り交ぜるが、それはわたしが言う「明るい話」とは違う。

「世界はどのように変化していると思いますか?」という質問に「どんどん悪くなっている」と答えた人の割合

選択肢:「どんどん良くなっている」「どんどん悪くなっている」「あまり変わっていない」

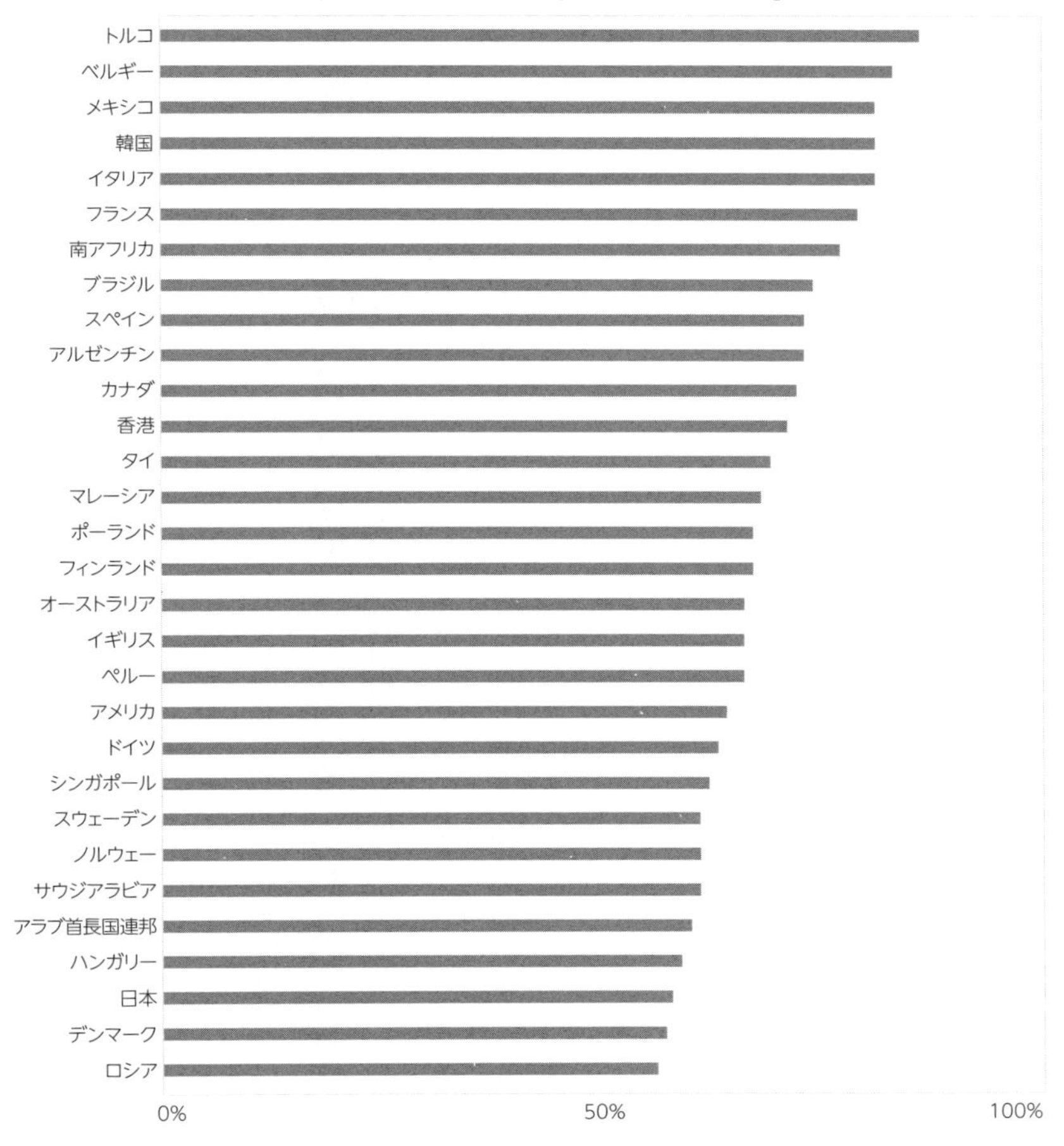

本当の意味で明るい話とは、数えきれないほどの「小さな進歩」が世界中で起きているということだ。そんな「小さな進歩」の繰り返しが世界を変え、数々の奇跡を起こしてきた。とはいえ、一つひとつの変化はゆっくりで細切れだから、なかなかニュースには取り上げられない。

わたしが世界中のカンファレンスや役員会議で引っ張りだこになるのは、こういった「小さな進歩」の数々があまりにも知られていないからだ。わたしの話を聞いて「感銘を受けた」と言ってくれる人もいれば、「なんだか癒されたよ」と言ってくれる人もいた。セラピーをしているつもりはないのだが、気持ちは理解できる。講義で使っているのはなんの変哲もない国連のデータだ。しかし、ただのデータであっても、いつもネガティブに世界を見ている人にとっては癒し効果があるのだろう。世界は思っているよりずっと良いと知れば、なんだか元気も湧いてくる。統計は、ネットから無料で手に入る「幸せの薬」だ。

極度の貧困

まず、極度の貧困について見ていこう。

質問3 世界の人口のうち、極度の貧困にある人の割合は、過去20年でどう変わったでしょう?

A 約2倍になった

B あまり変わっていない

C 約半分になった

正解はC。過去20年のあいだ、極度の貧困にある人の数は半減した。だが、わたしたちがオンライン調査を実施したところ、この事実を知っていた人の割合は、ほとんどの国で10％未満だった。

第1章で紹介した4つのレベルを思い出してほしい。1800年頃は、人類の約85％が極度の貧困層、すなわちレベル1の暮らしをしていた。世界中で食料が不足しており、ほとんどの人が、年に何度もお腹を空かせて眠りについた。イギリス国内や植民地では児童労働があたりまえで、子供たちが働き始める平均年齢は10歳だった。

スウェーデンの全人口の5分の1が、飢餓を逃れるためアメリカに渡った。その中にはわたしの親戚もいた。後にスウェーデンに戻ってきた者は2割しかいなかった。不作の年が続き、親戚や友達や近所の人が餓死するのを目の当たりにしたら、誰だって「できればここを抜け出したい」と思うだろう。

人類は全員レベル1からスタートし、1966年まで、大半の人はレベル1で暮らしていた。極度の貧困は「例外」ではなく「あたりまえ」だった。

次のページのグラフは、世界の「極度の貧困率」が、1800年から一貫して減り続けていることを示している。そして直近20年を見てみると、人類史上、最も速いスピードで、極度の貧困が減ってきたのがわかる。

1997年頃、インドと中国の両方で、人口の42％が極度の貧困に陥っていた。だが2017年までに、極度の貧困率はインドで12％までに低下。20年前と比べ、2億7000万人が極度の貧困から脱した。一方中国では、同じ期間に極度の貧困率は0・7％に低下。約5億人が極度の貧困を脱した。中南米では極度の

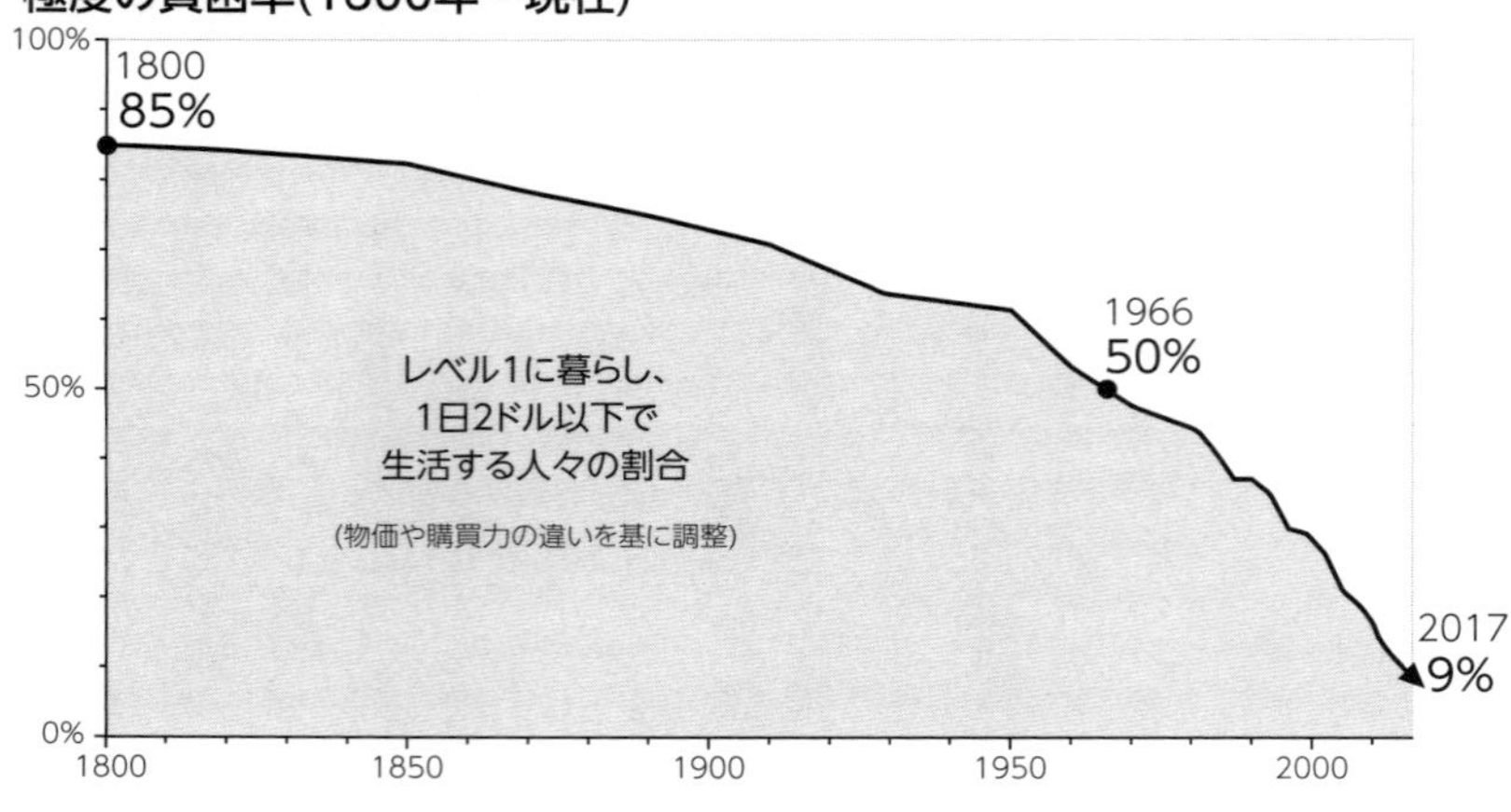

出典: Gapminder[9]、Bourguignon and Morrisson、World Bank[5]、OurWorldInData[1]

貧困率が14%から4%になり、3500万人が極度の貧困を脱した。極度の貧困率の計測は完璧ではないが、数字上でこれほどの変化があれば、間違いなく大きな出来事が起きている。

20年前、あなたは何歳だっただろうか? 目を閉じて、昔の自分を思い出してほしい。そのときと比べて、世界はどれくらい変わっただろうか? 大きく変わっただろうか。それともあまり変わっていないだろうか。数字を見てみると、極度の貧困の中で暮らす人々の割合は、20年前には世界の人口の29%だったが、現在は9%まで下がった。ほとんどの人が地獄から脱出したということだ。

飢餓という、人類の苦しみの根源が消え去るのも時間の問題だ。これはすごい! ぜひ、世界中の人を招待して、盛大なパーティを開こうじゃないか!

……と言いたいところだが、どうやら誰も盛り上がろうとしない。わたしたちが見るレベル4のテレビ番組には、まだまだ極度の貧困に苦しむ人たちが映し出され、世界は何も変わっていないように見える。レベル4にいる人たちが気づかないあいだに、世界では数十億人が貧困から抜け出し、グローバル市場で消費者や生産者になり、レベル1からレベル2やレベル3になったのだ。

平均寿命

質問4 世界の平均寿命は現在およそ何歳でしょう?

A 50歳
B 60歳
C 70歳

人々の苦難や死因を数字で表すのは簡単ではないが、平均寿命を見るというのはひとつの手だ。子供の死、人的災害や自然災害による死、妊産婦の死、年配者の寿命の延びなど、生死に関するすべての数字が平均寿命の計算に盛り込まれているからだ。

1800年頃、スウェーデン人が飢えに苦しみ、イギリス人の子供が炭鉱で働いていた頃、世界のどの地域でも、平均寿命は約30歳だった。それまでの人類史において、平均寿命はずっと30歳のままだった。生まれた子供の約半分は、大人になることなく死んでいった。残りの半分は、だいたい50歳から70歳のあいだに亡くなっていた。ほとんどの人が30歳で亡くなったというわけではない。平均寿命はあくまで平均を表すもので、「平均はばらつきを隠す」ことを忘れないように。

現在の世界の平均寿命は70歳を超え、72歳になった。では、人々は世界の平均寿命を何歳だと思っている

質問4の正解率

世界の平均寿命は現在およそ何歳でしょう？（正解：70歳）
国ごとの調査結果と、一部の講演で行ったクイズの結果

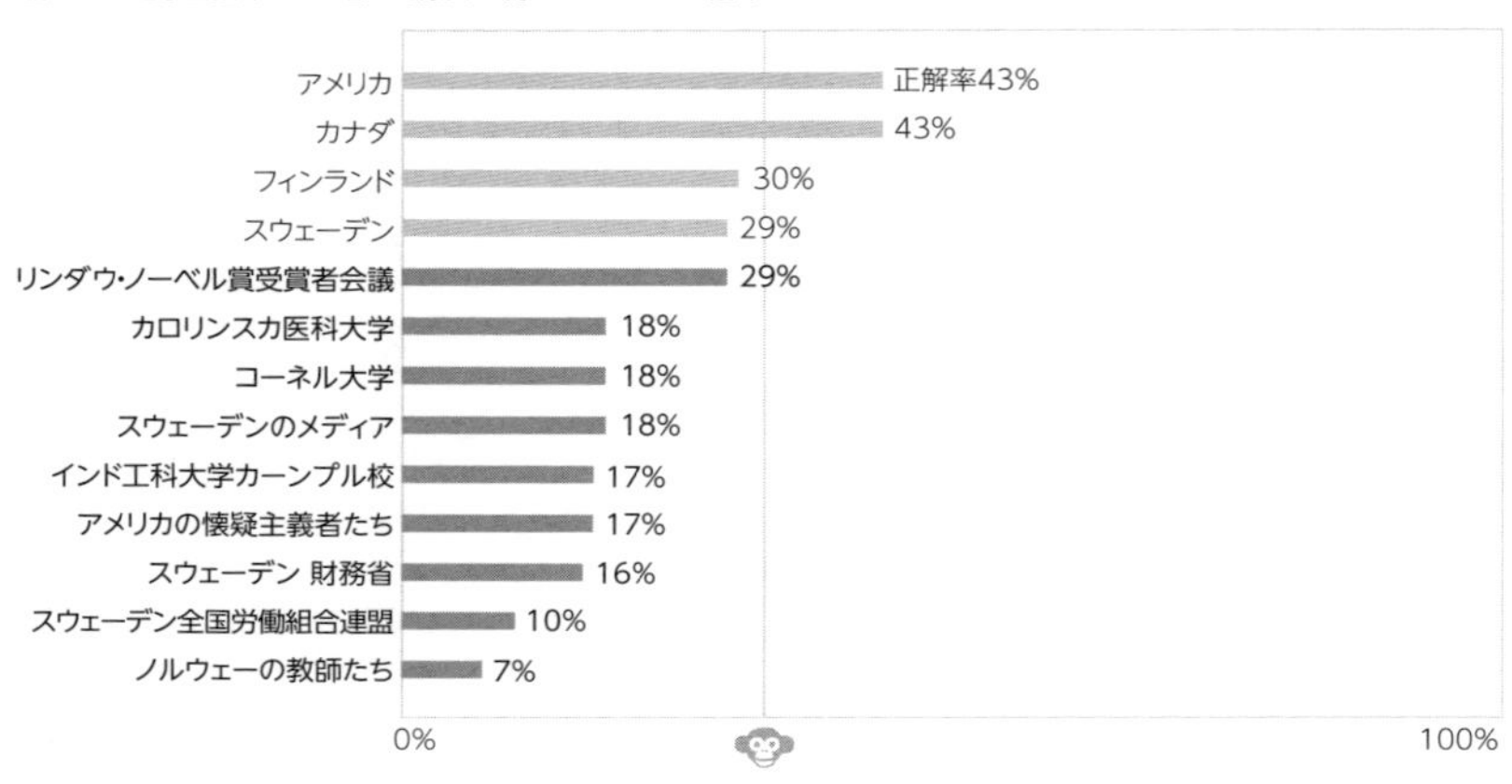

出典: Ipsos MORI[1]、Novus[1]、Gapminder[27]

のだろうか？　クイズの結果を見てみよう。

この質問では、高学歴であるほど正解率が低くなるようだ。クイズを実施した国の多くで、一般人の正解率はチンパンジーをやや上回った（詳細は付録を参照）。しかし、高学歴の人が多いグループに世界の平均寿命を尋ねると、最も多かった答えは「60歳」だった。もし1973年にこの質問を聞いていたら、60歳が正解だったのだが。ちなみに1973年は、エチオピアで約20万人が餓死した年だ。それから40年が経ち、平均寿命は10年も延びた。

長いあいだ、人類は生き延びるのに必死だったが、必死にならなくてもいい時代がついにやって来た。次のページのグラフを見れば、このすばらしい進歩は一目瞭然だ。

講義でこのグラフを見せると、「1960年頃にあるくぼみは何ですか？」とよく聞かれる。この質問とその答えは、「世界はどんどん悪くなっている」という勘違いを打ち破るのにとても役立つので、じっくりと説明し

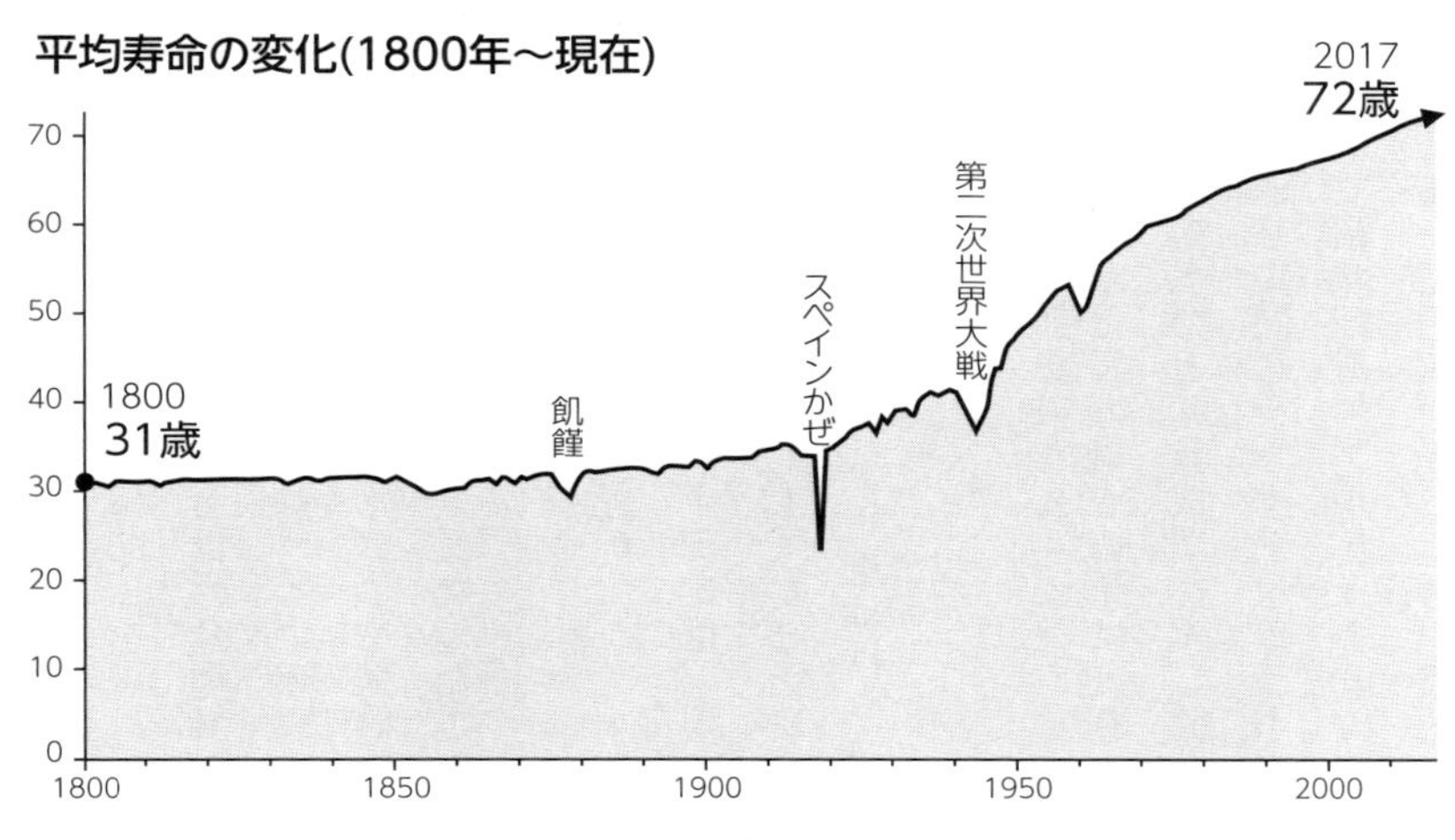

出典: Gapminder[4]、IHME[1]、HMD、UN-Pop[3]など他

ていこう。

世界の平均寿命が1960年に少し落ち込んだのは、何千万人もが中国で餓死したからだ。推定死者数は1500万人から4000万人以上と言われ、正確な数字は誰にもわからない。人工的な大飢饉としては、人類史上最も多くの死者を出したと言われている。

1960年の中国では、凶作が続き、そのうえ中央政府の的外れな政策が重なって、農作物の収穫量が大幅に落ち込んだ。地方政府はそれをごまかそうと、あるだけの食料をかき集めて中央政府に送ってしまった。地方には一切食べ物は残らなかった。翌年になると、道路のあちこちに転がる死体の様子や、人食いの痕跡が中央政府に報告された。

政府は計画経済の失敗を認めず、このことを36年間もひた隠しにした。当時の様子が英語で記され、諸外国の知るところとなったのは1996年になってからだった。もしも現在、同じように政府の失策で1500万人以上の人が亡くなったら、いかなる政府であろうと、世界の監視の目からは隠し通せないだろう。

もし中国政府が世界に助けを求めていたとしても、結果は変わらなかったかもしれない。食料不足の国への支援を行う「国際連合世界食糧計画」が創設されたのは1961年だったからだ。

「世界はどんどん悪くなっている」という勘違いを打ち破るには、現在と過去を比べてみればよい。もちろん、いま発生している干ばつや飢饉による悲劇を軽んじるべきではない。しかし過去の悲劇について学べば、世界は昔よりもオープンになったことや必要な人に援助が届きやすくなったことにも気づくはずだ。

わたしはエジプトで生まれた

わたしの母国スウェーデンは、現在「レベル4」に分類される。すなわち、平均的なスウェーデンの住人はレベル4の暮らしをしているということだ。もっとも、スウェーデンに住む全員がレベル4の暮らしをしているわけではない。「平均はばらつきを隠す」ことを思い出そう。

さて、レベル4にいるスウェーデンは、いまや世界で最も豊かで健康な国のひとつだが、昔からそうだったわけではない。

ここで、わたしの最もお気に入りのチャートをお見せしよう。まるで世界地図のようなこのチャートは、各国の所得水準と健康水準を表しており、わたしは「世界保健チャート」と呼んでいる。なお、この本の表紙の見返しに同じチャートをカラーで掲載している。

前章で紹介したバブルチャートのように、ここでもそれぞれの国を丸で表し、丸の大きさは人口を表している。またこのチャートでも、貧しい国は左側、豊かな国は右側に位置し、健康な国は上側、不健康な国は

スウェーデンの平均寿命と平均所得の変化(1800年〜現在)

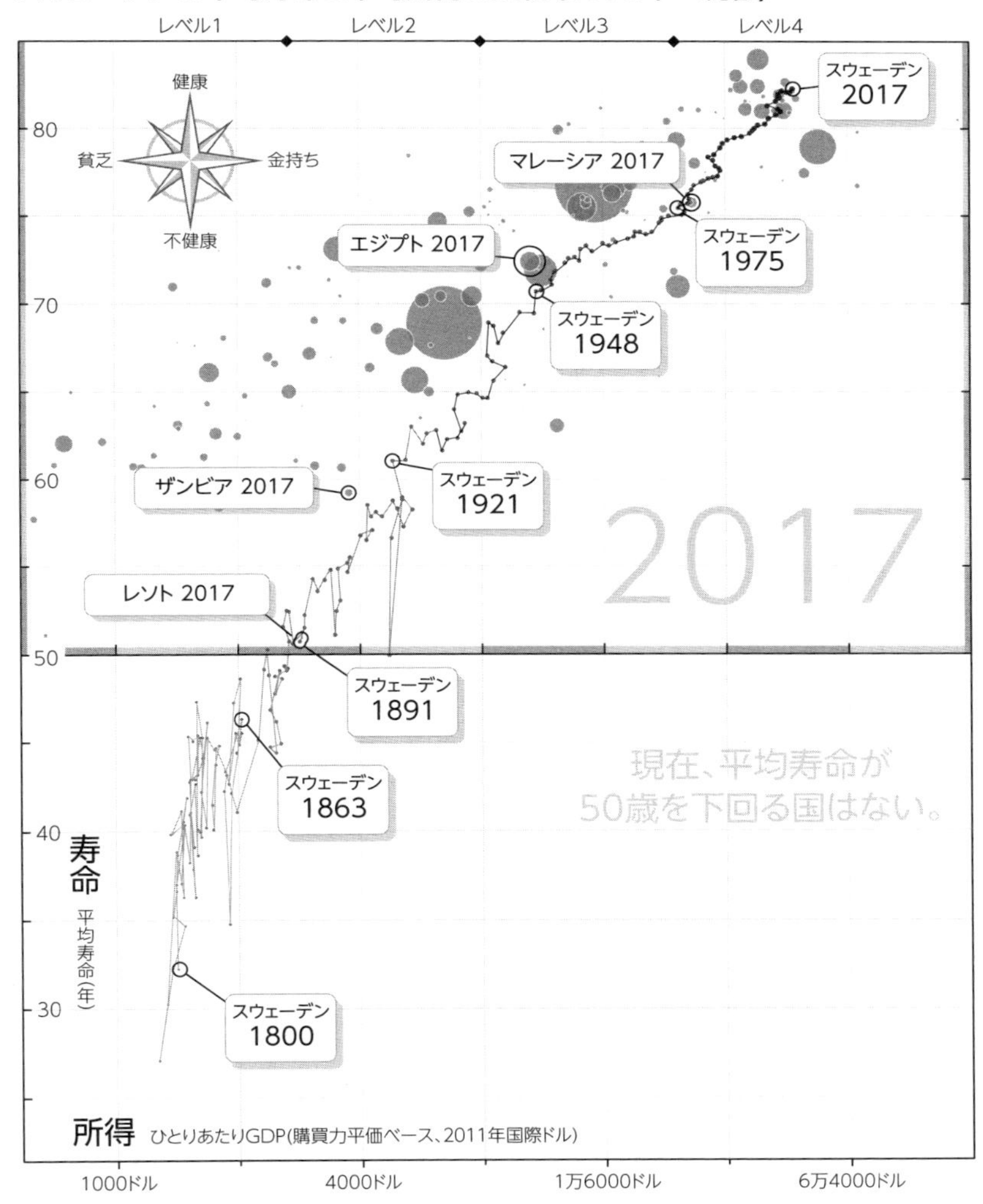

出典: World Bank[1]、IMF[1]、IHME[1]、UN-Pop[1]、Gapminder[1,2,3,4]、Maddison[1,2]

下側に位置している。

前に話したように、世界は2つのグループに分かれていない。貧しくて不健康な左下から、豊かで健康な右上まで、国を表す丸が点在している。スウェーデンは右上に位置し、ほとんどの国は真ん中あたりにいる。

さて、面白いのはここからだ。小さな丸がたくさん付いている折れ線グラフを見てほしい。これは、1800年から現代に至るまでの、スウェーデンの平均寿命と平均所得を示している。見ての通り、スウェーデンはすばらしい成長を遂げた。また、このチャートではいくつかの年をピックアップし、その頃のスウェーデンと、2017年の時点で似たような状況にある国を紹介している。

第二次世界大戦が終わってすぐの1948年は、スウェーデンにとって躍進の一年だった。冬季オリンピックでスウェーデンが最多のメダルを獲得したのに加え、わたしが生まれたからだ。

わたしが生まれた1948年のスウェーデンは、「世界保健チャート」で見ると、いまのエジプトと同じところにいる。当時のスウェーデンは、レベル3の真ん中にいた。1950年代のスウェーデンの暮らしは、現在のエジプトや、レベル3にいるほかの国とあまり変わらない。

当時のスウェーデンには排水が流れる「ドブ川」も多く、家の近くのドブ川で溺れる子供も多かった。同じように、現在レベル3にいる国では政府の規制が追いつかず、ドブ川の囲いが整備されていないことが多い。また、わたしの親がそうだったように、親が仕事で子供の近くにいないことも、レベル3の暮らしの特徴だ。

わたしが大人になるにつれ、スウェーデンの暮らしも良くなっていった。1950年代から1960年代にかけて、スウェーデンはいまのエジプトを抜き去り、いまのマレーシアに迫った。アンナとオーラが生まれた1975年には、スウェーデンはいまのマレーシアと同じく、レベル4になりかけていた。

ここで時計の針を戻そう。わたしの母が生まれた1921年頃、スウェーデンはいまのアフリカのザンビアと同じレベル2だった。母はある意味、ザンビア生まれと言えるだろう。母がザンビア生まれなら、祖母は同じアフリカのレソト生まれだ。祖母が生まれた1891年、スウェーデンはいまのレソトのようだった。現在、レソトは世界で最も平均寿命が短く、所得はレベル1とレベル2の中間で、ほとんど極度の貧困状態だ。

祖母は大人になってからずっと、9人家族全員分の洗濯をひとりで、しかも手洗いでやっていた。しかし歳を重ねるにつれ、祖母の暮らしは目まぐるしく変わっていった。祖母の家庭も、スウェーデンの平均所得もレベル3に到達した。祖母の晩年には、家の中でも蛇口をひねれば水が出るようになり、地下には簡易水洗式便所が備え付けられた。祖母の子供時代、水道がなかった頃と比べたら大きな進歩だった。

わたしの祖父母は4人とも簡単な文字の読み書きができ、数を数えることもできた。しかし、本を読めるほどの読解力は4人ともなかった。祖父母たちは手紙を書くことや、わたしに絵本を読むことさえできなかった。そして4人とも、4年以下の教育しか受けられなかった。当時レベル2だったスウェーデンの平均識字率は、現在レベル2にいるインドの平均識字率と同じくらいだった。

わたしの曽祖母は1863年に生まれた。当時のスウェーデンの平均所得は、現在レベル1のど真ん中にいるアフガニスタンと変わらなかった。アフガニスタンでは国民の大半が極度の貧困状態にある。曽祖母は娘である祖母に、「昔は土間で暮らしていた。冬は床が冷たくてたまらなかった」とこぼしていたらしい。

しかし現在、アフガニスタンや、レベル1にいるほかの国々では、1863年のスウェーデンより平均寿命が長い。ある程度の近代化が世界の隅々まで行き渡るようになり、暮らしが劇的に良くなったからだ。いまやレベル1の国でも、ビニール袋で食料を運び、プラスチックのバケツで水を運べるようになった。石鹸を使って菌を落とせるようになり、大半の子供が予防接種を受けている。現在レベル1にいる国の平均寿命は、スウェーデンがレベル1だった頃の1800年に比べて30年も長い。それだけの進歩があった。

あなたの国も同じような急成長を経験したはずだ。あなたがどこに住んでいるかはわからないが、確実にそうだと言える。過去200年の間、世界のすべての国において平均寿命が伸びたからだ。さらに、どの国でも平均寿命だけでなく、暮らしにかかわるほとんどの指標が良くなっている。

なお、あなたの国や、ほかの国の歩みを知りたければ、わたしたちがつくったツールを試してみてほしい。www.gapminder.org/tools から無料で利用できる。先ほど見せたバブルチャートも、このツールでつくっている。

32分野の発展

ここまで読んでもまだ、「世界はどんどん悪くなっている」という思考から抜け出せない人もいるかもしれない。そんな人のために、世界中でどんどん良くなっている32の分野を紹介しよう。

先ほど極度の貧困や平均寿命について長々と語ったが、これから紹介するどの分野においても、長年の進歩について語ろうと思えばいくらでも語ることができる。また、それぞれの分野に関するクイズを実施したところ、実際のデータよりネガティブな選択肢を選ぶ人が目立った(まだクイズを実施していない分野もある)。

ページ数の都合で、ここではチャートのみ載せておく。初めに、16の「悪いこと」が、もはや消えつつあるか、またはすでに消え去ったことを証明する。続いて、16の「良いこと」が、みるみると改善していることを証明しよう。

減り続けている16の悪いこと(1～8)

合法的な奴隷制度

強制労働が合法な国、または政府による
強制労働が行われている国の数(195カ国中)

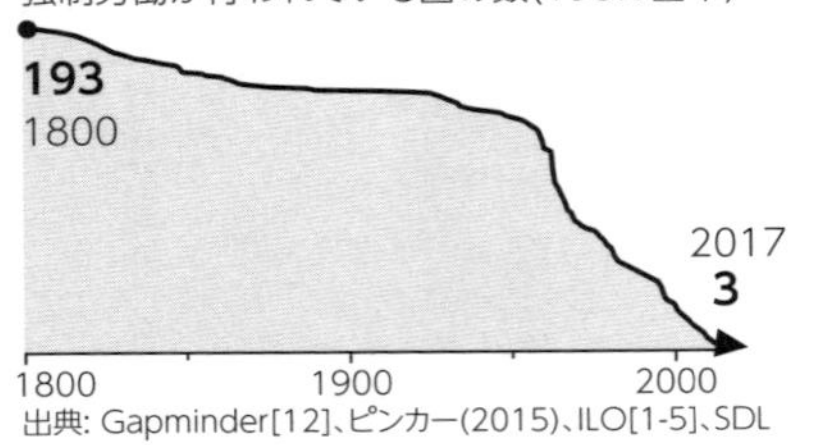

出典: Gapminder[12]、ピンカー(2015)、ILO[1-5]、SDL

石油流出事故

タンカーから流出した油の量(単位は千トン)

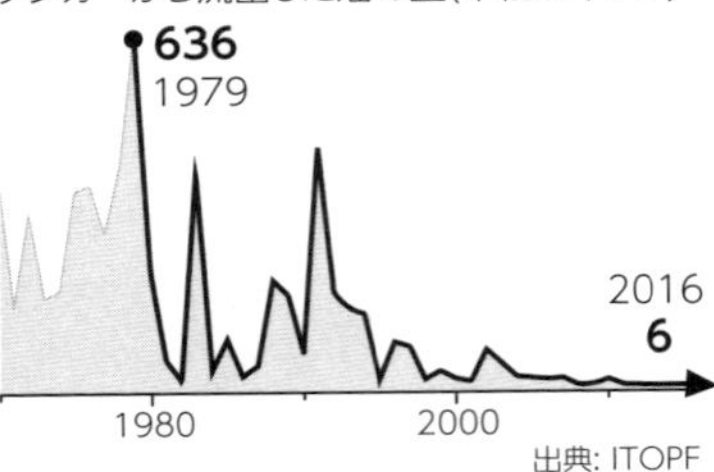

出典: ITOPF

高価なソーラーパネル

ソーラーパネルの平均価格(1Wp当たり)

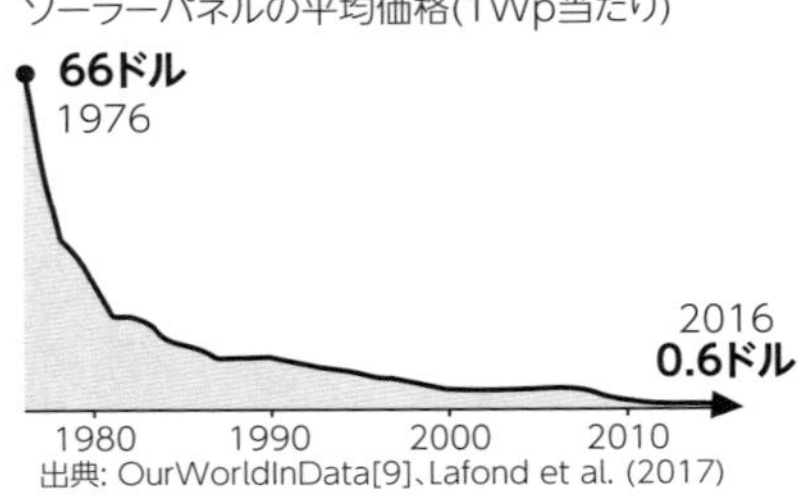

出典: OurWorldInData[9]、Lafond et al. (2017)

HIV感染

100万人あたりのHIV感染者数

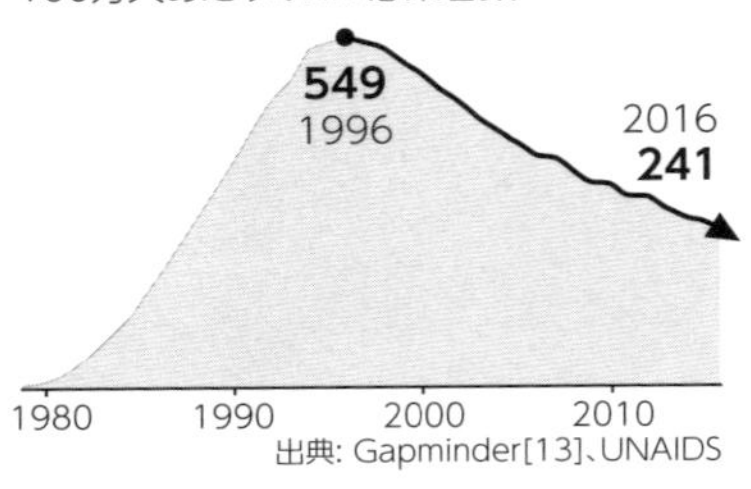

出典: Gapminder[13]、UNAIDS

乳幼児の死亡率

5歳までに亡くなる子供の割合

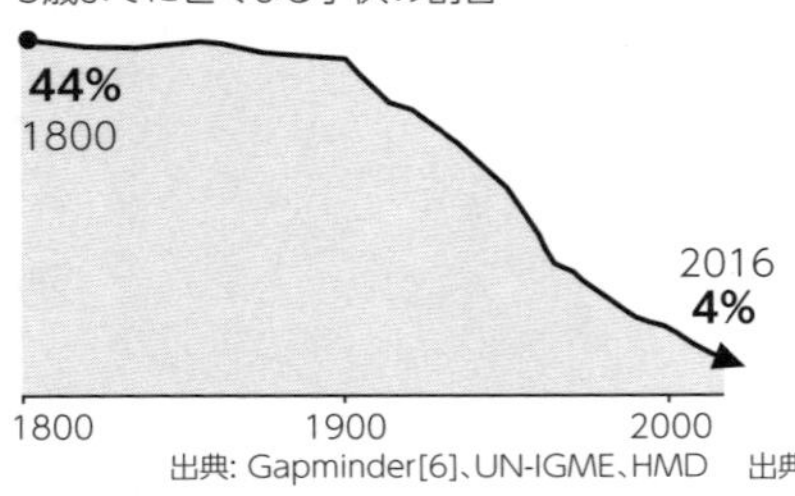

出典: Gapminder[6]、UN-IGME、HMD

戦争や紛争の犠牲者

戦争や紛争による犠牲者数(10万人あたり)

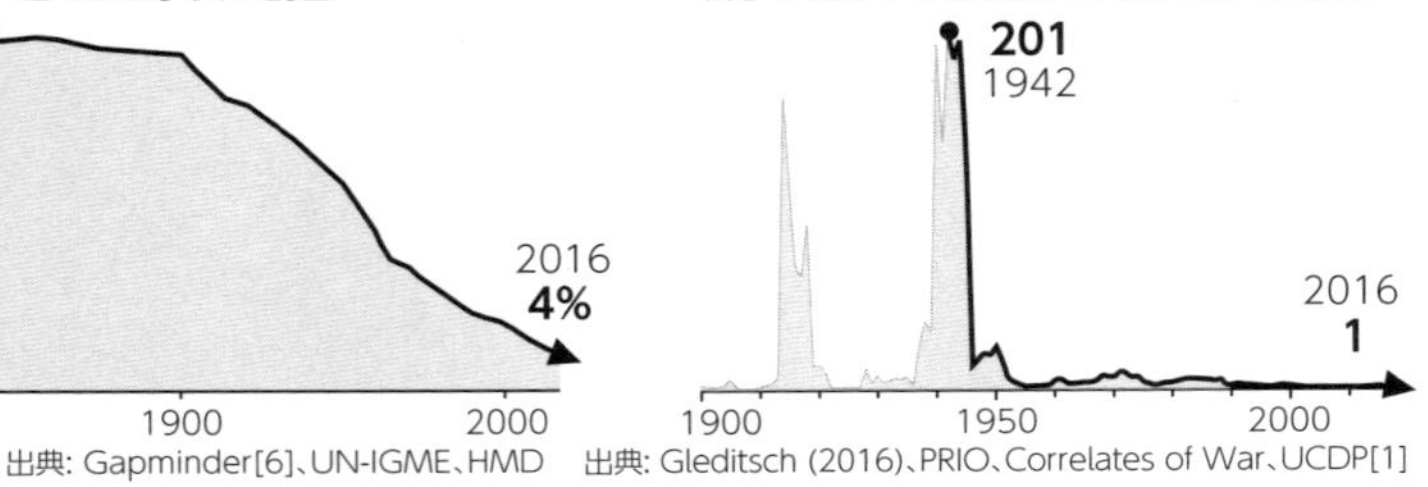

出典: Gleditsch (2016)、PRIO、Correlates of War、UCDP[1]

死刑

死刑制度がある国の数(195カ国中)

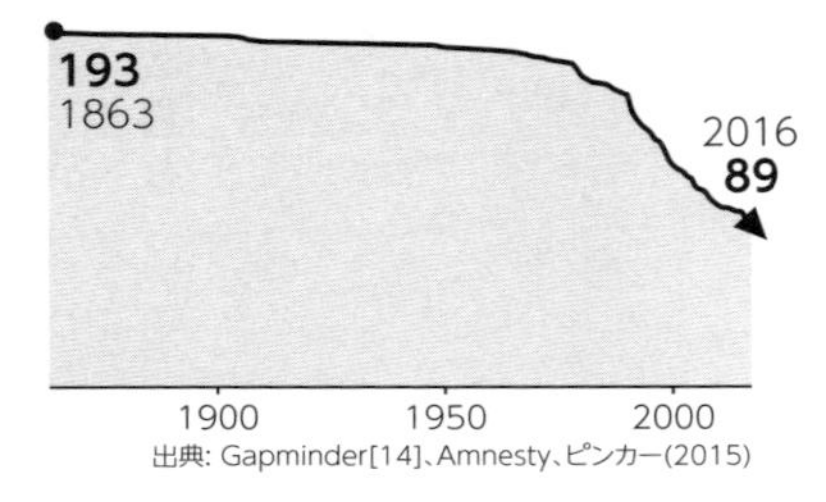

出典: Gapminder[14]、Amnesty、ピンカー(2015)

有鉛ガソリン

有鉛ガソリンが合法な国の数(195カ国中)

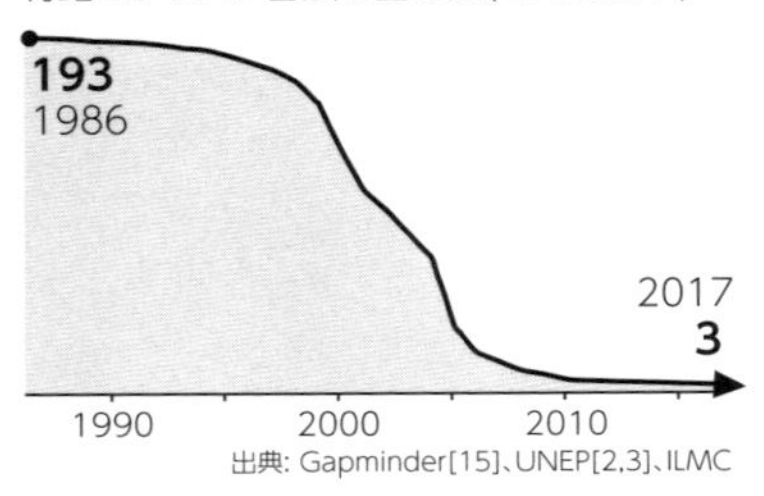

出典: Gapminder[15]、UNEP[2,3]、ILMC

減り続けている16の悪いこと(9〜16)

飛行機事故の死者数

100億旅客マイル当たりの死亡者数
(5年間の平均)

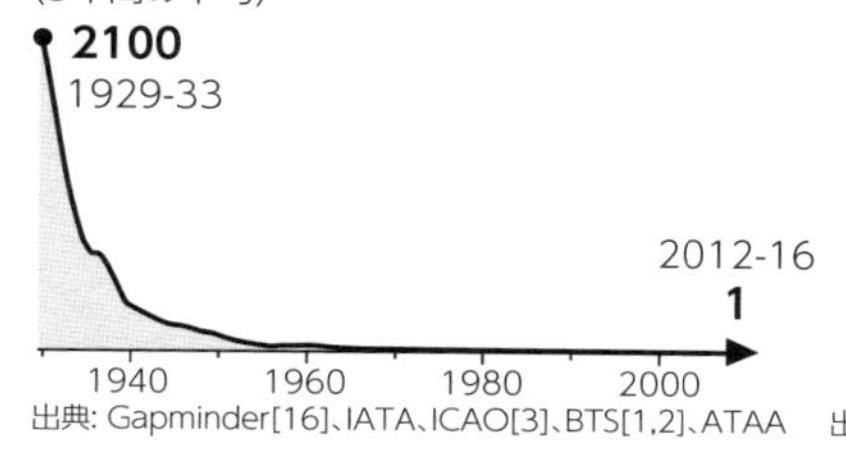

出典: Gapminder[16]、IATA、ICAO[3]、BTS[1,2]、ATAA

児童労働

世界中の子供(5〜14歳)のうち、
朝から晩まで劣悪な環境で働く子供の割合

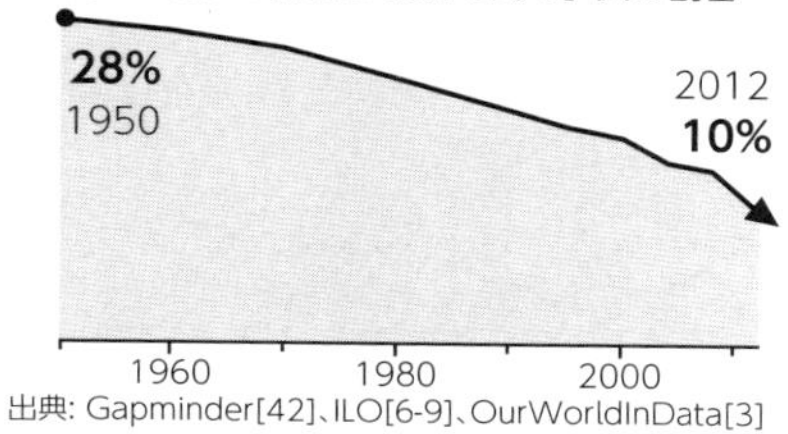

出典: Gapminder[42]、ILO[6-9]、OurWorldInData[3]

災害による死者数

年間死亡者数(単位は千人。10年間の平均)

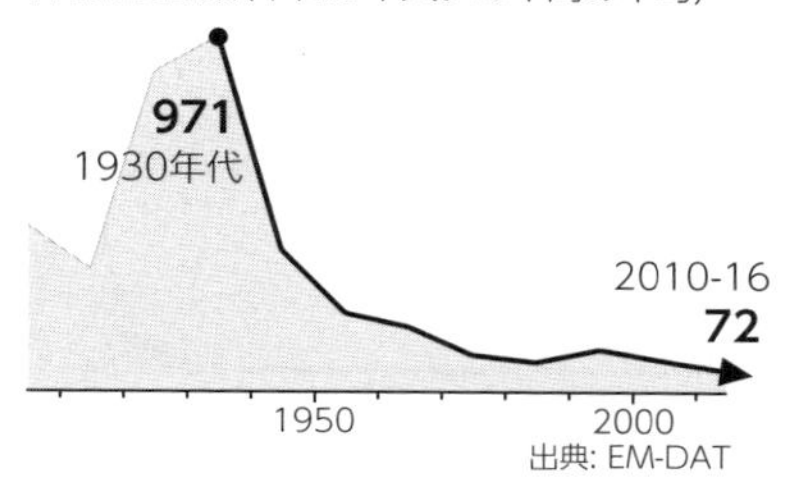

出典: EM-DAT

核兵器

核弾頭の数(単位は千発)

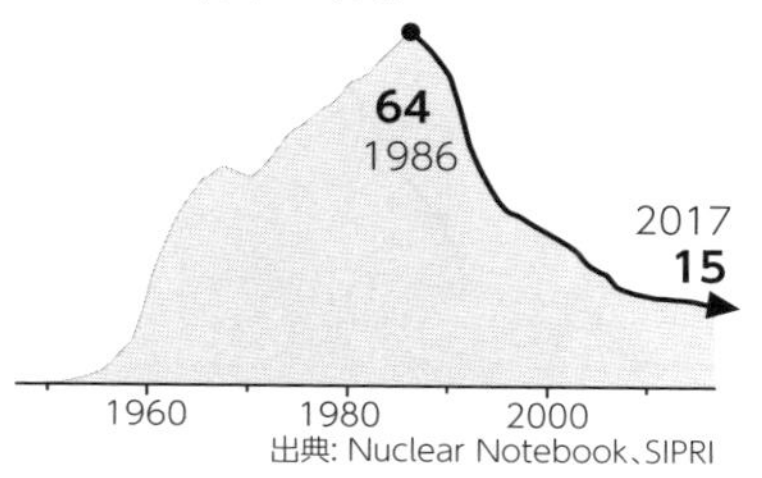

出典: Nuclear Notebook、SIPRI

天然痘

天然痘の感染者がいた国の数(195カ国中)

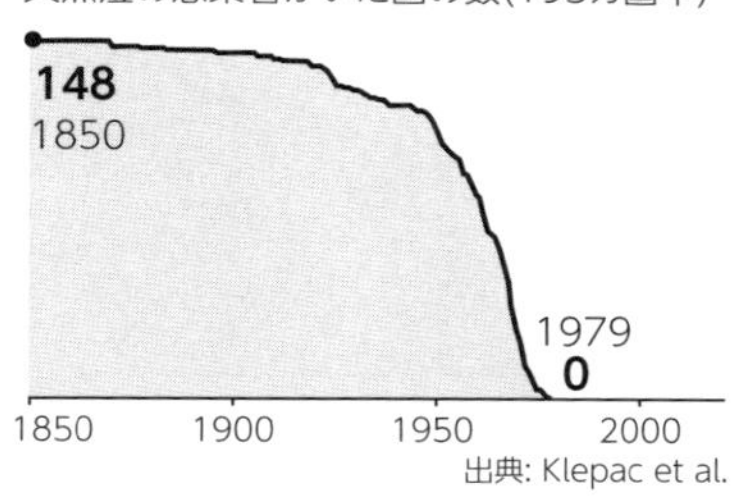

出典: Klepac et al.

大気汚染

ひとりあたりの二酸化硫黄排出量(Kg)

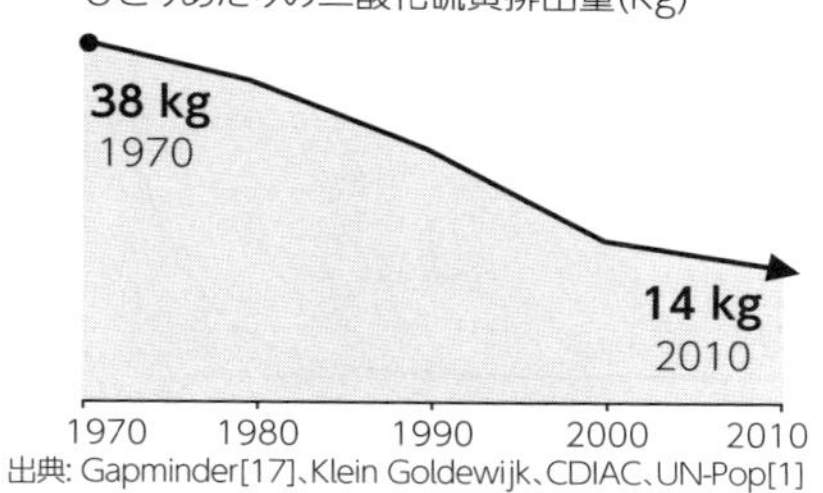

出典: Gapminder[17]、Klein Goldewijk、CDIAC、UN-Pop[1]

オゾン層の破壊

オゾン層破壊物質の使用量
(単位は千トン)

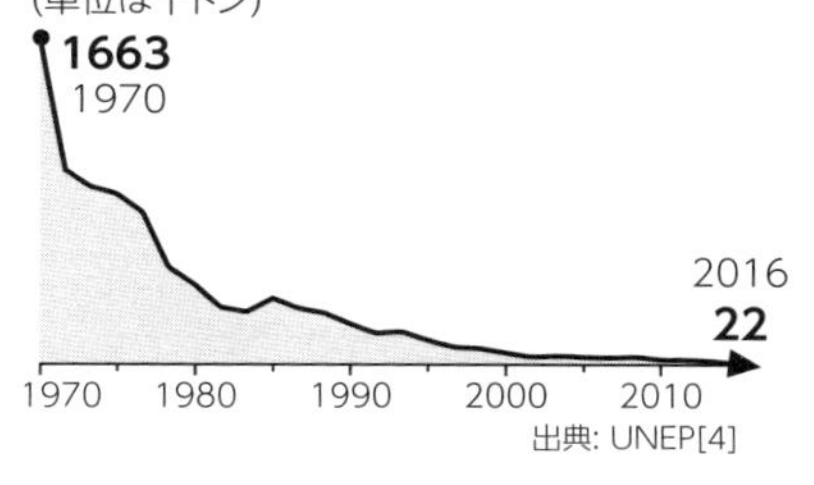

出典: UNEP[4]

飢餓

世界の全人口のうち、低栄養の人の割合

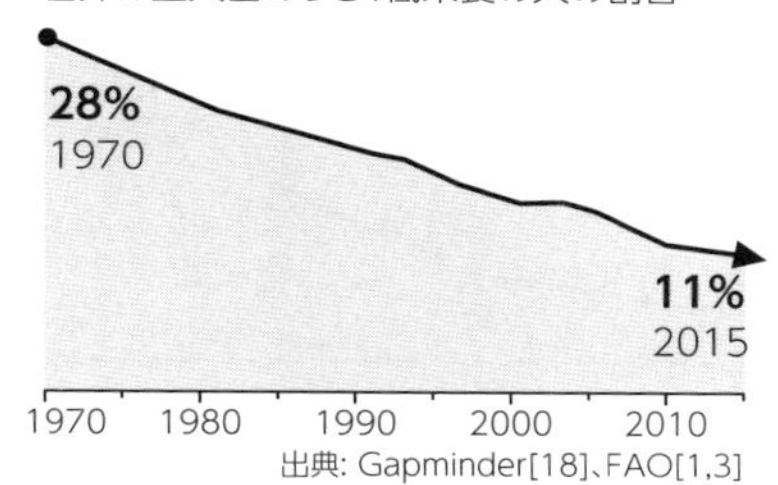

出典: Gapminder[18]、FAO[1,3]

増え続けている16の良いこと(1〜8)

新しい映画

1年あたりの新作長編映画の本数

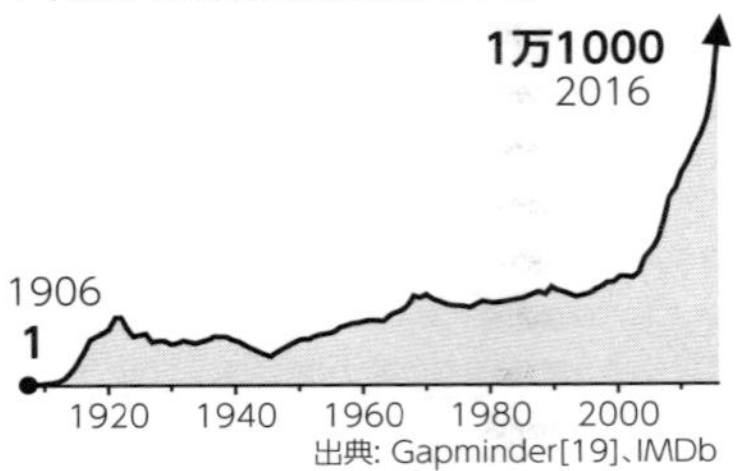

自然保護

地球の陸地の総面積のうち、
自然保護区(国立公園など)が占める割合

14.7%
2016
1900
0.03%
1900
1950
2000
出典: Gapminder[5]、Abouchakra、UNEP[5,6]

女性参政権

男女平等に参政権が与えられている国の数
(195カ国中)

194
2017
1893
1
1900
1950
2000
出典: Gapminder[20]

新しい音楽

1年あたりの新譜数

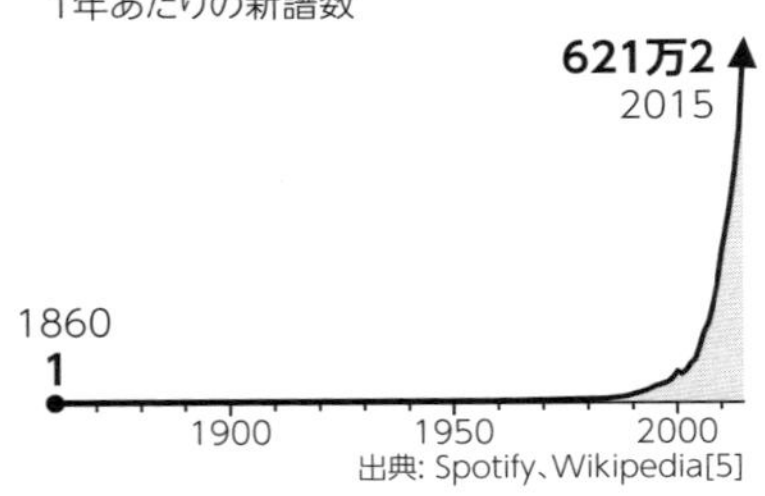

科学の発見

1年間に発表される学術論文の数

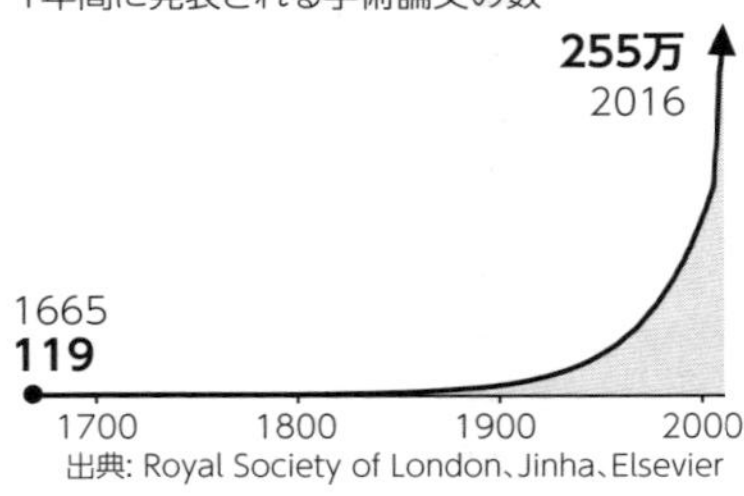

農作物の収穫

1ヘクタールあたりの穀物生産量
(単位は千キロ)

4
2014
1961
1.4
1970
1980
1990
2000
2010
出典: FAO[4]

識字率

世界中の大人(15歳以上)のうち、
基本的な読み書きができる人の割合

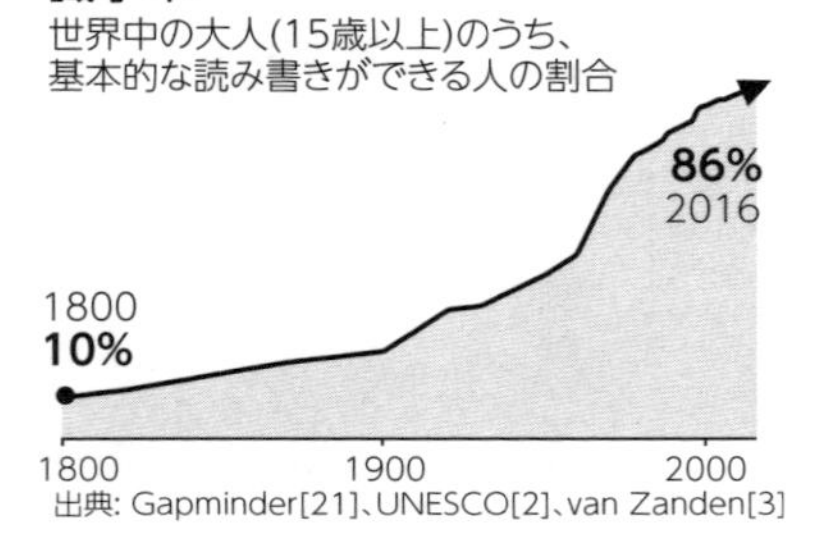

オリンピック

夏期オリンピックに参加した国やチームの数

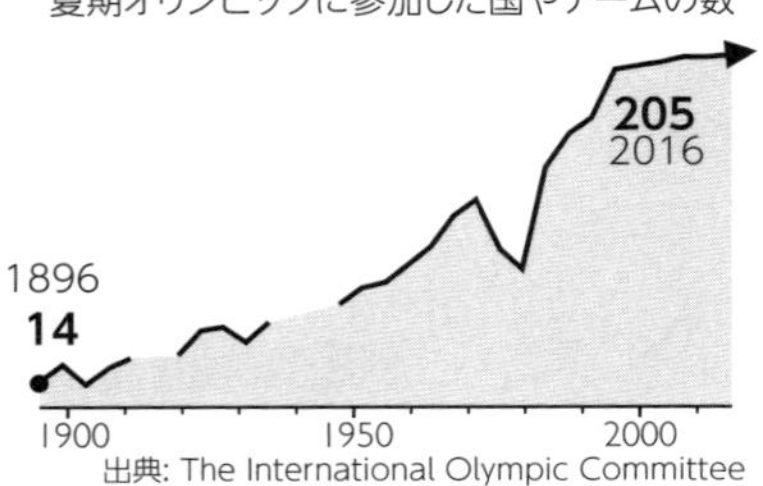

増え続けている16の良いこと(9〜16)

小児がんの生存率

20歳未満でがんが見つかり、最高水準の治療を行った場合の5年生存率

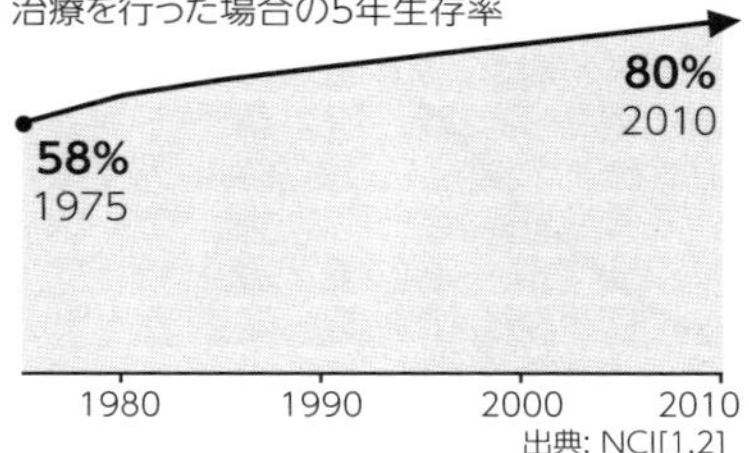

出典: NCI[1,2]

女子教育

初等教育を受ける年齢の女子のうち、実際に学校に通う子の割合

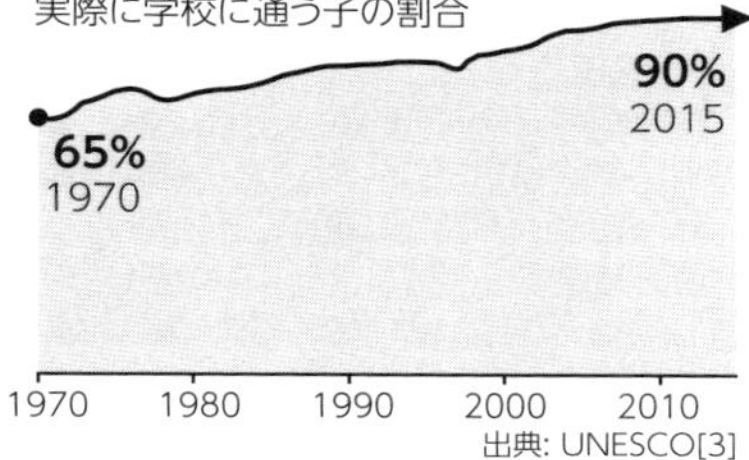

出典: UNESCO[3]

絶滅危惧種の保全

絶滅の危険度を計測して保全に努めている種の数

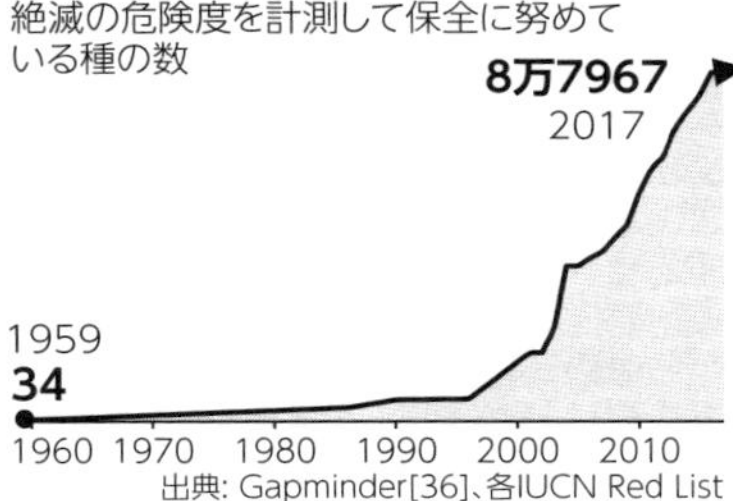

出典: Gapminder[36]、各IUCN Red List

電気の利用

世界の全人口のうち、いくらかでも電気が使える人の割合

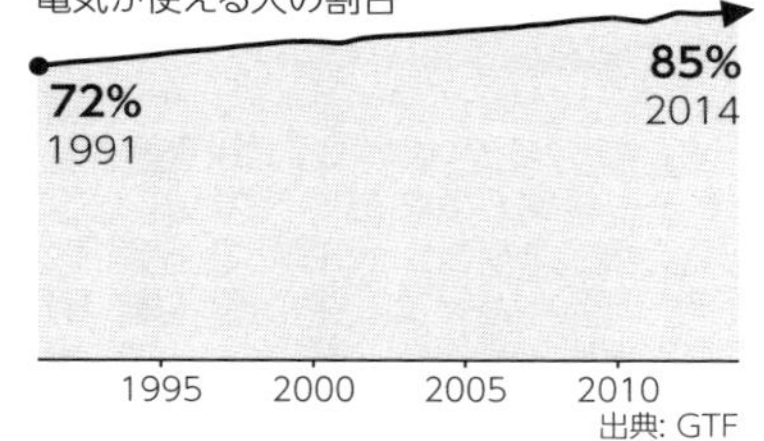

出典: GTF

携帯電話

世界の全人口のうち、携帯電話を持っている人の割合

1980
0.0003%
65%
2017
1980 1990 2000 2010

出典: GSMA、ITU[1]

安全な飲料水

世界の全人口のうち、安全な飲料水を利用できる人の割合

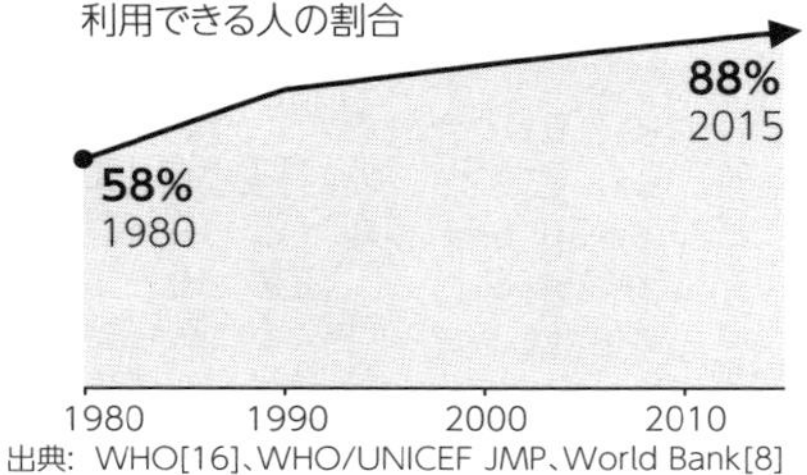

出典: WHO[16]、WHO/UNICEF JMP、World Bank[8]

インターネット

世界の全人口のうち、インターネットを利用できる人の割合

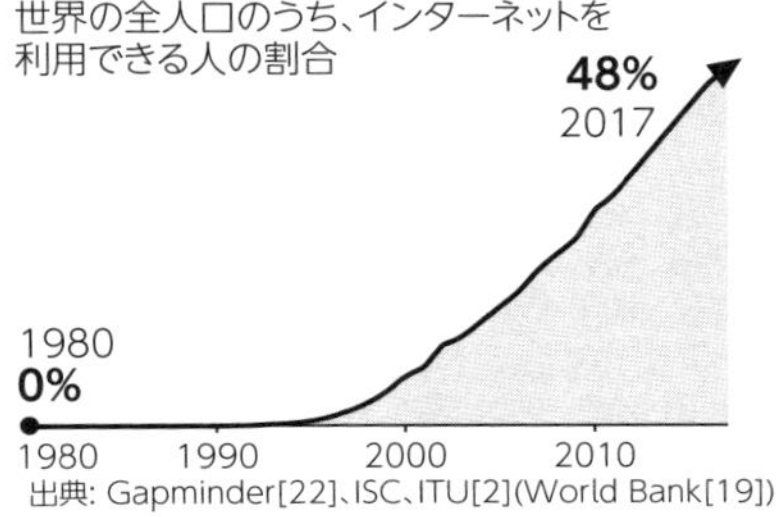

出典: Gapminder[22]、ISC、ITU[2](World Bank[19])

予防接種

世界中の1歳児のうち、何らかの予防接種を受けている子供の割合

22%
1980
88%
2016
1980 1990 2000 2010

出典: WHO[1]、Gapminder[23]

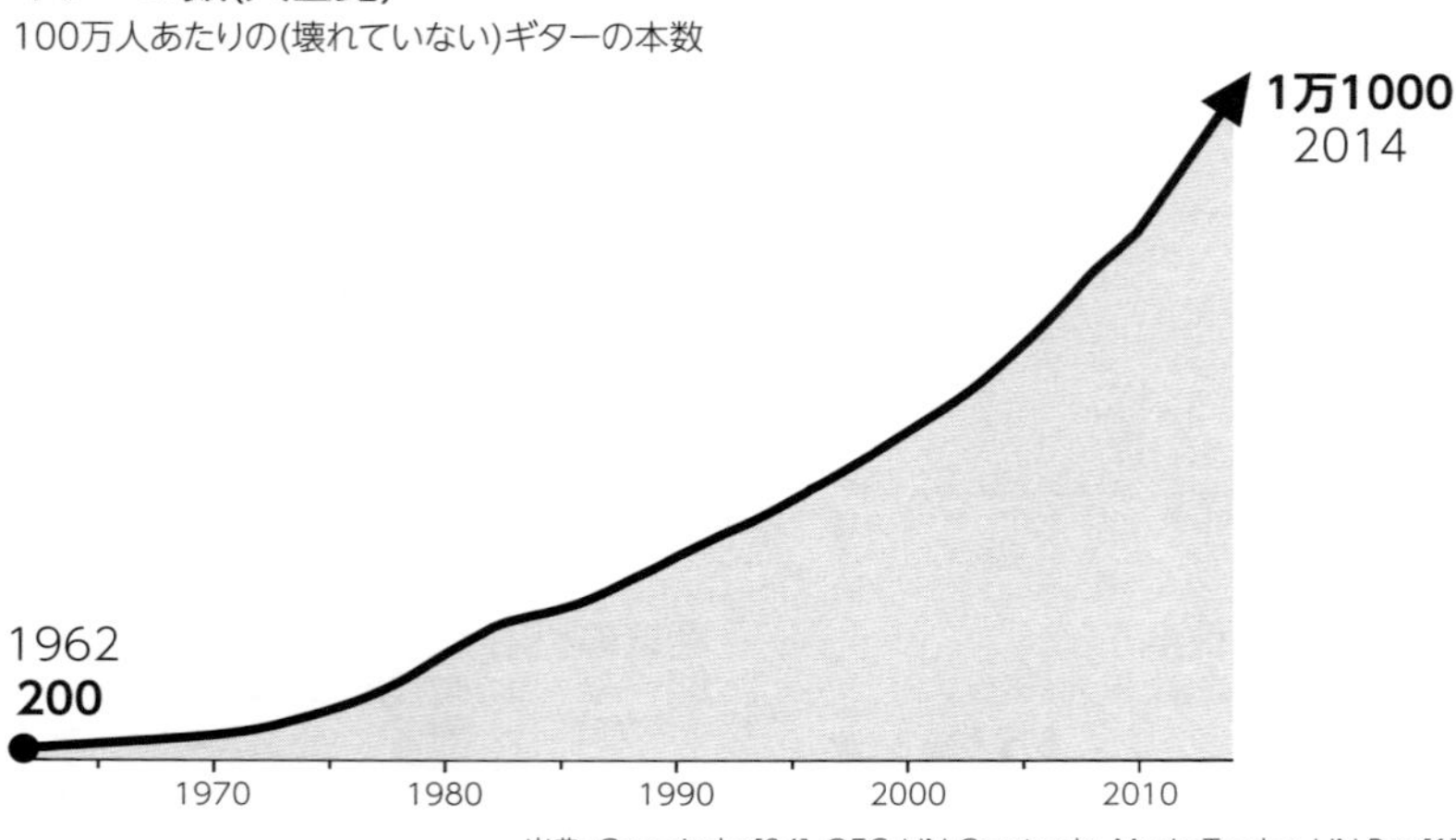

窓の外を見ても、地平線の向こうで起きている進歩には気づけない。でも、世界の進歩について考えるきっかけはそこらじゅうに転がっている。たとえば、子供がギターやピアノを練習している音が聞こえたら、こう考えてみよう。「この子はドブで命を落とさずに、音楽を楽しむ自由を手に入れることができたんだ」と。

せっかく金持ちになっても、いたずらにおカネを使うのであれば意味がない。せっかく長生きしても、いたずらに時間を過ごすのであれば意味がない。平均所得を高め、平均寿命を延ばすことが大切ないちばんの理由は、それによって人々が好きなことを楽しむ自由を得られるからだ。わたしが好きなサーカスを観たり、孫とゲームをしたり、ダラダラとテレビを観ることができるのも、社会が豊かになったからだ。

文化や自由を数字で表すのは難しい。だが、「ひとりあたりのギターの本数」の変化を見れば、「音楽を楽しむ自由」の変化が見えてくるかもしれない。実際に見てみると、「ひとりあたりのギターの本数」は大きく伸び続けている。こんなすばらしいデータがあるのに、「世界はどんどん悪くなっている」と思う人がいるのは不思議で仕方がない。

ネガティブ本能

人々が「世界はどんどん悪くなっている」という思い込みからなかなか抜け出せない原因は「ネガティブ本能」にある。ネガティブ本能とは、物事のポジティブな面よりもネガティブな面に気づきやすいという本能だ。

ネガティブ本能を刺激する要因は3つある。（1）あやふやな過去の記憶、（2）ジャーナリストや活動家による偏った報道、（3）状況がまだまだ悪いときに、「以前に比べたら良くなっている」と言いづらい空気だ。それぞれ紹介していこう。

思い出は美化される

「あの頃に戻りたい。何もかもすっかり変わってしまった」

そうこぼす年配者がいるのは世の常だが、この主張は半分正しくて半分間違っている。たしかに、昔は何もかもがいまと違ったが、いまと比べて良かったわけではない。むしろほとんどの面で、昔はいまより悪い世の中だった。それに、昔がどうだったか、正確に覚えている人は少ない。

西ヨーロッパと北アメリカで、深刻な飢餓や生活苦を身をもって経験した人は、第二次世界大戦や世界大恐慌の時代を生き延びた、ひと握りの年配者しかいない。一方、中国とインドでは、少し前の世代まで極度の貧困があたりまえだった。しかし、きれいな服を着ていい家に住み、バイクを乗り回すようになったインド人や中国人の多くは、貧しかった頃のことを忘れているようだ。

スウェーデン人作家でジャーナリストのラッセ・ベリは、１９７０年代にインドの田舎を訪れて綿密な取材を行った。25年後、同じ村を訪れたラッセは、暮らしの質が明らかに良くなったことに気づく。１９７０年代に彼が撮った写真には、土の床、粘土の壁、着るものも満足にない子供たち、そして外の世界のことを知らず、不安そうな顔をした村人たちが写っていた。しかし１９９０年代後半に訪れたときには、コンクリートの家、服を着て遊ぶ子供たち、そして外の世界に興味を持ち、自信ありげな村人たちが、テレビを楽しむ姿があった。何もかもが25年前と対照的だった。

そこでラッセが村人たちに25年前に撮った写真を見せると、村人たちはあ然とした。

「信じられん」

「この村はこんなに貧しくなかったぞ」

「別の村で撮った写真じゃないのか？」

わたしたちと同じように、村人たちはいまのことで頭がいっぱいだ。子供が不謹慎なドラマ番組を見ているとか、バイクを買うおカネが足りないといった悩みに追われ、昔の記憶はすっかり薄れてしまっている。

そして多くの人は、上の世代が経験した悲惨な出来事から目を背けがちだし、それを下の世代に伝えようともしない。

残虐な過去と向き合いたければ、古代の墓地と現代の墓地を比べてみよう。古代の墓地で考古学者が見つけるものの多くは、子供の遺骨だ。ほとんどの子供たちは飢餓や病気で亡くなったが、暴力を受けた痕がある遺骨も少なくない。狩猟採集社会では殺人率が10％を超えることも多く、相手が子供であろうが容赦はな

ほとんどの人は、「犯罪は増えている」と思い続けている

ギャラップの調査「アメリカの犯罪数は去年より増えたと思う?減ったと思う?」

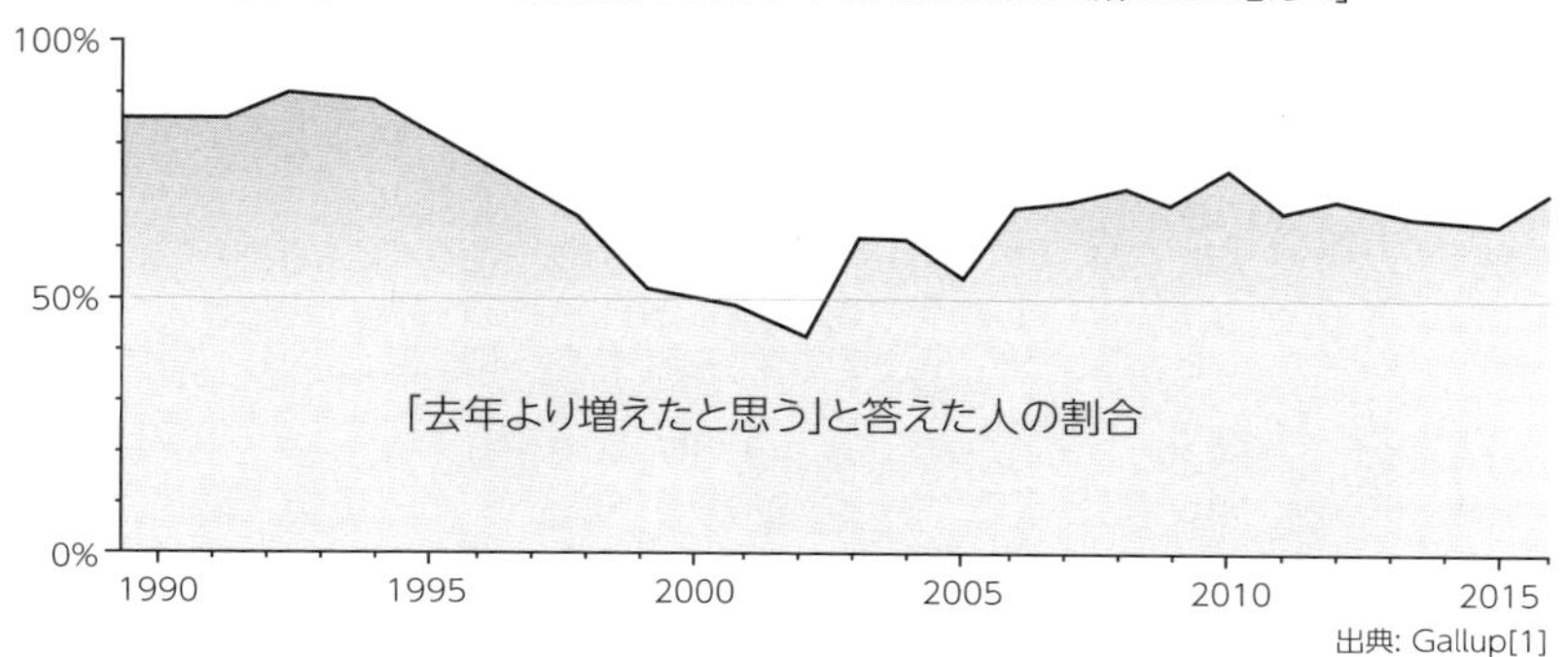

人々の認識:

現実:

アメリカにおける犯罪の認知件数(単位は100万件)

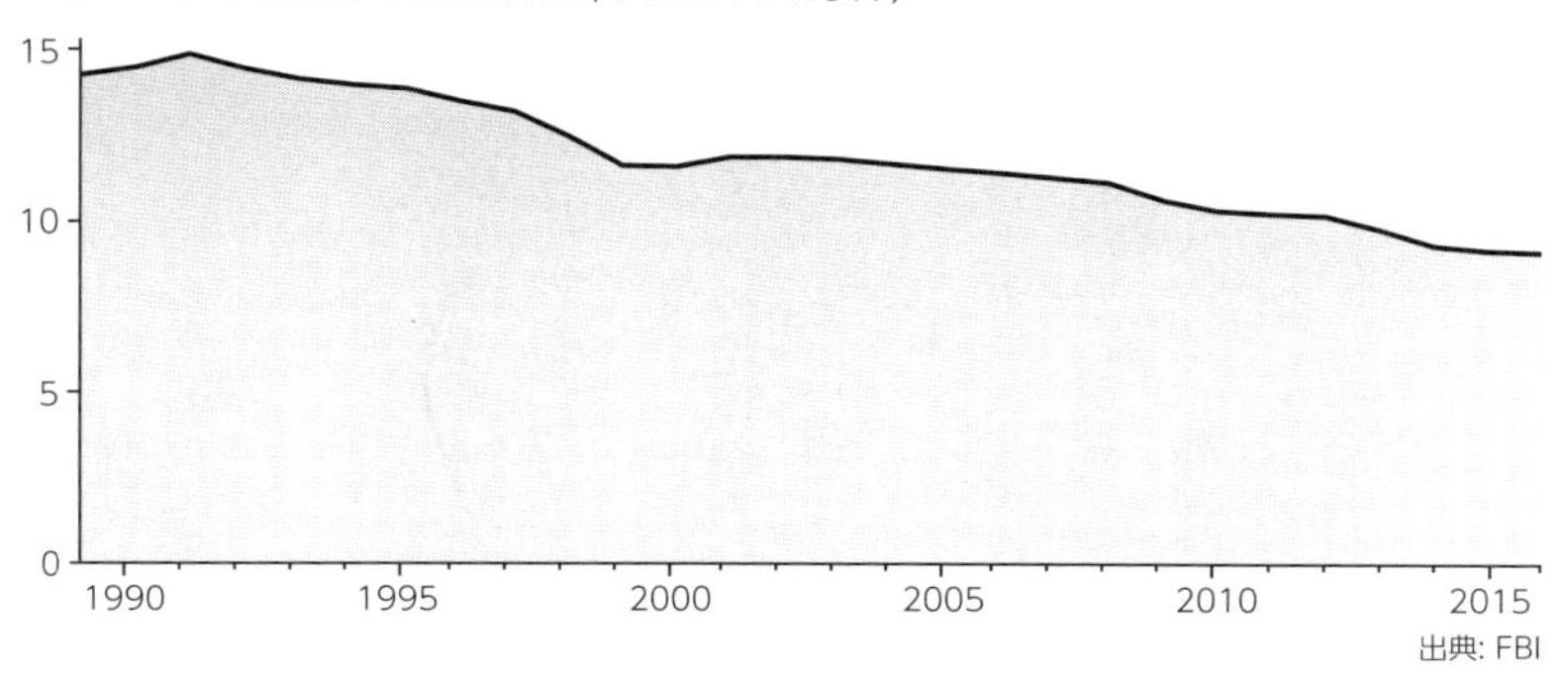

かった。一方、現代の墓地に行くと、そもそも子供の墓自体あまり見かけないだろう。

偏った報道

戦争、飢饉、自然災害、失政、腐敗、予算削減、難病、大規模リストラ、テロ事件。世界はいつだって悪いニュースのオンパレードだ。反対に、ゆっくりとした進歩は、どれほど大規模であっても、何百万という人に影響を与えたとしても、新聞の一面に載ることはない。もしも記者が「航空機、無事着陸」「農作物の収穫、また成功」といった記事を書こうものなら、すぐに会社をクビになるだろう。

報道がより自由になり、技術が進歩するにつれ、悪いニュースは以前にも増してすぐに広まるようになった。数世紀前、ヨーロッパからやって来た開拓者がアメリカ先住民を虐殺したことは、ヨーロッパ本土ではニュースにならなかった。計画経済の失敗により、中国の農村部で大規模な飢餓が起きたことを、赤旗を掲げたヨーロッパの若い共産党員は知らなかった。動物が絶滅しても、生態系が壊されても、昔は誰も気に留めなかった。

暮らしが良くなるにつれ、悪事や災いに対する監視の目も厳しくなった。昔に比べたら大きな進歩だ。しかし監視の目が厳しくなったことで、悪いニュースがより目につくようになり、皮肉なことに「世界は全然進歩していない」と思う人が増えてしまった。

活動家や利益団体による印象操作も問題だ。なんらかの指標が一時的に悪化しただけで、「もうおしまいだ!」と叫ぶ人たちが後を絶たない。長期的に見ると、その指標は改善しているのに、「最悪のシナリオが待っている」と煽り立ててしまう。

例をあげよう。1990年以降、アメリカの犯罪発生率は減り続けている。1990年には1450万件の犯罪が起きたが、2016年には950万件に減った。しかし、どれだけ犯罪件数が減ろうと、ショッキングな事件は毎年のように起こり、メディアはそれを大々的に報道する。

その結果どうなったか。1990年以降のほとんどの年において、「犯罪は増えていると思うか、減っていると思うか?」という質問に対し、「増えている」と答える人が大半を占めた。多くの人が「世界はどんどん悪くなっている」と錯覚するのも無理はない。

いま起きている悪い出来事に人々の目を絶え間なく惹きつけるのがニュースというものだが、悪い出来事ばかり目にしていれば、誰でも悲観的になる。加えて、思い出や歴史は美化されやすい。だからみんな、1年前にも、5年前にも、50年前にも、いま以上に悪い出来事が起きたことを忘れてしまう。「世界はどんどん悪くなっている」と考えれば不安になり、希望も失いがちになる。でも、それは思い込みにすぎない。

考えずに感じているだけ

ネガティブ本能が刺激される理由はもうひとつある。そもそも、「世界はどんどん悪くなっている」という人は、どういう考え方をしているのだろう。わたしが思うに、そういう人たちは実はあまり深く考えておらず、なんとなく**感じているだけ**だ。

喜ぶべきデータを何度見ても、「世界は良くなっている」と決めつけることには抵抗があるだろうか？　もしそうなら、あなたがそう**感じる**理由はおそらく、世界にはまだまだ課題が山のようにあるからだろう。「世界は良くなっている」と聞くと、「なにもかも順調だ」「課題なんて知らんぷりでいい」と言われているように**感じる**のかもしれない。だから「無責任な言い草だ」と思ったり、嫌な気分になったりするのだろう。

たしかに、なにもかも順調なわけがない。世界の課題には危機感を持って臨むべきだ。飛行機の墜落事故、防げたはずの子供の死、絶滅危惧種、地球温暖化の懐疑論者、男性優位主義者、恐怖の独裁者、有害廃棄物、ジャーナリストの投獄、女性であるという理由だけで教育を受けられない女の子たち。許され難いことが存在し続ける限り、わたしたちは安心するわけにはいかない。

しかし、いままでの進歩から目を背けることも、同じくらいばかばかしいと思う。

わたしは日頃から、人類のすばらしい進歩について誰かに語るたびに、「ハンスさんは楽観主義者なんだね」とレッテルを貼られる。正直、いい加減にしてほしい。わたしは楽観主義者ではない。楽観主義者というと世間知らずのイメージがあるが、わたしはいたって真面目な「可能主義者」だ。

「可能主義者」とは、根拠のない希望を持たず、根拠のない不安を持たず、いかなる時も「ドラマチックすぎる世界の見方」を持たない人のことを言う。ちなみに「可能主義者」はわたしの造語だ。

可能主義者のわたしは、「人類のこれまでの進歩を見れば、さらなる進歩は可能なはずだ」と考える。単に楽観しているわけではない。現状をきちんと把握し、生産的で役に立つ世界の見方をもとに行動している。

「なにひとつとして世界は良くなっていない」と考える人は、次第に「何をやっても無駄だ」と考えるようになり、世界を良くする施策に対しても否定的になってしまう。そういう人にわたしは何度も出会ってきた。「人類に未来はない」と言う人もいた。中には過激派になり、まったく生産的ではない極端な手段を支持する人も出てくる。いま行われている施策が、確実に世界を良くしているにもかかわらずだ。

女子教育を例にとろう。女性に教育の機会を与えることは、人類史上、最もすばらしいアイデアのひとつだ。女性が教育を受けると、良いことが連鎖的に起きる。職場に多様性が生まれ、意思決定の質も上がり、より多くの問題を解決できるようになる。教育を受けた母親が増えると子供の数も減り、子供ひとりあたりの教育投資が増える。女子教育が、社会を変える好循環を生むのだ。

昔は、教育の機会は均等でなかった。子供を全員学校に通わせる余裕がない家庭は、まず男の子を優先していた。しかし、1970年を境に大きな変化が訪れた。宗教、文化、地域の違いにかかわらず、ほとんどの家庭が子供全員を学校に通わせられるようになった。こうして、女子も学校に通い始めた。

そして現在、女子は男子に追いつきそうだ。小学校に通う年齢の子供のうち、教育を受けている子供の割合は、女子で90%、男子で92%だ。ほとんど差がないと言っていい。

レベル1にいる国々では、おもに中等教育や高等教育において、いまだに男女間の教育格差が残っている。だからといって、いままでの進歩を否定すべきではない。わたしは「可能主義者」だから、いままでの進歩を喜び、同時にさらなる進歩を求めたいと思う。

これまでの進歩を振り返れば、すべての女子とすべての男子が、学校に通える日が来るのも夢ではないと思う。それが夢のままで終わらないように、わたしたちは全力で行動するべきだ。

ネガティブ本能がもたらす悪影響のうち、おそらく最もタチが悪いのは希望を失うことだ。理想を実現したければ、ばかげた勘違いのせいで希望を失わないようにしよう。

ネガティブ本能を抑えるには

わたしたちの周りは一見、なにもかもがどんどん悪くなっているように見える。そんなときに、どうすれば実は物事が良くなっていることに気づけるのだろう。

「悪い」と「良くなっている」は両立する

まず考えられるのは、「悪いニュースを相殺すべく、良いニュースを積極的に見る」という方法だ。しかし、これは良い案とは言えない。いままでとは真逆の勘違いを生んでしまうだけだ。「糖分を摂り過ぎたから、次はたくさん塩分を摂ろう」と言っているようなものだ。いい気分にはなるかもしれないが、健全とは言えない。ではどうすればいいのか。

わたしは、頭の中に「悪い」と「良くなっている」という2つの考え方を同時に持つようにしている。

何かが「良くなっている」と聞くと、「大丈夫だから、心配しないで」とか「目をそらしてもいい」と言われている気になる。しかし、わたしは「世界は良くなっている」とは言っているが、「世界について心配する必要はない」と言ってはいない。もちろん、「世界の大問題に、目を向ける必要はない」と言っているわけでもない。「悪い」と「良くなっている」は両立する。

世界は、保育器で育つ早産児のようなものだ。保育器では、危険な状況にある赤ちゃんを救うべく、呼吸や心拍数など重要な数値が常に計測され、体調の変化にいち早く気づけるようになっている。たとえばある赤ちゃんは、保育器に入ってから1週間経つ頃には、体調がだいぶ回復した。しかし、すべての数値が良くなっているとはいえ、いまだに危険な状態なので保育器から出ることはできない。

このような場合、「赤ちゃんの状態は良くなっている」と言うのは正しいだろうか？ もちろん正しいに決まっている。では、「赤ちゃんの状態は悪い」と言うのは正しいだろうか？ もちろんこちらも正しい。「状況は良くなっている」と言うのと、「万事オーライ、心配ご無用」と言うのは同じ意味だろうか？ もちろん同じわけがない。「悪い」と「良くなっている」の、どちらかひとつを選ぶべきだろうか？ もちろんそんなことはない。両方選べばいい。

世界のいまを理解するには、「悪い」と「良くなっている」が両立することを忘れないようにしよう。

悪いニュースのほうが広まりやすい

ネガティブ本能を抑える方法はほかにもある。そのひとつは、悪いニュースのほうが広まりやすいと気づくことだ。

メディアや活動家は、あなたに気づいてもらうために、ドラマチックな話を伝えようとする。そして悪いニュースのほうが、良いニュースや普通のニュースよりもドラマチックになりがちだ。また、なんらかの数字が長期的には伸びていても、短期的に落ち込むことがあった場合、それを利用して「危機が迫っている」という筋書きを立てるのはたやすい。

世界はオープンになり、人々はネットでつながり、報道の質も上がった。悪いニュースは、以前よりずっと広まりやすくなった。

悲惨なニュースを見たときは、自分にこう尋ねてみよう。

「このニュースと同じくらい強烈な『明るい』話があったとしたら、それはニュースになっていただろうか？ さまざまな大きな進歩のニュースは、はたして自分の耳に入ってくるだろうか？ 溺れなかった子供がニュースになるだろうか？ 溺れる子供の数や、結核で亡くなる人の数が減っていることに、窓の外を見て気づけるだろうか？ ニュースを読んだり、慈善団体のパンフレットを見たりして気づけるだろうか？」

良い変化のほうが悪い変化より多かったとしても、良い変化はあなたの耳には入ってこない。あなたが探すしかない。統計を見れば、良い変化がそこらじゅうにあることに気づけるだろう。

「悪いニュースのほうが広まりやすい」と心得ておけば、毎日ニュースを見るたびに絶望しないですむ。大人も子供も、ぜひこの考え方を身につけてほしい。

歴史を書き換えてはいけない

歴史を美化すればするほど、わたしたちや次の世代の人たちが、真実にたどり着けなくなってしまう。悲惨な過去について学ぶのは気が滅入るかもしれないが、真実を知るためには避けて通れない。

過去をきちんと学べば、昔に比べたら、いまがどれだけ恵まれているかに気づくこともできる。そして次の世代はきっと、前の世代と同じように、たまには一歩後退しても、長い目で見れば平和、繁栄、問題解決の道を歩むことができるはずだ。

社会に感謝

65年前、わたしはスウェーデンのとある工場労働者の町で小便混じりのドブに落ち、命からがら生き延びた。まさかそんな自分が、家族で初めて大学に進学し、公衆衛生学の教授になり、ダボス会議に参加し、さまざまな分野の専門家に対して「あなたはチンパンジーより世界のことを知らないのです」と説教するようになるとは、夢にも思わなかった。

もちろん子供の頃は、世界の変化について基本的なことすら知らなかった。大人になってから世界について学んだのだが、なかには興味深い気づきもあった。

人々の死因がどのように変化していくかを知るためには、人が亡くなるたびに死因を記録し、それを集計するしかない。非常に手間がかかる。世界規模で見ると唯一、「Global Burden of Disease（世界の疾病負担研究）」という調査がある。

わたしがこの調査を知ったのは、ドブで溺れかけた日からずっと後のことだった。調査データによると、レベル3の国においては、5歳以下の子供がドブで溺れる事故はよくあることで、わたしの経験はさほど特別なことではなかったようだ。あの日は祖母が、ドブにはまって動けなかったわたしを引っ張り上げてくれた。そしてその後、スウェーデン社会がわたしをさらに引っ張り上げてくれた。

わたしの一生のあいだに、スウェーデンはレベル3からレベル4になった。結核の治療法が確立され、母の結核も治った。母は図書館から無料で本を借り、わたしに読んでくれた。家族で初めて6年以上の教育を受けたわたしは、やがて学費無料で大学に進学し、博士号も無料で取得した。もちろん、学費がタダなのは納税者のおかげだ。30歳になり、2児の父となり、人生で一度目のがんにかかったときは、スウェーデンが誇る世界最高峰の医療システムにお世話になった。これも、治療費は無料だった。

わたしがいままで生きられて、成功できたのは、いつもほかの誰かがわたしを引っ張り上げてくれたからだ。家族や、無料の教育や医療システムのおかげで、わたしはドブから這い上がり、ダボス会議にまでたどり着いた。決してひとりでは成し遂げられなかっただろう。

現在、レベル4になったスウェーデンでは、5歳までに命を落とす子供は1000人中4人しかいない。そのうち、溺れて亡くなる子供はたった1%だ。フェンス、保育所、救命胴衣の普及、水泳練習、市民プールの監視員など、おカネを使うことで、子供が溺れる確率を減らせる。こうして国が豊かになるにつれ、子供が溺れ死ぬという悲劇がほとんど起こらなくなった。これを進歩と呼ばずして、何と呼べばいいのだろう。

同じような進歩は、いま世界中で起きている。そしてほとんどの国は、以前のスウェーデンよりもはるかに速いスピードで、進歩を続け、追いついてきている。

ファクトフルネス

ファクトフルネスとは……ネガティブなニュースに気づくこと。

そして、ネガティブなニュースのほうが、圧倒的に耳に入りやすいと覚えておくこと。物事が良くなったとしても、そのことについて知る機会は少ない。すると世界について、実際より悪いイメージを抱くようになり、暗い気持ちになってしまう。

ネガティブ本能を抑えるには、「悪いニュースのほうが広まりやすい」ことに気づくこと。

- **「悪い」と「良くなっている」は両立する。**「悪い」は現在の状態、「良くなっている」は変化の方向。2つを見分けられるようにしよう。「悪い」と「良くなっている」が両立し得ることを理解しよう。
- **良い出来事はニュースになりにくい。**ほとんどの良い出来事は

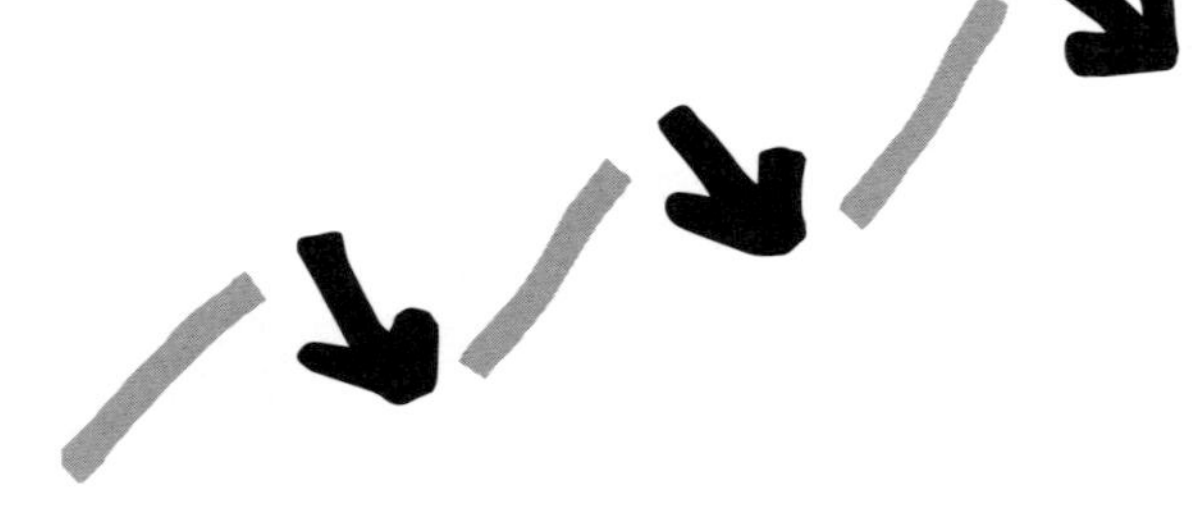

報道されないので、ほとんどのニュースは悪いニュースになる。悪いニュースを見たときは、「同じくらい良い出来事があったとしたら、自分のもとに届くだろうか?」と考えてみよう。

●**ゆっくりとした進歩はニュースになりにくい。**長期的には進歩が見られても、短期的に何度か後退するようであれば、その後退のほうが人々に気づかれやすい。

●**悪いニュースが増えても、悪い出来事が増えたとは限らない。**悪いニュースが増えた理由は、世界が悪くなったからではなく、監視の目がより届くようになったからかもしれない。

●**美化された過去に気をつけよう。**人々は過去を美化したがり、国家は歴史を美化したがる。

第 3 章

「世界の人口はひたすら増え続ける」という思い込み

直線本能

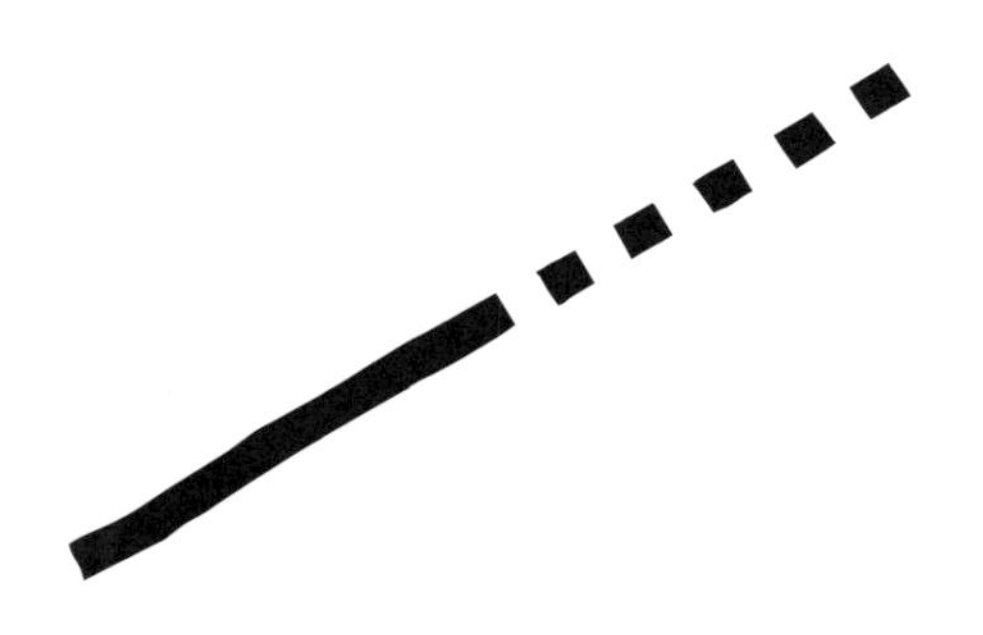

子供の命を救うと、人口が減るのはなぜだろう。「交通事故」と「虫歯」、「わたしの孫」と「世界の人口」に共通することはなんだろう。

こんなに恐ろしいグラフは見たことがない

本当にあった怖い統計の話をしよう。2014年9月23日。ストックホルムにあるギャップマインダーのオフィスで仕事をしていたわたしは、あるグラフに目をひかれた。そしてグラフを線でなぞるなり、たちまち背筋が凍りついた。

8月頃から、わたしは西アフリカで流行したエボラ出血熱のことを気にかけるようになった。リベリア共和国の首都・モンロビアで、路上で死にかけている人々の悲惨な姿を、ニュースで目にした人も多いと思う。職業柄、「恐ろしい伝染病が、突然流行りだした」という話はしょっちゅう耳にする。でもたいていの場合、流行が止まるのは時間の問題だ。だからてっきり、エボラの流行もすぐに終わるだろうと思い込んでいた。だからこそ、世界保健機関のグラフを見たときは、驚きと恐怖を隠せなかった。そしてすぐさま、わたしは行動に移った。

エボラが見つかるなり、世界保健機関の研究者たちは感染データをまとめた。そのデータをもとに、10月末までの予想感染者数がはじき出された。これによると、新規感染者の数は、「1、2、3、4、5」と直線的ではなく、「1、2、4、8、16」と倍々に増えている。こんなことは初めてだ。どうやらエボラにかかった人は、亡くなるまでに平均2人を感染させているらしい。その結果、3週間ごとに、新規感染者の数が倍になっている。この傾向が続けば、エボラの被害はとんでもないことになる。倍々ゲームを甘く見てはいけない。

学生だった頃、わたしは倍々ゲームの怖さをインドに古くから伝わる話から学んだ。ある日、クリシュナ卿は王様にチェスで勝ち、王様は褒美(ほうび)としていくつかの米粒を差し出すことになった。クリシュナ卿は、チェス盤の1ます目に米をひと粒、2ます目にふた粒、3ます目に4粒、次は8粒と続け、すべてのますに米粒を置いてもらうようお願いした。しかし64ます分を合計すると、米粒の数はなんと1844京6744兆737億955万1615粒になる。これはインド全土を約80センチの高さで覆えるほどの米粒の量だ。倍々ゲームでは、わたしたちが想像するよりずっと速いペースで数字が増えていく。

話を戻そう。このままでは西アフリカが危ない。リベリアでは最近内戦が終わったばかりだというのに、エボラによってさらに多くの犠牲者が出てしまう。ほかの国もうかうかしていられない。マラリアと違い、エボラはどんな気候でも感染しやすい。感染した人がそれに気づかずに飛行機に乗ってしまえば、遠く離れた国にもエボラがやってくる。効果的な治療法もまだ見つかっていなかった。

すでに人々が路上で亡くなっているが、3週間で感染者が倍になるということは、9週間後には8倍の被害が出るということだ。対策が3週間遅れるごとに、求められる労力や物資も倍になる。なんとしても数週間以内に感染を止めないとまずい。

ギャップマインダーを運営するわたしたちはエボラを最優先課題として、超特急でデータを集め、エボラの怖さを訴える動画をつくった。わたしは向こう3カ月の予定をすべてキャンセルし、10月20日にはリベリアに飛んだ。サハラ以南のアフリカで、伝染病の研究に費やした20年間が、何かの役に立つことを信じて。このときわたしは生まれて初めて、クリスマスや新年を家族と離れて過ごすことになった。

世界もわたしも、エボラの規模と危険性に気づくのが遅すぎた。感染者の数は、直線的に伸びると勘違いしていた。データを見ると、倍増しているのは一目瞭然だ。それに気づいてすぐに行動できたのはよかったが、振り返ってみれば、もっと早く気づくべきだった。

「世界の人口はひたすら増え続ける」という、とんでもない勘違い

わたしが最近招待されるカンファレンスには、「持続可能な〇〇」という名前がついていることがほとんどだ。持続可能性、すなわち人間の活動が将来にわたって持続できるかどうかは、人口に大きく左右される。地球が支えられる人の数には限りがあるからだ。

ということはもちろん、持続可能性のカンファレンスに参加する人は、世界の人口増加に詳しいに違いない。講演した際に、いくつか実際にクイズを出して確かめてみた。するとほとんどの参加者たちは、世界の人口増加について基本的な知識すら持ち合わせていなかった。

原因は、第3の本能「直線本能」にある。この直線本能が、「世界の人口は**ひたすら**増え続ける」という、3つめのとんでもない勘違いを生んでいる。

キーワードは「**ひたすら**」だ。わざわざ強調しているのにはわけがある。「**ひたすら**」という言葉が、勘違いを象徴しているからだ。

世界の人口が増え続けているのは間違いない。しかもすごい速度で。13年後には、世界の人口はいまより約10億人も増える見込みだ。これは勘違いではない。

だが、「**ひたすら**増え続ける」と言うのはどうだろう？「ひたすら増え続ける」と聞くと、何もしなければ人口増加は止まらないような感じがする。よほどのことがない限り、人口は増え続けると思い込んでしまう。しかし、これは間違いだ。

人口が増え続けるという勘違いも、世界やわたしがエボラになかなか気づかなかったことも、もともとの原因は「直線本能」にある。これは、グラフが直線を描くと思い込んでしまう本能だ。

ノルウェーで行われた、教師向けのカンファレンスで登壇したときの話をしよう。ちなみにこの話をすると、わたしはノルウェー人に手厳しいように見えるかもしれないが、そんなつもりはない。たとえばフィンランドのカンファレンスでも、同じことが起こり得たと思う。

さて、このカンファレンスには、社会科の教師がたくさん参加していた。みな、授業で世界人口の変化について教えている。そこでわたしは講義の途中、人口に関するクイズを出した。いままで使ったことがない質問だった。

しばらくして後ろを振り返り、スクリーンに映し出される結果を見るなり、わたしはひさびさに言葉を失った。ありえない。答えを集計する機械が壊れているに違いない。そう疑ってしまうほどの結果だった。

その質問がこちらだ。

質問5 15歳未満の子供は、現在世界に約20億人います。国連の予測によると、2100年に子供の数は約何人になるでしょう?

A 40億人
B 30億人
C 20億人

正しい答えがどれかは、のちほど説明する。

クイズの前に、わたしは観客席の教師たちにこう伝えていた。「3つの線のうち、国連の予測を表す正しい

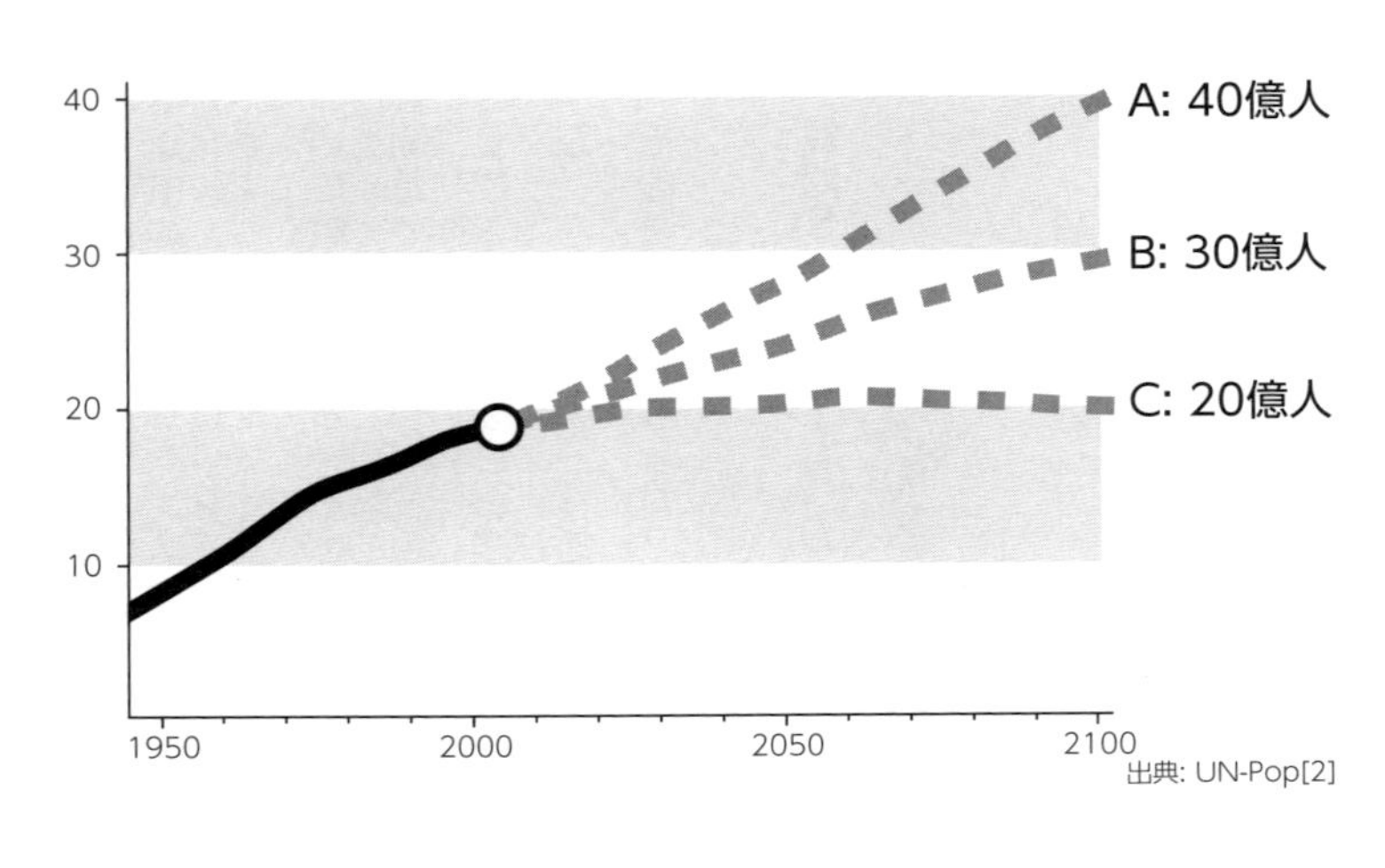

線はひとつだけです。あとの2つは、わたしがでっち上げました」

もしチンパンジーにこの質問を出したら、正解率は33％になる。それに比べ、ノルウェーの教師たちの正解率はどうだったか。驚くなかれ、たったの9％だった。なんてこった。社会で重大な役割を担う先生方が、チンパンジー以下というのはどういうことか。いったい、子供たちに何を教えているのだろう？ やっぱり、機械が壊れているんじゃないか？

しかし、一般の人たちにこの質問をしても結果は同じだった。アメリカ・イギリス・スウェーデン・ドイツ・フランス・オーストラリアの回答者のうち、85％は間違ったグラフを選んだ（国ごとの結果は付録を見てほしい）。

では、ダボス会議に来ていた専門家たちはどうだっただろう？ 正解率は26％。チンパンジーには及ばないが、一般の人たちよりはだいぶましだ。

ノルウェーでのカンファレンスの後、落ち着いて考えてみると、この勘違いの根深さが浮き彫りになった。子供人口の変化を知らないと、将来の世界人口を正しく予測できない。ということは、持続可能性について正しく議論することもできない。ひとつ間違うと、

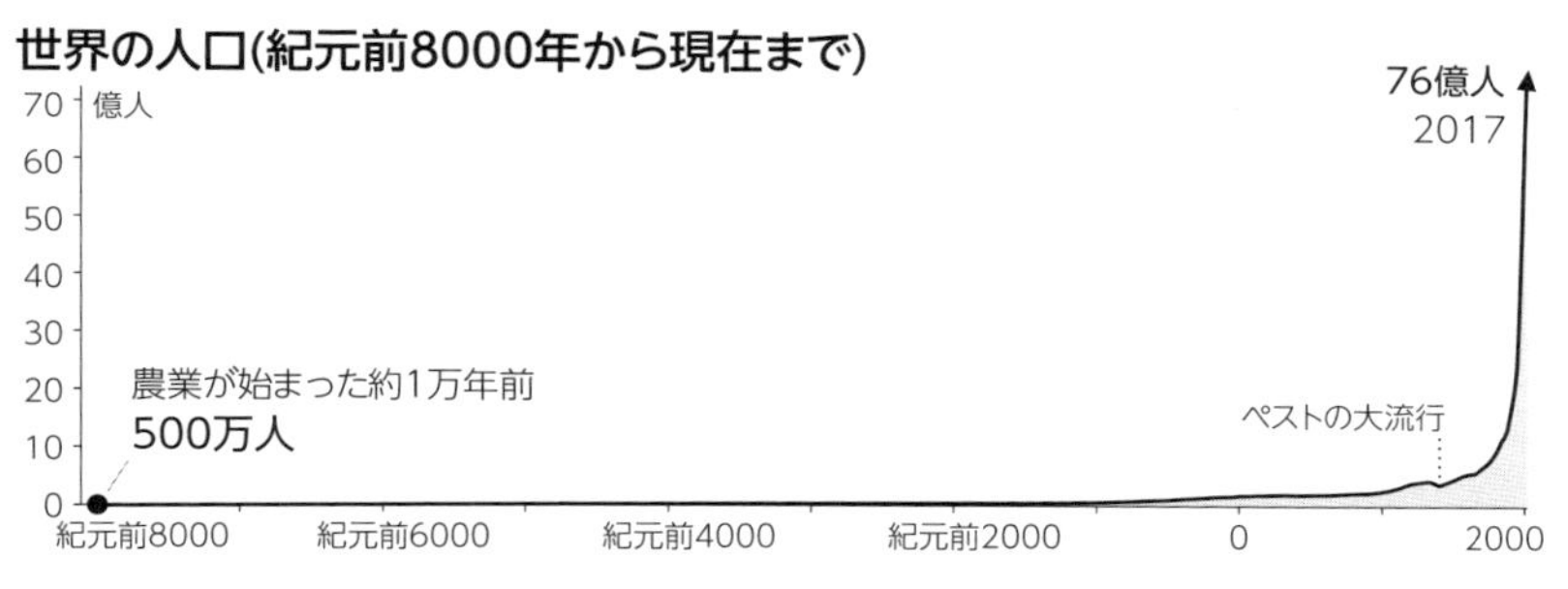

出典: Gapminder[17]、Biraben、McEvedy and Jones、Maddison[2]、UN-Pop[1]

ぜんぶ間違えてしまう。

それなのに、高学歴で影響力を持つ人たちの多くは、世界の人口学者なら誰でも知っている事実を一切知らない。データは国連のウェブサイトで無料で見ることができる。しかし、データが無料でも、それを見ようとしなければ、知識としては身につかない。

そろそろクイズの答えを言おう。正解はC。グラフのいちばん下の平らな線だ。国連の予測によれば、2100年の子供人口は20億人で、現在と変わらない。グラフも、これまでのような右肩上がりの直線にはならない。

直線本能

ここでいったん、世界人口の歴史について話そう。まず、紀元前8000年から現在までの人口のグラフを見てみよう。

紀元前8000年というと、農業が生まれたときだ。人々は、世界各地の海岸沿いや川沿いに暮らしていた。当時の地球の人口は約500万人。現在のロンドン、バンコク、リオデジャネイロといった大都市よりも少ない。

それから約1万年の間、人口はゆっくりと増え続け、1800年頃には10億人になった。その後、奇妙なことが起きた。たったの130年で、人

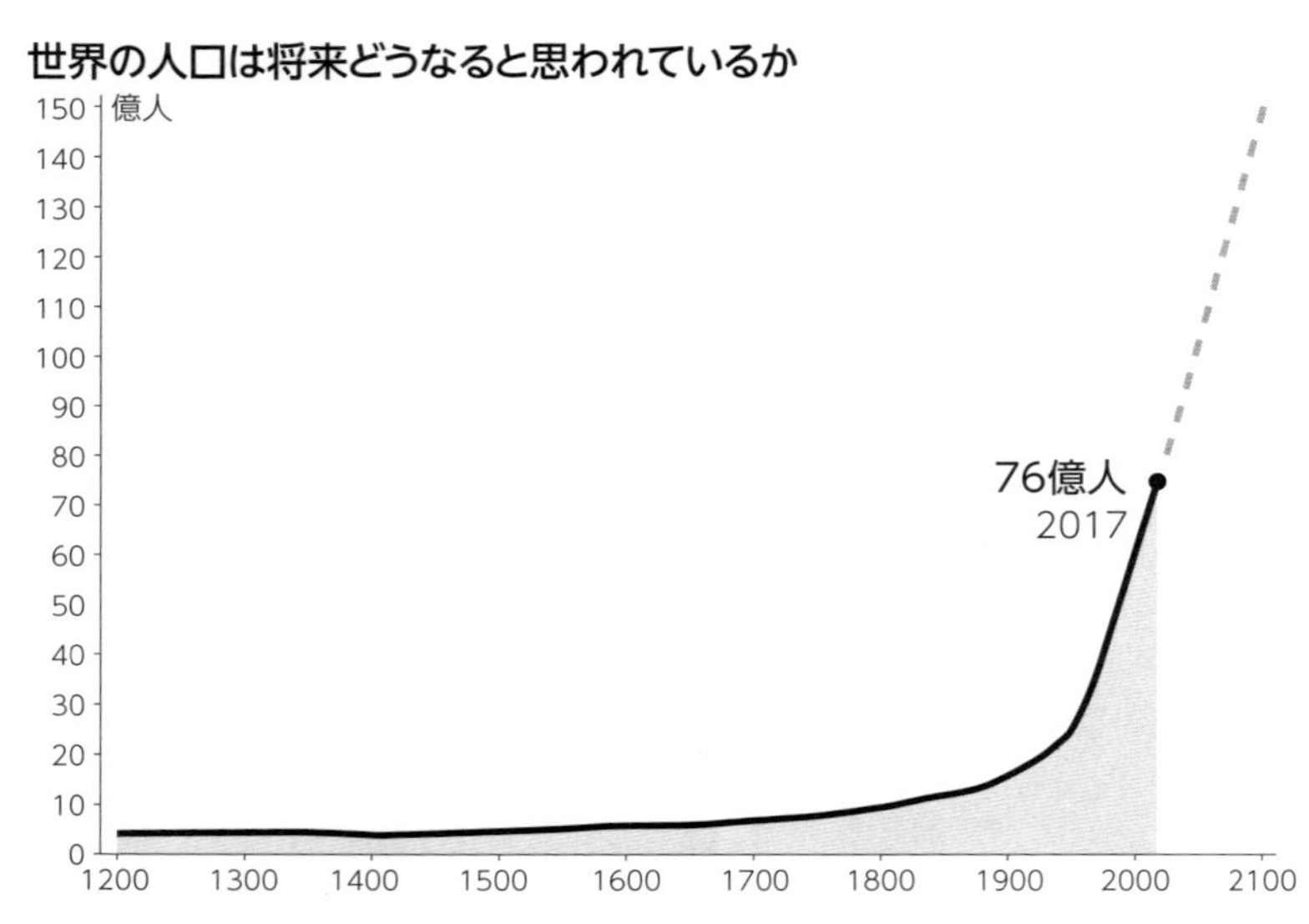

出典: Gapminder[17]、Biraben、McEvedy and Jones、Maddison[2]、UN-Pop[1]

口が倍の20億人になった。さらに、それから100年もしないうちに、地球には70億人が住むようになった。人口はとんでもない速度で、しかも**ひたすら**増え続けているように**見える**。こんなグラフを目の当たりにしたら、パニックになるのも無理はない。地球の資源が枯渇するのも時間の問題に思えてくる。

仮に自分に向かって石が飛んできたら、あなたはどうする？　おそらく無意識に、あなたの目と脳が石の軌道を先読みし、自分に当たりそうなら避けようとするだろう。数字も表もグラフも必要ない。

このようにわたしたちは、視覚を頼りに、何かの軌道を反射的に予測することができる。おそらく、ご先祖さまが生き延びるのに欠かせない能力だったのだろう。そしていまでも、たとえば交通事故を避けるのにこの能力は役立つ。運転中は、ほかの車が数秒後にどう動くかを予想し続けなければいけないからだ。

しかし現代では、この「直線本能」は役に立たないことも多い。

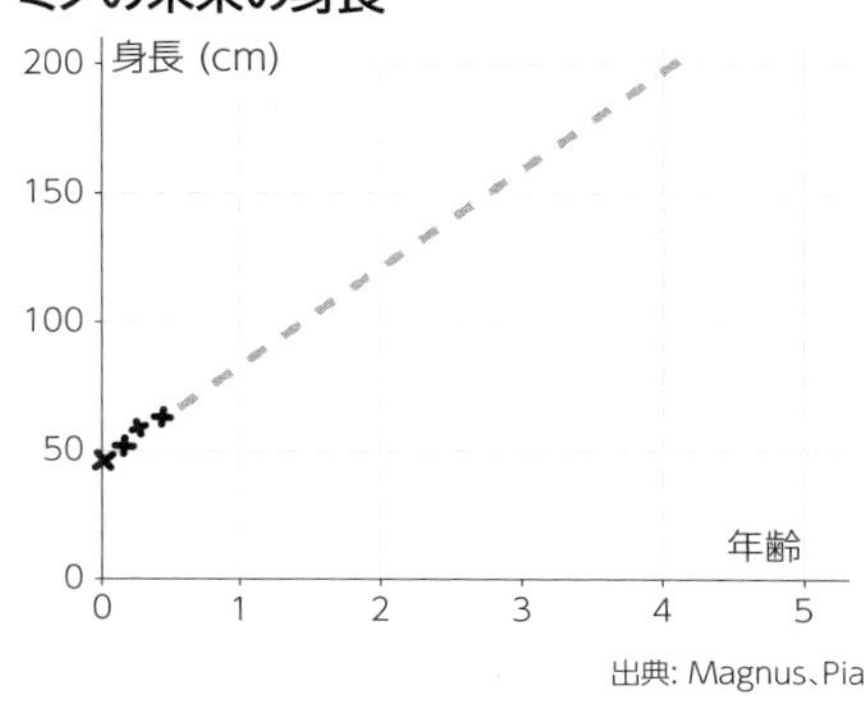

たとえばグラフを見ると、わたしたちはどうしても、グラフに描かれていない部分にある「線の続き」を想像してしまう。しかも直線で。右ページに示すのは、世界人口のグラフに、多くの人が想像するであろう「線の続き」を点線で加えたものだ。もし本当にこの通りに人口が増えるとしたら、心配になるのも無理はない。

ではここで、もう少し身近な例を紹介しよう。わたしの孫のミノは、生まれたときの身長が約49センチだった。6カ月後、彼の身長は約67センチになった。半年で18センチも伸びたのだから大したものだ。

しかし、ちょっと不安でもある。彼の成長記録を見てほしい。先ほどのように、グラフの先に「線の続き」を点線で加えている。これを見る限り、どうやら大変なことになりそうだ。

ミノの身長がこのペースで**ひたすら**伸び続けたとすれば、3歳になる頃には身長が１５２センチになる。バカでかい赤ちゃんだ。そして10歳になる頃には4メートル以上に。その後は想像したくもない。このままミノが**ひたすら**成長し続けたら危険だ。ミノの成長を止める薬を探すか、それが無理なら家をリフォームしないと。

もちろん、誰だってこれが冗談だとわかる。でも、なぜ冗談だとわかるのだろう。それは人間がどのように成長するか、身をもって知っているからだ。ミノの身長が、いままでの勢いで伸び続けるわけがない。身長が4mもある人なんてひとりもいない。身長のグラフに直線を当てはめるのはバカらしいと、誰もが理解している。しかし、そこまで身近ではない分野だと、直線を当てはめることのバカらしさに気づきにくい。

国連には、経験豊富な人口学の専門家たちがいる。彼らの予測によると、未来の世界人口は、下のグラフのようになる。現在の世界人口は約76億人。そしてご存知の通り、人口は猛スピードで増え続けている。しかし、人口が増えるスピードはすでに緩やかになりつつあり、これから数十年間は減速する見込みだ。世紀末を迎える頃にはグラフが横ばいになり、人口は100億人から120億人で安定すると見られている。

人口が増えたのはなぜか?

人口が増える原因を知れば、なぜグラフがこのような形になるかを理解できる。というわけで、次の質問を見てみよう。

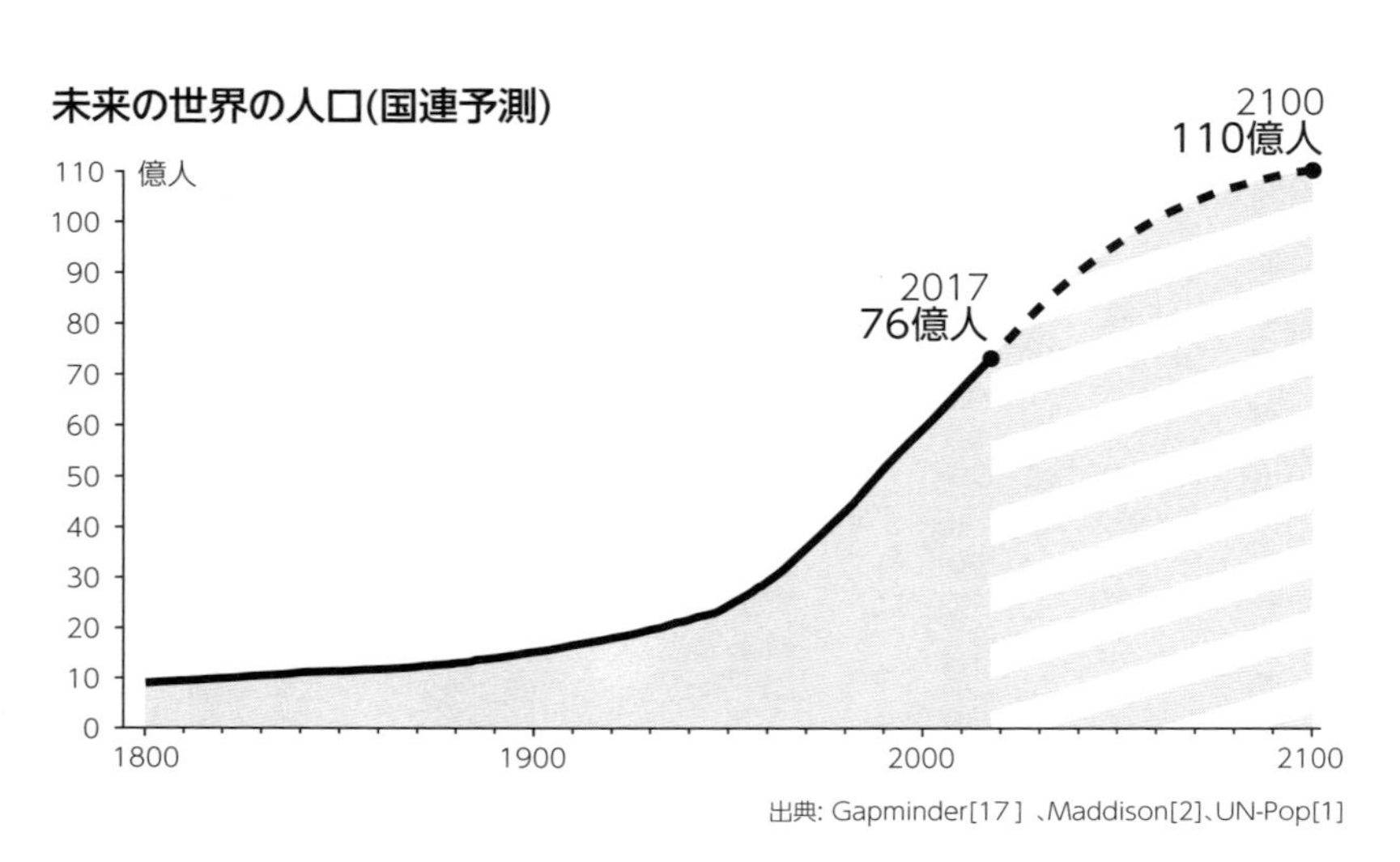

どうして人口が増えているのだろう？

質問6　国連の予測によると、2100年にはいまより人口が40億人増えるとされています。人口が増える最も大きな理由は何でしょう？

A　子供（15歳未満）が増えるから
B　大人（15歳から74歳）が増えるから
C　後期高齢者（75歳以上）が増えるから

今回は、もったいぶらないで答えをすぐに教えてあげよう。正解はB。専門家のあいだでは、「人口が増えるのは、大人が増えるから」という理論が常識になっている。子供が増えるからでも、後期高齢者が増えるからでもない。原因は大人にある。先ほどの人口のグラフを、子供の人口とそれ以外の人口に分けて見てみよう。

先ほど解説したように、2100年の子供の数はいまと変わらない。しかし、グラフをよく見てみよう。子供の数が横

未来の世界の人口(国連予測)

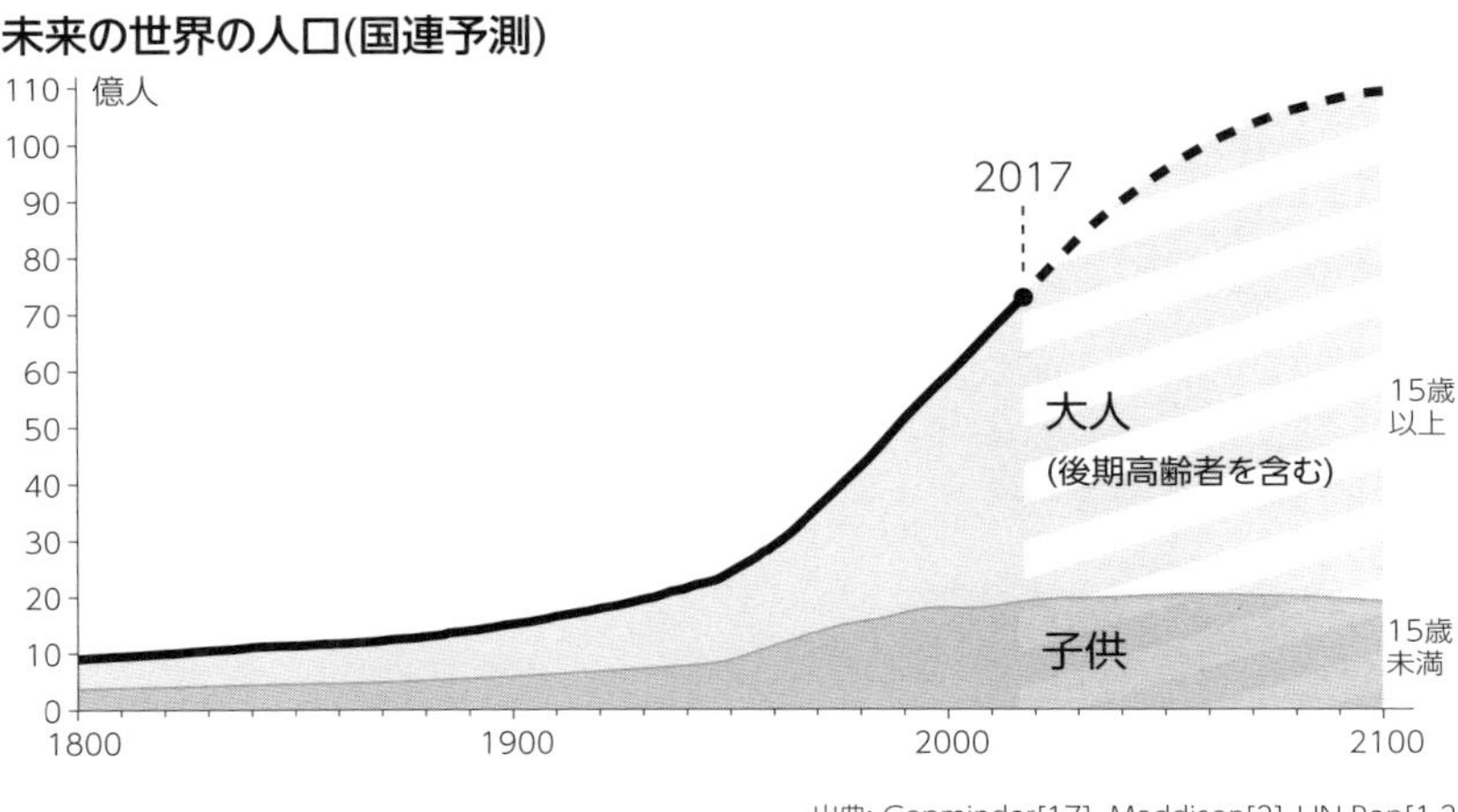

出典: Gapminder[17]、Maddison[2]、UN-Pop[1,2]

ばいになるのはいつだろう？　すでに現在、子供のグラフはほとんど横ばいになっている。国連の専門家たちは「**いつか**子供の人口は横ばいに**なるだろう**」と言っているのではない。「**すでに**子供の人口は横ばいになっている」と言っているのだ。

人口爆発を食い止めるのに最も効果的なのは、子供をこれ以上増やさないことだ。しかし、すでに子供の人口は横ばいになっている。どうしてそうなったかは、誰もが知っておくべきことだと思うので、これから説明しよう。

次に紹介するグラフは、この本でもっとも衝撃的なグラフと言ってもいい。だから、いつも以上に注意深く見てほしい。このグラフは、女性ひとりあたりの子供の数が、わたしの一生のあいだに大きく減ったことを表している。まさに、世界をひっくり返すほどのすさまじい変化だ。

これまでの章で紹介してきたように、人類は最近になって多くの進歩を遂げた。それと同じタイミングで、女性ひとりあたりの子供の数も減った。極度の貧困から抜け出した数十億の人々は、子供をたくさんつくる必要がなくなっ

出典: Gapminder[7]、UN-Pop[3]

た。もう、家庭の小さな農場で、たくさんの子供を働かせなくてもいい。もう、病気で亡くなる子供の分だけ、多めに子供をつくらなくていい。

女性も男性も教育を受けるようになると、子供には貧しい思いをさせたくない、もっと良い教育を受けさせたいと考えるようになる。手っ取り早いのは、子供の数を減らすことだ。そして、避妊具という文明の利器のおかげで、性交渉の数を減らさずに、子供の数を抑えられるようになった。

これからも、より多くの人が極度の貧困を抜け出し、より多くの女性が教育を受け、性教育や避妊具がどんどん普及していく。女性ひとりあたりの子供の数はこのまま減り続けるだろう。過激な施策は必要ない。いままでのやり方を続けていればいい。

ちなみに、女性ひとりあたりの子供の数がどれだけ減るかを、正確に予測するのは不可能だ。世の中がどれだけ早く変化するかに左右されるからだ。しかしどちらにしろ、毎年生まれる子供の数は、すでに横ばいになっている。ということは、急激な人口増加はそのうち止まるはずだ。子供の数は、すでにピークに達している。

しかし、子供の数がこれ以上増えないのであれば、まだまだ増え続ける「40億人の大人」はどこから来るのだろう。まさか、宇宙からだろうか？

どうして、いずれ人口は横ばいになるのか

次のチャートを見てほしい。２０１５年から15年ごとに、世界の人口を年齢別のグループに分けたものだ。

いちばん左の図は、２０１５年の世界人口の70億人を表している。15歳未満の子供は20億人、15歳から30

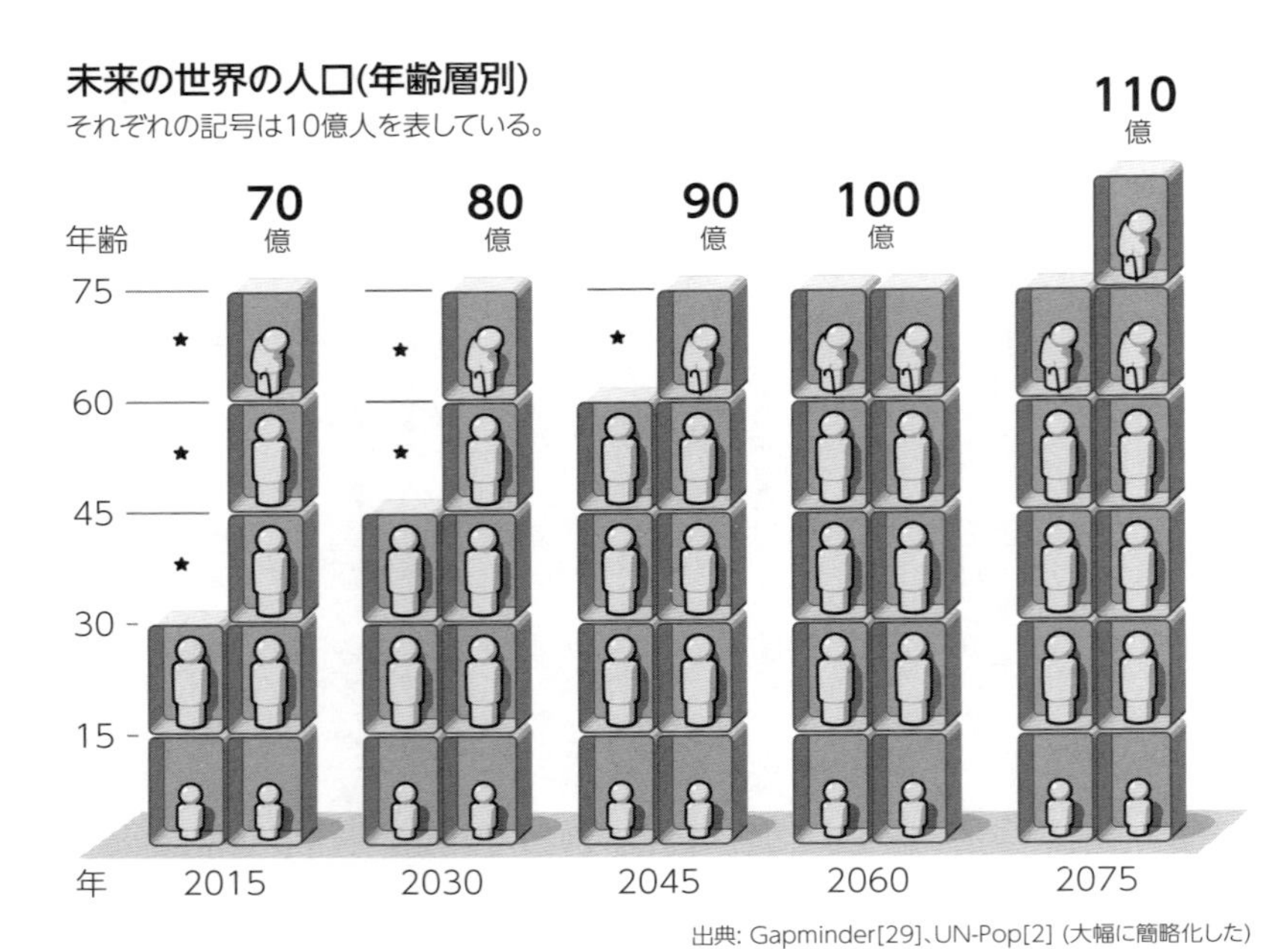

出典: Gapminder[29]、UN-Pop[2] (大幅に簡略化した)

歳の人も20億人、そして30歳から45歳、45歳から60歳、60歳から75歳はそれぞれ10億人いる。

その隣は２０３０年。２０１５年から２０３０年のあいだに新しく生まれる、15歳未満の子供たちは20億人いる。そして２０１５年に子供だった20億人は、２０３０年には30歳から45歳になっている。２０１５年には、30歳から45歳の人が10億人しかいなかったわけだから、単純計算で大人の数は10億人増えるはずだ。もちろん、新しく生まれる子供の数や、平均寿命が変わらないことが前提だが。

ポイントは、２０３０年に新しく出現する10億人の大人は、２０１５年には子供か、若者だったということだ。赤ちゃんは、すぐには大人にならない。

その後も似たようなことが続く。２０３０年に30歳から45歳だった20億人は、２０４５年に45歳から60歳になる。このグループは以前、半数の10億人しかいなかったので、大人の総数はふたたび10億人増える。２０６０年にも同じことが起きるだろう。しかし、その後はどうだろうか。どの世代も20億人になる。下の世代の20億人が、上の世代の20億人に取って代わっても、人口は変わらない。ということは、人口が増えなくなる。

まとめると、これからしばらくのあいだ、人口が増える理由は大人の数が増えるからだ。子供の数が増えるからではない。

ちなみに、高齢者はもっと長生きするが、人口にはさしたる影響を及ぼさない。国連によれば、2100年には、世界の平均寿命はいまより11年ほど延びるという。寿命が延びることで後期高齢者は10億人ほど増え、2100年の人口は約110億人となる。しかし、同時期に大人の数は30億人も増える。いまの子供世代が年を取るにつれ、各世代の人口が順に倍増していくからだ。この「世代倍増」現象は約45年間続き、やがて落ちつく。

先ほどのチャートさえ頭に叩き込んでおけば、「人口は**ひたすら**増え続ける」という考えがなぜ間違っているのか、きちんと理解できるだろう（念のため言っておくと、実際に起きることはもっと複雑だ。たとえば、75歳になるまでに亡くなる人は多いし、30歳を過ぎてから子供をつくる人も多い。しかし、このような事実を計算に入れたとしても、予測が10億人単位で変わることはない）。

自然との調和

長期にわたって人口が横ばいになるということは、「子供から大人になる人の数」が、常に一定になるということだ。

これと似たようなことが、1800年以前にも起きていた。当時も人口は横ばいだった。これを理由に、

「昔は、人が自然と調和しながら生きていた」と考える人もいるだろう。

たしかに、人は自然と調和していたかもしれない。だが前にも書いたように、過去は美化されやすい。現実に目を向けてみよう。

1800年まで、女性ひとりあたりの子供の数は平均6人だった。本来なら、人口は増えていくはずだ。しかし、そうはならなかった。古代の遺跡には、子供の骨が多く埋まっていると話したことを思い出してほしい。6人の子供のうち平均4人は若くして亡くなってしまい、大人になれるのは2人だけだった。だから、人口が増えなかった。昔の人は、自然と調和しながら**生きていた**のではない。自然と調和しながら**死んでいった**のだ。世界は残酷だった。

そして現在、「子供から大人になる人の数」は、再び一定になった。しかし、昔とは事情がまったく違う。親は子供を平均2人つくり、2人とも大人になることができる。すばらしいことだ。人類史上初めて、人は自然と調和しながら**生きられる**ようになった。

世界の人口

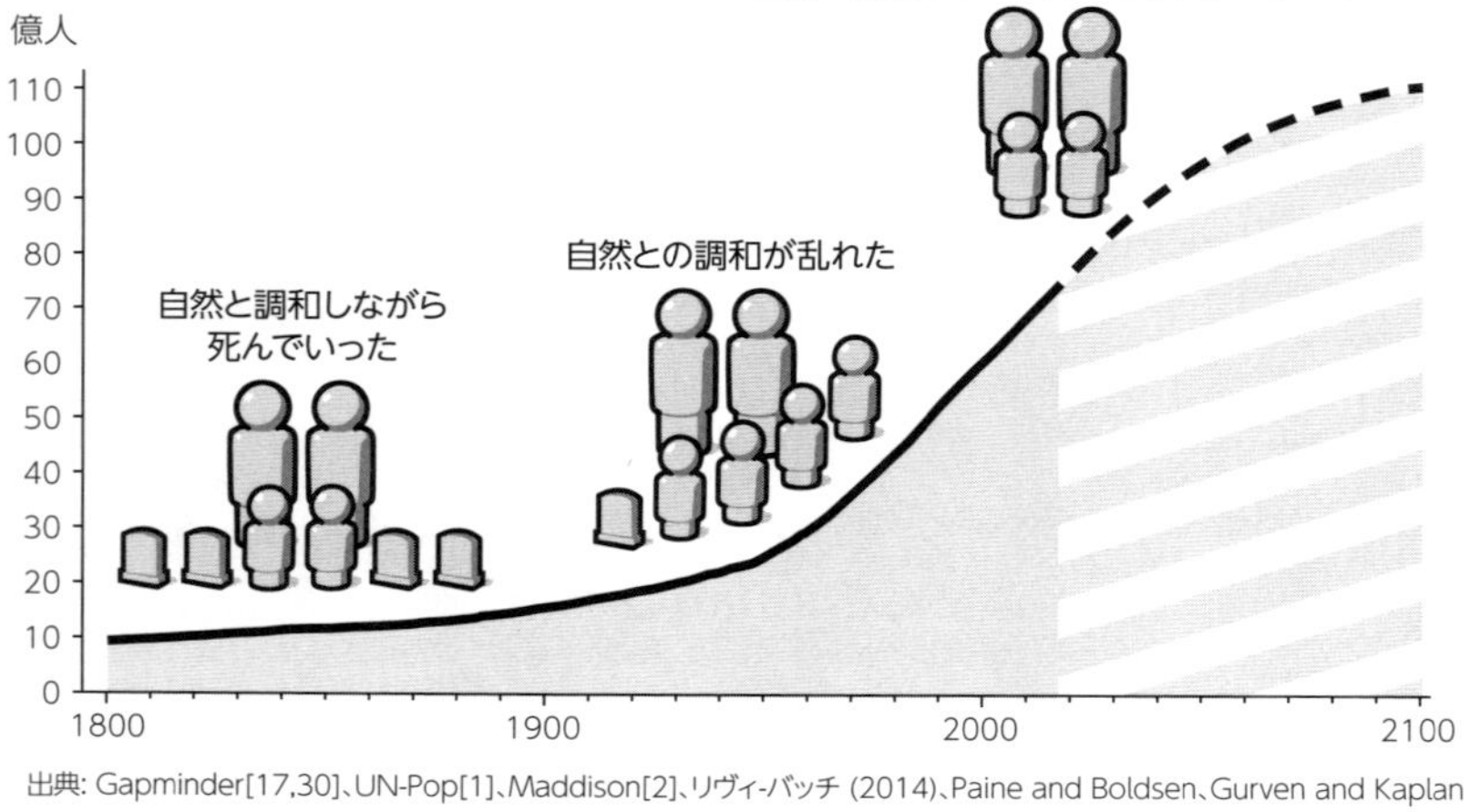

出典: Gapminder[17,30]、UN-Pop[1]、Maddison[2]、リヴィ-バッチ (2014)、Paine and Boldsen、Gurven and Kaplan

1900年に15億人だった人口は、2000年に60億人になった。その原因は、自然との調和がずれる期間が続いたからだ。それは人類史上類まれな期間だった。親は子供を2人以上つくり、前の世代よりも多くの子供が大人になることができた。

このような期間があったからこそ、現在30歳未満の人口が、30歳以上の人口より多くなった。これから大人の数が増えるのも、原因は同じだ。しかし、人はまた自然と調和し始めている。出生数はすでに頭打ちだ。極度の貧困率がこのまま下がり続け、性教育や避妊具が広まれば、人口はいずれ横ばいになる。しばらくのあいだは猛スピードで人口が増え続けるが、それも先ほど説明した「世代倍増」現象が収まるまでの話だ。

でも、「あの人たち」はたくさんの子供をつくり続けるんじゃない?

この章で紹介したチャートやグラフはよく講演で披露するのだが、なかなかデータを信じてもらえない。講演のあとに、こんなことを言われたりする。

「アフリカや中南米では、いまだにたくさんの子供が生まれていますよね。それに、信仰の厚い人たちは避妊をしようとしないし、大家族をつくる文化が残っていたりする。正直、あのチャートが正しいとはとても思えません」

優秀なジャーナリストにとっては、世にもめずらしい話を伝えられるかどうかが腕の見せ所だ。だからメディアは、とんでもなく子供の多い、敬虔(けいけん)な信者一家の特集を組んだりする。そんな一家は、現代的であれ古風であれ、どちらも子供の多さを信仰心の表れだと胸を張る。

そんな人たちが登場するドキュメンタリー映画やテレビ番組を見たり、ニュースを読んだりすれば、無意識に「宗教」と「大家族」を結びつけて考えるようになってしまう。しかし、カトリック教徒だろうと、ユダヤ教徒だろうと、イスラム教徒だろうと、メディアに取り上げられるような大家族には共通点がある。こういう人たちは、あくまで例外的な存在なのだ。

実際には、宗教と女性ひとりあたりの子供の数には大きなつながりが見られない。信仰が大家族につながるというウソは、第7章で暴かせてもらうとしよう。メディアが極端な話を取り上げることの功罪についてはほかの章でも語るつもりだ。だがここでは、いったん宗教のことは置いておこう。代わりに、確実に子供の多さを左右する要素をひとつ紹介したい。その要素とは、極度の貧困だ。

なぜ子供たちが生き延びやすくなると、人口が減るのか

レベル2・3・4の暮らしをしているすべての人々をひとまとめにしたとしよう。このグループには、さまざまな宗教を信じる人や、宗教を信じない人も含まれている。このグループの女性ひとりあたりの子供の数は平均で2人になる。信じられないかもしれないが、本当だ。ちなみにこのグループには、イラン・メキシコ・チュニジア・バングラデシュ・トルコ・インドネシア・スリランカに住む人々が含まれている。

一方、最も貧しい10%の人々だけに注目すると、女性ひとりあたりの子供の数はおよそ5人になる。このグループでは、約半分の家庭で、ひとりの子供が5歳の誕生日を迎えるまでに亡くなってしまう。とても悲惨な現実だが、昔はそれよりはるかに多くの子が亡くなっていた。人口がまったく増えないくらいに。それに比べたら、いまはよっぽどましだ。

人は誰しも、「人口が増えている」と聞くと、なんとなく「何か対策を行わないと、人口は増え続ける」

女性ひとりあたりの子供の数(所得レベル別、2017年)

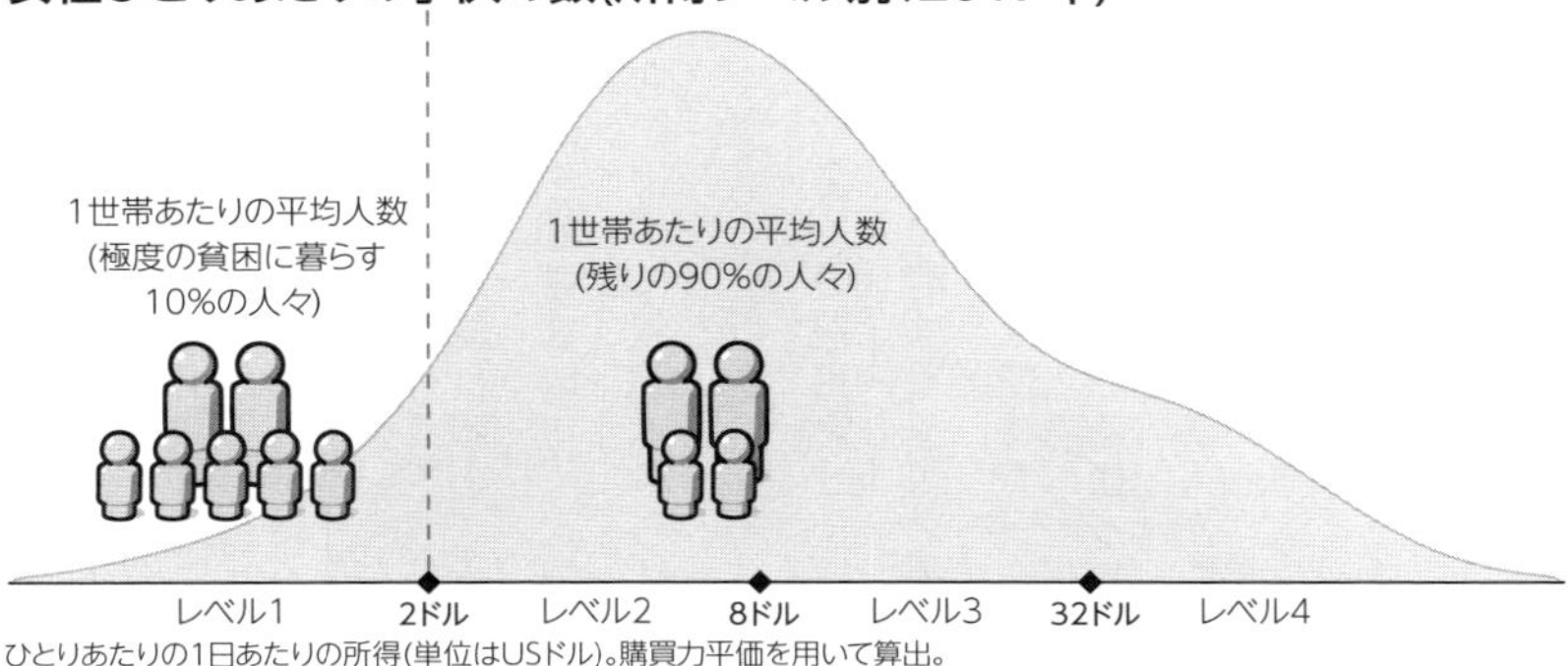

出典：Gapminder[30]、USAID-DHS[1]、UNICEF-MICS、PovcalNet

と思いがちだ。人口が増え続ける未来を、自然と頭に思い浮かべてしまうからだ。だが、わたしの孫の話を思い出してほしい。孫のミノは特に何もしなくても、いずれ身長が伸びなくなる。

メリンダ・ゲイツは、夫のビル・ゲイツと共に、慈善団体を運営している。数百億ドルにのぼる資金を医療や教育分野に投資し、極度の貧困に暮らす何百万人もの子供の命を救ってきた。それなのに、ゲイツ財団にいちゃもんをつける人は絶えないらしい。**あんたたちが貧しい子達を助けたら、人口はこのまま増え続ける。そうしたらいずれ、地球が滅んでしまう**、と。

こういう発言をする人たちは、頭が悪いわけでもないし、悪気があるわけでもない。わたしの講義でも、次の世代に美しい地球を残したいと考える人たちが、似たような発言をすることがある。

彼らの主張は一見、筋が通っているように見える。子供たちが生き延びやすくなると、人口は**ひたすら**増え続けるのでは？　いや、違う。まったくもって正反対だ。

先ほど話したように、極度の貧困に暮らす家庭は、たくさんの子供がいないとやっていけない。子供は労働力としても必要だし、病気で命を落としやすいぶん、多めに子供をつくらないといけない。

女性ひとりあたりの子供の数が5人から8人と最も多いのは、ソマリア、チャド、マリ、ニジェールなど、乳幼児死亡率が最も高い国々だ。

そんな国でも、子供の死亡率が下がり、児童労働が必要なくなり、女性が教育を受け、避妊について学び、避妊具を入手できるようになれば、状況は一変する。国や文化にかかわらず、男性も女性も子供の数を減らし、そのぶん子供に良い教育を受けさせたいと考えるようになる。

「貧しい子供を助けると、人口は**ひたすら**増え続ける」という主張は正しいようで正しくない。実際は、貧しい子供を助けないと、人口は**ひたすら**増え続ける。多くの家庭が極度の貧困に暮らし続ける限り、その子供たちによって人口はさらに増えてしまう。人口増を止める確実な方法はひとつしかない。極度の貧困を無くし、教育と避妊具を広めることだ。

いま、多くの親たちは、自らの判断で子供の数を減らしている。この傾向は世界中で見られるが、子供の数が減る前に必ず、子供の死亡率も下がっている。

ちなみにわたしはまだ、もっとも大事なことについてひとことも触れていない。極度の貧困という、人間の尊厳を傷つけられるような状況から、人々を救い出すという道義的責任だ。

いま、苦しんでいる人たちは世界にたくさんいる。彼らを無視して「未来の人たちが苦しまないように、地球を守ろう」と叫んでも、言葉がむなしく響くだけだ。しかし、「貧しい子供たちを助けるべきか」という質問に対しては、いまと未来を天秤に掛けなくてもいい。感情か理性か、どちらかを選ばなくてもいい。答えはひとつだからだ。わたしたちは、病気で亡くなる子供を減らすために全力をつくすべきだ。そうすることで、いま苦しんでいる子供も、未来の地球も救うことができるのだから。

公衆衛生の2つの奇跡

バングラデシュが独立した直後の1972年。平均寿命は52歳で、女性ひとりあたりの子供の数は平均7人だった。現在、平均寿命は73歳になり、女性ひとりあたりの子供の数は平均2人になった。たった40年間で、悲惨だったバングラデシュの暮らしは、まずまずなものになった。レベル1から2になったというわけだ。

この奇跡は、基本的な医療のすばらしい発展と、それによる子供の生存率の向上によってもたらされた。現在の乳幼児の生存率は97%で、80%にも満たなかった独立直後よりはるかに高い。子供が確実に生き延びられると気づいた親にとって、たくさんの子供をつくるべき理由は、もはやない。

1960年のエジプトでは、3割の子供が5歳の誕生日を迎えるまでに亡くなった。ナイル川デルタの周辺は子供にとって劣悪な環境だった。恐ろしい病気にかかったり、栄養失調で苦しんだりする子供も多かった。しかし、奇跡が起きた。エジプト人たちは、ナイル川をせき止めてアスワン・ハイ・ダムを造った。おかげで電気が通るようになり、教育や医療の質が上がった。マラリアが無くなり、飲料水も安全になった。現在、エジプトの乳幼児死亡率は2・3%で、これは1960年のフランスやイギリスよりも低い。

直線本能を抑えるには、すべてのグラフが直線にはならないと知っておこう

人口のグラフでもほかのグラフでも、いつも直線になると思い込んでしまう本能は、どうやったら抑えられるのだろうか。最も効果的な方法は、グラフの形にはたくさんの種類があるのを心しておくことだ。世界にまつわるデータには、直線のグラフが当てはまらないものが多い。S字カーブや、すべり台の形や、コブの形のグラフがぴったりくるデータも少なくない。

たとえば、所得が上がるごとに暮らしがどう変わるかを見てみよう。

直線

グラフが直線を描くことは意外と少ないが、まったくないわけではない。たとえば、以前紹介した、各国の所得水準と健康水準のチャートがそうだ。ほとんどの丸の近くを通るようにして線を引くと、グラフは直線になる。一部の丸は線の上にあり、一部の丸は下にあるが、だいたいの丸は線の近くに集まっている。

このグラフを見れば、おカネと健康は強く結びついていることがわかる。ただ、グラフを見るだけでは、おカネと健康がどう結びついていて、どちらが先に来るのかわからない。もしかしたら、健康になると、おカネを稼ぎやすくなるのかもしれない。または、おカネがあるから、良い医療を受けられるのかもしれない。両方とも正しいと思うが、本当のところはわからない。ただはっきりと言えるのは、所得水準が高い国では、健康水準も高いということだ。

健康だけでなく、「学校教育」「女性の初婚年齢」「趣味への支出」の3つと所得を比べてみよう。ここでも、直線のグラフが当てはまる。所得が高まるほど、教育を受ける期間が長くなり、女性が結婚する時期が

直線のグラフ

長寿である国ほど所得も高い。

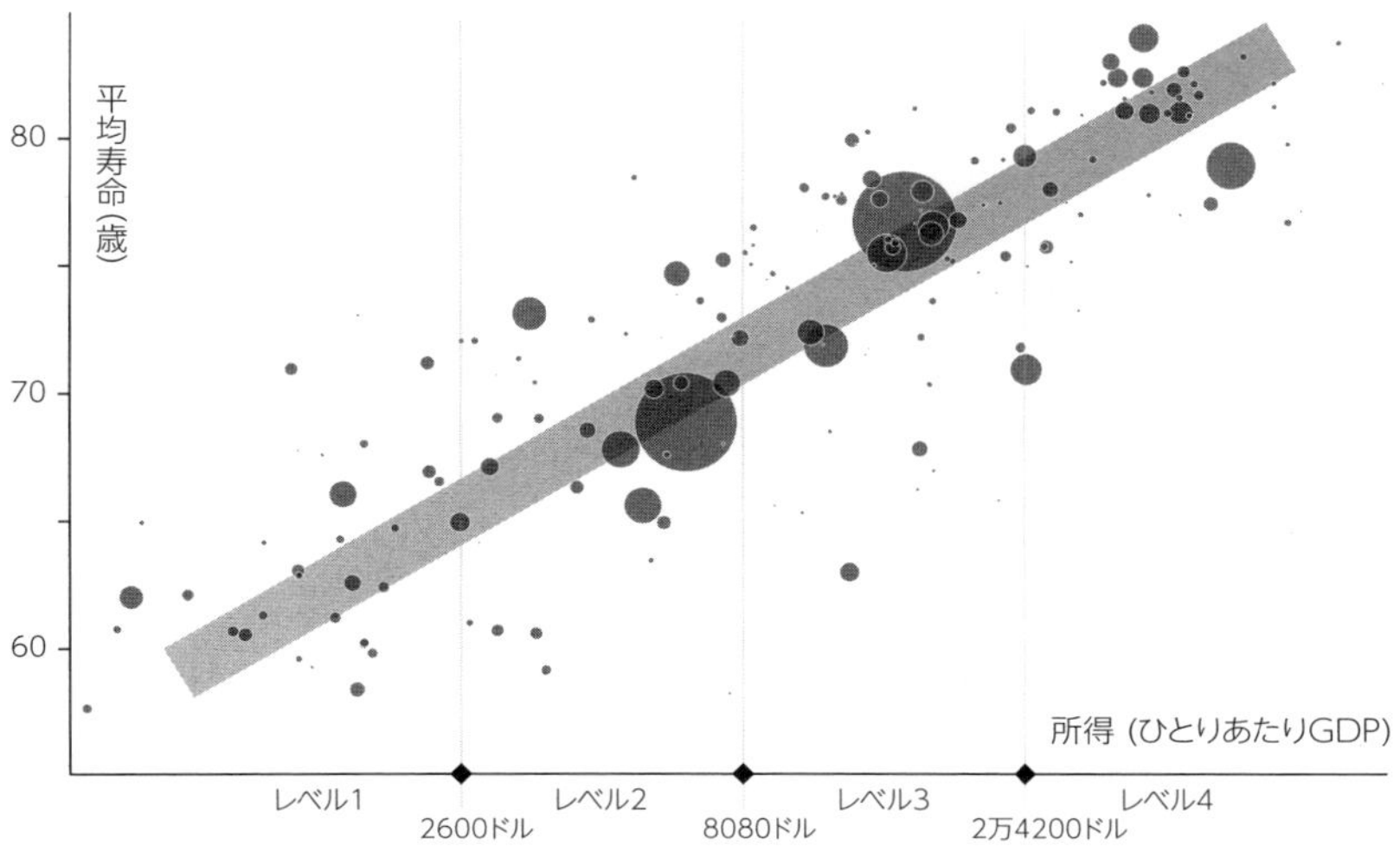

購買力平価ベース、2011年国際ドル　出典: World Bank[1]、IMF[1]、IHME[1]、UN-Pop[1]、Gapminder[1,2,3,4]

学校教育

学校教育の平均年数

15
10
5
0
レベル1　L2　L3　L4

出典: Gapminder[3,44]、IHME[2]

女性の初婚年齢

女性の平均初婚年齢

30
25
20
15
レベル1　L2　L3　L4

出典: Gapminder[3,33]

趣味への支出

所得のうち文化鑑賞や娯楽への支出が占める割合

10%
5%
0%
レベル1　L2　L3　L4

出典: Gapminder[3,45]、ILO[10]

遅れ、趣味に充てるおカネが増える。

S字カーブ

次は所得レベルと、「初等教育」や「予防接種」といった、良い暮らしを送るために必要不可欠なものを比べてみよう。どれも、レベル1では横ばいだ。しかし、レベル2になると急増する。レベル1から抜け出した国には、すべての国民に初等教育や予防接種を受けさせる余裕が生まれるからだ。個人が、「何より先に、冷蔵庫や携帯電話を揃えよう」と考えるのと同じように、国家は「何より先に、初等教育や予防接種を整備しよう」と考える。特に予防接種を受けさせることは、国の健康水準を上げるのに最も費用対効果が高い方法だ。

やがてレベル3か4になると、S字カーブは平らになる。良い暮らしを送るために必要不可欠なものは、だいたい揃うようになるからだ。これ以上、グラフが上向きになることはない。

S字カーブについて覚えておけば、世界の現状について勘違いしにくくなる。レベル2に到達すれば、ほとんどの人が生活必需品を手に入れられるようになるのだ。

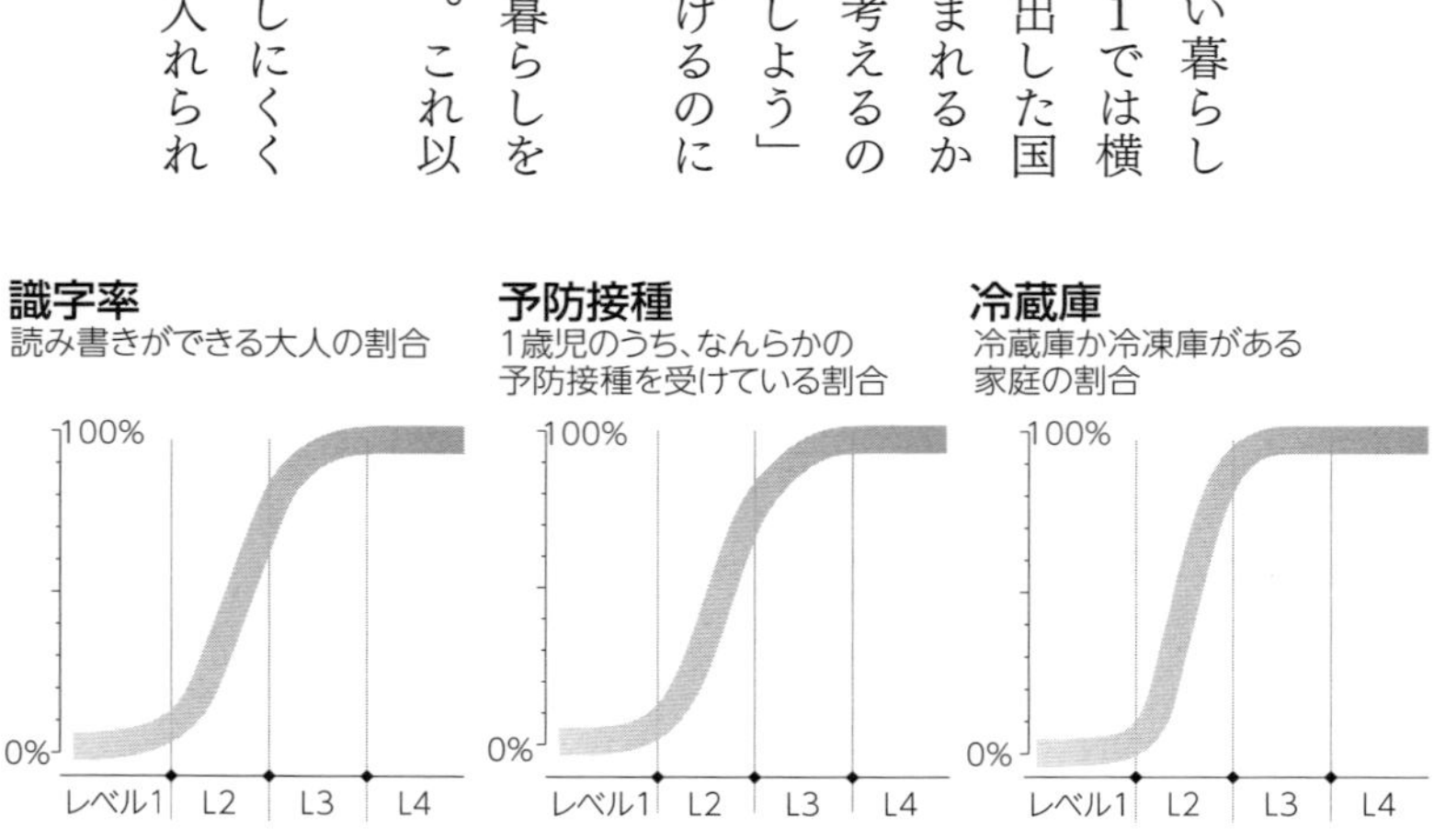

すべり台

女性ひとりあたりの子供の数をグラフにすると、まるで公園のすべり台のように見える。初めは平らだが、ある所得レベルを境に下り坂になり、いちばん下に着いたらまた平らになる。最終的に、女性ひとりあたりの子供の数は２人以下になる。

また、所得が増えるとき以外でも、グラフがすべり台のような形になることがある。その例が、予防接種にかかるコストだ。みなさん、小さい頃に学んだ掛け算を覚えているだろうか？　仮に、１回あたりの予防接種が10ドルかかるとしよう。では、予防接種を１００万回行うといくらかかるだろうか？

世界中で予防接種を行っているユニセフの人たちも、掛け算くらいはできる。だが彼らはその前に、「１回あたりの予防接種にかかるコストを下げられないか？」と考えた。結局、ユニセフは製薬会社と大規模な契約を結ぶことに成功。長期的な収益を約束するかわりに、１回あたりの予防接種にかかるコ

すべり台の形のグラフ

所得ごとの出生率のデータがある国は5個の丸で表しており、それぞれの丸は所得で区切られた20%の人口を表している。所得ごとの出生率のデータがない国はひとつの丸で表している。データは2017年のもの。

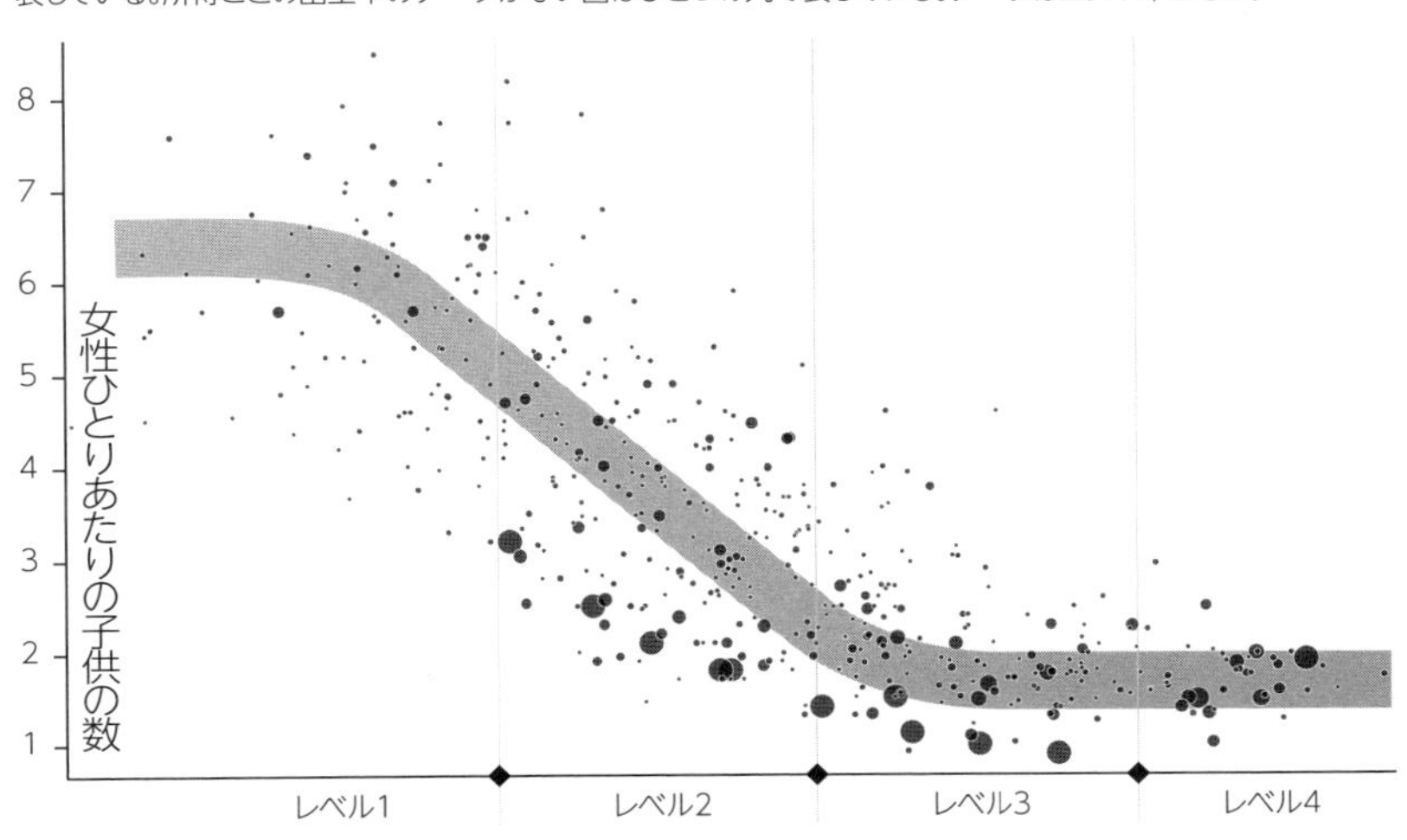

出典: Gapminder[3,47]、GDL[1]、USAID-DHS[1]、UNICEF-MICS、OurWorldInData[10]

ストを下げる交渉が成立した。

もちろん、1回あたりのコストを下げるのにも限界がある。ということは、予防接種を実施する数を横軸、1回あたりのコストを縦軸にすると、グラフはすべり台の形になる。ユニセフの人たちは、グラフを直線ではなく、すべり台の形にすることによって、多くの子供の命を救えた。

コブの形

トマトに水をやると大きくなる。では、トマトにホースで水をかけまくれば、何かの賞を取るくらい、大きなトマトを収穫できるのだろうか？　もちろん、そんなわけがない。水やりが少なすぎてもだめだし、多すぎても失敗してしまう。とても乾いた土地や、湿気が多い土地ではトマトは育ちにくい。しかし、湿気がちょうどいい土地だと、トマトはよく育つ。

同じように、レベル1や4の国々ではあまり見られないが、レベル2や3の国々、つまり大半の国々では多く見られるものもある。

たとえば、虫歯の数はレベル1から2になるにつれ増えていくが、レベル4になると減る。多くの人は、甘いものを買えるおカネができ

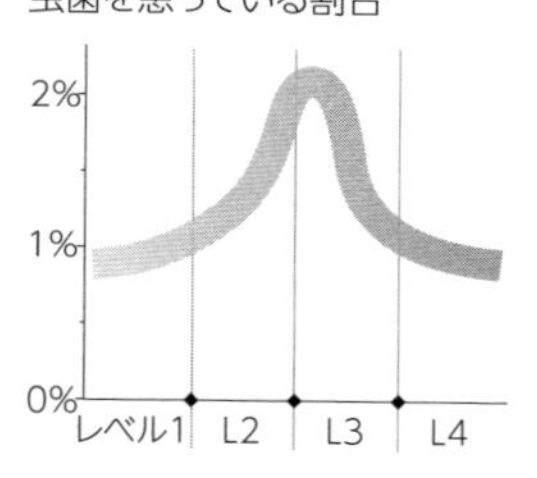

出典: Gapminder[3,46]、OHDB

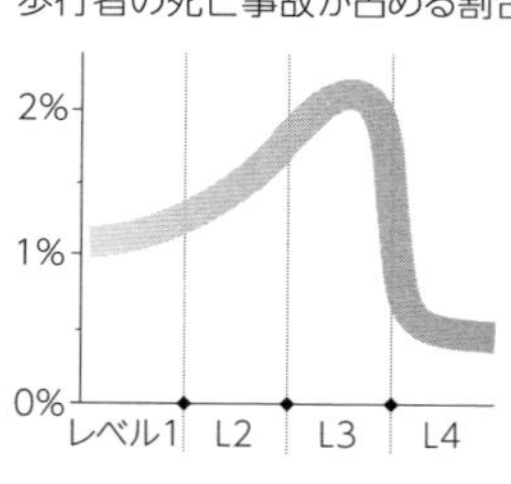

出典: Gapminder[3,48]、IHME[3]

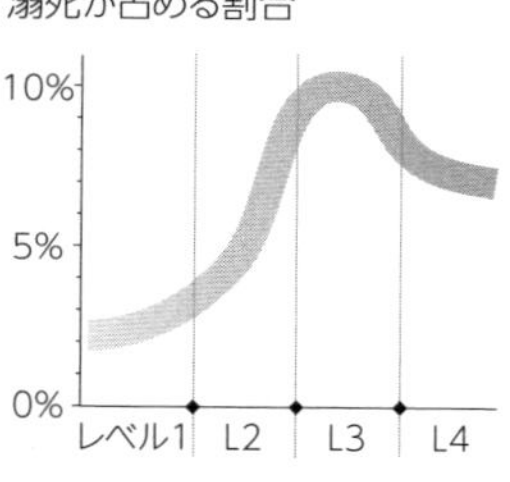

出典: Gapminder[3,49]、IHME[4]

ると甘いものを買ってしまう。しかし、レベル3になるまでは、虫歯の予防について学校で教える余裕が政府にはない。虫歯の数は、レベル4の人にとっては相対的な貧しさの証なのかもしれないが、レベル1の人にとっては豊かさの証なのかもしれない。

交通事故のグラフにもコブがある。レベル1の国では、ひとりあたりの乗り物の数が少ない。だから交通事故も少なくなる。では、レベル2とレベル3の国ではどうだろう。最も貧しい人々が道の脇を歩く一方で、多くの人がミニバスやバイクなどに乗って移動するようになる。しかしまだ道は整備されておらず、規制や運転教育も追いついていない。だから、交通事故の死亡者数はうなぎのぼりになる。そして、レベル4になるとまた低下する。

ほかにも、溺死が子供の死因に占める割合も、同じようなコブ状のグラフになる。

トマトと同じで、人は水がないと生きられない。しかし、6リットルの水を一気飲みすれば、誰だって死んでしまう。砂糖でも、脂肪でも、薬でも同じことが言える。そればかりか、生きるのに必要なほとんどのものは、分量を間違えると命に危険が及ぶ。ストレスをためこみすぎてもいけないが、適度な緊張は能力を高めると言われている。自分に自信がなさすぎても、ありすぎてもいけない。世界各地の刺激的なニュースも、見すぎにご注意だ。

倍増していくもの

最後に、倍増について。自然界には、エボラ出血熱のように倍増していくものがたくさんある。たとえば**大腸菌**は、数日もしないうちに体内で爆発的に増える。原因は、12時間ごとに1、2、4、8、16、32……

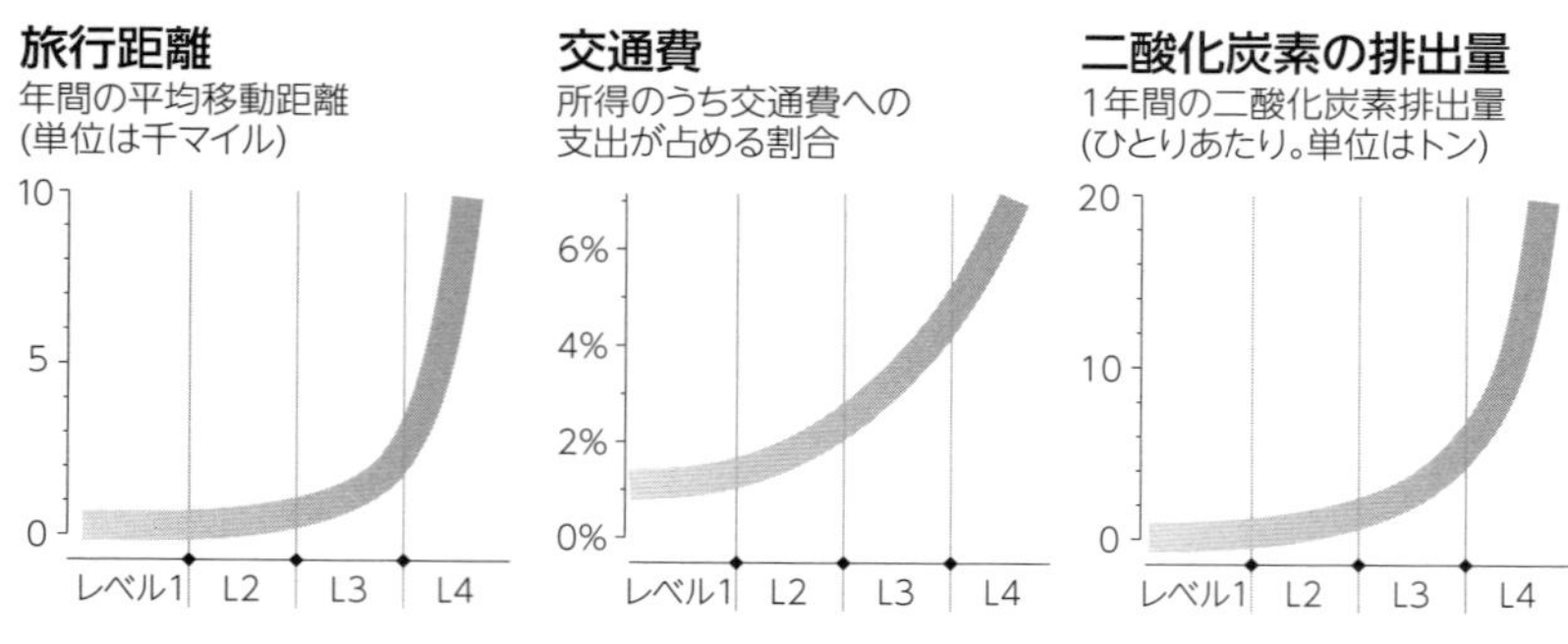

出典: Gapminder[3,50]、EIA　出典: Hellebrandt et al.、World Bank[20]　出典: Gapminder[51]、CDIAC、UN-Pop[1]

と倍増していくからだ。

交通手段にまつわる数字も、倍増する傾向がある。所得が上がるにつれて、人々が移動する距離も倍になっていく。それと同時に、所得のうち交通費への支出が占める割合も倍になる。最後に、二酸化炭素の排出量も所得とともに倍増する。レベル4の国では、二酸化炭素の排出量のうち3分の1が、乗り物からきている。

おカネもバクテリアのように増えてくれればいいのだが、ほとんどの人の所得はそんなに早く倍にならない。しかし、たとえば所得が毎年2%増えるだけでも、35年間で倍になる。そして、毎年2%の伸びを保つことができれば、35年後にはまた倍になる。もしあなたが、200年ほど生きることができれば、所得は6たび倍になる。前の章で紹介したように、スウェーデンではまさにこれと同じことが起きた。現在レベル4のほかの国も、同じようにしてレベル1からゆっくりと成長してきた。次のグラフを見れば、所得が6たび倍になると、レベル1からレベル4に進めることがわかる。

4つのレベルを、1日あたり2ドル・8ドル・32ドルの区切りに分けたのには理由がある。そもそも1ドルの価値は、どのレベルにいるかによって違う。

所得倍増

レベルアップするたびに、1日あたりの所得は倍増する

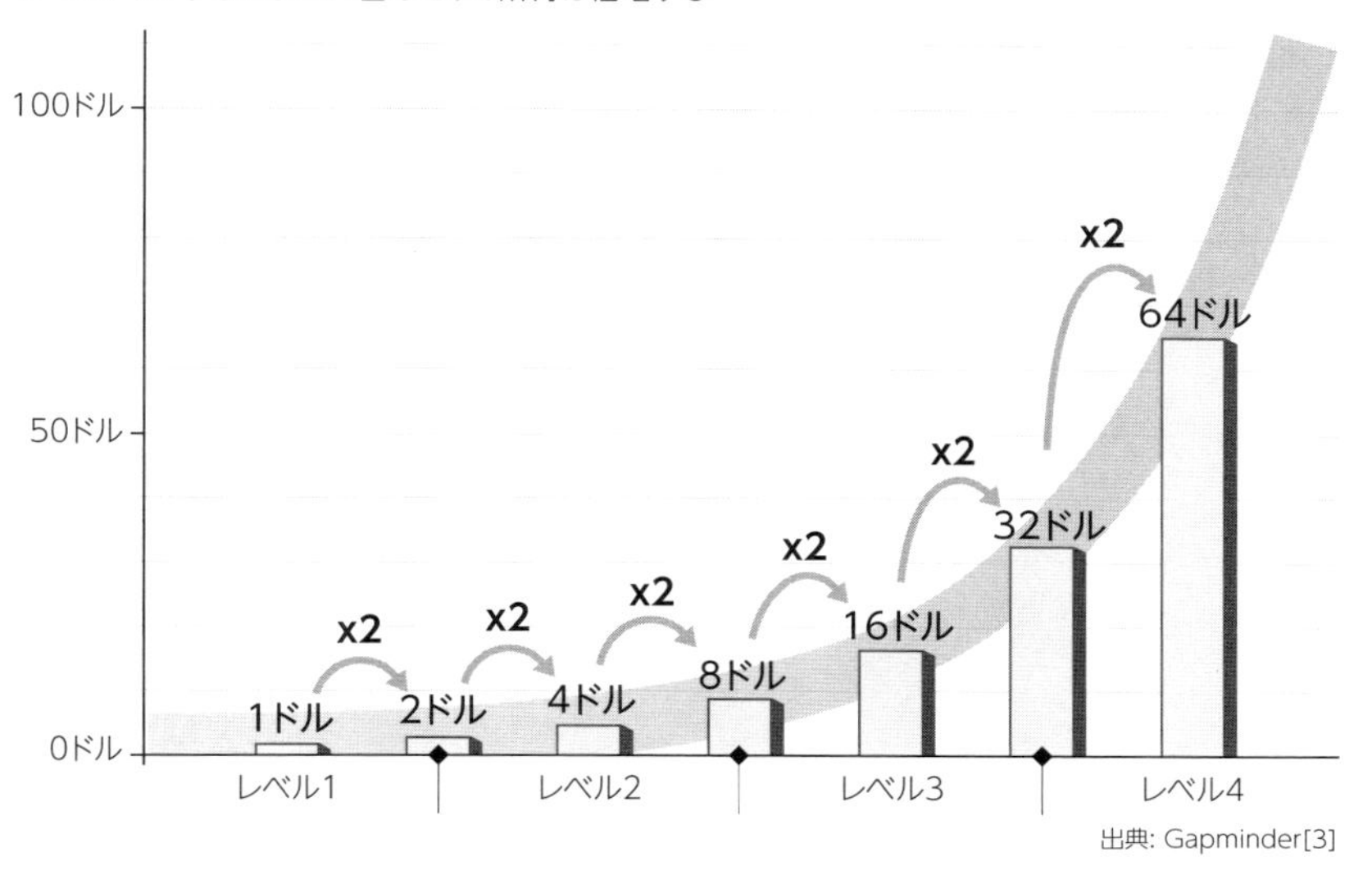

出典: Gapminder[3]

レベル1にいる、毎日1ドルで生活する人にとって、その1ドルの価値は大きい。毎日1ドル余分に稼げれば、新しいバケツを買うことができる。そうすれば、まったく違う暮らしができる。しかし、レベル4にいる、毎日64ドルで生活する人にとっては、1ドル余分に稼いだところで何も変わらない。しかし、毎日64ドル余分に稼ぐことができれば、庭にプールをつくったり、別荘を買ったりすることができるかもしれない。そうすれば、ひとつ上の暮らしができる。

世界はとても不公平だが、どんな暮らしをしている人も、所得が倍になると暮らしが変わる。だから、所得が増えるにつれ、レベルアップに必要なおカネは何倍にもなる。ちなみに、地震の強さを表すマグニチュード、音量を表すデシベル、酸性やアルカリ性を表すpHも、似たような仕組みになっている。

見えているのは、グラフのどの部分だろう?

グラフにはさまざまな形がある。レベル4の暮らしをしているわたしたちには、グラフの線のうち、レベル4に当てはまる部分しか見えていない。ほかのレベルの線が、同じ形をしているとは限らない。

数字がまっすぐ上昇しているように見えても、そのグラフは直線なのか、S字カーブなのか、コブの形をしているのか、倍増のグラフなのかはわからない。数字が減っているように見えても、そのグラフは直線なのか、すべり台の形をしているのか、コブの形をしているのかわからない。2つの点を線で結ぼうとすると、かならず直線になる。しかし、点が3つ以上あれば、「1、2、3」と増える直線なのか、「1、2、4」と増える倍増なのかを知ることができる。

何かの現象をきちんと理解するには、グラフの形をきちんと知ろう。そして、グラフで示されていない部分がどうなっているかを、不用意に憶測しないこと。さもなくば、間違った結論や手段にたどり着いてしまう。そのせいでわたしも、エボラの感染数が倍増していることに気づけなかった。そして、「人口が**ひたすら**増え続けている」と考える人たちもまた、同じ罠にはまっている。

ファクトフルネス

ファクトフルネスとは……「グラフは、まっすぐになるだろう」という思い込みに気づくこと。実際には、直線のグラフのほうがめずらしいことを覚えておくこと。

直線本能を抑えるには、グラフにはさまざまな形があることを知っておくこと。

●**なんでもかんでも、直線のグラフを当てはめないようにしよう。**

多くのデータは直線ではなく、S字カーブ、すべり台の形、コブの形、あるいは倍増する線のほうが当てはまる。子供は、生まれてから半年で大きく成長する。でも、いずれ成長がゆっくりになることは、誰にだってわかる。

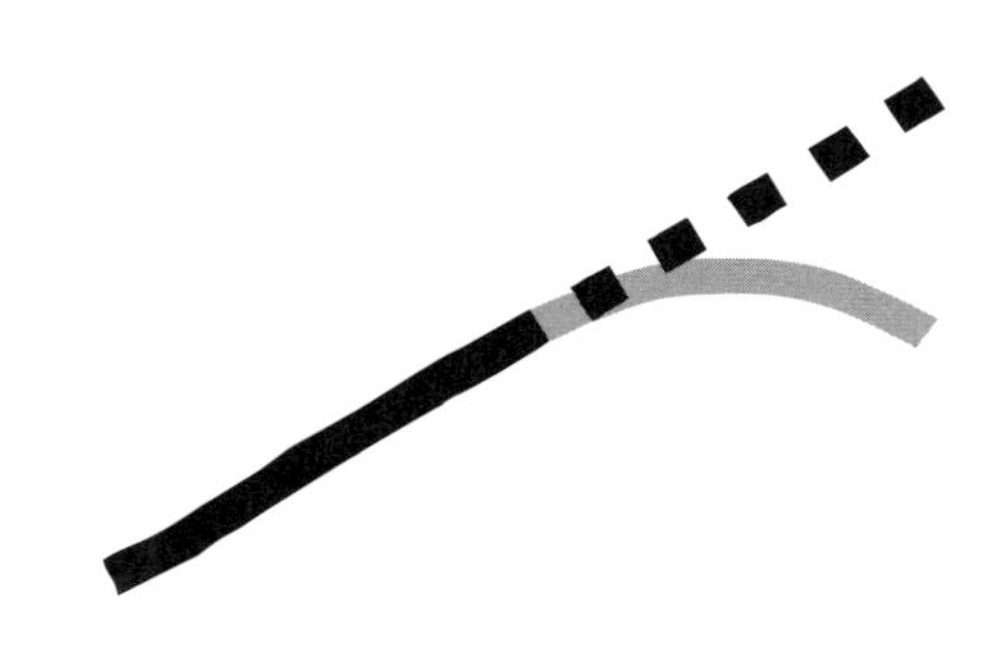

第 4 章

危険でないことを、
恐ろしいと考えてしまう思い込み

恐怖本能

どうすれば、4000万機の飛行機を隠せるのだろう？
なぜわたしは、ある意味ノーベル平和賞を受賞したと言えるのだろう？

床が血だらけだ！

1975年10月7日。事件は、スウェーデンのフーディクスバルという、小さな海沿いの町にある病院で起きた。わたしが患者の腕をギプスで固定していると、看護助手が部屋に飛び込んできた。

「近くで飛行機が墜落したそうです！　もうすぐケガ人がヘリコプターで運ばれてきます！」

わたしは5日前に、この病院の救急救命室に研修医として配属されたばかりだった。経験豊富な医師や看護師はみな食事中で席を外している。よりによってこんなときに。看護助手とわたしは必死になって、緊急時の対応マニュアルを探そうとする。しかし、なかなか見つからない。そうこうしているうちに、ヘリコプターが着陸する音が聞こえてくる。

時間がない。こうなったら、自分たちだけでなんとかしなければ。

次の瞬間、担架が運ばれてきた。深緑色のつなぎと、迷彩柄の救命胴衣を着た男が乗せられている。腕と足がけいれんしている。おそらく、てんかんの発作だろう。とりあえず服を脱がさないと。よし、救命胴衣は取れた。だが、つなぎのほうがやっかいだ。まるで宇宙服じゃないか。頑丈なチャックがたくさんついていて、どのチャックを開いたら服が脱がせられるかわからない。これはもしや、軍服だろうか？　もしそうなら、彼は……戦闘機のパイロットなのか？

その時、わたしは異変に気づいた。床が血だらけになっていた。しかもすごい量だ。「出血してる！」思わずわたしは叫ぶ。これだけ血を失ってしまっては、いつ命を落としてもおかしくない。だが止血をしようにも、つなぎが邪魔をして、どこから出血しているかわからない。わたしはギプス用の大きなペンチを取り出し、服を切りながら、看護助手にこう言った。

「血液バッグを4袋準備！ O型Rhマイナス！ 急いで！」
「痛いのはどこだい？」 患者にも叫んだ。「ヤシーシャ、ネアジェッツシサ、シェシ」と彼。何を言ってるのかわからない。しかしなんとなく、ロシア語っぽく聞こえる。わたしは彼の目をまっすぐに見つめて、はっきりとしたロシア語でこう言った。「安心しなさい。ここはスウェーデンの病院だ」

それを聞いた瞬間、みるみるうちに青ざめていった彼の顔を、わたしは一生忘れられない。彼は、恐怖におびえながらもわたしを睨みつけ、何かを伝えようとした。「ヴァヴフォー、プラタレクシアストリ、エクシェ」。顔面蒼白の彼を見つめながら、わたしはハッとした。彼はロシアの戦闘機パイロットで、スウェーデンの領内で撃ち落とされたのかもしれない。ということは、ソ連が攻撃をしかけてきて、第三次世界大戦が始まったんだ。もうおしまいだ！

幸運なことに、主任看護師のビルギッタが昼食を終えてやってきた。彼女はわたしからペンチを取り上げ、こう忠告した。「空軍の耐Gスーツを切っちゃだめですよ。1万スウェーデン・クローナもするんですから」さらに彼女は続ける。「あと、救命胴衣を踏んでますよ。ジャケットに入ってた容器をあなたが割ったせいで、床が真っ赤です」

ビルギッタは患者に近づき、ゆっくりと耐Gスーツを脱がし、毛布を何枚か彼に被せた。そして、スウェーデン語でこう話しかけた。「あなたは凍った水の中に23分間もいたから、凍えたり、けいれんしているんです。そして、ろれつが回ってないから、あなたが何を言ってるかもわかりません」

どうやら彼はスウェーデンの空軍パイロットで、訓練中に墜落してしまったらしい。彼はほっとしたような顔をして、わたしに向かって微笑んでくれた。

それから数十年後。わたしはこの空軍パイロットと連絡を取り、当時の話を聞いてみた。どうやら彼は、あのときの出来事をまったく覚えていないらしい。そう聞いて肩の荷が下りた気分になった。

しかしわたしのほうは、忘れることなんてできない。とんでもない判断ミスだった。彼がしゃべっていたのはロシア語ではなくスウェーデン語で、戦争なんか起きていなかった。てんかん発作ではなく、体が冷えていただけだった。血だと思っていたものは、救命胴衣の中にあったガラス容器が割れて、赤色の液体が流れていただけだった。何もかもあべこべにしてしまったにもかかわらず、わたしは自分が正しいと信じて疑わなかった。

人はみな恐怖に包まれると、判断力が鈍る。当時のわたしは新米医師で、救急医療の経験はあのときが初めてだった。そして、第三次世界大戦が起きたらどうしようかと、常日頃から心配していた。子供の頃にもよく、戦争に巻き込まれる悪夢にうなされたものだ。夜中に飛び起きて、両親のベッドに潜り込んでいた。そのたびに父は、戦争が起きたらどうすればいいか教えてくれた。リヤカーにテントを乗せて、ブルーベリーがたくさんある森に逃げるんだ、と。いつもその話を聞くまで、安心して眠れなかった。

経験不足だったわたしは、不慣れな救急医療に焦り、最悪のシナリオを想定してしまった。「戦争が始まっていませんように」と思うのではなく、「戦争が始まったに違いない」と思ってしまった。冷静に考えることは普段でも難しい。緊急時になるとほぼ不可能だ。頭が恐怖でいっぱいになると、事実を見る余裕がなくなってしまう。

関心フィルター

世の中のすべての情報を学習できる人などいない。では、わたしたちはどの情報を、どんな基準で選んでいるのだろうか？ そして、どんな情報を無視しているのだろうか？

おそらく、人の頭の中にいちばんすんなり入ってくるのは、物語形式で伝えられる情報だ。そして、物語形式の情報は、ほかの情報に比べてドラマチックに聞こえやすい。

わたしたちの頭の中と、外の世界のあいだには、「関心フィルター」という、いわば防御壁のようなものがある。この関心フィルターは、わたしたちを世界の雑音から守ってくれる。もしこれがなければ、四六時中たくさんの情報が頭の中に入ってきて、何もできなくなってしまうだろう。

そして、関心フィルターには10個の穴があいている。それぞれの穴は、この本で紹介する本能と対応している。「分断本能の穴」「ネガティブ本能の穴」「直線本能の穴」などだ。ほとんどの情報は関心フィルターを通過できないが、わたしたちの本能を刺激する情報だけは、穴から入って来られるようになっている。人はこうやって情報を取捨選択していく。

もちろん、メディアはこのことを十分理解している。だから、関心フィルターを通り抜ける見込みがなさそうな情報は、はなから流そうとすらしない。

たとえば、以下のような見出しのニュース記事を書こうものなら、すぐにボツにされるだろう。

「マラリアの感染数、依然として減少」

「今日のロンドンの穏やかな天気を、気象学者がきのう正確に予測」

一方で、地震・戦争・難民・病気・家事・洪水・サメによる被害・テロなどは、関心フィルターを通り抜けやすい。めったに起きないことのほうが、頻繁に起きることよりもニュースになりやすいからだ。こうしてわたしたちの頭の中は、めったに起きないことの情報で埋めつくされていく。注意しないと、実際にはめったに起きないことが、世界ではしょっちゅう起きていると錯覚してしまう。

昔は、世界の進歩に関するデータを入手するのは困難だった。しかし最近になって、世界の進歩に関連するほとんどの分野で、データが手に入れられるようになった。にもかかわらず、人々の本能と、それを利用しようとするメディアは健在だ。その結果、ドラマチックすぎる世界の見方をする人はなかなか減らない。

なかでも、これから紹介する「恐怖本能」はやっかいだ。報道する情報を選ぶときに、「恐怖本能を刺激するか否か」を判断基準にしているメディアは多いからだ。

恐怖本能

あなたがいちばん恐れているものは何だろう？　この質問をすると、だいたいいつも「ヘビ」「クモ」「高所」「閉所」が回答数のトップになる。ほかにも、「人前で話すこと」「針」「飛行機」「ネズミ」「他人」「犬」「人混み」「血」「暗闇」「炎」「溺れること」など、定番の答えが上位に並ぶ。

これらに対する恐怖心はもちろん、人が進化の過程で培ったものだ。わたしたちの祖先は、ケガをしたり、捕まったり、毒に侵されるのをなんとか避けることで生き延びてきた。現在でも、わたしたちはケガや毒などの危険を予知すると、恐怖本能が反応してしまう。

一方で、メディアは毎日のように、「身体的な危害」「拘束」「毒」に関連するニュースを流している。

●**身体的な危害**　暴力、危険動物、鋭利な刃物、自然の脅威など
●**拘束**　何かに閉じ込められたり、誰かの支配下に置かれたり、自由を奪われるなど
●**毒**　目に見えない有毒物質など

「身体的な危害」「拘束」「毒」を恐れるのは、レベル1や2にいる人にとっては理にかなっている。たとえばヘビ。世界では毎年6万人が、ヘビのせいで命を落としている。とりわけ、レベル1や2の暮らしをしている人にとって、ヘビに噛まれたら命取りだ。近くに病院はないし、あっても治療代を払えない。棒かヘビかわからないものを見かけたら、念のため避けておくのに越したことはない。

産婆さんが欲しかったもの

1999年に、わたしはスウェーデン人の学生たちと共にタンザニアを訪れた。田舎の村に暮らす、昔ながらの産婆さんに会いにいくためだ。百聞は一見にしかず。わたしの教え子たちにも、実際にレベル1の医療現場で働く人を見てほしいと思い、今回の旅を企画した。

わたしたちが会った産婆さんは、助産師になるためのきちんとした訓練を受けていない。彼女はいくつかの村を徒歩でまわり、貧しい女性の出産に立ち会う。出産は土間の上で行われ、夜になれば明かりもまったくない。医療器具も、きれいな水もない。それを聞いた教え子たちは、あまりの

ことに言葉を失ってしまった。

するとひとりの学生が、産婆さんにこう尋ねた。「お子さんはいらっしゃるんですか?」彼女は自慢げに答える。「はい。男の子2人と、女の子2人がいます」

「娘さんたちも、将来はあなたのように助産師になるのでしょうか?」学生がそう聞くと、彼女は身を乗り出し、げらげらと笑った。「わたしの娘が、助産師になるかですって? そんな、絶対にありえませんよ! 2人とも高給取りですから。首都のダルエスサラームで、パソコンの前に座って仕事しているんです。そういう仕事をしてみたいと、2人とも前から言っていましたので、願ったり叶ったりです」

産婆さんの娘たちは、レベル1から抜け出したのだ。

もうひとりの学生はこう尋ねた。「これさえあれば、仕事がだいぶ楽になるのになあ、と思うような道具がひとつだけ手に入るとしたら、何が欲しいですか?」彼女は答える。「いま何よりも欲しいのは、懐中電灯です。暗くなってから村に向かうときに、懐中電灯があったらいいのになと思うんですよ。月が明るい日でさえ、ヘビがどこにいるかわかりませんから」


レベル1や2では、肉体的にも苦しい生活を強いられることが多い。しかしレベル3と4になって生活に余裕が生まれると、自然の過酷さに悩まされることも少なくなる。そうなってくると、進化の過程で発達した恐怖心は、役立つどころか逆に足を引っ張ってしまう。

たとえば、レベル4に暮らす人のうちの3%は、生活に支障をきたすほどの、なんらかの恐怖症を抱えている。ほとんどの人はそのような恐怖症を持っていないが、それでも恐怖本能のせいで、間違った世界の見方を身につけてしまっている。

メディアはメディアで、わたしたちの恐怖本能を利用せざるを得ない。恐怖本能を刺激することで、あまりにもたやすく、わたしたちの関心を引くことができるからだ。特に、2種類の恐怖を同時に煽ることができれば、効果はバツグンだ。

たとえば誘拐事件や飛行機事故は、「身体的な危害」と「拘束」への恐怖心を呼び起こす。ほかにも、大きな地震が起きたときは、建物の下敷きになった人たちが、ほかの被災者に比べて注目される。こちらも、「身体的な危害」と「拘束」という要素があるからだ。このように、複数の恐怖心を煽れば、話をより刺激的にすることができる。

現在、「世界は危険だ」という主旨のニュースは、昔よりも効果的に配信されるようになった。一方で、現在の世界は、人類史上類を見ないほど平和で安全だ。これって、ちょっとおかしくないだろうか？

わたしたちの先祖の命を救ってくれた恐怖本能は、いまやジャーナリストたちの雇用を支えている。かといって、「ジャーナリストが悪い」とか「ジャーナリストが行動を改めるべき」という指摘をするのは筋違いだ。メディアが「人々の恐怖本能を利用してやろう」と考える以前に、わたしたちの恐怖本能が、「どうぞ利用してください」と言っているようなものなのだから。

わたしたちがやるべきことは、見出しの陰に隠れている事実に目を向けることだ。そうすれば、恐怖本能がいかにして、「世界は怖い」という印象を人々に植え付けるかがわかるだろう。

自然災害と、「こんな時」という言葉が意味するもの

アジア最後のレベル１の国、ネパールでは、２０１５年に大地震が起きた。災害による死亡率は、レベル１にいる国が最も高くなる。建物も、インフラも、医療機関も脆弱だからだ。ネパールの地震では、９０００人が亡くなった。

質問7　自然災害で毎年亡くなる人の数は、過去１００年でどう変化したでしょう？

A　２倍以上になった

B　あまり変わっていない

C　半分以下になった

この数字には、洪水・地震・暴風雨・干ばつ・山火事・異常高温・異常低温の死亡者も含まれる。ほかにも、災害で家を追われたりして亡くなった人や、災害のあとに流行した感染症による死亡者も含まれる。正しい答えを選んだのは、たったの10％。正解率がもっとも高かったフィンランドとノルウェーですら、正しい答えを選んだのは16％だった（国ごとの正解率は、付録をご覧いただきたい）。ニュースなど見ないチンパンジーですら、正解率は33％になるのに。

答えを言うと、自然災害による死亡者数は、１００年前と比べて半分どころか、25％になった。一方、人口は同じ期間に50億人増えている。ひとりあたりに換算すると、災害による死亡率は激減し、１００年前の

災害対策にはおカネがかかる

自然災害で毎年亡くなる人の数
(100万人あたり。1991〜2016年の25年間の平均)

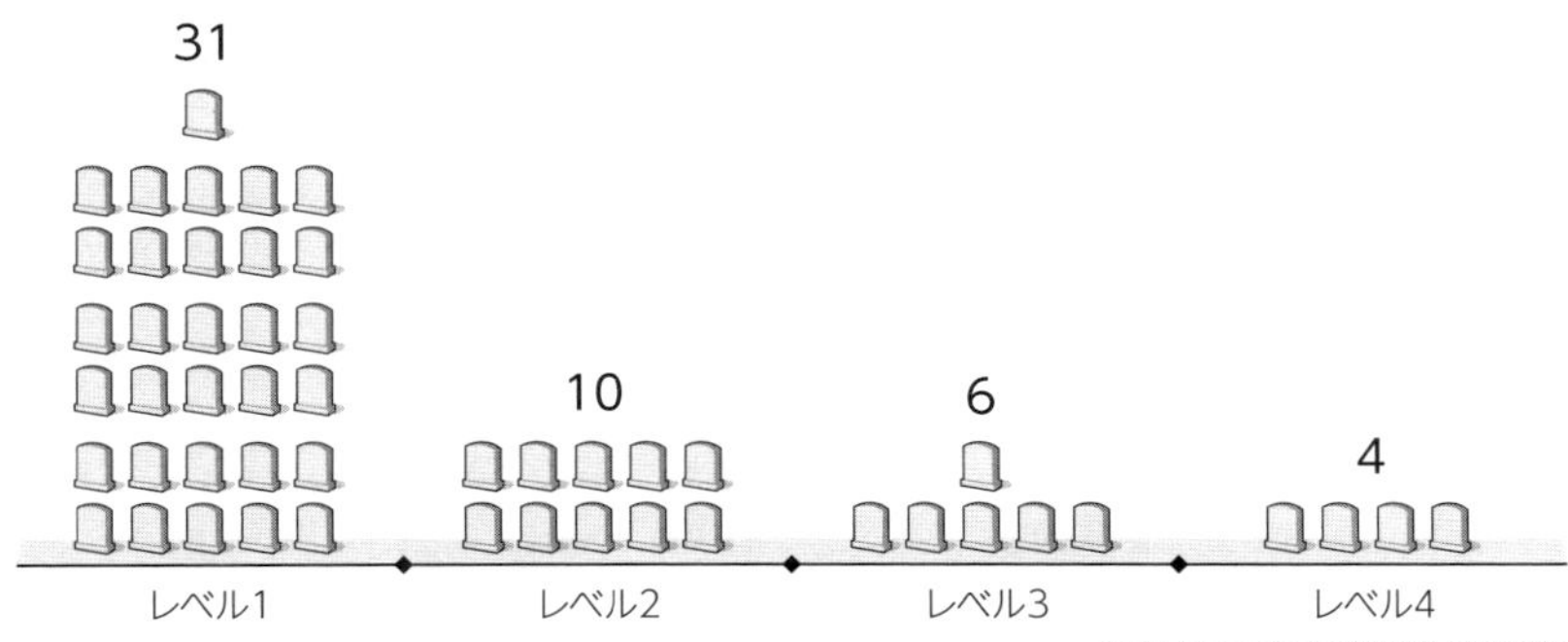

出典: Gapminder[3,52]、EM-DAT

6%になった。

なぜ、自然災害で亡くなる人がこれほど減ったのか。それは、自然が変わったからではない。ほとんどの人が、レベル1から脱出したからだ。災害はどの国でも起きる。ただ、被害の規模は国の所得レベルによって大きく異なる。懐が豊かでないと、災害に備えにくくなるからだ。

上のグラフを見れば、レベルごとの災害による死亡率の違いがわかるだろう。グラフ上の数字は、過去25年間の、100万人あたりの平均死亡者数を表している。

しかし次のページのグラフを見ると、以前と比べれば、レベル1でも死亡率が相当減っていることがわかる。教育の質が上がり、災害対策のコストが下がり、国際協力が盛んになったからだ。

ちなみに、25年間の死亡者数の平均を使ったのは、自然災害が毎年同じ頻度で起こらないからだ。しかし、この方法は完璧ではない。たとえば、レベル4では死亡率が前の期間に比べて4倍になっている。主な原因は、2003年に起きたヨーロッパの熱波という、たったひとつの災害だった。

レベル1の国では、災害で亡くなる人の数は減っている
自然災害で毎年亡くなる人の数(100万人あたり)

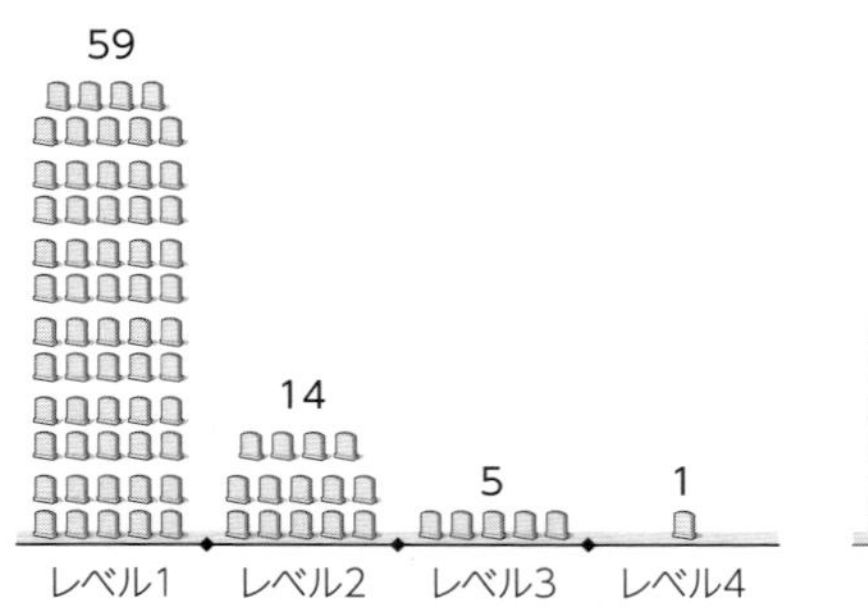

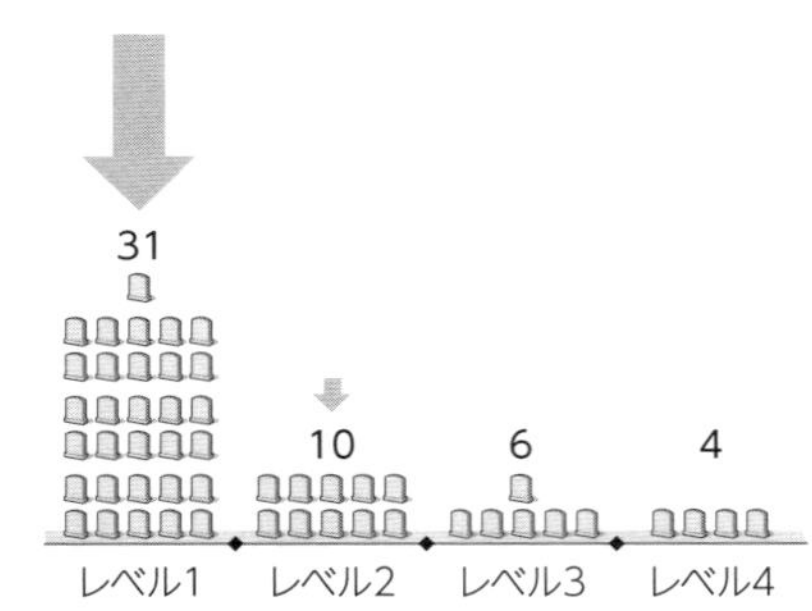

出典: Gapminder[3,52]、EM-DAT

1942年頃、バングラデシュはレベル1にいた。国民のほとんどは字が読めない農民だった。それから2年間にわたり、大規模な洪水、干ばつ、熱帯低気圧が発生した。助けてくれる国際機関もない。その結果、200万人が亡くなった。

現在、バングラデシュはレベル2になり、ほとんどの子供が学校を卒業するようになった。そして学校では、避難の方法を学ぶ。赤地に黒の正方形の旗が3枚上がったら、大急ぎで避難所へ向かわないといけない。

またバングラデシュ政府は、国土の大半を占める三角州のあちこちに、デジタル監視システムを導入した。これにより、洪水の状況がいつでもウェブサイトで確認できるようになった。これほど高度な監視システムは、つい15年前には世界中を見渡しても存在しなかった。

こういった備えは、2015年に熱帯低気圧が発生したときに功を奏した。世界食糧計画が3万人の避難世帯に対し、113トンもの高カロリービスケットを提供することができた。

一方、ネパールでは、同じ2015年に大きな地震が起きた。その悲惨さは、映像を通じて全世界に伝わった。すぐさま、物

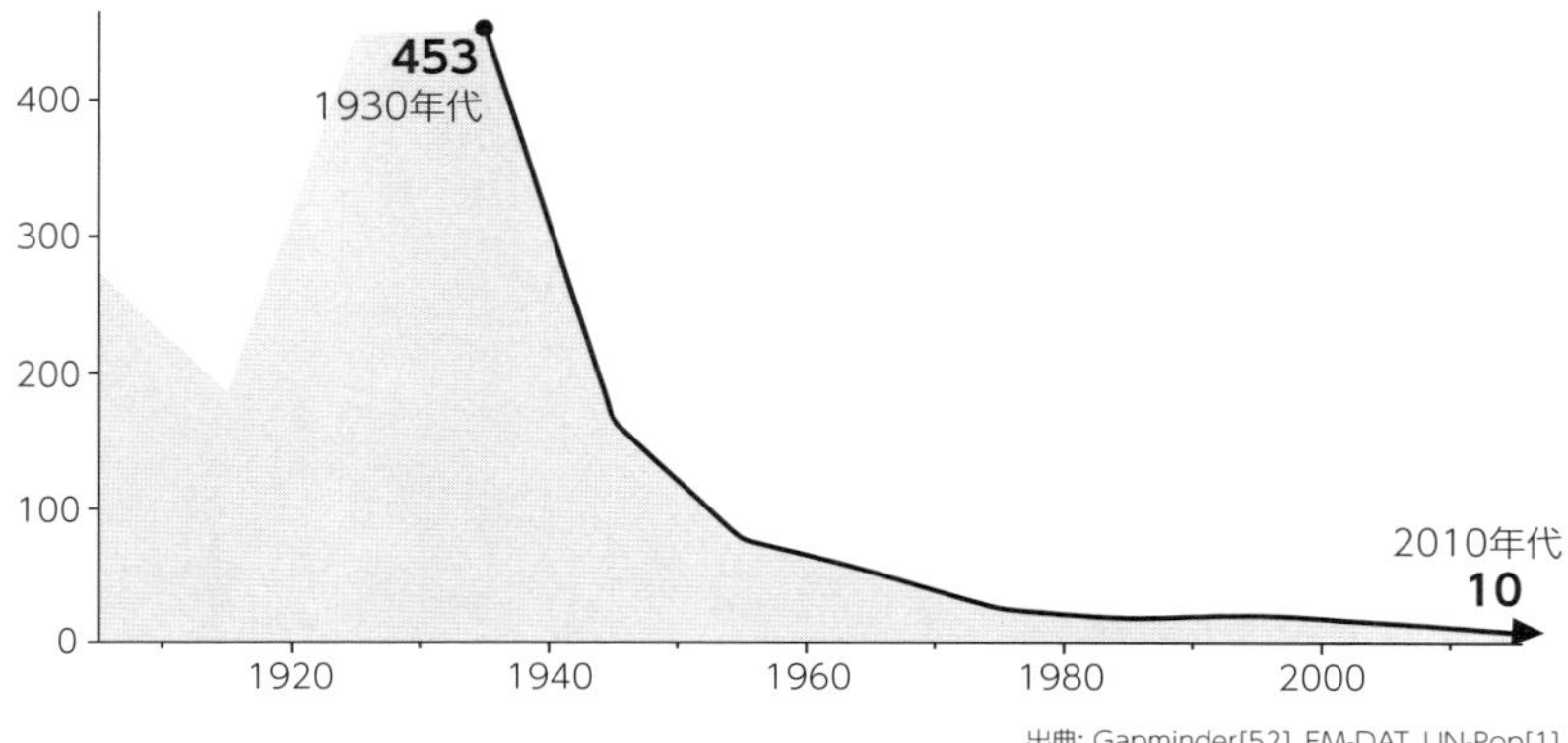

資やレスキュー隊を乗せたヘリコプターが現地に向かう。残念なことに、ヘリが到着した際、すでに数千人が亡くなっていた。しかし、それ以上犠牲者を増やさずに済んだ。

ネパールはレベル1にいる国で、国外からの交通アクセスも不便だ。そんな国でも、今回のように緊急人道支援が機能すれば、多くの命を救うことができる。

現在、世界中の災害支援の情報は、国連のリリーフウェブというウェブサイトに集まるようになった。ひと昔前には想像もつかなかったような仕組みだ。そして、リリーフウェブはレベル4の暮らしをしている人たちの税金によって成り立っている。わたしたちは誇りに思うべきだ。

人類は、ついに自然から身を守る方法を得た。自然災害で亡くなる人が大幅に減ったことは、人類にとってまたひとつの進歩だ。ほかの進歩のように、無視されがちな進歩だけれども。

リリーフウェブを金銭的に支えているのはレベル4の人たちだ。しかしクイズの結果を見る限り、そのおよそ9割が、災害に対する人類の進歩をまったく知らない。残念なことに、自分たちが払ったおカネが世界を救っていることに気づいていないようだ。レベル４の国のメディアが、どの災害も史上最悪であるかのように報道し続けるからだ。長い時間をかけて、犠牲者がゆっくりと減り続ければ、それは「事実に基づく小さな希望」だとわたしは思う。しかしメディアは、そんなことは報じなくていいという考えのようだ。

さて、これまでの話を聞いたあなたは、考え方がガラリと変わっただろうか？　建物の下敷きになった被害者の様子をニュースで見ても、長い目で見れば犠牲者は減っていることを思い出せるだろうか？　ジャーナリストがカメラに向かって「また少し、怖い世の中になりましたね」と言ったら、きちんと反論できるだろうか？　色鮮やかなヘルメットを被った現地のレスキュー隊員を見たら、あなたはこう考えられるだろうか？「このレスキュー隊員の親世代は、字を読むことさえままならなかった。でも彼らは違う。国際ガイドラインに基づいた応急処置をしっかりとこなしている。世界は良くなっているんだ」と。

ジャーナリストが厳しい顔で、「こんな時、わたしたちは……」と言いかけたら、あなたは笑顔になって、こう考えられるだろうか？「ジャーナリストが言う『こんな時』とはもちろん、いまというすばらしい時代のことを指しているに違いない。人類史上最も速く災害の状況が世界に伝わり、最高性能のヘリコプターが諸外国からやってくるのだから」と。そして、「災害で痛ましい死を遂げる人は、これからもっと減るだろう」と、事実に基づく希望を抱くことができるだろうか？

おそらくできないだろう。少なくとも、わたしには無理だ。息を引き取った子供が、がれきの中から引っ張り出される姿をニュースで見ると、わたしの頭は恐怖と悲しみでいっぱいになってしまう。落ち着いて考えることなどできない。どんなチャートを見せられても、わたしの気持ちが変わることはない。どんな事実を伝えられても、安心することなどできない。

大災害がまさに起きている最中に、「世の中は良くなっている」と言うのは場違いだ。とてつもなく大きな苦しみの中にいる被害者や、被害者の家族の気持ちを踏みにじるだけだ。人としても完全に間違っている。こういうときは、人類の進歩のことはいったん忘れるべきだ。そして、それぞれができる限りの協力をしよう。

危機を脱するまで、事実や全体像について語るのは控えたほうがいい。だが、状況が落ち着いたら、わたしたちは再び「事実に基づく世界の見方」に沿って行動しないといけない。感情的にならずにソロバンをはじき、将来できるだけ多くの命を救えるように、資源が分配できているか確かめよう。

そして、こういうときの優先順位は、災害への恐怖心といったん切り離して考えないといけない。なぜなら現在、最も恐れられているような災害で亡くなる人の数は、世界のさまざまな問題による死亡者数に比べて、圧倒的に少ないからだ。もちろん、災害による被害が食い止められているのは、国際的な防災協力が機能しているからなのだが。

例をあげよう。2015年に世界が注目したネパールの地震では、10日間に9000人が亡くなった。しかし同じ10日間に、汚染された飲み水による下痢が原因で、同じく9000人の子供が世界中で亡くなっている。汚染水は、世界で最も多くの子供の命を奪っているもののひとつだ。

汚染水を飲んだ子供たちが、親の腕の中で息を引き取るさまを、全世界に伝える撮影班はいない。カッコいいヘリコプターもやってこない。仮にヘリコプターがやってきても、汚染水に対しては何もできない。ご近所さんの排泄物を、子供があやまって飲まないようにするために、ヘリコプターのような高価なものはいらない。何個かのプラスチック管と、給水ポンプと、石鹸と、シンプルな下水の仕組みがあれば事足りる。

消えた4000万機の飛行機

2016年には、4000万機の旅客機が、死者をひとりも出さずに目的地に到着した。死亡事故が起きたのはたったの10機。もちろんのことながら、メディアが取り上げたのは、全体の0・0000025%でしかない、この10機のほうだった。安全なフライトがニュースの見出しを飾ることはない。その証拠にこんなニュースを聞いたことがあるだろうか？

「シドニーからのBA0016便は、無事シンガポールのチャンギ空港に着陸しました。今日のニュースは以上です」

ちなみに、2016年は航空史上2番目に安全な年だった。この事実もまた、ニュースにはならない。

下のグラフは、旅客機の飛行距離100億マイルあたりの死亡者数を、過去70年にわたって示している。見ての通り、空の旅は70年前に比べて2100倍も安全になった。

1930年代までは、飛行機に乗るのは命がけだった。事故はひっきりなしに起き、その度に旅行者は恐れおののいていた。当時はどの国の航空局も、飛行機旅行には伸びしろがあると考えていた。

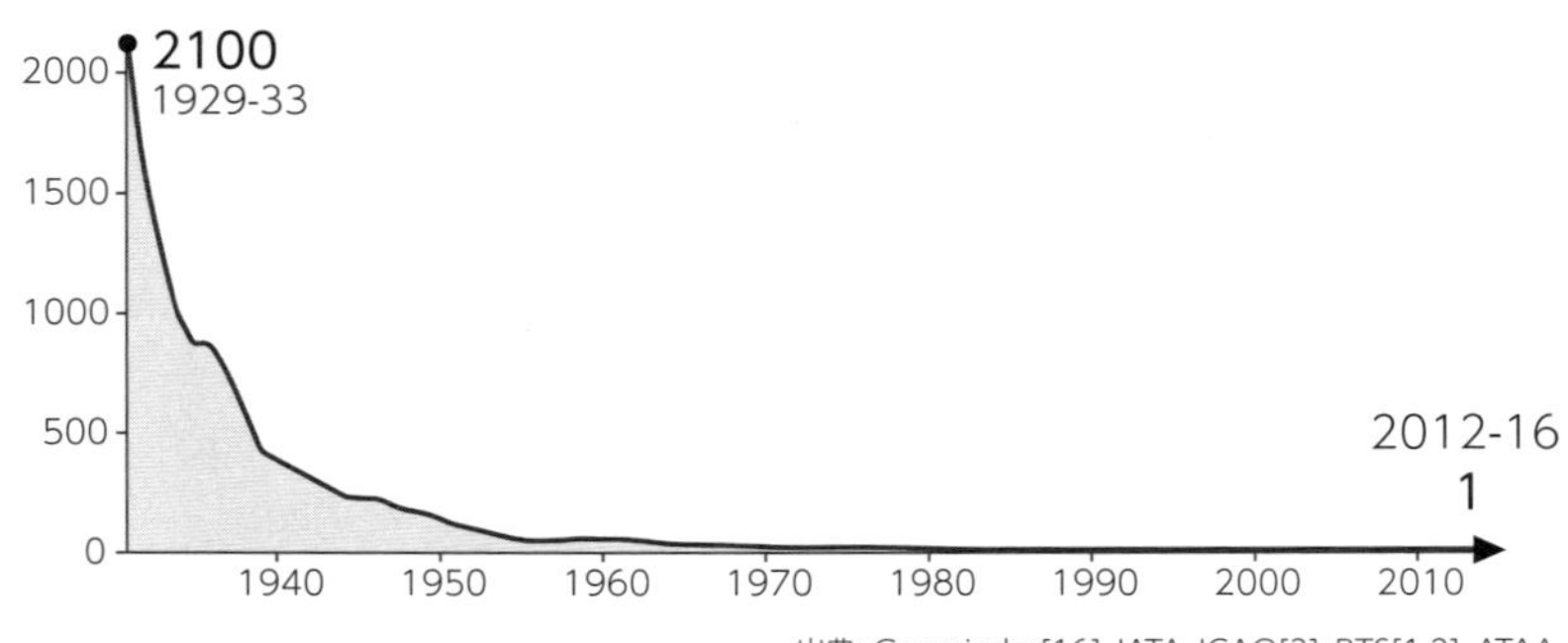

しかし、飛行機がもっと安全にならない限り、ほとんどの人は乗りたがらないということも、みな理解していた。そこで1944年、各国の航空局の責任者たちがシカゴに集まり、シカゴ条約が締結された。条約にはさまざまな付属書が含まれており、特に13番目の「航空機事故調査」が重要だった。これにより、事故の報告書の形式が統一された。また、報告書は各国に共有されるようになり、お互いの失敗から教訓を得られるようになった。

それ以来、すべての旅客機の事故に対して調査が行われ、結果が各国に報告されるようになった。事故のリスク要因が解明され、新しい安全対策がつくられ、それが世界中で使われるようになった。すばらしいと思わないか? シカゴ条約は、人類史上最高のチームワークの産物と言っても過言ではない。共通の恐怖があれば、人はいとも簡単に手を取り合える。

恐怖本能は諸刃の剣だ。恐怖本能があるおかげで、世界中の人々が助け合うことができる。そしてそれが、人類の進歩につながる。一方、恐怖本能のせいで、「年間4000万機もある、無事に着陸した飛行機の数々」に、わたしたちはなかなか気づかない。「年間33万人もいる、下痢で亡くなる子供たち」が、テレビに映ることもない。それが、恐怖本能の恐ろしさだ。

戦争と対立

わたしが生まれたのは1948年。6500万人が犠牲になった第二次世界大戦が終わり、3年が経ったころだ。「さすがにこれ以上、世界大戦は起きないだろう」と、自信を持って言える人はいなかった。しかし、第三次世界大戦はやってこなかった。代わりにやってきたのは、平和だった。これほど長い間、超大国のあいだで戦争が起きなかったのは、人類史上初めてのことだ。

紛争の数や、紛争による死者の数は、近年になって過去最低を更新した。わたしが生きた時代は、人類史上で最も平和な時代だった。しかし、テレビで延々と流される恐ろしい映像を見ていると、いまが平和だとはとても信じられなくなる。

わたしは、「いま起きている紛争の恐怖なんて、たいしたことない」とは言ってない。「いま起きている紛争が終わらなくても、どうってことない」とも言ってない。「悪い」と「良くなっている」が**両立する**ことを思い出そう。いまはまさにそんな状況だ。昔の世界は戦争ばかりだったが、いまは戦争がほとんどない。

一方で、内戦中のシリアの人々にとって、「世界は良くなっている」という言葉は気休めにすらならない。シリア内戦は、１９９８年から２０００年にかけて起きたエチオピア・エリトリア国境紛争以来、最も多くの犠牲者が出た戦いになる見込みだ。

執筆時点では、全犠牲者数はまだわからないし、紛争が広

戦争や紛争による犠牲者数の推移

戦争や紛争による犠牲者数（100万人あたり）

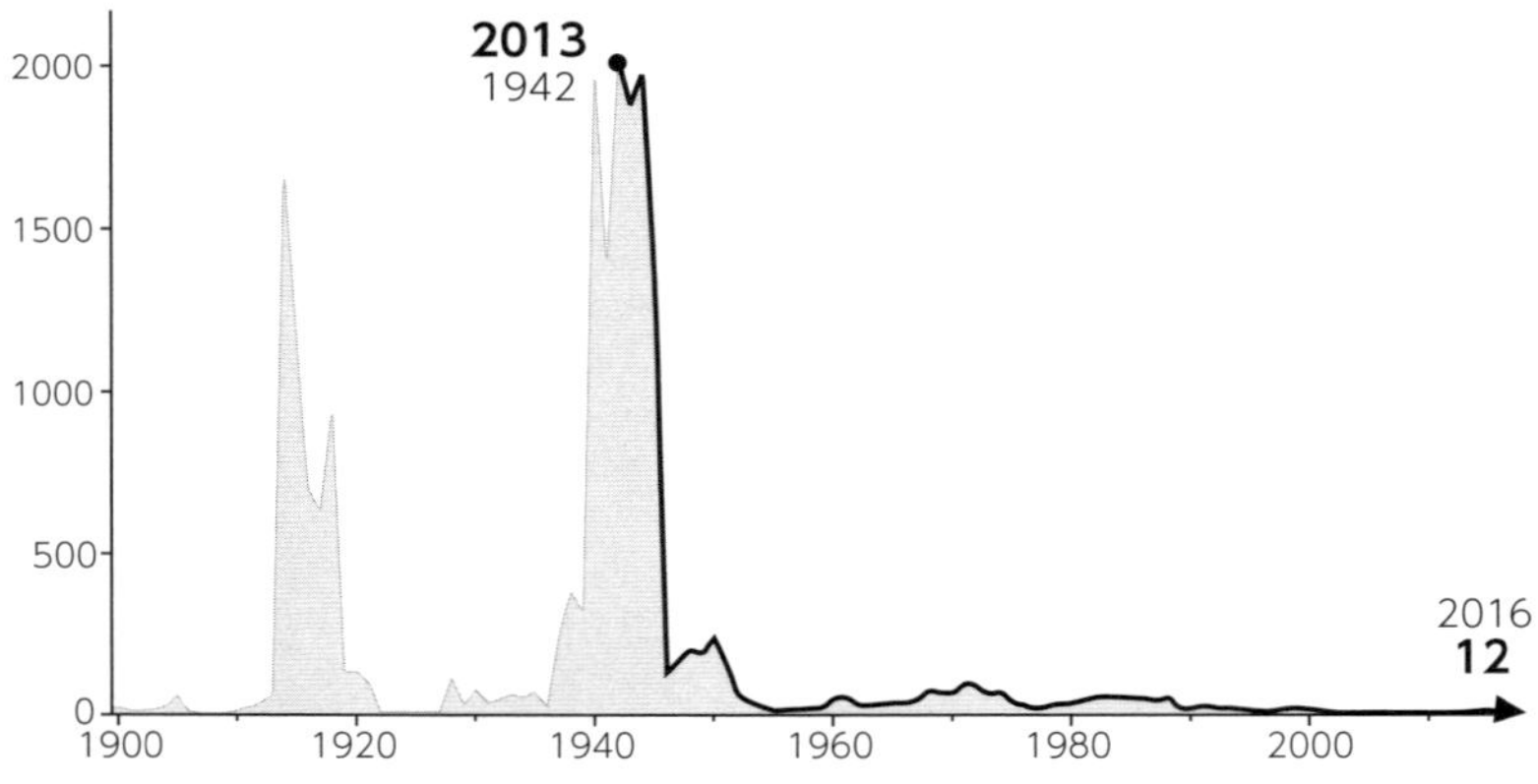

2013
1942
2016
12
2000
1500
1000
500
0
1900
1920
1940
1960
1980
2000

出典: Gleditsch(2016)、PRIO、Correlates of War、UCDP[1]

がるかどうかもわからない。もし犠牲者が数万人にとどまれば、90年代に起きた最も大きな戦争よりも、シリア内戦は犠牲者数が少ないということになる。もし犠牲者数が20万人に到達しても、80年代の戦争に比べればまだ少ない。

このような比較は、いまシリアで苦しんでいる人々にとってはもちろんなんの慰めにもならない。しかし人類にとって、戦争の犠牲者数が10年ごとに減り続けているという事実は、喜ばしいことであるはずだ。

ゆっくりと世界が平和になっているということ以上に、すばらしい進歩があるだろうか。この数十年のあいだに、多くの国に平和がもたらされた。そのおかげで、いままで紹介してきたような、さまざまな分野で進歩が見られるようになった。

平和な世界は、上の世代がわたしたちにくれた、儚(はかな)い贈り物だ。大事にしよう。世界が平和でなければ、持続可能な未来を創るといった、崇高な目標は達成できない。そして世界が平和でなければ、ほかの分野でいくら進歩があったとしても、喜ぶことはできない。

危険な物質

わたしが子供だった1950年代のこと。当時は多くの人が「核兵器が飛び交う第三次世界大戦は、いつか確実に起こるだろう」と考えていた。その後の30年間も、そのことを疑う人はほとんどいなかった。人々の脳裏には、広島の犠牲者の写真が焼き付いていた。ニュースを見れば、アメリカとソ連が次から次へと核実験を行うさまが報じられている。その姿はまるで、筋肉増強剤を使用したボディビルダーたちが、自らの筋肉を自慢し合っているようだった。

1985年には、ノーベル平和賞の選考委員会が、「平和な世界を実現するのに最も大事なのは、核兵器を減らすことだ」と判断する。その結果、わたしがノーベル平和賞を受賞した。というのは半分冗談で、受賞したのは核戦争防止国際医師会議という、核戦争に反対する医療関係者の団体だった。そして何を隠そう、わたしはこの団体に所属していた。

1986年には、世界中に6万4000発の核弾頭があった。現在は1万5000発しかない。核兵器のような恐ろしいものが減っているのも、恐怖本能のおかげだ。一方、恐怖本能は時に暴走する。そうなると、判断力が鈍った人々によって、大惨事が引き起こされることもある。

2011年3月11日。日本の三陸沖の太平洋、深さ29キロメートル（米国地質調査所推定）の場所で、巨大な断層破壊が起きた。地震によって日本の本州は2・4メートルも東に移動し（米国地質調査所推定）、大きな津波が発生した。1時間後に到達した津波によって各地が水没し、約1万8000人が亡くなった。津波の高さは想定を上回り、防波壁を越えて福島の原子力発電所を襲った。世界中のニュース番組が、被害の大きさと、放射線被ばくの恐ろしさを報じた。

原発の近くに住んでいた人は避難したが、そのうちの約1600人は避難後に亡くなった。死因は放射線被ばくではない。そもそも執筆時点で、福島の原発事故による被ばくで亡くなった人は、ひとりも見つかっていない。避難後に亡くなった人の多くは高齢者で、避難の影響で体調が悪化したり、ストレスが積み重なったりして死亡した。人々の命が奪われた原因は被ばくではなく、被ばくを恐れての避難だった。

1986年に起きた史上最悪の原発事故、チェルノブイリ原発事故のときはどうだったか。このときも多くの識者が、被ばくした人のあいだで死亡率が大幅に高まると予測した。しかし、世界保健機関が後に出した調査報告によると、原発の近くに住んでいた人も含め、死亡率が大幅に高まったという証拠は見つからなかった。

放射線被ばくの次は、殺虫剤の話をしよう。1940年代、憎たらしい害虫たちをやっつけてくれる殺虫剤「DDT」がつくられた。農家は大喜び。マラリアと闘っている人たちも大喜び。DDTは農作物や、湿地や、家の中に散布された。副作用があるかどうかは、あまり調べられなかった。DDTの発明者は、ノーベル賞を受賞した。

1950年代に入ると、アメリカの環境運動家たちが、DDTに懸念を抱くようになった。食物連鎖を通じて、魚、そして鳥までもが、DDTを体内に蓄積するようになっている、と。著名な大衆科学作家のレイチェル・カーソンは、著書を通じて、DDTの危険性を指摘し、この本が国際的なベストセラーになった。彼女が住んでいた場所では、DDTの影響で、鳥のタマゴの殻がどんどん薄くなっていたという。人々は、目に見えない物質を好き勝手に撒き散らし、害虫を退治していた。一方で偉い人たちは、その物質が他の動物や人間に害を及ぼす可能性から目を背けていた。これが本当なら恐ろしい話だ。

企業はシラを切ろうとするし、政府も規制には及び腰。このままではまずい。そういう風潮が強くなり、世界中で環境保護運動が始まった。

そして現在、多くの国で国際的な化学物質規制や安全基準が適用されている。航空業界には及ばないが、それでも適用範囲は広い。このような規制が生まれたきっかけは、DDTが引き起こした環境保護運動にある。DDT事件の後にも、石油流出事故や原発事故が起きたり、大規模農園の労働者が殺虫剤の副作用で障害を負ったりして、規制はより強固なものになっていった。

ところが、だ。環境保護運動にも、ある副作用があった。多くの人が、まるでパラノイア（偏執病）にでもなったかのように、化学物質汚染を怖がるようになってしまった。そのような恐怖症は、「化学物質恐怖症」と呼ばれる。

子供向けのワクチンや、放射線被ばくや、ＤＤＴなどの化学物質について、事実に基づいた理解を広めるのは、いまだにとても難しい。企業への規制不足のせいで、悲惨な事件が起きたというトラウマは健在だ。だから多くの人は、よくわからないものを疑い、反射的に怖がってしまう。データを見せても、なかなか信じてもらえない。

それを承知の上で、悪あがきになるかもしれないが、事実に基づいた議論を続けたい。

ワクチンを例にあげよう。恐ろしい病気から守ってくれる予防接種を、自分の子供に受けさせない親がいる。みんな、良い教育を受けた人たちだ。にもかかわらず、「批判的思考」という錦の御旗のもとにとんでもない間違いをおかしている。わたしは、物事を批判的に考えることが大好きだし、「本当かな？」と疑うことも大事だと思っている。しかし大前提として、動かぬ証拠があれば、それをないがしろにしてはいけない。

もしあなたが仮に、麻しん（はしか）の予防接種を子供に受けさせたくないと思うなら、次の2つのことを守ってほしい。

まず、麻しんにかかった子供が亡くなるとき、どんなふうに亡くなるかを知っておこう。麻しんにかかった子供の多くは回復するが、いまだに発病してからの治療法はない。最高の対症療法を行っても、１０００人のうちひとりか2人が亡くなってしまう。

次に、「どんな証拠を見せられたら、わたしの考えが変わるだろう?」と自分に聞いてみよう。「どんな証拠を見せられても、ワクチンに対する考え方は変わらない」と思うだろうか? もしそうだとしたら、それは批判的思考とは言えない。証拠を無視したら、批判的思考は成り立たないからだ。ワクチンを疑う際に役立った批判的思考が、いつの間にか役立たずになっていないだろうか?

それでも考えを変えないと言うのであれば、わたしにいい案がある。せっかくなので、科学をとことん信じないでほしい。たとえば、もしあなたが手術をすることになったら、担当する外科医に「手は洗わないでください」と伝えよう。

誰の命も奪わなかった放射線から避難したせいで、1000人以上の高齢者が亡くなった。同じように、DDTは有害だが、DDTが直接誰かの命を奪ったことはなかった。少なくとも、そういったデータをわたしは見つけていない。

DDTによる悪影響の調査は、1940年代には実施されなかったが、最近になって行われるようになった。2002年には、アメリカ疾病予防管理センターが「DDT・DDE・DDDの毒性学的な分析」という、全497ページの調書を公開した。2006年にはついに、世界保健機関がDDTに関するすべての調査を検証し終えた。アメリカ疾病予防管理センターと世界保健機関は、DDTを「人体にとって、やや有害」だと位置付けた。そして多くの場面で、DDTのメリットはデメリットを上回ると指摘した。

DDTの取り扱いには十分注意すべきだが、場合によっては役立つこともある。たとえば、難民キャンプで蚊が大量発生したときは、DDTを使うのが最もコストがかからず手っ取り早い。しかし、アメリカ人やヨーロッパ人、恐怖本能を糧にする政治団体にとっては、そんなことはどうでもいいようだ。彼らは、アメリカ疾病予防管理センターと世界保健機関による膨大な調査報告や、それに基づく短い勧告すら読もうとしない。だから、DDTの限定的な使用についての議論が進まない。そんな世論のせいで、DDTは確実に命を救えるという証拠があるのに、支援団体は使えなくなってしまう。

規制が厳しくなる理由の多くは、死亡率ではなく恐怖によるものだ。福島の原発事故やDDTについて言えば、目に見えない物質への恐怖が暴走し、物質そのものよりも規制のほうが多くの被害を及ぼしている。

たしかに、環境破壊は世界中で起きている。だが、「巨大地震」のほうが「下痢」よりもニュースになりやすいことを思い出してほしい。それと同じように、「目に見えないほど小さいが、恐ろしい化学物質汚染」のほうが「あまり恐ろしくは聞こえないが、環境に大きな悪影響を及ぼしていること」よりもニュースになりやすい。たとえば海底の破壊や、魚の乱獲などのほうが、よっぽど急を要する問題だ。

化学物質恐怖症が流行りだすと、たとえば半年ごとに、「よく見かける食べ物に、合成化学物質が混入している」という「新事実」が見つかったりする。しかしあまりにも微量なので、その食べ物を貨物船一隻分、3年間毎日食べ続けない限り、命を落とすことはない。にもかかわらず、このような化学物質の話は、エリートたちの酒の肴にされるようだ。その食べ物のせいで亡くなった人はいないのに、赤ワイン片手に「怖いねえ」と語ったりする。「化学」は得体の知れないものだから、目に見えない化学物質を怖いと感じてしまうのかもしれない。

テロ

最後は、西洋諸国で近年なによりも恐れられているテロの話をしよう。

恐怖本能の力を誰よりも理解しているのは、ジャーナリストではない。テロリストだ。彼らは人々を恐怖に陥れるべく、わたしたちの恐怖本能につけこもうとする。身体的な危害を加えられたり、拘束されたり、毒殺されるといった恐怖を煽るのだ。

第2章では、世界中で良くなっていることをいくつか紹介した。しかしテロは例外で、年々増え続けている。だったら、「テロがとても怖い」と思うのは合理的だろうか？ そう早合点する前に、データを見よう。2016年に亡くなった人のうち、テロで亡くなったのは0・05％しかいなかった。つまり、テロを怖がる必要はほとんどない。また、テロを怖がるべきかどうかは、あなたが住む場所にも左右される。どういうことか、順を追って説明しよう。

アメリカのメリーランド大学の研究者たちは、信頼できるメディアに掲載された、1970年以降のすべてのテロ事件のデータを集めている。それはグローバル・テロリズム・データベースと呼ばれ、17万件以上のテロ事件のデータが載っている。このデータベースによれば、2007年から2016年の10年のあいだに、テロによって世界で15万9000人の人が亡くなっている。その前の10年に比べ、被害者は3倍になった。エボラの感染者数のように、数字が2倍、3倍に増えているのであれば、心配になって当然だ。いったい何が起きているのか調べる必要がある。

信頼できるテロの情報を求めて

本書で紹介しているテロのデータが２０１６年までしかないのは、執筆時点で、グローバル・テロリズム・データベースには２０１７年以降のデータが無かったからだ。研究者たちは複数の情報源を参照することで、インチキ情報が入力されてしまうのを防いでいる。情報源の確認に時間がかかるそうだ。

しかし、わたしは疑問に思った。これは確かに研究としては適切なやり方かもしれない。しかし、少し質を犠牲にしても、もっと早くデータを公開できないのだろうか？　エボラ出血熱や、後の章で解説する二酸化炭素排出量のように、重大な問題であればあるほど、最新のデータがいち早く必要なのではないか？　最新データがなければ、テロが増えているかどうかも判断できないのでは？

一方、わたしが大好きなウィキペディアはどうだろう。ウィキペディアには、世界中のテロ事件がまとめられているページもある。テロの第一報が入った矢先に、ボランティアの人によってページが更新される。もしウィキペディアを信頼できるのであれば、テロが増えているかどうかをいち早く判断できる。

というわけで、ウィキペディアの信ぴょう性を確かめるため、わたしたちは英語のウィキペディアの情報と、グローバル・テロリズム・データベースの２０１５年のデータを比べてみることにした。２つのデータの重なりが１００％に近かったら、ウィキペディアは信頼に足る情報源だということだ。2016年や2017年のデータもウィキペディアを参考にすればいいし、最新のテロの傾向も、ウィキペディアを基に算出すればいい。

しかし調査の結果、ウィキペディアに載っているテロの情報は、とても偏った情報であることがわかった。また、その偏り方は、西洋を中心とした世界の見方によるものだった。グローバル・テロリズム・データベースに載っている2015年のテロ事件のうち、ウィキペディアにも載っている事件は78%しかなかった。西洋諸国で起きたテロ事件のほとんどは載っていたが、それ以外の国で起きたテロについては、25%しか掲載されていなかった。まことに残念だ。

わたしはウィキペディアの大ファンだが、ウィキペディアはまじめな研究者の代わりにはならない。研究者たちが迅速に情報を更新できるように、できる限りの支援を行うことが大切だ。

テロ事件の数は世界中で増え続けている。しかし、レベル4の国に限っては、実はテロの数は減っている。2007年から2016年のあいだに、レベル4の国では1439人がテロ事件で亡くなった。しかし、その前の10年間には、4358人もの人がテロで亡くなっている。ちなみにこの期間には、2996人が亡くなった史上最大のテロ事件、2001年9月11日のアメリカ同時多発テロ事件が含まれている。それを除いたとしても、レベル4の国でのテロの犠牲者は、過去10年とその前の10年の間でほとんど変わっていない。

一方、レベル1、2、3の国においては、テロの犠牲者は大幅に増えている。その原因のほとんどは、イラク、アフガニスタン、ナイジェリア、パキスタン、シリアでテロが増えたからだ。特にイラクでの犠牲者は、

レベル4の国では、テロによる死亡者数は減っている

過去10年間にテロによって亡くなった人は、その前の10年間に比べて3倍になった。

お墓の記号はそれぞれ1000人の死亡者を表している。

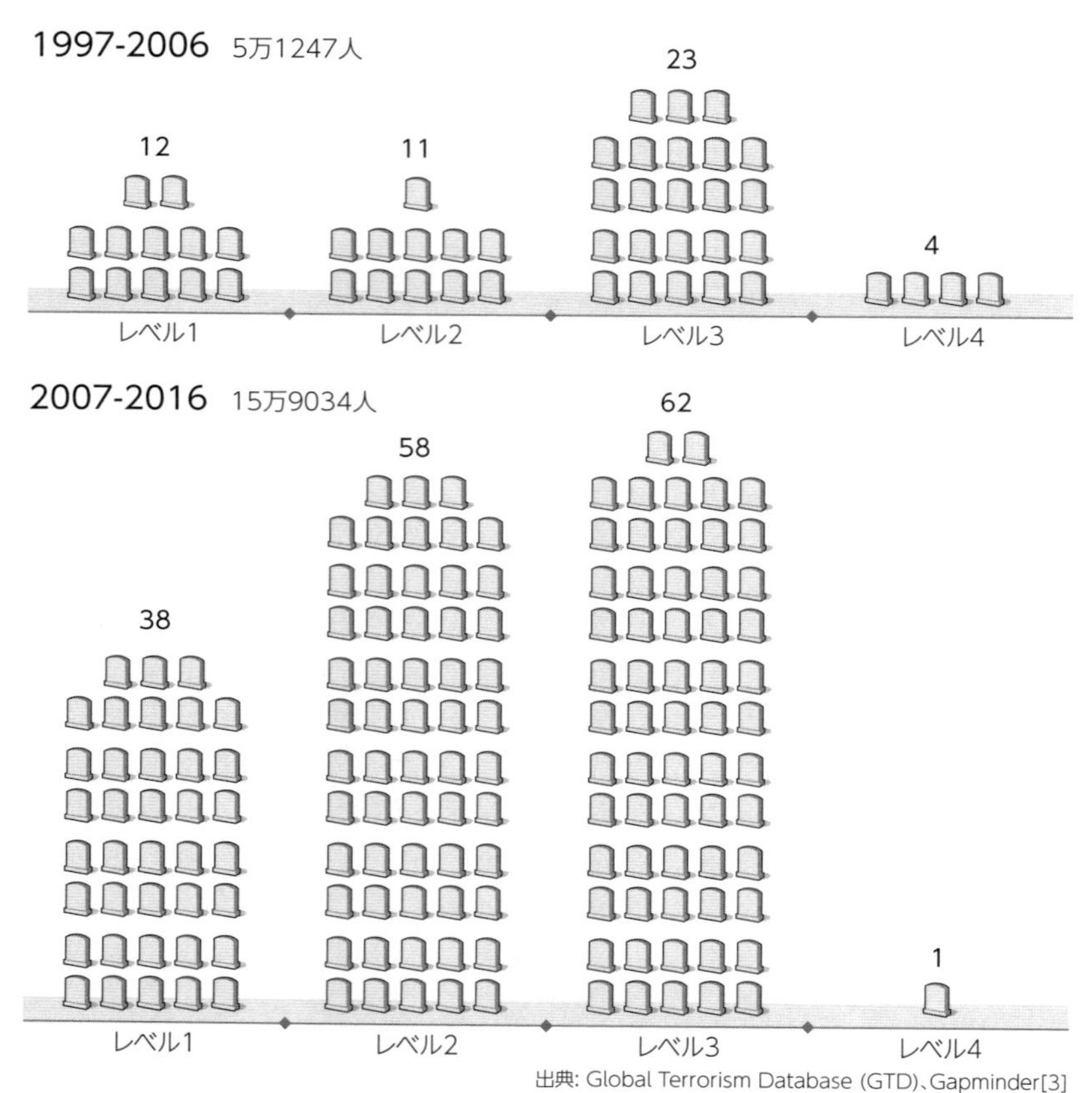

出典: Global Terrorism Database (GTD)、Gapminder[3]

増加数の半分を占める。

最も豊かなレベル4の国々において、2007年から2016年のあいだにテロで亡くなった人の数は、全世界におけるテロの犠牲者の0・9%しかない。また、レベル4におけるテロの犠牲者の数は、21世紀に入ってから減り続けている。2001年以降、旅客機をハイジャックして誰かを殺害したテロリストはひとりもいない。

アメリカだけを見ると、過去20年に3172人がテロで亡くなった。1年あたりの犠牲者は159人という計算になる。一方、同じ20年間に140万人もの人が、飲酒が原因で亡くなった。こちらは1年あたり6万9000人だ。ただ、「飲酒とテロは違う。飲酒をした人が亡くなった場合と、飲酒をした人が誰かを殺した場合を分けないといけない」という意見もあるかもしれない。では、飲酒による殺人や飲酒運転だけに限定したらどうか。低めに見積もっても、アメリカの1年あたりの犠牲者は7500人。つまり、あなたの大切な人が酔っ払いに殺される確率は、テロリストに殺される確率より約50倍も高い。

レベル4の国で大掛かりなテロ事件が起きれば、メディアは大騒ぎだ。しかし、アルコールの犠牲者は、ほとんどテレビに映らない。空港のセキュリティチェックも、テロが増えている印象を植えつける。しかし実際には、セキュリティチェックのおかげで、いままで以上にテロが起きにくくなっている。

2001年9月11日に起きた同時多発テロの1週間後にギャラップ社が行った調査によれば、当時のアメリカ人の51%が、「家族がテロの犠牲になるかもしれない」と考えていた。14年後、同じ調査を行ったところ、結果は同じ51%だった。人々のテロへの恐怖は、同時多発テロ直後とまったく変わっていないようだ。

恐怖と危険は違う――どうせなら、危険なことを怖がろう

恐怖本能は、正しい使い方をすれば役立つこともある。しかし、世界を理解するにはまったく役に立たない。恐ろしいが、起きる可能性が低いことに注目しすぎると、本当に危険なことを見逃してしまう。

この章では、多くの人が恐れているものについて解説してきた。全死亡数の0・1%を占める自然災害、0・001%を占める飛行機事故、0・7%を占める殺人、0%を占める放射線被ばく、0・05%を占めるテロなどだ。どれも年間死亡者の1%にすら届かないにもかかわらず、メディアは大々的に取り上げる。もちろん、それぞれの死亡率を減らすための努力は必要かもしれない。しかし、恐怖本能が人々の判断力を鈍らせることは、忘れてはいけない。本当に危険なことを察知し、大切な人を守るためには、恐怖本能を抑えて、死亡者数を見極めることだ。

「恐怖」と「危険」はまったく違う。恐ろしいと思うことは、リスクがあるように「見える」だけだ。一方、危険なことには確実にリスクがある。恐ろしいことに集中しすぎると、骨折り損のくたびれもうけに終わってしまう。パニックになった新米医師が、核戦争の心配をしすぎるあまり、患者の低体温症に気づかないかもしれない。地震の心配はしても、下痢で亡くなる数百万人に気づかないかもしれない。飛行機事故や化学物質の心配はしても、海底が砂漠になっていることに気づかないかもしれない。

わたしは自分の恐怖本能を、「大昔に危険だったこと」ではなく、「いまとても危険なこと」を察知するために使いたいと思う。

ファクトフルネス

ファクトフルネスとは……「恐ろしいものには、自然と目がいってしまう」ことに気づくこと。恐怖と危険は違うことに気づくこと。人は誰しも「身体的な危害」「拘束」「毒」を恐れているが、それがリスクの過大評価につながっている。

恐怖本能を抑えるには、**リスクを正しく計算すること。**

- **世界は恐ろしいと思う前に、現実を見よう。**世界は、実際より恐ろしく見える。メディアや自身の関心フィルターのせいで、あなたのもとには恐ろしい情報ばかりが届いているからだ。
- **リスクは、「危険度」と「頻度」、言い換えると「質」と「量」の掛け算で決まる。**リスク＝危険度×頻度だ。ということはつまり、「恐ろしさ」はリスクとは関係ない。
- **行動する前に落ち着こう。**恐怖でパニックになると、物事を正

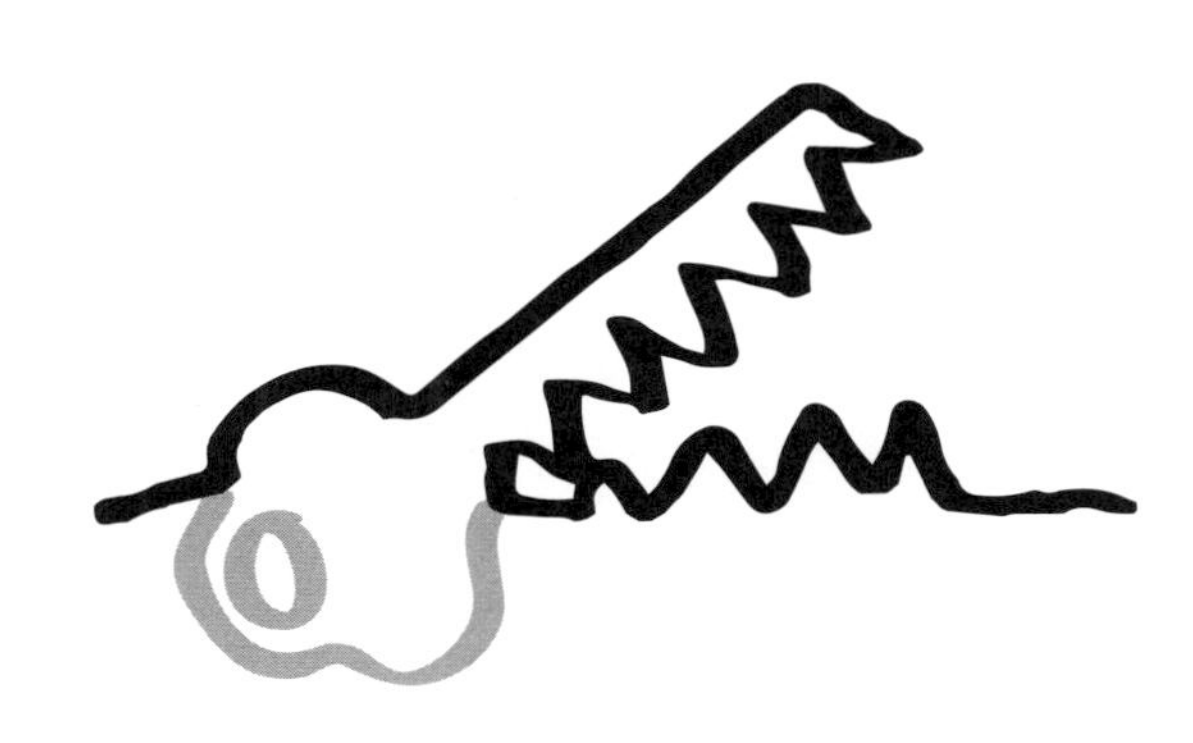

しく見られなくなる。パニックが収まるまで、大事な決断をするのは避けよう。

第 5 章

「目の前の数字がいちばん重要だ」
という思い込み

過大視本能

「クマによる襲撃の数」と「戦争記念碑の大きさ」を正しく測ろう。
すでにあなたが持っている、２つの魔法の道具で。

目に見えない場所で、消えていく命

1980年代前半のこと。わたしはモザンビークのナカラ地区にある病院で若手医師として働いていた。ここでは、つらい計算を任された。なぜつらかったかというと、亡くなった子供の数を数えていたからだ。計算していた数字は2つ。まず、わたしがいた病院に運ばれてきたあとに、命を落とした子供の数。そして、病院にたどり着く前に亡くなった子供の数だ。

当時、モザンビークは世界で最も貧しい国だった。わたしが赴任してから1年の間は、人口30万のナカラ地区に、わたし以外の医者はいなかった。2年目になってやっと、もうひとりの医師が来てくれた。スウェーデンだったら、同規模の都市には100人の医者がいる。毎朝仕事へ向かう途中、「今日も50人分の仕事をがんばるぞ」と自分に言い聞かせていた。

この病院には、重い病気にかかった子供が毎年1000人ほど運び込まれた。1日あたり約3人を診る計算になる。そんな子供たちを救おうと奮闘した日々は忘れられない。どの子供も、激しい下痢、肺炎、マラリアなどの病気にかかっていた。それに加えて栄養失調や、貧血になっていた子供も多かった。懸命に治療したが、20人にひとりは命を落としてしまった。毎週ひとりが亡くなっている計算になる。もっと物資や人手があれば、失わずにすむ命だった。

わたしたちが施せたのは、塩水や筋肉内注射を使った最低限の治療のみ。点滴すら使えなかった。まだ未熟な看護師は点滴器具を使いこなせず、わたしたち医者には投与を見届ける時間がない。酸素ボンベもほとんどなく、輸血用の血液も足りなかった。極度の貧困地域の医療現場とはそういうものだ。

ある週末、わたしたちのもとに友人がやってきた。スウェーデン人の小児科医である彼は、約320キロメートル離れたもう少し大きな都市の、もう少し設備がましな病院で働いていた。その土曜の昼下がりに、わたしが病院に呼び出されたとき、友人も同行することになった。病院に着くと、待っていた女性が、わたしたちにおびえたまなざしを向けた。彼女に抱きかかえられた赤ちゃんは下痢がひどく、弱りすぎて母乳を飲むことができなかった。

わたしはさっそく赤ちゃんに経管栄養チューブをつけ、チューブから経口補水液を流すよう指示した。それを聞いた友人は、わたしの腕をつかんで廊下に飛び出した。顔色を変えた彼は、ふざけるな、いい加減な治療をするんじゃない、とわたしを叱った。点滴を投与すべきだ、と彼は言う。どうせ早く家に帰って夕飯を食べたいから、適当にやり過ごしてるんだろう、とまで言い出した。

友人のあまりの理解不足に、わたしも堪忍袋の緒が切れてしまった。

「これがわたしたちのやり方なんだ。点滴投与の準備だけで30分もかかってしまう。看護師が失敗する可能性も高い。あと、わたしはいつかは家に帰って夕飯を食べるつもりだよ。でないと家族もわたしも、ひと月でギブアップだ」

友人も一歩たりとも譲らない。彼は病院に残り、何時間もかけて、赤ちゃんの小さな血管に点滴の針を刺した。そしてやっとのことで家に戻ってくると、またしてもわたしに議論をふっかけてきた。「お前はすべての患者に対して、全力を尽くすべきじゃないのか」

わたしも反論する。

「いいや違うな。限られている時間と労力をすべて、病院にやってくる人のために使うほうが、医者として失格だ。同じ時間を、病院の外の衛生環境を良くすることに使ったほうが、よっぽど多くの命を救える。病院で亡くなる子供だけじゃなく、**地域全体**で亡くなる子供に対して、わたしは責任があるんだ。目の前にある命と同じくらい、目に見えない命は重い」

友人は納得がいかないようだった。まあ、ほとんどの医者は友人と同じ意見だろう。多くの一般の人たちにも、わたしの立場は理解してもらえないと思う。友はわたしを諫（いさ）めるように言う。

「お前がやるべきことは、病院を訪れる人にできる限りの治療をすることだ。病院の外のほうが、救える命があると言ったな？　そんなの、血も涙もない言い草だし、ただの当てずっぽうじゃないか！」

これには、わたしもさすがに疲れ切ってしまった。友人を説得するのはあきらめ、早々に寝室に向かった。そして次の日から、わたしは子供の命を数えだした。

病院の分娩室を管理していた妻のアニエッタとともに、わたしは命の計算にとりかかった。１年間で受け入れた子供の数は９４６人。ほとんどは5歳未満で、亡くなったのはそのうち5％を占める52人だった。この数字を、地域全体の子供の死と比べなければいけない。

当時のモザンビークの乳幼児死亡率は26％だった。ナカラ地区はほかの地区とさしたる違いはなかったので、26％という数字をそのまま当てはめることができる。ちなみに乳幼児死亡率とは、１年間に亡くなった子供の数を、その年に生まれた子供の数で割った数字だ。

つまり、生まれた子供の数がわかれば、その数に０・２６を掛けることで、おおよそ何人が亡くなったかを推定できる。最新の人口調査によれば、１年あたりに生まれる子供の数は、地区の中心部だけで約３０００人だそうだ。地区全体の人口は中心部の約5倍だから、出生数も5倍の１万５０００人になるはず。その26％となると、年間３９００人の子供が命を落としている計算になる。もちろん、これはわたしの責任だ。

同じ期間に病院で亡くなった子供は52人。亡くなった子供のうち、わたしが診療できたのはたった1・3%しかない。

やはり、わたしの直感は正しかった。やるべきことは明確だ。簡易的な公衆衛生プログラムをつくり、地域の人たちがそれを支え、わたしが監督する。そうすることで、手遅れになる前に下痢、肺炎、マラリアを治すことができる。そのほうが、助かる見込みのない子供に病院で点滴をするよりも、よっぽど多くの命を救えるはずだ。病院にたどり着くことなく、亡くなってしまう98・7%の子供を見殺しにはできない。最低限の治療すら受けられない大多数の子供たちを差し置いて、病院での治療のみに集中していたら、それこそ医者として失格だ。

わたしたちはさっそく、村の公衆衛生スタッフの訓練にとりかかった。目標は、できるだけ多くの子供に予防接種を受けさせること。母親が歩いて来やすいような場所に簡易的な医療施設をつくること。そして、子供にとって特に危険な病気をいち早く治すことだ。

残酷なものだが、極度の貧困の中では、命の勘定は避けて通れない。名前もわからず、どこにいるかもわからない、何百人もの子供たちが、いまにも命を落としかけている。その子たちを救うために、わたしは目の前で亡くなる子供から目を背けないといけなかった。われながら、血も涙もないやつだと思ったものだ。

わたしの師匠、イングヤード・ローズさんの言葉を思い出す。ローズさんは以前、コンゴとタンザニアで、宣教をしながら看護師として働いていた。彼女はわたしにいつも、こう言ってくれた。最も貧しい場所では、すべてを完璧にこなすことはできません。何かを完璧にこなそうとすれば、もっと大事なほかのことがおろそかになりますよ、と。

顔が見える患者や被害者に集中しすぎて、数字を無視するようではいけない。問題全体から見れば氷山の一角に過ぎない部分に、時間や労力を使い切ってしまうと、助かるはずの命も助からないだろう。なにもかもが限られた状態では、特にそうだ。

「人の命が懸かっているときに、時間や労力の優先順位についてどうのこうの言うんじゃない。お前はなんて無慈悲なやつなんだ」と思う人も多いだろう。しかし、使える時間や労力は限られている。だからこそ、頭を使わないといけない。そして限られた時間や労力で、やれるだけのことをする。それができる人こそが、最も慈悲深い人なのだと思う。

この章では、子供の死にまつわるデータをたくさん紹介する。わたしにとって、子供の命を救うことが何よりも大切だからだ。死のデータについて語るのは冷徹だと思われるかもしれない。「コストパフォーマンス」と「子供の命」という言葉を隣り合わせで使えば、血も涙もないと思われるかもしれない。だが、よく考えてみてほしい。最もコストパフォーマンスが良いやり方で、できるだけ多くの子供の命を救うことは、はたして血も涙もないことなのだろうか。

さて、そろそろ本題に入ろう。だがその前に、ひとつ付け加えておきたいことがある。それぞれの物語の裏にある数字を見ようとすることは大切だ。でもそれと同じくらい、数字の裏にある物語を見ようとすることも大切だ。数字を見ないと、世界のことはわからない。しかし、数字だけを見ても、世界のことはわからない。

過大視本能

人はみんな、物事の大きさを判断するのが下手くそだ。もちろん、それには理由がある。何かの大きさや割合を勘違いしてしまうのは、わたしたちが持つ「過大視本能」が原因だ。

過大視本能は、2種類の勘違いを生む。まず、数字をひとつだけ見て、「この数字はなんて大きいんだ」とか「なんて小さいんだ」と勘違いしてしまうこと。そして、ひとつの実例を重要視しすぎてしまうこと。ナカラの病院に来た友人が、目の前にいる患者を重要視しすぎてしまったように。

メディアは過大視本能につけこむのが得意だ。ジャーナリストたちは、さまざまな事件、事実、数字を、実際よりも重要であるかのように伝えたがる。また、「苦しんでいる人たちから目を背けるのは、なんとなく後ろめたい」と思う気持ちを、メディアは逆手に取ろうとする。

過大視本能と、以前紹介したネガティブ本能が合わさると、人類の進歩を過小評価しがちになる。たとえば、冒頭のクイズの結果を見る限り、多くの人は「最低限の暮らしに必要なものが手に入る人は、世界の人口の20％だけ」と考えているようだ。正しい答えは約80％で、ものによっては90％になる場合もある。たとえば、世界中の子供の88％が、なんらかの予防接種を受けられる。85％が電気を使え、90％の女子が初等教育を受けられる。

メディアや慈善団体は常日頃から、何かで苦しんでいる人を紹介している。そして彼らは自分たちの主張を強調するために、途方もなく大きく見える数字を、それぞれの事例に添えようとする。これこそが、人々が世界の見方を間違えたり、進歩を過小評価したりする原因だ。

反対に、実際よりも割合を多く見積もってしまいがちな分野もある。たとえば、人口における移民の割合や、同性愛者に否定的な人の割合などがそうだ。少なくともアメリカやヨーロッパにおいては、どちらの割合も、思ったほど高くないことが判明している。

過大視本能のせいで、多くの人が限られた時間や労力を無駄遣いしがちだ。顔の見える患者やたったひとつの出来事など、「目の前にある確かなもの」に気を取られてしまう。

現在、世界ではたくさんのデータが集められている。そのおかげで、ナカラ地区でわたしが行った計算は、いまや世界規模で行えるようになった。そして、ナカラ地区でも世界でも、計算結果は同じになる。

結論から言うと、レベル1や2にいる国では、「病院のベッドで、医者が子供の命を救う」ことは比較的少ない。たしかに、「ベッドの数」や「医者の数」といった指標はわかりやすいし、政治家はハコモノを建てるのが大好きだ。しかし、子供の生存率が伸びる理由の多くは、病院の外にある。地域の看護師や助産師、そして教育を受けた親たちが講じた、病気の予防策が効果を上げている。特に、母親の影響は大きい。世界中で、子供の生存率が伸びている原因を調べてみると、「母親が読み書きできる」という要因が、上昇率の約半分に貢献している。

多くの子供が命を落とさなくなったのは、子供がそもそも重い病気にかからなくなったからだ。訓練を受けた助産師が、母親を妊娠中から出産時までサポートする。訓練を受けた看護師が、子供に予防接種を行う。親たちは子供を寒さから守り、清潔に保つ。子供が食べ物に困ることもない。周りにいる人もきちんと手を洗う。そして母親は、薬のビンに書かれている注意書きを読むことができる。

まとめると、レベル1やレベル2の医療環境を改善したいのであれば、いきなり立派な病院を建てる必要はない。そんなおカネがあったら、真っ先に初等教育・看護師教育・予防接種を充実させるべきだ。

過大視本能を抑えるには

たった2つのテクニックを使うだけで、大きさや割合を勘違いしないですむ。そのテクニックとは、「比較」と「割り算」だ。なになに、両方ともやり方を知ってるって？　すばらしい！　だったら、あとは使いこなして習慣にするだけだ。どうすればいいか、具体的に教えよう。

数字を比べる

何かの重大さを勘違いしないために最も大切なのは、ひとつの数字だけに注目しないことだ。数字をひとりぼっちにするのは絶対にダメ。ひとつの数字が、それ単体で意味を持つことなどないのだから。もし数字をひとつだけ見せられたら、必ず「それと比較できるような、ほかの数字はないんですか」と尋ねよう。

特に、大きい数字を見せられたら気をつけよう。不思議なことに、ある程度ケタの数が増えると、ほかの数字と比較しない限り、どんな数でも大きく見える。数字が大きく見えると、その数字がさも重大なことを表しているように思えてくる。

420万人の赤ちゃんの死

昨年だけで、420万人の赤ちゃんが亡くなった。

これは、ユニセフによる最も新しい調査でわかった、世界中の0歳児の死亡数だ。このような、「情に訴えかける、比較対象が無い数字」は、ニュースや慈善団体のチラシでよく見かける。こういう数字を見ると、どうしても感情的になってしまう。

４２０万人の赤ちゃんの亡骸なんて、想像できるだろうか？なんて恐ろしい話だ。しかも、ほとんどの子は、簡単に予防できる病気のせいで亡くなったという。そして、４２０万という数字が、とてつもなく大きい数字であることは、否定のしようがなさそうだ。おそらく、これを小さい数字だと言い張る人なんて、ひとりもいないだろう。ところがどっこい。わたしに言わせれば、４２０万人というのはとても小さな数字で、大いに歓迎されるべきなのだ。

赤ちゃんの笑う姿、歩く姿、遊ぶ姿を見るのを心待ちにしていた両親が、その赤ちゃんを埋葬する。それがどれほど辛いことか想像しだしたら、４２０万人という数字は、涙なしには受け入れられない。しかし、わたしたちが涙を流しても、世の中はちっとも良くならない。だから涙を拭いて、冷静に考えよう。

４２０万人という数字は、２０１６年のものだ。では、その前の年は？答えは４４０万人。さらにその前の年は？４５０万人。１９５０年は？１４４０万人。なんと当時は、いまより１０００万人も多くの赤ちゃんが、毎年亡くなっていた。４２０万人という数字が、急に小さく見えるようになった。しかも、計測が始まって以来、赤ちゃんの死亡数は２０１６年に最も低くなった。

もちろん、わたしは誰よりも、赤ちゃんの死亡数が減ってほしいと願っている。この数字が速いペースで減ってほしいと願っている。しかし、行動しなければ何も変わらない。そして、何を優先すべきかを決めるためには、それぞれの選択肢の効率を、落ち着いて計算しないといけない。

人類は、以前よりも多くの命を救えるようになっている。これは紛れもない事実だ。しかし、数字を比べようとしなければ、それに気づくことすらできない。

大きな戦争

わたしの世代にとって、ベトナム戦争はいまのシリア内戦のようなものだった。

1972年の冬。クリスマスの2日前に、ハノイのバックマイ病院に7発の爆弾が投下された。患者とスタッフ、合わせて27名が亡くなった。

当時、わたしはスウェーデンのウプサラで医学を学んでいた。わたしは妻と共に、大学で余っていた医療器具をかき集め、箱に詰めてバックマイ病院に送ることにした。その箱の中には、黄色の毛布も入っていた。

その15年後。わたしはスウェーデン政府による開発援助プロジェクトの調査を行うため、ベトナムを訪れた。ある日、一緒に仕事をしていたニエムさんという医者と昼食を食べたときのこと。ご飯を頬張りながら、わたしはニエムさんの過去について尋ねてみた。すると、驚くべき答えが返ってきた。バックマイ病院が爆撃されたとき、なんと彼は病院の中にいたという。

その後、世界中から物資の箱が届き、ニエムさんは開封作業の指揮をとっていた。わたしは彼に、「黄色の毛布を覚えていますか」と尋ねてみた。すると彼は、もちろん、と言う。しかも、毛布の柄まで正確に答えてくれた。わたしが送ったのと同じやつだ。鳥肌が立った。わたしたちは出会うずっと前から、友達だったのかもしれない。

その週末、わたしはニエムさんにベトナム戦争の記念碑を案内してもらった。「こっちではベトナム戦争じゃなくて、対米抗戦って呼ぶんですよ」とニエムさん。たしかに言われてみれば、あの戦争を現地の人が「ベトナム戦争」と呼ぶわけがない。

わたしはニエムさんに連れられて、市の中心地にある公園にやってきた。そこには、真鍮のプレートがついた、1メートルほどの小さな石があった。これがベトナム戦争の記念碑だって？　冗談だろう？

西洋の若者たちは当時、熱に浮かされたようにこぞってベトナム反戦運動に参加した。わたしも、できる限りのことはしようと思い、医療器具や毛布を送った。戦争では、150万人以上のベトナム人と、5万8000人以上のアメリカ人が亡くなった。そんな悲惨な戦争の犠牲者をしのぶのに、こんな小さな記念碑でいいのだろうか？

がっかりしたわたしを見たニエムさんは、もっと大きな記念碑に連れて行ってくれた。こちらは4メートル近くある、大理石でできた記念碑だ。フランスからの独立を記念して建てられたらしい。しかしこれを見ても、わたしはまだ納得がいかなかった。

するとニエムさんは、「いままでのは序の口。次が本番ですよ」と言う。彼は少し遠くまで車を飛ばし、窓の外から指をさした。木よりも高い、金色の大きな仏塔がそびえ立っている。何十メートルもありそうだ。「ここが、戦争の英雄をまつる場所です。美しいと思いませんか？」と彼は言う。これは、中国との戦争の記念碑だった。

中国とベトナムの戦争は、休戦期間も含めると、2000年以上続いた。フランスに占領されていたのは200年間。「対米抗戦」があったのは、たったの20年間。記念碑の大きさは、戦いの長さと完全に一致していた。いまのベトナム人にとって「ベトナム戦争」は、ほかの戦争に比べたらそれほど大ごとではなかったのかもしれない。記念碑の大きさを比べるまで、わたしはそのことに気づけなかった。

クマと斧

マリー・ラーソンは38歳のとき、頭を何度も斧で殴られて殺された。2004年10月17日のことだった。犯人は、マリーが以前付き合っていた男性だった。犯行当時、男はスウェーデン北部のピーテオ市にあるマリーの家に侵入し、彼女の帰りを待っていたらしい。

これは、3人の子供を持つ母親を斧で殺すという、きわめて残忍な事件だった。しかし、この事件は全国メディアではほとんど取り上げられず、地元の新聞に小さく載っただけだった。

マリーが亡くなったのと同じ日には、もうひとつの殺人事件が起きていた。被害者は、同じく3人の子供を持ち、同じくスウェーデン北部に暮らす40歳の男性。ヨハン・ヴェスターランドという名の彼は、狩猟中にクマに襲われて亡くなった。クマが人を殺すという事件は、スウェーデンでは1902年以来のことだった。こちらも残忍な事件だったが、とても珍しい事件でもあった。この話は、スウェーデン中で大ニュースになった。

スウェーデンでは、クマが人を殺すのは100年に一度あるかないかの出来事だ。一方、女性がパートナーに殺される事件は、30日に一度起きている。頻度の差はなんと1300倍だ。ところが、DVによる殺人はほとんどニュースにならず、クマによる殺人は大ニュースになった。

メディアの取り上げ方がどうであれ、どちらも痛ましく、恐ろしい事件だ。より多くの命を救いたければ、クマよりもDVの被害を防がないといけない。そんなことは、数字を比べれば一目瞭然だ。

結核と豚インフルエンザ

クマや斧の話以外にも、数字の大きさを勘違いさせるニュースはたくさんある。

1918年に、スペインかぜと呼ばれるインフルエンザにより、世界人口の2・7%が亡くなった。ワクチンがないインフルエンザが蔓延する可能性は、いまでも捨てきれない。人類は大いに警戒すべきだ。

2009年には、豚インフルエンザが流行した。その年の最初の数カ月だけで、何千人もの人が亡くなった。どのメディアも2週間にわたって、豚インフルエンザを報じ続けた。しかし、2014年のエボラ出血熱と違い、豚インフルエンザの感染者は倍増しなかった。それどころか、感染者のグラフは直線にすらならなかった。感染情報が初めて報じられたときは、とても危険であるかのように思われたが、データを見ればそうではないことは自明だった。

にもかかわらず、メディアは数週間にわたって危機感を煽り続けた。呆れ果てたわたしは、データを見てみることにした。報道される回数に比べ、実際の死亡者数はどうなっているか。まず、ある2週間のあいだに、31人が豚インフルエンザで亡くなった。一方、グーグルで関連ニュースを検索してみると、同じ期間で25万3442件の記事がヒットした。ひとつの死につき、8176件の記事が書かれたことになる。

さらにわたしは、同じ2週間のあいだに、結核で亡くなった人も計算した。結果は約6万3066人。このうちのほとんどはレベル1と2の国の人だった。近年、結核は治る病気になったが、レベル1や2の国ではいまだに死亡する人が多い。豚インフルエンザと同じく、結核も感染症であり、細菌が薬への耐性を持てば、レベル4の国でも多くの人が亡くなるだろう。にもかかわらず、結核の死亡者ひとりに対して、ニュース記事はその10分の1しか書かれていない。つまり、豚インフルエンザによる死は、同じくらい悲惨な結核による死に比べて、8万2000倍の注目を浴びていた。

80・20ルール

次は、たくさんの数字を比べたり、どの数字が重要かを知ったりするのに使える、とても簡単なテクニックを紹介しよう。そのテクニックとは、最も大きな数字を見つけること。これができれば、「80・20ルール」をマスターしたも同然だ。

人は、何かの項目をずらりと並べたとき、どの項目も同じくらい重要だと思いがちだ。だが、多くの場合はそうではない。むしろいくつかの項目が、ほかのすべての項目を合わせたよりも重要になる。だから、わたしは人々の死因を調べたり、家計簿をつけたりするときは、まず「全体の8割を占める項目はどれだろう?」と考えるようにしている。小さい項目に注目する前に、「8割はどこにあるのだろう?」「なぜこの項目は、こんなに大きいのだろう?」「ということは、何が考えられるだろう?」と問いかけてみよう。

エネルギーを例にとってみよう。世界で使われているエネルギー源を並べてみると、次のようになる。バイオ燃料、石炭、ガス、地熱、水力、原子力、石油、太陽エネルギー、風力。これだけ見ると、どれも同じくらい大事なエネルギー源に思えてくる。次に、「それぞれのエネルギー源が、どれほどの電力をつくり出しているか」を基準に並べ替えてみよう。すると、3つのエネルギー源が飛び抜けていることがわかる。

全体像をつかむために、ここで80・20ルールを使ってみよう。「石油・石炭・ガスだけで、世界の8割以上のエネルギーを生んでいるのではないか」と考えてみる。実際に計算してみると、答えは87%になる。つまり、80・20ルールが当てはまる。

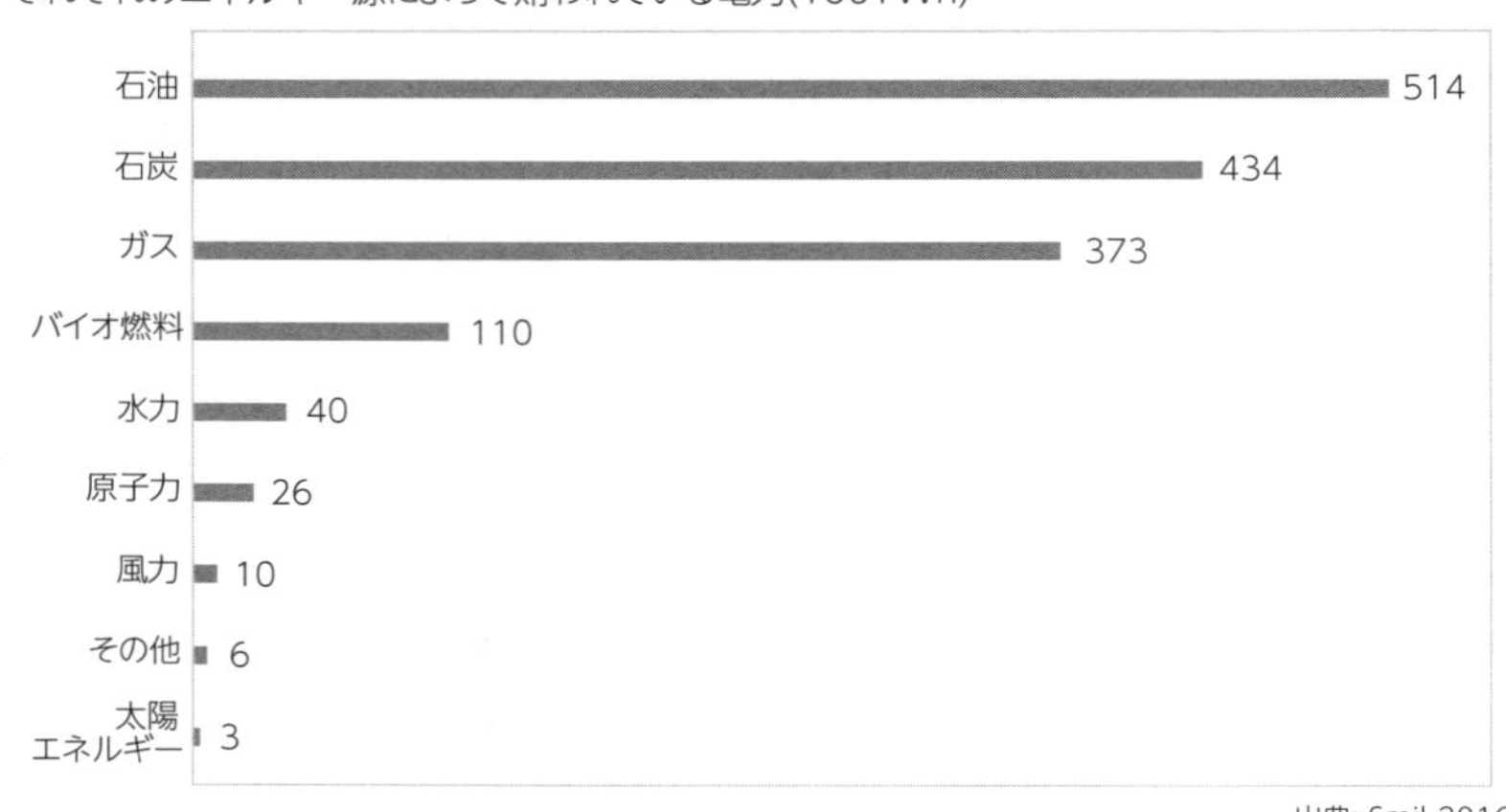

80・20ルールの便利さに気づいたのは、スウェーデン政府による開発援助プロジェクトの調査を始めたときだ。どのプロジェクトの予算を見ても、だいたい2割の項目が予算の8割を占めていた。つまり、この2割の項目を厳しくチェックするだけで、予算を大幅カットできるというわけだ。

80・20ルールを使うことで、わたしはさまざまなムダ遣いに気づくことができた。たとえば、ベトナムの田舎にある小さな医療施設でのこと。ここでは、必要のないメスを200０個も購入するために、支援のおカネの半分が使われようとしていた。続いては、アルジェリアの難民キャンプ。ここには、予定されていた量の100倍にあたる、400万リットルの粉ミルクが、手違いで届けられそうになった。最後に、ニカラグアにあるこじんまりとした小児科でのこと。ここには、なんと2万個の人工精巣が手違いで届けられそうになった。

どの場合も、難しいことはしていない。まず、合計で予算の8割を占める、もっとも大きな項目をいくつか探す。その中で、怪しいものがないかチェックする。ほとんどの場合、項目を取り違えたり、小数点を忘れたりなどの単純なミスが原因だった。
80・20ルールは見ての通り、とても簡単なテクニックだ。使うことさえ忘れなければいい。もうひとつ例を紹介しよう。

世界の暗証番号

世界人口の大半は現在どこに暮らしていて、将来はどこで暮らすのだろう？ それを知れば、世界を正しく理解し、正しい決断をすることができる。市場はどこにあるのか？ インターネットの利用者はどこにいるのか？ 未来の観光客はどこからやって来るのか？ ほとんどの貨物船はどこへ向かっているのか？ などだ。

質問8 現在、世界には約70億人の人がいます。下の地図では、人の印がそれぞれ10億人を表しています。世界の人口分布を正しく表しているのは3つのうちどれでしょう？

これは、最も正解率が高かった質問のひとつだ。ランダムに答えた場合と、正解率はほとんど変わらなかった。あと少しでチンパンジーの頭脳に届くところだった。ここまで読んだあなたなら、「それはめでたい！」と喜ぶかもしれない。比べ方を変えるだけで、チンパンジーといい勝負でも、すばらしい結果のように思える。

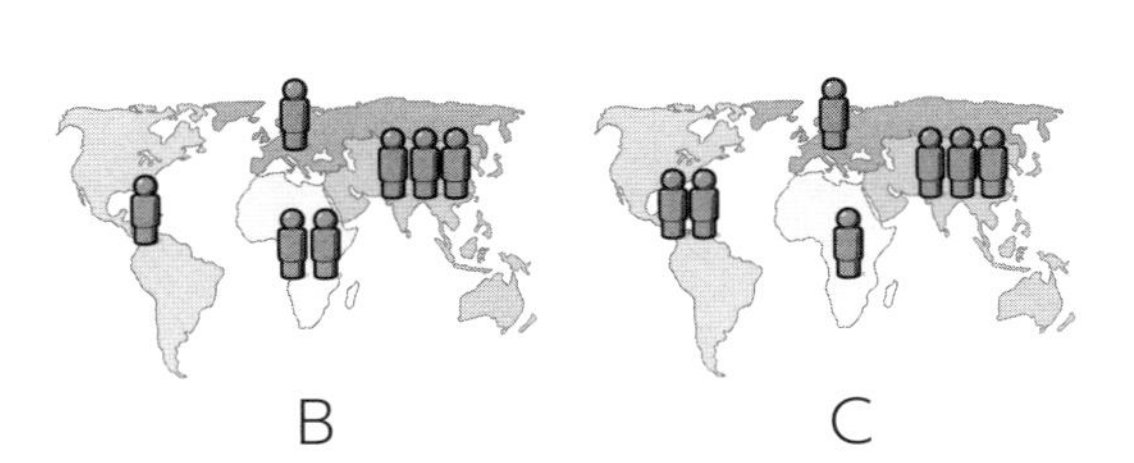

しかし、7割の人は間違った。10億人が、まったく違う大陸にいると勘違いしている。持続可能性・資源の枯渇・世界の市場といったキーワードに敏感な人が、10億人を見失ってしまうのはいただけない。人類の大半がアジアに暮らしていることを7割の人は知らないようだ。

正しい地図はA。暗証番号になぞらえて「1・1・1・4」と覚えておこう。地図の左から順に、アメリカ大陸には約10億人、ヨーロッパ大陸には約10億人、アフリカ大陸には約10億人、アジア大陸には約40億人が暮らしている。

しかし、同じ暗証番号を使い続けるわけにもいかない。国連は、今世紀末の人口について、次のような予測を立てている。アメリカ大陸とヨーロッパ大陸ではほとんど人口が変わらないが、アフリカ大陸では約30億人、アジア大陸では約10億人ほど人口が増える。つまり、2100年の暗証番号は「1・1・4・5」。世界の人口の8割以上が、アフリカとアジアに暮らすことになる。

もしも国連の人口予測が的中し、アジアとアフリカの所得がこのままのペースで伸びていったら？　おそらく次の20年間で、世界市場の中心は大西洋周辺からインド洋周辺に移るだろう。

現在、北アメリカやヨーロッパなど、北大西洋をはさんだ豊かな国に暮らしている人の数は、世界の人口の11％にすぎない。しかし彼らは、レベル4の消費者市場の6割を占めている。では、将来はどうなるだろう？　世界中で所得がいまと同じペースで上昇すれば、2027年には先ほどの数字は6割から5割に低下する。2040年になる頃には、レベル4の消費者の6割は、西洋諸国の外に暮らしていることになる。西洋諸国が経済を牛耳る時代は、もうすぐ終わろうとしている。

北アメリカやヨーロッパに暮らす人々は、世界の人口の大半がアジアにいることを理解するべきだ。西洋

もうすぐ、レベル4の大半が西洋人以外になる

西洋諸国とその他の国における、所得ごとの人口分布

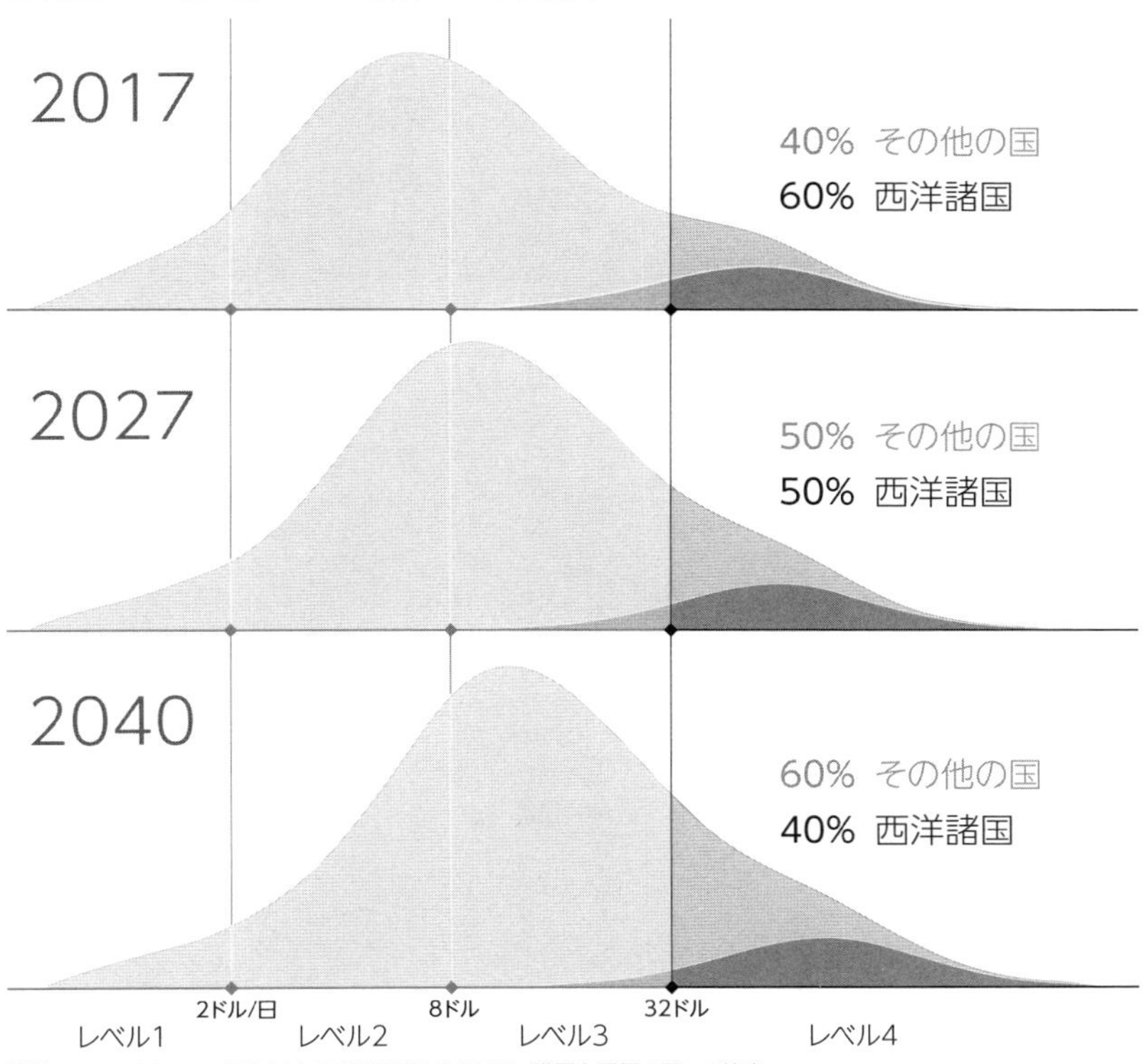

横軸はひとりあたりの1日あたりの所得(単位はUSドル)。購買力平価を用いて算出。

出典: Gapminder[8]、PovcalNet、IMF[1]、van Zanden[1]

諸国の経済力は80％ではなく、20％に近づきつつある。けれども、古き良き時代の記憶が強すぎると、この事実がなかなか受け入れられない。ベトナム戦争の記念碑の大きさを勘違いするのと同じように、西洋諸国の影響力の大きさを勘違いしてしまう。そのうち世界経済の覇権を握る人たちに対し、失礼な振る舞いをしないように、いまのうちから気をつけておこう。

割り算を使う

大きな数が何を意味するかを知るには、その数字を合計で割ってみよう。わたしの調

べ物では、何かの数字を総人口で割ることが多い。

ある量をもうひとつの量で割ると、答えは割合になる。たとえば、「香港の子供の数」を、「香港にある学校の数」で割ると、「香港の学校1校あたりの子供の数」という割合になる。

量のデータを集めるのはカンタンだ。何かをただ数えればいい。調べ物をしていても、量のデータは見つかりやすい。しかし割合のほうが、数字の意味を理解しやすい。

赤ちゃんの死と割り算

ここでいったん、420万人の赤ちゃんの話に戻ろう。1950年には1440万人の赤ちゃんが亡くなっていたが、2016年にはそれが420万人にまで減った。しかし、もし生まれる赤ちゃんの数が、同じ期間に減り続けていたとしたら？　それが理由で、亡くなる赤ちゃんの数が減っているとしたら？「何かの数字が減っているのは、ほかの関連する数字が減っているから」という場合は少なくない。真実を知るには、割合を調べないといけない。

というわけで、亡くなった赤ちゃんの数を、生まれた赤ちゃんの数で割ってみよう。1950年には、9700万人の赤ちゃんが生まれ、1440万人が亡くなった。死亡数の1440万を、出生数の9700万で割れば死亡率になる。結果は15%。つまり1950年には、生まれた100人の赤ちゃんのうち、15人が1歳の誕生日を迎える前に亡くなっていた。

では、最近の数字を見てみよう。2016年には、1億4100万人の赤ちゃんが生まれ、420万人が亡くなった。割り算をすると、死亡率はたったの3%。100人の赤ちゃんのうち、1歳の誕生日を迎えるまでに亡くなるのは3人だけになった。すばらしい！ 15％の死亡率が3％になった。量ではなく、割合を比べてみると、以前とは比べものにならないほど死亡率が下がっていることがわかる。

「人の命を計算するなんて、恥ずかしいことだ」と言う人もいる。しかしわたしは、人の命を計算しないことのほうが、よっぽど恥ずかしいと思う。わたしはいつも、ひとつしかない数字を見ると、「この数字の意味を勘違いするかもしれない」と疑ってしまう。疑いを晴らすには、数字を比べたり、割り算をしたりすることが大切だ。

ひとりあたり

「中国やインド、そしてほかの新興国は、二酸化炭素の排出量を増やしています。このままいけば、地球温暖化に歯止めがかからなくなる。現時点で、中国はアメリカより排出量が多く、インドはドイツより排出量が多いのです」

２００７年1月。ダボスで行われた世界経済フォーラムの、地球温暖化のパネルディスカッションにて、こんな発言が飛び出した。歯に衣着せぬ主張をしたのは、あるEU加盟国の環境相だった。落ち着いた声で語るさまは、あたかも一般常識を語っているかのようだった。もし彼が、中国人とインド人のパネリストの表情を見ていたら、自分がいかに非常識だったかに気づいていたかもしれない。

中国人のパネリストは顔をしかめていたが、まっすぐ前を見つめていた。一方、インド人のパネリストは、しびれを切らしてしまったようだ。順番なんて待ってられない。そう言わんばかりに、彼は手を振った。会場がシーンとする。彼は立ち上がり、ほかのパネリストの顔をじっくりと見つめた。立派な紺色のターバンと、値が張りそうなグレーのスーツが、聴衆の目に入る。この風格、彼はひとかどの人物に違いない。それもそのはず、彼は長年、世界銀行と国際通貨基金で重職をこなしてきた、エリート中のエリート官僚だ。

彼は、高所得国のパネリストたちを紹介するようなジェスチャーをした。そして、張りのある声でこう言った。「世界を危機的状況に陥らせたのは、高所得国のみなさん、あなたがたです。あなたがたは100年以上にわたって、どんどん石炭を燃やし、湯水のごとく石油を使ってきた。あなたがたのほかに、地球温暖化の引き金を引いた人がいるとでもお思いですか？」

そう言い切ったあと、彼は急に態度を変えた。インド式の挨拶をするかのごとく、手のひらを合わせ、深々と頭を下げた。そして、小さく優しい声でこう言った。「しかし、今回は許してさしあげましょう。あなたは自分が何を言っているか、きちんと理解していなかったのだから。気づかずに犯してしまった過ちについて、後からどうこう言うのは、わたしもいい気はしませんな」

そして彼は、いよいよスピーチの大詰めに入った。背筋を伸ばし、ぴんと立てた人差し指をゆっくりと動かしながら、まるで裁判官が判決を下すかのようにこう言った。

「しかしこれからは、**ひとりあたり**の二酸化炭素排出量について、語り合うことにしましょうぞ」

ごもっともとしか言いようがない。中国とインドが、地球温暖化の犯人であるかのように扱われているのは、わたしも正気の沙汰ではないと思っていた。そもそも、**国全体**の二酸化炭素排出量を見ているのが間違っている。「肥満の問題は、アメリカよりも中国のほうが深刻だ。中国人全員の体重を合計したら、アメリカ人全員の体重の合計より重いからだ」と言っているようなものだ。人口は国によって千差万別なのだから、国全体の二酸化炭素排出量を比べるのは不毛だ。もしそんな論理がまかり通るのであれば、人口500万人しかいないノルウェーは、国民ひとりがどれだけ二酸化炭素を排出しても、大目に見てもらえることになる。

つまり、「国全体の二酸化炭素排出量」という大きな数字は、それを人口で割ることによって、比較可能な、意味のある数字になる。ＨＩＶ感染者数や国内総生産（ＧＤＰ）、携帯電話の販売台数、インターネットの利用者数、二酸化炭素の排出量など、どんな統計も「ひとりあたり」を見たほうが役に立つ。

はるか遠くの、危険な「どこか」

レベル４の暮らしは、人類史上、最も安全になった。予防できる危険は、ほとんど避けられる。それでも、レベル４のほとんどの人は、不安を抱えたまま生きている。

みんな、はるか遠くの「どこか」で起きていることが不安なようだ。そんな「どこか」では、自然災害で多くの人が亡くなり、感染症が蔓延し、飛行機はしょっちゅう墜落する。地平線の向こうにある「どこか」では、恐ろしいことが毎日のように起きているに違いない。そう考えると、なんだか不思議な気分にならないだろうか？だって、そんな恐ろしいことは「ここ」では滅多に起きないのだから。

しかし、忘れないでほしい。あなたが「ここ」と呼ぶ場所はひとつしかない。けれども、世界には数え切れないほどの「どこか」がある。「どこか」はたくさんあるのだから、その分たくさんの悪いことが起きているのはあたりまえだ。一つひとつの「どこか」が、あなたが住む場所と同じくらい安全だったとしても、合計すれば悪いことの数は大きくなる。

それぞれの「どこか」がどんな場所かを調べてみると、ほとんどは、実はとても平和な場所であることがわかる。でも、その安全な「どこか」の存在をあなたが知るのは、そこで恐ろしい事件が起きたときだけだ。

それ以外の日には、平和な「どこか」の存在を耳にすることはない。

比較と割り算

ひとつしかない数字をニュースで見かけたときは、必ずこう問いかけてほしい。

- この数字は、どの数字と比べるべきか？
- この数字は、1年前や10年前と比べたらどうなっているか？
- この数字は、似たような国や地域のものと比べたらどうなるか？
- この数字は、どの数字で割るべきか？
- この数字は、合計するとどうなるのか？
- この数字は、ひとりあたりだとどうなるのか？

できるだけ、量ではなく割合を計算しよう。その後で、数字が重要かどうか判断すればいい。

ファクトフルネス

ファクトフルネスとは……ただひとつの数字が、とても重要であるかのように勘違いしてしまうことに気づくこと。ほかの数字と比較したり、割り算をしたりすることによって、同じ数字からまったく違う意味を見いだせる。

過大視本能を抑えるには、**比較したり、割り算をしたりするといい。**

- **比較しよう。**大きな数字は、そのままだと大きく見える。ひとつしかない数字は間違いのもと。必ず疑ってかかるべきだ。ほかの数字と比較し、できれば割り算をすること。
- **80・20ルールを使おう。**項目が並んでいたら、まずは最も大きな項目だけに注目しよう。多くの場合、小さな項目は無視しても差し支えない。

●割り算をしよう。割合を見ると、量を見た場合とはまったく違う結論にたどり着くことがある。たいていの場合、割合のほうが役に立つ。特に、違う大きさのグループを比べるのであればなおさらだ。国や地域を比較するときは、「ひとりあたり」に注目しよう。

第 6 章

「ひとつの例がすべてに当てはまる」という思い込み

パターン化本能

わたしがデンマーク文化についてとっさに嘘をついてしまったのはなぜか。
家を建てかけのままにしておくのがどうして賢い生活の知恵なのか。

さあ、召し上がれ

赤い夕陽がアカシアの樹の陰に沈んでいく。ここはコンゴ川の南にあるバンドゥンドゥ州のサバンナ。舗装道路が途切れた場所から、半日歩かなければたどり着かない村に、わたしたちはいた。ここの村人たちは、道路のない山奥に閉じ込められ、極度の貧困の中で暮らしている。同僚のトルキルとわたしはその日、この人里離れた山奥に住む人たちに、栄養についての聞き取り調査を行っていた。村人はわたしたちのためにパーティを開いてくれると言う。わざわざここまでやってきて、村人の問題に耳を傾けてくれる人などこれまでいなかったのだ。

100年前のスウェーデンでもきっとそうしたように、村人たちは手に入る限り、いちばん大きな肉の塊で客人をもてなし、感謝と敬意を伝えようとしてくれた。村の全員がわたしとトルキルの周りに集まり、皿を差し出す。皿の上には大きな緑の葉が2枚敷かれ、そこに皮を剝いたネズミの丸焼きが2匹、でんと乗っかっていた。

わたしは吐きそうになった。だがトルキルを見ると、もう食べはじめている。一日中何も食べずに働いていたので、2人ともお腹がペコペコだったのだ。村人たちはニコニコしながら、うれしそうにわたしを見つめている。食べないわけにはいかず、なんとか口に入れる。味は悪くない。鶏肉みたいだった。失礼にならないように、できるだけうれしそうな顔をしながら肉を飲み込んだ。

やっとデザートの時間になった。ヤシの木から取ってきた白く大きな幼虫が、皿にてんこ盛りになっていた。しかも、一匹一匹が尋常じゃなく大きい。わたしの親指より太くて長かった。幼虫自身からにじみ出る脂分で、軽く炒めてある。でもこれ、生焼けなんじゃないか。まだ幼虫が動いてるみたいだぞ。そんなわたしの心配をよそに、村人たちは鼻高々に、彼らにとっての大ごちそうを差し出してくれた。

わたしは剣飲み芸人だ。喉（のど）の奥に押し込めないものはないはずだった。それに、食わず嫌いでもない。でも、これはダメだ。ぜったい無理。幼虫の頭はかわいい茶色のナッツのようで、透明でぷりぷりの身はマシュマロのようにしわが寄っていて、はらわたが透けて見えた。歯で2つに食いちぎって中身を吸うのだと、村人が身振り手振りで教えてくれた。幼虫を口に入れたら、さっき食べたネズミを戻してしまう。そんなことになったら、村人たちに大変な失礼だ。

その時ひらめいた。わたしはにっこりとほほ笑んで、申し訳なさそうにこう言った。「あぁ、そうそう、申し訳ないのですが、幼虫は食べられないんですよ」

トルキルは驚いてわたしのほうに向き直った。トルキルはもう幼虫にしゃぶりついていて、口の端から何匹か垂れていた。幼虫はトルキルの大好物だったのだ。以前にコンゴで布教活動をしていたとき、1年間ずっと週末のご褒美として幼虫を食べていたくらいに。

「ご存じだと思いますが、わたしたちは幼虫を食べないことになってますからね」いかにも当然という感じで、そう言った。村人たちはトルキルを見た。「でも、こちらの方は食べてますけど」と村人が聞く。トルキルは目を丸くしてわたしを見た。

「あぁ、そうそう」とわたし。「彼は種族が違うんです。わたしはスウェーデンの出身で、彼はデンマークですから。デンマーク人は幼虫が好物なんですよ。でもね、スウェーデンでは文化的に許されていないんです」。村の教師が世界地図を取り出したので、わたしはスウェーデンとデンマークのあいだに横たわる海峡を指さした。「海峡のこちら側は幼虫を食べます。反対側に住んでいるわたしたちは食べないんです」。どう考えても苦しい出まかせだったけれど、うまくいった。村人たちはわたしのデザートを喜んで食べてくれた。種族が違えば習慣は違う。世界中どこでも誰でも、それは理解できるのだ。

「ひとつの例がすべてに当てはまる」という思い込み

人間はいつも、何も考えずに物事をパターン化し、それをすべてに当てはめてしまうものだ。しかも無意識にやってしまう。偏見があるかどうかや、意識が高いかどうかは関係ない。人が生きていく上で、パターン化は欠かせない。それが思考の枠組みになる。どんな物事も、どんな状況も、すべてをまったく新しいものとしてとらえていたら、自分の周りの世界を言葉で伝えられなくなってしまう。

この本で紹介しているほかの思い込みと同じように、生活に役に立つはずのパターン化もまた、わたしたちの世界の見方を歪めてしまうことがある。実際にはまったく異なる物や、人や、国を、間違ってひとつのグループに入れてしまうのだ。そして、同じグループの物や人はすべて似通っていると思い込んでしまう。しかも、なにより残念なことに、ほんの少数の例や、ひとつだけの例外的な事柄に基づいてグループ全体の特徴を勝手に決めつけてしまう。

パターン化は、メディアの十八番でもある。パターン化がメディアにとって手っ取り早い情報伝達の手段になり、それが誤解を生み出している。今日の新聞を見ただけでも、そんな例がたくさんある。田舎暮らし、中流層、完璧な母親、ギャング団。

ある分類をたくさんの人が間違いだと気づくと、それはステレオタイプと呼ばれるようになる。たとえば、人種や性別で異なる人をひとくくりにまとめることがそうだ。こうしたステレオタイプは多くの深刻な問題を引き起こすが、問題はそれだけではない。間違ったパターン化は思考停止につながり、あらゆる物事への理解を妨げてしまう。

「世界は分断されている」という思い込みは、「わたしたち」は「あの人たち」と違うという勘違いを生む。一方「ひとつの例がすべてに当てはまる」という思い込みは、「あの人たち」はみな同じだという勘違いを生む。

あなたはレベル4の企業にお勧めだろうか？　だとすると、パターン化のせいでたくさんの消費者と生産者を見逃しているかもしれない。それとも大手銀行で金融の仕事をしている？　ならば、クライアントの資産を間違った場所に投資しているかもしれない。まったく違う人たちをひとくくりにしてしまうと、ビジネスチャンスを逃してしまう。

質問9　世界中の1歳児の中で、なんらかの病気に対して予防接種を受けている子供はどのくらいいるでしょう？

A　20%
B　50%
C　80%

異なる分野の専門家がどのくらい知識不足かを比べるのに、一般的な調査会社は役に立たなかった。一般的な調査会社では、大企業の社員や政府機関の職員にアンケートを採れないからだ。そんな理由もあって、わたしは講演の初めに、聴衆に質問をするようになった。この5年間に108回の講演で1万2596人にアンケートを採った。その中で最も正解率が低かったのがこの質問だ（正解はCの80％）。正解からいちばん遠い答え（Aの20％）を選んだ人が多かった順番に、12の専門家グループをランク付けしたのが、下の表だ。

正解率が最悪だったのは、世界的な大銀行が主催する、グローバル金融の幹部の集まりで講演したときだ。わたしは世界の10大銀行のうち、3行で講演をしたことがある。この結果がどの銀行のものかは、守秘義務にサインしてしまったから残念ながらお教えできない。その集まりにいた身なりのいい71人の金融マン（とウーマン）のうち、なんと85％が、予防接種を受けている子供は、世界の中でほんの少数だと思い込んでいた。とんでもない勘違いだ。

ワクチンは、工場から子供の腕に届くまで、ずっと冷蔵されている必要がある。世界中の港に冷蔵コンテナで海上輸送されたワクチンは、そこから冷蔵トラックに載

質問9の結果: 正解からいちばん遠い答えを選んだ人の割合

世界中の1歳児の中で、なんらかの病気に対して予防接種を受けている子供はどのくらいいるでしょう？
（答え：80%。正解からいちばん遠い答え：20%）

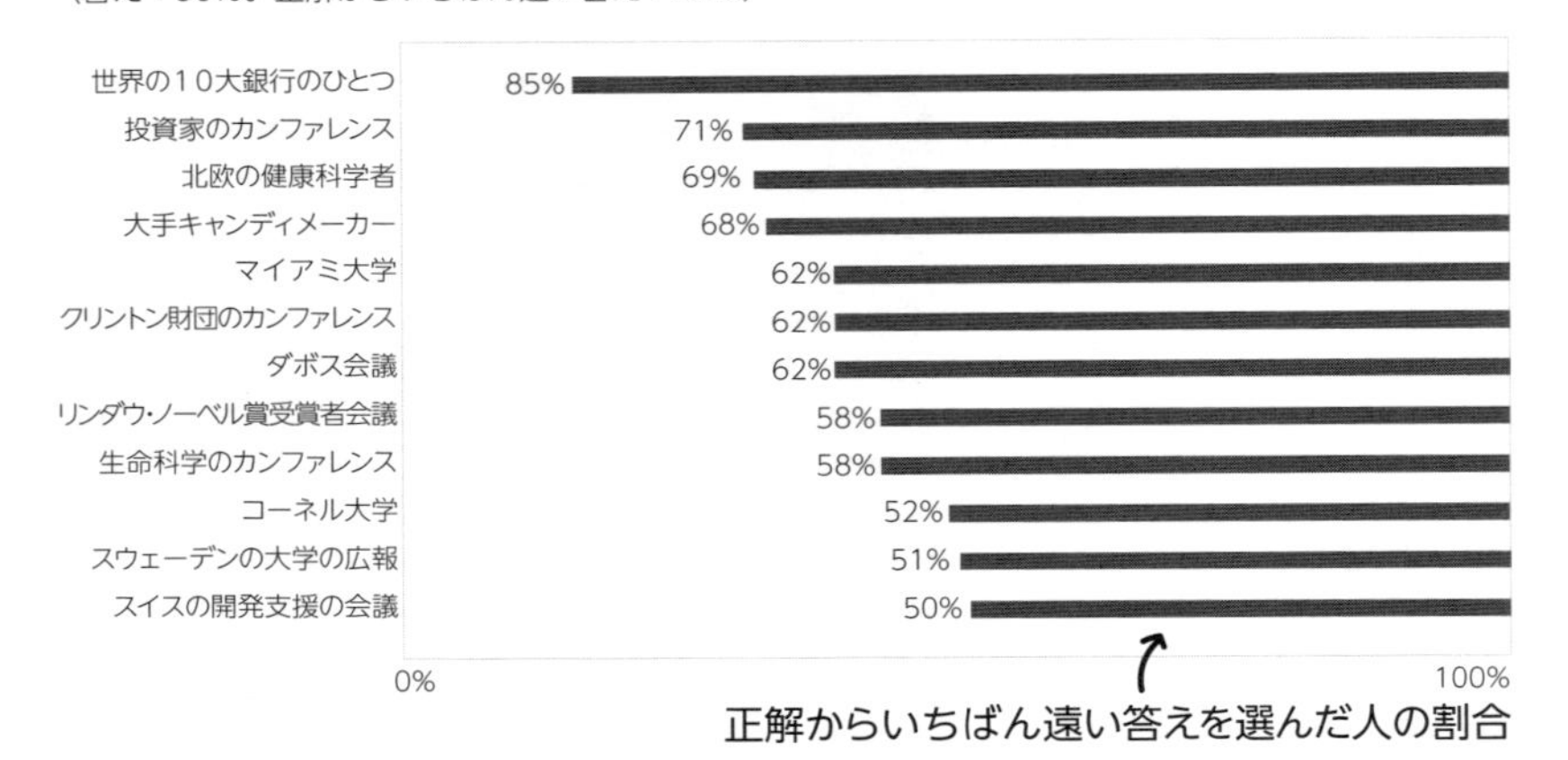

出典: Gapminder[27]

せられる。冷蔵トラックが各地の病院までワクチンを届け、それを病院で冷蔵庫に保管する。この物流方式が、いわゆる「クールチェーン」だ。基本的な交通インフラ、電力、教育、医療がすべて揃っていなければ、クールチェーンは成り立たない。新しい工場を建てるにも、まったく同じインフラが必要になる。実際には88%の子供が予防接種を受けているのに、大物投資家たちがわずか20%しか受けていないと思い込んでいたということは、彼らが莫大な投資機会を見逃しているということだ。「プロとして失格」と言われても仕方がない。

そんな勘違いをしてしまうのは、頭の中に「あの人たち」という分類があって、そこに人類の大半を押し込んでしまっているからだ。その分類にいる人たちの生活を、どんなふうに思い描いているだろう？ニュースで見た悲惨で衝撃的な映像を思い出しているのでは？レベル4の人たちが先ほどのようなクイズでつまづいてしまうのは、まさしくそんなイメージが焼き付いているからだ。ニュースで見かけた極度の貧困をもとにして、人類の大半をステレオタイプに押し込んでしまっている。

妊娠するとほぼ2年間生理がこない。生理用ナプキンのメーカーには、ありがたくないことだ。だから、世界中で女性ひとりあたりの子供の数が減っていることは、メーカーにとって喜ばしいことだし、当然知っておくべき事実でもある。また、教育を受け、外で働く女性が増えているという事実もメーカーは知っておくべきだし、そのことを喜んでいいはずだ。そのおかげで、レベル2とレベル3にいる数十億人の有経女性に向けた生理用品の市場は、この数十年のあいだに爆発的に拡大してきた。

ところが、世界最大級の生理用品メーカーの社内会議に参加して初めて、ほとんどの欧米企業はこのことを完全に見落としていることに気がついた。欧米の大手生理用品メーカーは、レベル4にいる3億人の女性の新たなニーズを掘り起こそうと躍起になっていた。

「ビキニ用の超薄型ナプキンはどうだろう？ 薄い下着でも透けて見えないナプキンをつくってみたら？ 服装や、場面や、スポーツによって、それぞれに合うような専用ナプキンは？ 山登り用の特製ナプキンなんてどう？」

ナプキンはできるだけ小さいほうがいいとされていて、日に何度も変える必要がある。豊かな消費者の市場ではすでに基本的な欲求が満たされているので、メーカーはますますニッチな分野の需要を掘り起こすための無駄な戦いに追われている。

一方で、レベル2とレベル3にいるおよそ20億人の有経女性たちには、ほとんど選択肢がない。この層の女性は薄い下着も着けないし、超薄型ナプキンにおカネを使ったりしない。必要なのは安くて、仕事中に取り換えなくてもいいような、長持ちする安心なナプキンだ。こうした女性はお気に入りの商品を見つけたらおそらく一生そのブランドを使い続けるし、娘にも薦めるだろう。

ほかの消費者向け商品にも同じことが言える。だからわたしは産業界のリーダーたちに、何百回も講演して、この点を伝えてきた。世界の大半の人たちの生活レベルは、着実に上がっている。レベル3の人口は、いまの20億人から2040年には40億人に増える。世界中のほぼすべての人が消費者になりつつある。間違ったイメージにとらわれて、世界のほとんどの人は貧しすぎて何も買えないと思い込んでいると、史上最大のビジネスチャンスを見逃してしまう。マーケティングに予算をつぎ込み、ヨーロッパの大都市でオシャレな暮らしをしている金持ちに「ヨガ専用」ナプキンを売り込んでしまうようなことになるわけだ。事業戦略に必要なのは、事実を基に世界を見つめ、そこから未来のユーザーを見つけることなのに。

思いがけない現実

日常生活を過ごすのにパターン化は欠かせないし、時にはそのおかげで気味の悪い幼虫を食べなくてすむことだってある。だから、分類は必要だ。大事なのは、間違った分類に気づき、より適切な分類に置き換えることだ。「先進国」と「途上国」という分類を「4つのレベル」に置き換えたように。

認識を切り替えるには、できるだけたくさん旅をすることだ。スウェーデンのカロリンスカ医科大学で公衆衛生を学ぶ学生を、わたしがレベル1からレベル3の国々に連れていくのはそのためだ。学生たちは現地の大学で講義を受け、病院を訪問し、現地家庭に滞在する。何事も自分が身をもって経験するのがいちばんなのだ。

カロリンスカの学生のほとんどは恵まれた若いスウェーデン人で、世界のために役に立ちたいと願っている。だが、みな現実を知らない。旅が好きという学生もいるが、たいていは旅行代理店がとりまとめたエコツアーに参加して、カフェでカプチーノを飲むくらいのもので、地元の家庭を訪れることはない。

インドのケーララ州のティルヴァナンタプラムでも、ウガンダのカンパラでも、学生たちは到着するとまず、街が非常に整っていることに驚く。信号も下水道も整備されているし、道端で死にかけている人もいない。

2日目にはいつも公立病院を訪問する。公立病院の壁はむき出しで、空調もなく、60人もの患者がひとつの部屋にいる。それを見た学生たちはひそひそと、この病院にも患者さんにも、さぞおカネがないんだろうとささやき合う。それを聞いたわたしは、いやいや本当に貧しい人たちは病院に来ることすらできないんだと。

よと説明する。本当に貧しい女性の場合、何の訓練も受けてない助産師の助けを借りて土間で出産するのだ、

すると、病院の事務スタッフが事情を説明してくれた。レベル2と3の国で壁にペンキを塗らないのには意味があると言う。塗料を買うおカネがないからではない。病院の壁がぼろぼろだと金持ちの患者は敬遠するので、医師や看護師が時間をかけて高額な診療を行う必要がなくなる。だから、限られた人的資源を効率よく回して、より多くの人を治療できるようになるらしい。

それから学生たちは、ついさっき糖尿病と診断された患者が、処方されたインスリンを買うおカネがないことに気づく。学生にはそれが理解できない。この病院は糖尿病の診断ができるくらいに進んだ病院のはずだ。それなのに、患者に治療を受けさせる余裕がないというのが不思議でならないのだ。だがこれも、レベル2の国ではよくあることだ。一部の病気や、救命救急や、安い薬には、国がおカネを出してくれる。それをやるだけでも、生存率は大幅に上がる。しかし、糖尿病のような、死ぬまでずっと続けなければならない高額な治療には、(コストが下がらなければ)出せるおカネがないのだ。

ある学生は、勘違いから危うく命を落としそうになった。レベル2の国の常識をわかっていなかったからだ。わたしたちはインドのケーララ州にある近代的で美しい8階建ての私立病院を訪ねることになった。わたしたち一行は、遅刻していたひとりの学生をロビーで待っていた。15分待っても来ないのであきらめて、廊下のつきあたりの大きなエレベーターに乗り込んだ。ベッドが数台も入るほど大きなエレベーターだ。わたしたちを迎えてくれた集中治療室の責任者が、6階のボタンを押した。ドアが閉まりかけたちょうどそのとき、若い金髪のスウェーデン人がロビーに駆け込んでくるのが見えた。

「急いで！」エレベーターの中にいた友達が大声を出し、閉まりかけたドアに足を挟んだ。それからはあっという間だった。エレベーターのドアがその学生の足を挟んだまま、どんどん閉まっていく。学生は大声でわめき出す。このままドアが足にのめり込み、足が粉々に砕けてしまうのではないかと思った瞬間、わたしたちを迎えてくれた責任者がパッと前に出てエレベーターの緊急ボタンを押した。彼はチッと舌打ちして、わたしにドアを開けるのを手伝ってくれと言い、2人で両側からドアをこじ開けてなんとか学生の足を引っ張り出した。足からは血が流れていた。

あとで、わたしたちを迎えてくれたそのドクターがわたしを見てこう言った。「こんなことは初めてだよ。あんな間抜けな学生がよく医学部に入れたものだな」。そこで、スウェーデンのエレベーターには全部のドアにセンサーが付いているのだと説明した。だからドアのあいだに何かが挟まると、すぐ自動的に開くようになっているのだ、と。そのインド人ドクターは怪訝そうだった。「その先端技術が毎回きちんと動くって、どうしてわかるんだ？」。われながらアホらしい答えだと思ったが、ついこう口に出た。「いつもそうだから。安全規制は厳しいし、定期点検もあるからかな」。相手はまだ訝しがっていた。「う〜ん。君の国は安全になりすぎて、外国に出ると自分の身も守れなくなってしまうってことか」

その若い学生が決して間抜けな人間ではなかったことは確かだ。ただ、レベル4の国でエレベーターを使うときの習慣が、世界中のどこでも通用すると思い込んでしまっただけだった。

海外研修の最終日はいつも現地でお世話になった人たちとちょっとしたお別れ会を開く。時にはそれが、現地の人たちがどんなふうにわたしたちをひとくくりにして勘違いしてしまうかを知る、いい機会になる。例のインドの研修では、女子学生たちは現地で買った色鮮やかな民族衣装のサリを着て、時間通りにやってきた（エレベーターでの怪我もすっかり治っていた）。男子学生たちは10分遅れてやってきたが、みんなどう見ても二日酔いで、ぼろぼろのジーンズに汚いTシャツ姿だった。インドの有名な法医学教授がわたしの耳に口を近づけて、小声でささやいた。「先生の国では恋愛結婚が普通だと聞いていましたが、あれは絶対に嘘ですな。あの男子学生たち、ご覧なさい。あんな格好じゃ、見合いでもさせない限り結婚相手なんて見つかりっこないですよ」

観光地のカフェでのんびりするだけでは、決して気づかないことがある。他国の現実に触れて初めて、自国の常識が他国でも通用すると思い込むことが、役に立たないばかりか危険でさえあることに気づけるのだ。

初めての体験

学生がダメだなんて言うつもりはないことをここで断っておきたい。わたしだって褒められたものではないからだ。

１９７２年、医学部の4年生だったわたしは、インドのバンガロールにある医学学校で学んでいた。最初の授業は腎臓のレントゲン検査についてだった。１枚目のレントゲンを見て、これは腎臓がんに違いないと思った。でも一応遠慮して、しばらく待ってから発言することにした。自分の知識を見せびらかしていると思われたくなかったのだ。

すると、何人かが手を上げた。インドの学生たちが、がんの診断方法や、通常どのようにがんが広がるか、適切な治療法はどれかを次々に説明していく。そのまま30分ほど、インド人学生たちは、経験豊富な医師にしか答えられないような質問に答え続けていた。わたしは恥ずかしくなった。きっと部屋を間違ってしまったのだろう。これが4年生の授業のはずはない。専門医の授業なんだ。インドの専門家の分析にわたしが付け加えられることは何もなかった。

教室を出ながら、別の学生に自分は4年生の授業に出るはずだったのにと話した。「これがそうだよ」と相手は言った。

まさか。額にしるしをつけて、ヤシの木の下で暮らしている学生が、わたしよりはるかに知識豊富だなんて？ それから数日のあいだに、インドの教科書はわたしの教科書より3倍も分厚く、インド人学生がわたしより3倍も教科書を読み込んでいることがわかった。

生まれて初めて、世界の見方をがらりと変えさせられたのが、このときの経験だった。育った場所のおかげで自分のほうが優れているなどという思い込みは、この経験でひっくり返された。西洋がいちばん進んでいて、そのほかの地域は西洋に追いつけないなんて、とんでもない勘違いだった。45年前のそのとき、西洋の支配がそれほど長く続かないことが、わたしには見えたのだった。

パターン化本能をどう抑えるか？

旅ができなくても、大丈夫。パターン化による思い込みを避ける方法はある。

より適切な分類を見つける――〈ドル・ストリート〉

わたしは学生を海外に連れ出して世界について教えていた。だが、アンナはことあるごとに、そんなやり方はほとんどの人には通用しないし、現実的でないと言い張っていた。必死に貯めたおカネをはたいて世界の果てにある肥溜め式トイレを使ってみたいと思うような物好きはめったにいない、と。ビーチやごちそうやバーや観光名所から離れて、キラキラした生活からほど遠いレベル1や2や3の日常を体験したい人はいないらしい。

ほとんどの人は、世界の動向がわかるデータや各国を比較する数字などに興味はない。それにデータを見ても異なるレベルの日常生活がどんなものかはイメージしづらい。

「分断本能」の章で、所得レベルを表すのに使った写真を覚えているだろうか？　あの画像はすべて、〈ドル・ストリート〉というプロジェクトで収集したものだ。外に出なくても旅行気分を味わいたい人たちに、世界について学んでもらおうとアンナが開発したのが、この〈ドル・ストリート〉だ。これを見れば、世界中の人がどんな暮らしをしているかを、家から一歩も出ずに知ることができる。

一本の長い通り沿いに世界中のすべての家が所得順に並んでいるとしよう。最も貧しい人たちは通りのいちばん左端に住み、最も豊かな人たちは右端に住んでいる。そのほかの人たちは？　もちろん、ここまで読んでくれたあなたならおわかりだと思うが、ほとんどの人はそのあいだのどこかに住んでいる。番地は所得

歯ブラシ

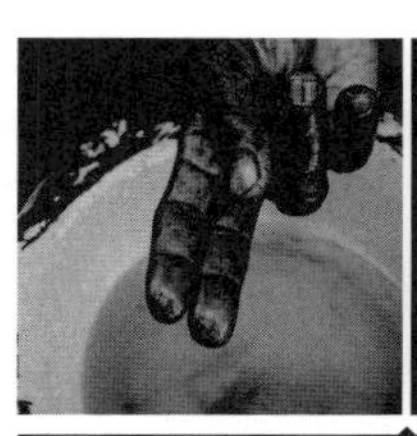
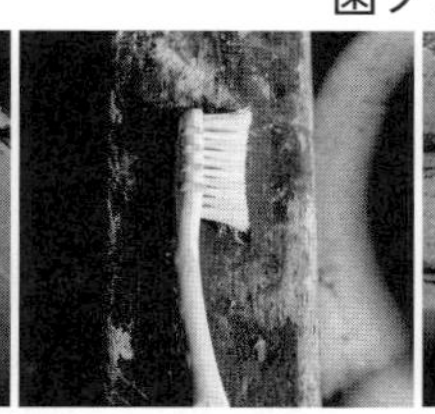
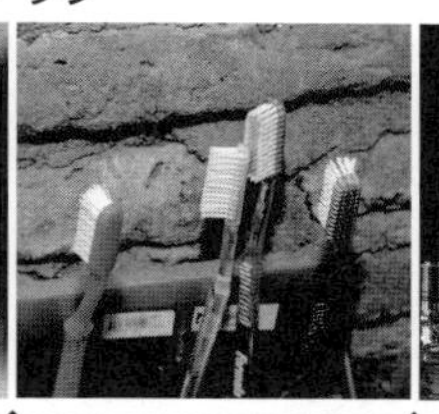
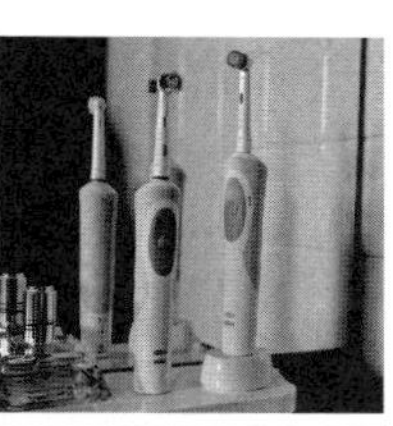

レベル1　レベル2　レベル3　レベル4

出典: Dollar Street

を表している。ドル・ストリートのお隣さんは、世界中にいる同じくらいの所得の人たちだ。

これまでのところ、アンナは50カ国の300世帯に写真家を送り込み、写真を集めてきた。その写真には、人々が何を食べ、どこで眠り、どう歯を磨き、どんなふうに料理するかが記録されている。また、家がどんな材料でできているか、どのように暖を取り、どうやって明かりをともしているか、またトイレやコンロといった家庭用品など、合わせると日常生活の130を超える場面が、カメラにとらえられている。写真だけで本が丸一冊できるくらいだ。こうして見ると、国は違っても所得の同じ人たちのあいだには驚くほどの共通点があることがわかるし、国は同じでも所得が違えば暮らしぶりがまったく違うこともわかる。

人々の暮らしぶりにいちばん大きな影響を与えている要因は宗教でも文化でも国でもなく、収入だということは一目瞭然だ。

ここにあげたのは、所得レベルによる歯ブラシの違いだ。レベル1の人たちは、指か棒を使う。レベル2になるとプラスチックの歯ブラシ1本を家族全員で使う。レベル3だと、それぞれに1本ずつになる。レベル4は、みなさんお馴染みのものだ。

レベル4の寝室は（台所も居間も）、アメリカでもベトナムでもメキシコ

レベル4の寝室

1日あたりの所得が32ドルを超える世界中の家庭の寝室

出典: Dollar Street

でも南アフリカでも、世界のどこでもかなり似通っている。
中国のレベル2の家庭の調理法と食料の保存方法は、ナイジェリアのレベル2の家庭とほとんど変わらない。
実際、フィリピンでも、コロンビアでも、リベリアでも、レベル2の30億人は、基本的な暮らしぶりに違いがない。

レベル2の屋根はつぎはぎだらけで、雨が降ったら濡れて寒い思いをする。朝トイレに行くと、臭くてハエだらけだが、少なくとも壁らしきものがあって、いくらかはプライバシーがある。

レベル2の家庭では1年中毎日、ほとんど毎食同じものを食べ続ける。人々はいつもと違う食べ物やおいしい食べ物を夢に見ている。

レベル2のコンロ: 火をくべるだけ

ナイジェリア

中国

出典: Dollar Street

レベル2の屋根: つぎはぎだらけ

フィリピン

コロンビア

リベリア

出典: Dollar Street

レベル2のトイレ: 肥溜め式

インドネシア

ベトナム

ペルー

出典: Dollar Street

電気は不安定で、明かりはチカチカしている。夜に停電が起きたら、月明かりに頼らなければならない。家の扉には南京錠がかかっている。

寝る前に歯を磨くときは、家族全員で1本の歯ブラシを使い回す。おばあさんと同じ歯ブラシを使わなくてよくなる日を、みんなが夢見ている。

みなさんがニュースでよく見かけるのはレベル4の日常生活だし、逆に危機の映像はレベル4以外のものばかりだ。グーグルに「トイレ」「ベッド」「コンロ」と打ち込んでみるといい。レベル4の写真しか出てこない。ほかのレベルの暮らしぶりを見たくても、グーグルは役に立たない。

分類を考え直す

「自分の分類の仕方は間違っているかもしれない」といつも疑ってかかったほうがいい。よく使ってしまう分類を、常に見直し続けるのに役立つ5つの方法を紹介しよう。(1)同じ集団の中の違いと、違う集団のあいだの共通点を探すこと。(2)「過半数」に気を付けること。(3)例外に気づくこと。(4)自分が「普通」だと決めつけないこと。そして、(5)ひとつのグループの例をほかのグループに当てはめていないかを振り返ること。

＊同じ集団の中の違いと、違う集団のあいだの共通点を探す

同じ国の中にも大きな違いがあり、国が違っても所得が同じなら、文化や宗教にかかわらず共通点は多い。そこから、国によるステレオタイプにはまったく意味のないことがわかる。

アフリカにおける健康と富の格差

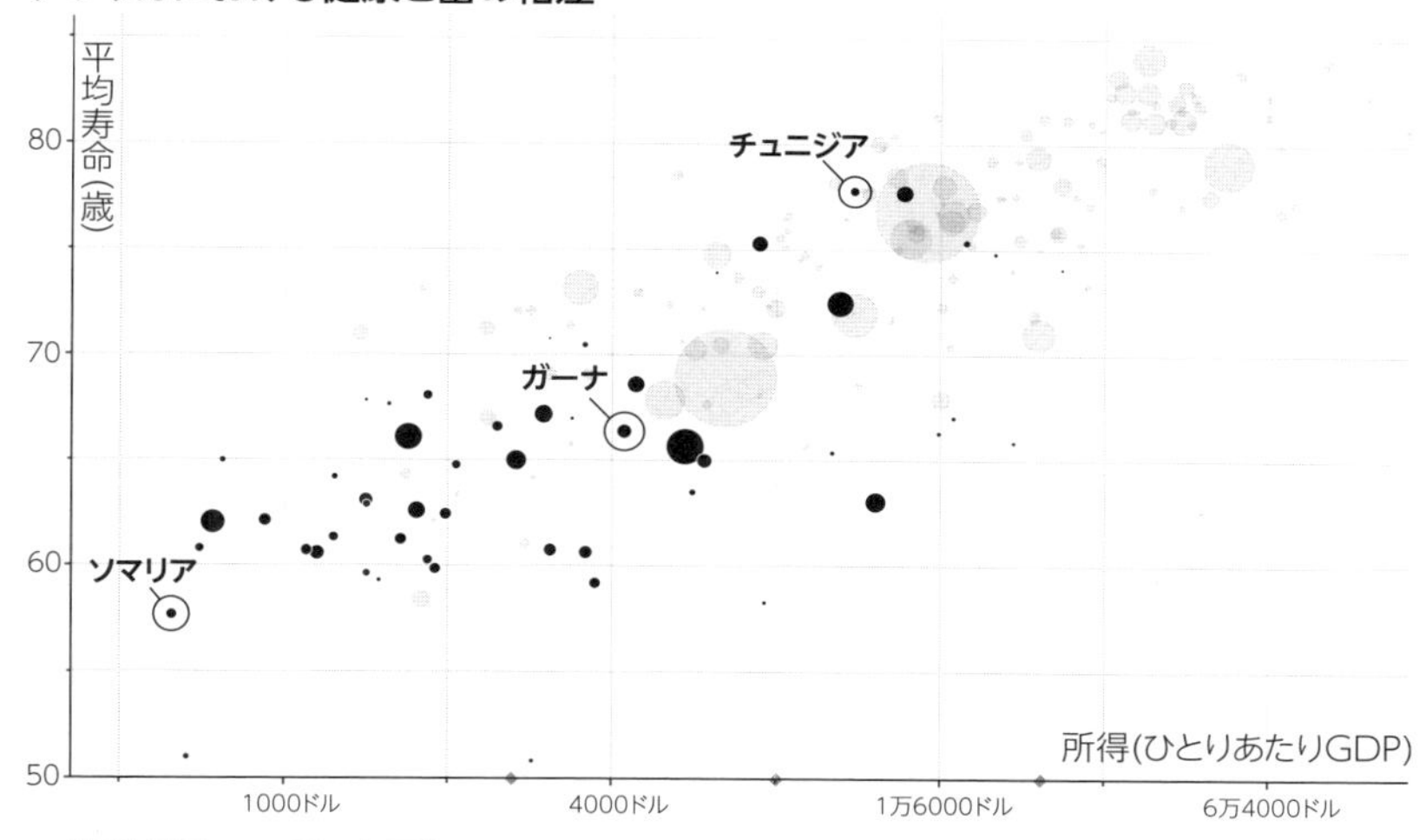

購買力平価ベース、2011年国際ドル

出典：World Bank[1]、IMF[1]、IHME[1]、UN-Pop[1]、Gapminder[1,2,3,4]

ナイジェリアと中国のレベル2家庭では調理方法がほとんど同じだったことを思い出してほしい。あの中国の写真だけを見た人は、「なるほど、中国ではこうやってお湯を沸かすんだな。鉄瓶を火にくべるのか。それが中国の文化なんだ」と思うだろう。だが違う。世界中のレベル2の人たちはみんな、同じような方法で湯を沸かしている。つまり、所得の問題なのだ。それに、中国でもそれ以外の国でも、違うやり方で湯を沸かす人たちがいる。それは文化の違いではなく所得の違いによるものだ。

人の行動の理由を、国や文化や宗教のせいにする人がいたら、疑ってかかったほうがいい。同じ集団の中に違う行動の例はあるだろうか？　あるいは違う集団でも同じ行動があるだろうか？　考えてみよう。

巨大なアフリカ大陸には54の国があり10億人が住んでいる。ここにはすべてのレベルの人たちがいる。上のバブルチャートでは、アフリカ大陸のすべての国を取り上げた。たとえばソマリアとガーナとチュニジアがどれだけ違うかを見てほしい。これを見れば、「アフリカの国々」や「アフリカの問題」を十把ひとからげにするのがいかに間違っているか一目瞭然だ。にもかかわらず、そんな議論はしょっちゅう行われている。だから、リベリアやシエラレオネで発生したエボラ出血熱が、車で１００時間もかかる大陸の反対側のケニアの観光に影響するといった、バカバカしいことが起きてしまう。その距離はロンドンからイランのテヘランよりも遠いのに。

＊「過半数」に気をつける

ある集団の過半数になんらかの特徴があると言われれば、その中のほとんどの人になにかしらの共通点があるように聞こえてしまう。だが、「過半数」とは半分より多いという意味でしかない。51％かもしれない。99％かもしれない。できれば、何％なのかを聞いたほうがいい。

たとえば、こんなケースがある。世界中のすべての国で、過半数の女性が必要な避妊具は手に入ると答えている。では、ここから何がわかるだろう？　ほとんどすべての女性が必要な避妊具を手に入れることができているのだろうか？　そんな女性は半数より少し多いだけなのか？

現実は国によって大きく違う。中国とフランスでは、必要な避妊具が手に入ると答えた女性はなんと全体の96％にものぼっている。それより若干低い94％だったのが、イギリス、韓国、タイ、コスタリカ、ニカラグア、ノルウェー、イラン、トルコだ。「過半数」といってもハイチとリベリアでは69％で、アンゴラでは63％に留まっている。

*「例外」に注意する

例外をあげて、集団全体がどうこうと言う主張には、警戒したほうがいい。

化学製品恐怖症とは、化学物質を怖がる症状だ。この症状の原因は、少数の例外的な有害物質による被害が化学製品すべてに当てはまると思い込んでしまうことにある。あらゆる「化学物質」が怖いと言い出す人もいる。

でも、よく考えてほしい。この世のありとあらゆるものは化学物質でできている。工業製品はもちろん、天然のものもそうだ。わたしにとってなくてはならないものをここにあげてみよう。石鹸、セメント、プラスチック、洗剤、トイレットペーパー、そして抗生剤。

ひとつの例を根拠に集団全体に対して結論を出そうとしている人がいたら、もっと例をあげるように頼んだほうがいい。逆の例を尋ねてみるのもひとつの手だ。たとえば、逆の例から反対の結論が出るかどうかを聞いてみよう。ひとつの化学物質が危険だからといって、すべての化学物質が危険だと言い切れるとしたら、ひとつの化学物質が安全ならすべての化学物質が安全だと言い切れるかどうかを考えてみるといい。

*自分が「普通」で、自分以外はアホだと決めつけない

エレベーターで足を大怪我したり、とんでもないしくじりをしたりしないためには、あなたの経験が「普通」ではないかもしれないことを肝に銘じておいたほうがいい。くれぐれも、レベル4の経験が世界のほかの場所に当てはまるとは思わないように。特に、自分の経験をもとに、ほかの人たちをアホだと決めつけないでほしい。

出典：Dollar Street

チュニジアにはレベル1からレベル4までさまざまな人が暮らしている。街の中には、この写真のような建てかけの家がある。この家の持ち主はサルヒさん一家で、首都チュニスに住んでいる。この家を見たら、チュニジア人は怠け者か、そうでなければ計画性がないと決めつけてしまってもおかしくない。

では、〈ドル・ストリート〉のサルヒさん一家を訪ねてその暮らしぶりを見てみよう。夫のマブルークは52歳の庭師。妻のジャミラは44歳で、自宅でパン屋を営んでいる。近所の人たちのほとんどは、同じような2階建ての家を途中まで建てかけたままにしている。レベル2とレベル3の人たちが住む場所では、世界中どこでもそんな光景が見られる。

もしスウェーデンで誰かが家を建てかけのままにしておいたら、そもそもの計画にとんでもない問題があったか、建築業者に逃げられたんだろうと思われるはずだ。だが、スウェーデンであたりまえのことがチュニジアでもあたりまえとは限らない。

サルヒさん一家や同じような境遇の多くの人たちは、いくつかの問題を一度に解決する賢いやり方を見つけた。レベル2とレベル3の家庭の多くは銀行口座を開けず、貯金もできないしローンを借りることもできない。でも現金を手元に置いておくと盗まれることもあるし、インフレで価値が下がることもある。だから、サルヒさん一家は買えるときにレンガを買っておく。レンガなら価値が減らないからだ。しかし家の中にレンガを置いておくスペースはないし、外に積み上げておけば盗まれるかもしれない。買ったらそのときにレンガを使って、家を建てていったほうがいい。それなら盗まれない。インフレで価値が下がることもない。こうしていけば、10年とか15年かけて家族のために少しずつゆっくりといい家を建てることができる。

わたしたちは、サルヒさんたちが怠け者だとか計画性がないとか、はなから決めつけず、相手が賢いという前提に立って、こう問うてみるべきなのだ。なぜこのやり方が理にかなっているのか、と。

*ひとつの集団の例をほかの集団に当てはめていないかを振り返る

以前にわたしは、間違ったパターンを信じ込んで、それを勧めたことがある。当時はわたしもその考えを信じていたし、多くの人がそう信じ込んでいた。そのせいで、世界で6万の命が失われたと言われている。もし公衆衛生の専門家たちがこの思い込みをきちんと疑ってかかっていたら、救われた命があったはずだった。

1974年のある日の夕方、スウェーデンの小さな町のスーパーでパンを買っていたときのことだ。命の危険にさらされている赤ちゃんがわたしの目に飛び込んできた。その赤ちゃんはベビーカーに乗っていた。そこはパン棚の前の通路で、母親はベビーカーに背を向けて、一心にパンを選んでいる。普通の人なら気づかなかったかもしれないが、わたしは医学部を出たばかりで、すぐ危険に気がついた。わたしの頭の中で、警報ベルが鳴り響いた。その母親に駆け寄りたかったが、恐がらせてはいけないと思い、心を落ち着けた。早足でベビーカーまで歩いていき、あおむけになっていた赤ちゃんを持ち上げた。赤ちゃんのお腹を下にしてうつぶせでベビーカーに乗せた。赤ちゃんは目を覚まさなかった。

母親はパンを手に持ったままわたしのほうに向きなおり、いまにも飛びかからんばかりだった。自分が医師であることを母親に伝え、乳幼児突然死症候群について説明し、その頃ちょうど医学界で発表された親向けの注意を教えてあげた。赤ちゃんは吐いて窒息してしまう危険があるので、あおむけに寝かせてはいけない、という指針だ。でも、この赤ちゃんはもう大丈夫。母親はヒヤリとして、同時に安心したのだろう。少しよろよろしながら買い物を続けていた。わたしは鼻高々に自分の買い物をすませた。自分がとんでもない間違いをしでかしていたことにも気づかずに。

第二次世界大戦と朝鮮戦争を通して、戦場から担架で運ばれてくる兵士の中で、あおむけよりうつぶせのほうが生存確率が高いことに、医師や看護師は気づいた。あおむけに寝ていると、自分の吐しゃ物で窒息することが多かったのだ。うつぶせになっていると吐しゃ物が口の外に出て、気道はふさがれない。この発見によって、兵士だけではなく数百万もの命が救われた。それ以来、うつぶせの「回復体位」が世界標準になり、地球上どこでも応急処置の講座では「うつぶせ寝」を教えるようになった（2015年のネパール地震で人命救助にたずさわった救急隊員も全員このことを学んだ）。

しかし、この新たな発見が、当てはめてはいけないケースにまで当てはめられてしまった。うつぶせ寝の効果が証明されたことから、1960年代にはこれまでとは正反対の慣習が勧められるようになった。昔からの慣わしとは違って、赤ちゃんはうつぶせに寝かせたほうがいい、とされるようになったのだ。赤ちゃんも救命が必要な患者も、いっしょくたに考えられてしまったのだった。

そんなふうに「いっしょくた」にしてはいけないものをひとくくりにしていることに、わたしたちはなかなか気づけない。理屈そのものは正しいように思えるからだ。一見筋の通った理屈が善意と結びつくと、パターン化の誤りに気づくのはほぼ不可能になる。赤ちゃんの突然死は減るどころか増えていることをデータが示していても、その原因がうつぶせ寝にあるかもしれないことに誰も気づかなかった。

初めてそれを指摘したのは香港の小児科医のグループで、1985年になってからだ。その指摘があったあとも、ヨーロッパの医師はあまり気にしていなかった。スウェーデンの医学界が間違いを認めて方針を変えたのは、それから7年も経ってからだった。意識のない兵士は、あおむけに寝かされると自分の吐しゃ物で窒息してしまう。だが、意識のない兵士と違って、寝ている赤ちゃんは反射神経がきちんと働いて、あおむけでも横を向いて吐き出せる。しかし、筋力がまだ十分に発達していない赤ちゃんの場合は、うつぶせになっていると、自力で重い頭を反り返らせて気道を確保することができない（とはいえ、うつぶせがあおむけよりも危険な理由がすべて解明されているわけではない）。

あのパン売り場にいた母親に、わたしが赤ちゃんを危険にさらしていたことがわからなくても無理はない。もし、母親が証拠を見せてくれと迫っていたら？　そしたらわたしは戦場の兵士の例を持ち出しただろう。それでも、「でも先生、それって本当に赤ちゃんにも当てはまるんですか？　意識のない兵士と眠ってる赤ちゃんは違うんじゃないですか？」と詰め寄られたら？　そう言われたとしても、自分が深く考え直していたとは思えない。

10年以上ものあいだ、わたしはこの手で、たくさんの赤ちゃんをあおむけからうつぶせに寝かせ替えてしまった。もちろん窒息を防ぎ、命を救おうとしての行動だ。ヨーロッパとアメリカの多くの医師や親たちもそうだった。しかし、うつぶせ寝の推奨が取り消されたのは、香港での研究が発表されてから18カ月後だ。行き過ぎたパターン化から、何万人という赤ちゃんが命を落とした。すでに証拠が明らかになったあとの十数カ月のあいだにも、命が失われてしまった。パターン化の行き過ぎが、善意の陰に隠れて見えなくなってしまったのだ。

わたしにできるのは、あのパン売り場にいた赤ちゃんが元気でいることを願うくらいだ。現代に起きた深刻な公衆衛生の過ちから、人々が学んでくれることを願うしかない。同じ例が当てはまらない集団をいっしょくたにしないよう、わたしたちはできる限り気を配らなければならない。そして一見筋が通っているように見える、隠れたパターン化の間違いを見つけ出すよう努めなければならない。そんな間違いを見つけるのは難しい。それでも、新しい証拠が出てきたら、心を開いて刷り込まれた思い込みを疑い、見直し、自分が間違っていたらそれを認める勇気を持たなければならない。

ファクトフルネス

ファクトフルネスとは……ひとつの集団のパターンを根拠に物事が説明されていたら、それに気づくこと。パターン化は間違いを生み出しやすいことを肝に銘じること。パターン化を止めることはできないし、止めようとすべきでもない。間違ったパターン化をしないように努めよう。

パターン化本能を抑えるには、**分類を疑うといい。**

- **同じ集団の中にある違いを探そう。**集団が大規模な場合は特に、より小さく、正確な分類に分けたほうがいい。
- **違う集団のあいだの共通項を探そう。**異なる集団のあいだに、はっとするような共通点を見つけたら、分類自体が正しいかどうかを改めて問い直そう。

●違う集団のあいだの違いも探そう。 ひとつの集団（たとえば、レベル4の生活を送る人、意識のない兵士）について言えることが、別の集団（レベル4でない生活を送る人、眠っている赤ちゃん）にも当てはまると思い込んではいけない。

●「過半数」に気をつけよう。 過半数とは半分より多いということでしかない。それが51％なのか、99％なのか、そのあいだのどこなのかを確かめたほうがいい。

●強烈なイメージに注意しよう。 強烈なイメージは頭に残りやすいが、それは例外かもしれないと疑ったほうがいい。

●自分以外はアホだと決めつけないようにしよう。 変だと思うことがあったら、好奇心を持ち、謙虚になって考えてみよう。それはもしかしたら賢いやり方なのか、だとしたらなぜ賢いやり方なのか、と自問しよう。

第7章

「すべてはあらかじめ決まっている」という思い込み

宿命本能

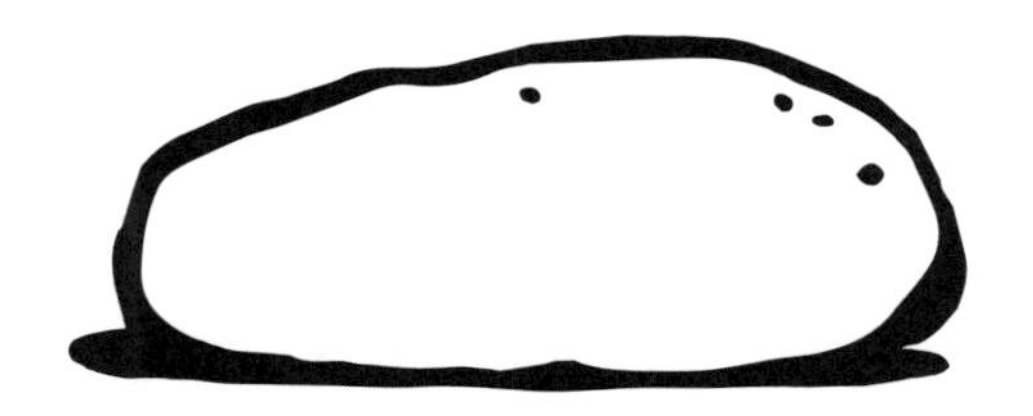

岩は動くということについて。祖父が話したがらなかったあることについて。

変われませんよ。絶対に

わりと最近のことだが、イギリスのエジンバラにある5つ星のバルモラルホテルに招かれて、ファンドマネジャーとそのクライアントの資産家の集まりで講演をした。ものすごく天井の高い豪華な宴会場で機材を設営していると、自分がちょっぴり小さくなったように感じてしまった。

金持ちの金融機関が、スウェーデンで公衆衛生を教えているわたしのような人間の話をどうしてクライアントに聞かせたがるんだろう？　数週間前にこまごまと打ち合わせはしていたのだが、最終リハーサルの壇上に登りながら、念のためもういちど主催者になぜわたしなのかと尋ねてみた。すると、なるほどという答えが返ってきた。いちばん儲かる投資機会がアジアやアフリカにあることをクライアントに説明しても、わかってもらえないと言うのだ。中世の城や石畳を自慢しているヨーロッパではもう儲けられないことを理解してもらえない、と。

「ほとんどのクライアントはアフリカの国々の発展を見ようとせず、受け入れられないんです。アフリカがよくなるなんて考えられないんですよ。古臭い世界の見方を、先生のバブルチャートで変えてほしいんです」

講演はうまくいったようだった。韓国や中国、ベトナム、マレーシア、インドネシア、フィリピン、シンガポールといったアジア諸国がこの数十年で世界を驚かせるほどの経済発展を成し遂げたことや、経済成長以前の数十年間にこれらの国々が社会的にも着実に進歩していたことを示して見せた。アフリカの一部でも同じことが起きていることも、目に見える形で説明した。この数十年で教育と子供の生存率が劇的に改善してきたアフリカの国々は、おそらく最高の投資場所だと言った。ナイジェリア、エチオピア、ガーナはすごいんです、と強調した。聴衆は目を丸くして熱心に耳を傾け、いい質問をしてくれた。

講演が終わってノートPCをしまっていると、薄いチェックの三つ揃いを着た白髪まじりの男性が舞台のほうにゆっくりと歩いてきて、優しく笑いかけながらこう言った。「先生の数字も見せてもらったし、お話しも聞きましたけどね、アフリカはありゃだめですよ。軍の仕事でナイジェリアにいたからわかります。ほら、文化があれだから。近代的な社会なんてつくれっこありません。変われませんよ。絶対に」

わたしはあんぐり口を開けた。事実を盾に反論しようとしたが、何か言う前にその男性はわたしの肩を軽く叩いてお茶でも飲みにどこかに行ってしまった。

宿命本能

宿命本能とは、持って生まれた宿命によって、人や国や宗教や文化の行方は決まるという思い込みだ。物事がいまのままであり続けるのには、どうにもならない理由があるからで、昔からそうだし、これからも永遠にそのままだ、と。この思い込みに従えば、第6章で話した間違った一般化も、第1章で話した存在しない分断も、「そういうさだめなんだ」と正当化してしまうことになる。変わらないし、変われないはずだ、と考えてしまうのだ。

人間の進化の過程では、この本能が役立ったに違いない。人間は昔から、あまり変化のない環境で暮らすことを選んできた。違う環境に次々と自分を合わせるよりも、同じ環境に慣れ、それが続くと考えるほうが、生き残りには適していたのだろう。

それに、集団が特別な宿命を持っていると訴えれば団結しやすいし、ほかの集団に対して優越感も感じられる。だから、種族や部族、国家、帝国の力を強めるために、宿命論は役に立った。でもいまの時代、物事が変わらないと思い込み、新しい知識を取り入れることを拒めば、社会の劇的な変化が見えなくなってしまう。

社会と文化は岩のように動かないものではない。社会も文化も変わっていく。西洋の社会と文化は変わり、西洋以外の社会と文化も変わる。西洋以外の変化のスピードは西洋よりもはるかに速い。インターネットやスマートフォンやソーシャルメディアの普及といった急激な変化に比べると、社会や文化は動きがゆっくりなので気づかれないか、ニュースにならないだけだ。

あのエジンバラの男性のように、アフリカの国を全部いっしょくたにして、アフリカはヨーロッパに絶対追いつけないという見方は、宿命本能の典型的な現れだ。それから、「イスラム世界」は「キリスト教世界」と根本的に違う、というのもよくある勘違いだ。宗教であれ、大陸や文化や国家であれ、根強い「価値観」と伝統のせいで未来永劫変わらない（か、変わるはずがない）、という人は多い。言い回しは違っても、考え方は同じ。一見なんらかの分析があるように見える。でもよく見ると、たいていは本能にだまされている。理屈があるようで、実はただの思い込みなのだ。

質問10　世界中の30歳男性は、平均10年間の学校教育を受けています。同じ年の女性は何年間学校教育を受けているでしょう？

A　9年
B　6年
C　3年

質問10の正解率

世界中の30歳男性は、平均10年間の学校教育を受けています。
同じ年の女性は何年間学校教育を受けているでしょう？ (答え: 9年)

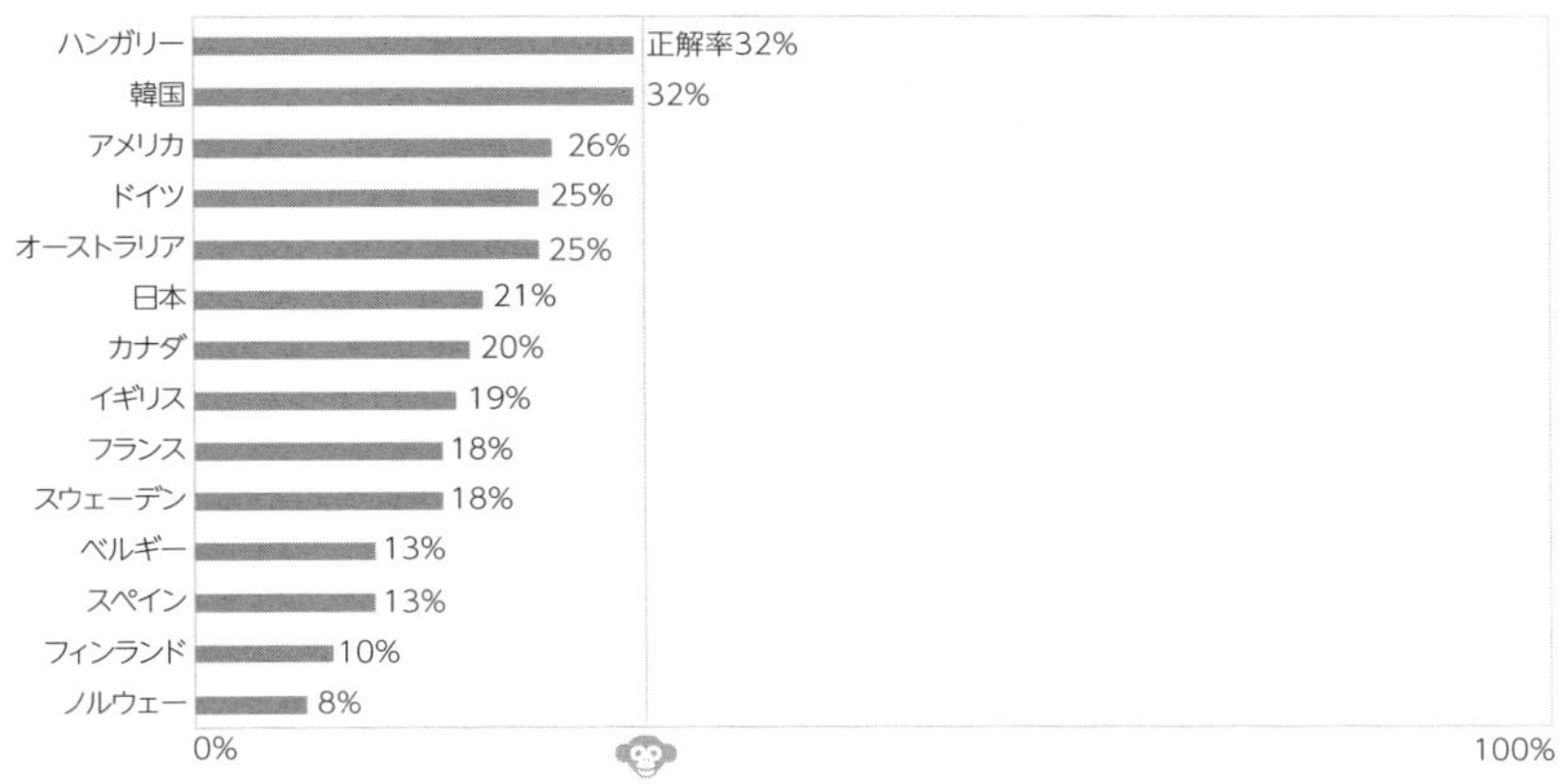

出典: Ipsos MORI[1]、Novus[1]

ここまでくればもう、いちばん前向きな答えを選んでおけば間違いないとみなさんもおわかりだろう。30歳女性は平均9年間の学校教育を受けている。男性より1年短いだけだ。

ヨーロッパ人の多くは、欧州文化はアフリカやアジア文化より優れていると勘違いしているし、アメリカの消費文化を見下して優越感に浸っている。でも、ドラマチックなことがいちばん好きなのは誰だろう？アメリカでは26%が正しい答えを選んだのに、スペインとベルギーでの正解率は13%、フィンランドでは10%、そしてノルウェーではわずか8%だった。

この質問は男女平等についての問いで、北欧のメディアでは毎日のように議論されている。世界のあちこちで女性が残酷な暴力を受けているニュースをしょっちゅう目にするし、たとえばアフガニスタンで学校に行けない少女が多いことも報道されている。こうしたイメージから、北欧以外の場所では男女平等が進まず、ほとんどの地域で文化は変わらないという思い込みがますます強まってしまうのだ。

岩はどう動く？

文化も国も宗教も人も、岩のように動かないものではない。いつも変わり続けている。

アフリカは世界に追いつける

アフリカはこれからも貧しいままだし、それがアフリカの宿命なのだという意見はよく聞く。だが、どうも感情だけでそう言っているように思う。事実に基づいて話をしたいなら、知っておくべきことをここで紹介しよう。

もちろん、アフリカ大陸全体を見れば、ほかの大陸より遅れている。現在アフリカで生まれる新生児の平均寿命は65歳だ。西洋と比べると17歳もの差がある。

だが、ご存じの通り平均は誤解を生みやすいし、アフリカの中でも途方もなく大きな違いがある。アフリカの国がすべて、世界に遅れているわけではない。たとえば、チュニジア、アルジェリア、モロッコ、リビア、エジプトに注目してみよう。どれも小国ではない。この5カ国の平均寿命は世界平均の72歳を上回っている。1970年のスウェーデンと同じだ。

アフリカがダメだと思い込んでいる人たちは、この例でも納得してくれないかもしれない。この5カ国はどれもアフリカ北部沿岸のアラブ系の国で、彼らの考える「アフリカ」ではないと言うかもしれない。わたしの若い頃には、誰が見てもこの5カ国はアフリカの一部だったのに。これらの国が例外とされるようになったのは、経済が発展したからだ。まあとりあえず、話を進めるために北アフリカの国は置いておくとして、サハラ砂漠より南の国を見てみよう。

サハラ以南のアフリカ諸国は、この60年のあいだに植民地から独立国家になった。その過程で、ヨーロッパ諸国がかつて奇跡の発展を遂げたのと同じ着実なスピードで、アフリカの国々も教育、電力、水道、衛生設備を拡充してきた。しかも、サハラ以南の50カ国はいずれも、スウェーデンより速いペースで乳幼児の死亡率を改善させた。これを驚くべき進歩と考えないなんて、おかしいじゃないか？

状況が以前よりはるかに良くなっていても、まだ悪いじゃないか、と思う人もいるかもしれない。もちろん、アフリカを見回せば、貧しい人はいる。

でも、90年前にはスウェーデンにも極度の貧困はあった。それに、わたしが若い頃、といってもほんの50年前は、中国、インド、韓国はいまのサハラ以南の国々よりずっと遅れていた。当時のアジアは、それこそいまのアフリカと同じ道を歩むだろうとみんなが思い込んでいた。「40億人を養っていくなんて、絶対にできやしない」と。

いま、アフリカではおよそ5億人が極度の貧困に苦しんでいる。もし永遠にこの状態が続くとしたら、世界中の数十億人の中でこの人たちだけが例外だということになる。同じアフリカの中でも極度の貧困から抜け出した人たちとも違うことになってしまう。でも、そんな特殊な要因があるとはわたしには思えない。

極度の貧困から抜け出すのが最後になってしまうのは、紛争地帯に近い場所や紛争地域に囲まれた、作物のほとんど育たない土地に縛られている貧しい農民だろう。いまのところ、そんな人が世界には2億人ほどいると言われ、その半分はアフリカに暮らしている。そんな人たちがこれからも厳しい人生を送るのは間違いない。でもそれは、変わらない文化のせいではなく、痩せた土地と紛争のせいだ。

それでもわたしは、そんな最も恵まれない人にも希望があると思っている。というのも、昔は極度の貧困も同じように手の打ちようがないものだと思われていたからだ。ひどい飢饉や紛争があった時代には、中国もバングラデシュもベトナムも、経済発展などありえないと思われていた。いまではあなたのタンスの中の洋服のほとんどはこれらの国でつくられている。35年前のインドは、いまのモザンビークと同じ状況だった。インドが成し遂げたように、モザンビークがこれから30年のあいだに変身を遂げ、レベル2の国となり、信頼できる貿易相手になることは十分に考えられる。モザンビークはインド洋の長く美しい海岸に面している。未来のグローバル貿易の中心地になってもおかしくない。モザンビークが栄えないほうがおかしいじゃないか?

もちろん、かならずそうなるとは言えない。誰も未来を確実に見通せるわけではないからだ。でも、可能主義者のわたしとしては、事実があれば納得できる。アフリカが西洋に追いつくことは可能だ。

「すべてはあらかじめ決まっている」という思い込み、つまり宿命本能のせいで、アフリカが西洋に追いつけるということを、人はなかなか受け入れられない。アフリカの進歩に気づいたとしても、「万にひとつの幸運が続いただけ」とか「どうせまたすぐに貧困や紛争に苦しむだろう」と思ってしまうのだ。

西洋の発展が当然このまま続くと思い込んでしまうのもまた、宿命本能のなせるわざだ。それに、いまの西洋の経済的な停滞が一時的なもので、またすぐに回復するだろうという思い込みもそうだ。2008年の世界金融危機のあと何年間も、国際通貨基金（IMF）はレベル4の国々の予想経済成長率を年率3%のままに据え置いていた。だが、5年連続でこの目標には届かなかった。そのたびに、IMFは「次の年は元に戻る」と言い続けた。戻りそうにないことに気づいたIMFはやっと、予想成長率を2％に引き下げた。一方で、アフリカのガーナ、ナイジェリア、エチオピア、ケニア、そしてアジアのバングラデシュといったレベル2の国が、5％を超える高成長を遂げていたことをIMFは認めたのだった。

なぜ西洋の発展が鈍り、レベル2の国が成長していると認めることが重要なのだろう？ ひとつには、IMFの経済予測が、退職年金の投資地域に大きく影響するからだ。投資家の資金がヨーロッパや北米に集まったのは、この地域が速く安定的に成長すると予想されたからだ。予想が外れて、実際には欧米諸国が成長しなければ、退職年金も増やせない。低リスク・高リターンのはずの国が、実は高リスク・低リターンだったわけだ。そのあいだ、莫大な成長力を秘めたアフリカ諸国に、投資家は見向きもしなかった。

もうひとつの理由は、昔ながらの「西洋」企業が、途方もないビジネスチャンスに乗り遅れつつあるからだ。アジアやアフリカでは、史上まれに見る中間所得層の拡大から、ものすごい事業機会が生まれている。地元企業はすでに足場を固め、知名度を高め、大陸中に事業を拡げつつある一方で、西洋の大企業はやっとこさ眠い目をこすって何が起きているかを見ようとしている。これからやって来るアジアやアフリカの市場拡大に比べれば、西洋の消費市場なんて予告編でしかない。

赤ちゃんと宗教

あれは1998年のことだった。わたしが公衆衛生の初回の講義を終えたあと、ほとんどの学生はコーヒーを飲みに行ったが、ひとりだけ教室に残っていた学生がいた。その女子学生はおそるおそる教室の前のほうに近寄ってきた。目に涙を浮かべている。わたしがそれに気づくと、彼女は足を止め、顔を背けて窓の外

女性ひとりあたりの子供の数(平均):1800年〜現在

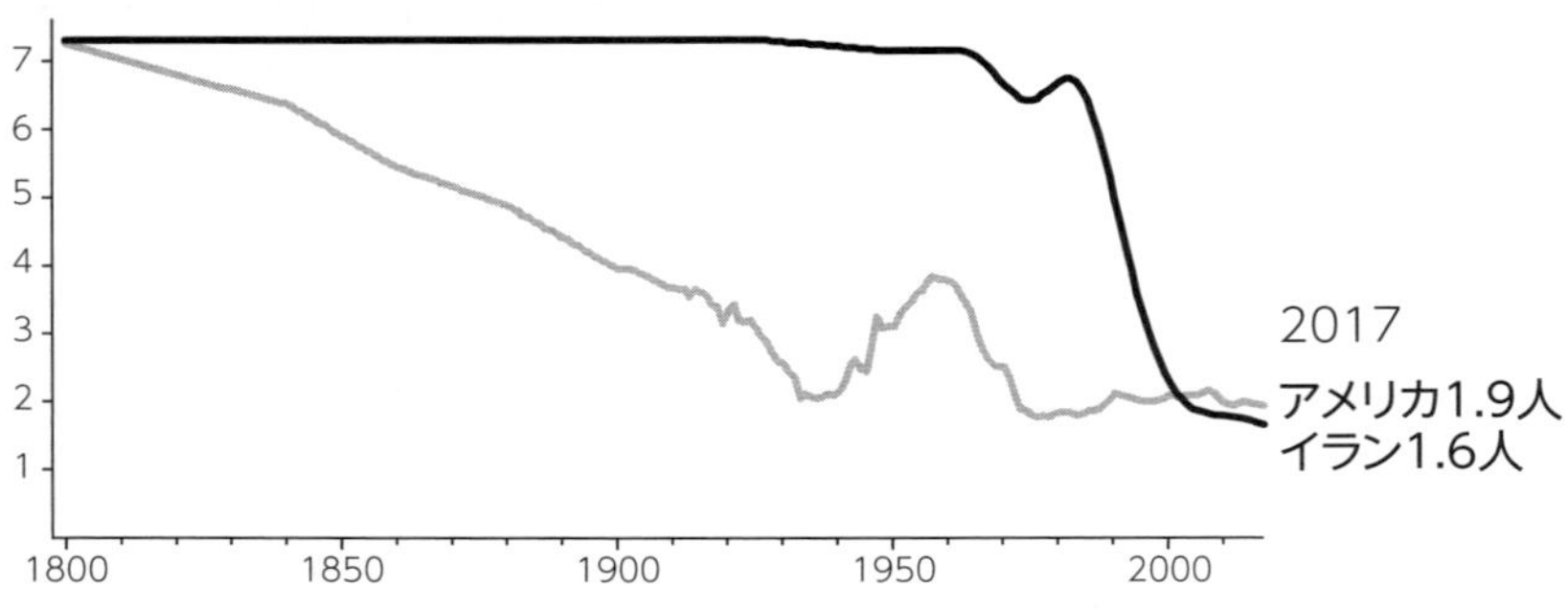

出典: Gapminder[7]、UN-Pop[3]

を見るふりをした。彼女は明らかに動揺していた。何か個人的な問題があって、この授業を受けられないとでも打ち明けるのかと思った。わたしがなぐさめの言葉を口にする前に、彼女はこちらに向き直って気持ちを立て直し、しっかりとした声でこう言った。それはわたしがまったく予想もしなかったことだった。

「わたしの家族はイラン出身です。先生はさっきイランで医療と教育が急速に進歩しているとおっしゃいましたよね。スウェーデンの人がイランについて前向きなことを言うのを、初めて聞きました」

その学生は完璧なスウェーデン語でそう言った。しかもはっきりとストックホルム訛りが聞き取れた。生まれも育ちもスウェーデンなのは明らかだ。わたしは言葉に詰まった。わたしがやったことと言えば、国連のデータを引っ張ってきて、イランで寿命が延びていることと女性ひとりあたりの子供の数が減っていることを簡単に示しただけなのに。もちろん、それがすばらしい成果だと言い添えた。実際、1984年に6人を超えていた女性ひとりあたりの子供の数は、わずか15年で3人を切るまでになっていた。それは、どんな国も果たせなかったほど急速な進歩だったのだ。

この事実は、1990年代に起きた中間所得層の急激な変化の例のひとつで、あまり知られていないことではあった。

「聞いたことがないってことはないんじゃない？」

「本当です。イランで女性ひとりあたりの子供の数が減っていることは、医療と教育がそれだけ進歩したからだって先生はおっしゃいましたよね。特に女性の医療と教育が改善したからだって。それに、ほとんどのイラン人の若者はいまどきの価値観で子供の数を計画しているし、きちんと避妊してるともおっしゃってました。スウェーデンでそんな話をしてくれる人はいませんでした。すごく教育レベルの高い人たちも、まったく変化に気づいてないみたい。イランがよくなっていることも、近代化されていることも知らないんです。イランがアフガニスタン並みだと思ってるんです」

何でも自由に報道できるはずの欧米メディアは、イランで女性ひとりあたりの子供の数が急激に減っていることをまったく報道してこなかった。1990年代、イランには世界最大のコンドーム工場があり、結婚前の花嫁と花婿の両方に性教育を義務化していた。国民の教育レベルは高く、進んだ公的医療制度が人々に開かれていた。カップルはきちんと避妊して子供の数を抑え、子供ができない場合には不妊治療も受けられた。少なくとも、1990年にわたしがテヘランの不妊治療クリニックを訪れたときはそうだった。わたしを呼んでくれたのは、イランの家族計画を設計し奇跡を起こしたマレク・アフザリ教授だった。

いまのイラン女性ひとりあたりの子供の数はアメリカやスウェーデンより少ない。そのことを、西洋の人はどれだけ知っているだろう？　西洋人は言論の自由が好きすぎて、それを許さない体制の進歩が見えないのだろうか？　自称「自由なメディア」が、世界で最も急激な文化的変化を報道していないことは、少なくとも確かなようだ。

避妊を禁ずる宗教は多い。だから信仰心の厚い女性は子供の数が多いと思い込んでしまうのは、わからなくはない。だが、宗教と女性ひとりあたりの子供の数には、それほど関連がない。むしろ、子供の数と強く関連するのは所得だ。

1960年には所得と子供の数の関連は表に出ていなかった。1960年時点で女性ひとりあたりの子供の数が平均3・5人未満だった国は40カ国で、日本を除けばあとは全部キリスト教徒が多数を占める国だった。キリスト教徒か日本人でなければ子供の数を減らせないように見えたのだ。当時だって、少し考えてみれば、この理屈がおかしいことはわかったはずだ。メキシコやエチオピアといった、キリスト教徒が多数を占める国々では、大家族があたりまえだったのだから。

では、いまはどうだろう? 次のバブルチャートでは、世界を宗教別に3つのグループに分けてみた。キリスト教、イスラム教、その他だ。それぞれのグループについて、女性ひとりあたりの子供の数と所得を示した。丸の大きさは人の数を表している。レベル1のキリスト教徒には子供が多い。では別の2つのグループを見てみよう。パターンは同じだ。どの宗教でも、レベル1の極度の貧困層では子供の数が多い。

いま、イスラム教徒の女性ひとりあたりの子供の数は平均で3・1人。キリスト教徒は2・7人だ。2大宗教の出生率に、大きな違いはない。

大陸や文化や宗教が違っても、カップルは寝室で同じことをささやき合っている。2人で将来こんな家庭をつくっていければ幸せだ、と。国が変わっても、それは変わらない。アメリカでも、イランでも、メキシコでも、マレーシアでも、ブラジルでも、イタリアでも、中国でも、インドネシアでも、インドでも、コロンビアでも、バングラデシュでも、南アフリカでも、リビアでも、人々の望みは同じなのだ。

所得が高いほど子供の数は少ない

すべての国を宗教別にグループ分けした。丸の大きさは人口を表している。データは2017年のもの。

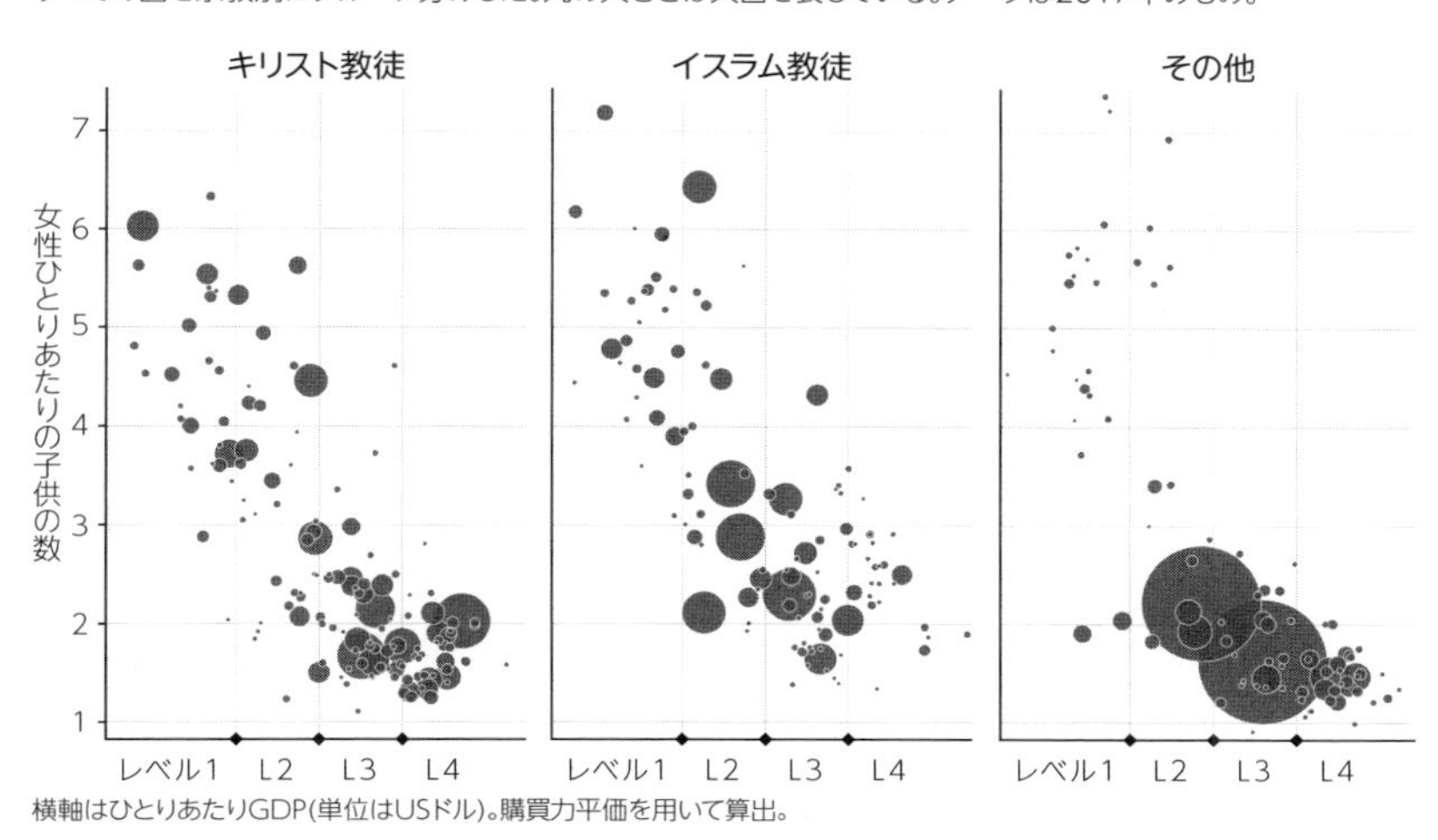

横軸はひとりあたりGDP(単位はUSドル)。購買力平価を用いて算出。

出典: Gapminder[53]、Pew[2,3]、UN-Pop[1,4]、USAID-DHS[2]

セックスはタブーじゃなくなった

あの宗教は大家族だとか、この宗教は子供が多いとか決めつける人がいる。それは、特定の価値観や振る舞いが文化に根差していて、変わらないし変えることができないという思い込みの一例だ。

そんな思い込みは間違っている。価値観なんていくらでも変わる。

わたしの素敵な祖国、スウェーデンを例にとってみよう。スウェーデン人は進歩的で、セックスや避妊について開けっぴろげだと思われている。でも、昔からそうだったわけではない。スウェーデン人の価値観は、以前は違っていた。

わたしが子供の頃、セックスをめぐるスウェーデン人の価値観は極めて保守的だった。スウェーデンがレベル1から脱皮しつつあった時代に生まれた父方の祖父グスタフは、当時の典型的なスウェーデン人男性だった。大家族に誇りを持ち、7人の子供を養っていた。オムツを替えることもなければ、料理も掃除も絶対にやらなかった。もちろん、セックスや避妊について話すなんてとんでもなかった。だが、長女（わたしの叔母）は勇敢なフェミニストで、1930年代に違法だったコンドームの利用促進活動を支援していた。7人目の子供が生まれたあと、叔母は祖父のもとに行き、避妊について話し合おうとしたが、いつもは穏やかでやさしい祖父がこのときだけは激怒して口を開かなかった。祖父は昔ながらの頑固オヤジだったのだ。でも、子供たちは違った。スウェーデンの文化は変わったのだ（ちなみに祖父は本も読まなかったし、電話も使おうとしなかった）。

いまのスウェーデンでは、みんなが中絶の権利を支持している。女性の権利を守ることは、スウェーデン文化の一部になった。わたしが学生だった1960年代はまったく違っていた。そのことをいまの学生に話すと、「えっ、まさか?」と驚かれる。当時のスウェーデンでは中絶は違法で、かなり特殊な条件が揃わない限り許されなかった。大学生は目立たないように募金を集めて、安全に中絶するため海外に出た。しかも、向かったのはなんとポーランドだった。そう言うと、いまの学生たちはみんなアッと驚く。カトリックの国じゃないか。5年後、ポーランドは中絶を禁止し、スウェーデンは中絶を合法化した。若い女性の向かう先が逆になった。何が言いたいかというと、昔からずっといまみたいじゃなかったってことだ。文化は変わる。

いまでもアジアを旅すると、祖父のグスタフのような頑固オヤジに出会う。たとえば、韓国や日本では妻が夫の両親を世話するのがあたりまえだし、子供の世話も1から10まで母親がするものとされている。そんな習慣を「アジア男児の流儀」だと言って、堂々と自慢する男性もたくさんいる。わたしは数多くのアジア人女性とも話してきたが、女性たちの感じ方は違っている。こんな文化がいやで、だから結婚したくないと言う人も多い。

「主人」はいらない

香港の金融カンファレンスで、夕食のときに頭の切れる若い投資銀行家ととなり合わせになった。仕事で大成功していた37歳の彼女は、アジアの抱える問題とトレンドについていろいろと教えてくれた。私生活の話になったので、「お子さんのご予定は?」と聞いてみた。ぶしつけだったかもしれない。でも（いまどきの）スウェーデン人はこの手の話題が好きなのだ。それに、彼女もわたしのぶしつけな質問を気にしていないようだった。彼女はにっこりしながら、わたしの肩越しに海に沈んでゆく夕日に目をやった。「毎日それればかり考えてます」。それから、わたしの目をまじまじと見つめてこう言った。「でもね、『主人』はいらないんです。わたしには耐えられない」

そんな女性たちには、社会はいずれ変わりますよと励ましている。このあいだ、バングラデシュのアジア女子大学で400人の若い女性に講義をしてきた。ここで学ぶ女性たちに、文化はかならず変わることを語った。極度の貧困から抜け出し、女性が教育を受けることで、夫婦の対話が進み子供の数が減るのだ、と。学生たちは心を動かされたようだった。色とりどりのヒジャブを被った若い女性たちが満面の笑みを浮かべていた。

講義が終わると、アフガニスタンから来ている学生たちが祖国について教えてくれた。さっきわたしが話したような変化が、アフガニスタンでも少しずつ起きているという。「戦争もあったし、まだ貧しいけれど、若い人たちはいまの時代に合った生活を送ろうとしています。アフガニスタンのムスリム女性だって、そうなんです。だから、先生がおっしゃったように、男性にもわたしたちの意見を聞いてほしいし、わたしたちと一緒に将来を計画してほしい。子供は2人にして、どちらにもきちんと教育を受けさせたいんです」

アジアやアフリカの国々で見かける「男らしさ信仰」は、アジアの価値観でもアフリカの価値観でもない。イスラム教の価値観でもない。東洋の価値観でもない。それは、たった60年前のスウェーデンであたりまえだった頑固オヤジの価値観だ。社会と経済が進歩すれば、そんな価値観は消えてなくなる。スウェーデンでもなくなった。変わらない文化などない。

宿命本能をどう抑えるか

わたしたちの脳に、岩が動くことをわからせるにはどうすればいいだろう? いまある状態が昔からそうだったわけではなく、これからもそうあり続けるわけではないと教えてあげるにはどうしたらいい?

ゆっくりとした変化でも、変わっていないわけではない

社会と文化は常に変わり続けている。小さくてゆっくりとした変化であっても、積み重なれば大きくなる。毎年1%の成長では遅いと思えても、70年続けば倍になる。2%なら35年で倍だ。3%ずつ成長すれば、倍になるのに24年しかかからない。

紀元前3世紀に世界で初めて自然保護区域をつくったのは、スリランカのデーワー・ナンピアティッサ王だった。ヨーロッパで同じような考えが生まれたのは2000年も後で、イギリスのウェスト・ヨークシャーが初めてだった。アメリカでイエローストーン国立公園ができたのは、その50年後だ。1900年までに、地球上の0・03%の土地が保護された。1930年にはそれが0・2%になった。本当に少しずつ、10年単位で森林がひとつ、またひとつと保護され、保護区域の面積は増えていった。1年単位の増え方は微々たるもので、数字に表せないほどだ。でもいまでは地表の15%が保護区域になり、その面積は増え続けている。

宿命本能を抑えるには、ゆっくりとした変化でも、変わっていないわけではないことを肝に銘じるといい。1年間の変化率に惑わされてはいけない。たとえ1%だとしても、前に進んでいることには変わりない。小さくゆっくりした変化でも、変わっていないわけではないのだ。

積極的に知識をアップデートする

知識に賞味期限はないと思えば、安心できる。一度学んだことはいつまでも使えるし、学び直す必要もないと考えれば、気が休まる。たしかに数学や物理といった自然科学でも、芸術でも、ほとんどの場合はそうだ。こうした科目なら、学校で教わったことの多くは、おそらくいまでも使える。2足す2はいまでも4だ。しかし、社会科学では基礎の基礎になる知識でさえすぐに賞味期限が切れる。牛乳や野菜と同じで、いつも新鮮なものを手に入れたほうがいい。何事も変わり続けるからだ。

わたし自身、自分の研究の賞味期限を突き付けられることがある。わたしが例のチンパンジークイズを初めて行ったのは1998年だったが、同じクイズを13年後にもういちどやってみることにした。人々の知識が増えているかを見たかったのだ。クイズでは、2つの国をひと組にして5つの組をつくり、各組でどちらの国が5歳未満の子供の死亡率が高いかを答えてもらった。1998年にはスウェーデン人学生は正解できなかった。ヨーロッパよりアジアのほうが進んでいるなんて、思いもよらなかったのだ。

もういちどクイズを引っ張り出してみると、たった13年しか経っていないのに同じ質問はできないことがわかった。正解が変わっていたのだ。ほんの短いあいだに、世界は変わっていた。知識はあっという間に古くなる。わたしたちがつくったクイズでさえも、いずれ使えなくなってしまうのだ。

宿命本能を抑えるためには、最新のデータを積極的に取り入れて、知識をいつも新鮮に保つよう心がけないといけない。

おじいちゃんやおばあちゃんに話を聞く

価値観なんて変わらないと言いたくなったら、親や祖父母の価値観と自分の価値観を比べてみるといい。子供や孫と比べてもいい。30年前の世論調査を見てみるのもいい。ものすごい変化が起きたことに気づくだろう。

文化が変わった事例を集める

よく、「それがここの文化だから」とか、「ああ、あっちはそんな文化だから」なんてあたりまえのように言う人がいる。昔からそうだったしこれからもずっと変わらないと言いたいわけだ。だったら、文化が変わった例を探すといい。スウェーデン人が昔からセックスについて開けっぴろげだったわけではないことは、もう話した。ほかにも例はある。

スウェーデン人はアメリカがとても保守的だと思っている。でも、アメリカでは同性愛への見方があっという間に変わった。1996年には同性婚を支持するアメリカ人は全体の27%しかいなかった。それがいまでは72%になり、同性婚を支持する人は増え続けている。

スウェーデンを社会主義の国だと思っているアメリカ人もいる。だが社会は変わるものだ。たとえば数十年前、スウェーデンの公立学校制度への規制は骨抜きにされ、いまでは私立学校が競い合い利益を出すことが認められている（スウェーデンにとっては大胆な資本主義の実験なのだ）。

あなた、ビジョンがないわね

この章の初めに、身なりはいいが世界を知らない男性の話をした。アフリカの可能性を見通す目のなかった、あの男性だ。締めくくりにもまた、同じような話をしたい（ネタばれ：**今回の**世界を知らない男はわたしだ）。

2013年5月12日、アフリカ連合が主催した「アフリカの再生と2063年の目標」という会議で、アフリカ中から集まった500人の女性リーダーを前に講演する機会をもらった。なんて光栄なことだろう！心が躍った。一生に一度のチャンスだ。こうしてわたしは、エチオピアの首都、アジスアベバにあるアフリカ連合の美しい本部の大講堂で30分の講演を行った。女性の小規模農業についての数十年分の研究をまとめ、アフリカから極度の貧困がなくなるのにあと20年もかからないだろうと力説した。

アフリカ連合委員会のノーサザーナ・ドラミニ・ズマ委員長が、わたしの目の前にでんと座ってじっくりと講演を聞いていた。講演のあとでズマ委員長がわたしのところに来て礼を言ったので、感想を聞いてみた。その返事に、わたしはショックを受けた。

「そうね、図とか表はよくできてましたし、話もお上手だったけど、ビジョンがないわね」。穏やかな口調でそう言うので、なおさら辛辣に聞こえた。

「えぇっ?! ビジョンがない?」ショックでむっとしてしまった。「でも、20年もせずにアフリカから極度の貧困がなくなるって言ったじゃありませんか」

ズマ委員長は低い声で、感情もジェスチャーも交えずにあっさりと答えた。「ああ、そうね。極度の貧困がなくなるって話ね。そこが始まりなのに、先生の話はそこで終わってましたね。極度の貧困がなくなればアフリカ人は満足だと思ってらっしゃる? 普通に貧しいくらいがちょうどいいとでも?」彼女はわたしの腕にしっかりと手を置いて、わたしを見つめた。怒りはなく、かといって笑みもない表情で。わたしに足りないものをわからせようという強い意思が、その顔に表れていた。「講演の結びで、先生はご自分のお孫さんがアフリカに観光に来て、これから建設予定の新幹線に乗る日を夢見てるっておっしゃいましたよね。そんなのがビジョンだなんて言えます? 古臭いヨーロッパ人の考えそうなことですよ」。彼女はわたしの目をまっすぐに見た。

「じゃあ、わたしの夢を言ってさしあげましょうか? それは、**わたしの孫が**ヨーロッパに観光に行って、**そちらの**新幹線に乗ることですよ。スウェーデンの北に氷のホテルがあるって言うじゃありませんか。うちの孫がそこに泊まるようになるんですよ。だいぶ先のことですけど、きっとそうなります。もちろん、賢い判断も大きな投資も必要ですよ。でも50年もすればアフリカの人たちは観光客としてヨーロッパに歓迎される存在になります。難民として嫌がられるんじゃなくてね。それがビジョンというものよ」。一気にそう言い切ると、彼女の顔がパッと輝いて暖かい笑みが浮かんだ。「でもね、図とか表がよかったってのは本当よ。さあ、コーヒーでも飲みにいきましょう」

コーヒーを飲みながら、自分の失敗を振り返った。そこで思い出したのが、わたしが初めて仲良くなったアフリカ人と交わした33年前の会話だ。友人の名はニヘレワ・マセリナ。モザンビーク出身の鉱山技師だ。ニヘレワがわたしを見つめた表情は、ズマ委員長と同じだった。

モザンビークのナカラで医師として働いていたわたしは、ニヘレワを誘って家族で海に遊びに行った。モザンビークの海岸はありえないほど美しく、まだ観光地にもなっていなかったので、週末でも美しい海を独り占めできた。何キロも続く長い砂浜に、15組か20組くらいの家族がいるのを見て、わたしはついこう口走ってしまった。「あーあ、ついてない。今日は家族連れが多いな」。ニヘレワはわたしの腕にしっかりと手を置いた。あのときのズマ委員長と同じだった。そしてこう言ったのだ。「ハンス、僕は逆のことを思ったよ。この海岸を見て心が痛んだし悲しくなった。僕たちが住んでる都会を考えてみてくれ。8万人があそこにいる。子供は4万人。今日は週末だろ？　海に来られたのはたった40人。ってことは1000人にひとりだ。東ドイツで鉱山採掘の勉強をしているとき、週末にロストックの海に行ったら人でいっぱいだった。何千人って子供たちが楽しそうに遊んでたよ。ここもロストックみたいになってほしい。子供たちがみんな日曜に海に遊びに来られるようになればいいな。畑で働いたりスラムでじっとしてたりするんじゃなくてね。時間はかかると思うけど、そうなってほしいんだ」。そう言うと、わたしの腕に置いた手を離して、子供たちの浮き輪を車から出す手伝いをしてくれた。

あれから33年が経った。わたしは長年、アフリカの学者や研究所と一緒に研究を進め、やっとアフリカ連合での講演の機会を得た。この憧れの舞台で、間違いなく最高のビジョンを語ったつもりになっていた。ヨーロッパ人の中でわたしほどアフリカの可能性が見えている人間はいないと悦に入っていたのだ。夢にまで見た晴れ舞台でここいちばんの講演をしたつもりが、自分が相も変わらず上から目線の考え方にとらわれていたことに気づかされた。これまでアフリカの友人や仲間たちからたくさんのことを教わってきたはずなのに、「あの人たち」が「わたしたち」に追いつける日がくるとは、まだ心から思えていなかったのだ。すべての人が、家族が、子供たちが、海に遊びに行けるような未来が、わたしには見えていなかった。

ファクトフルネス

ファクトフルネスとは……いろいろなもの（人も、国も、宗教も、文化も）が変わらないように見えるのは、変化がゆっくりと少しずつ起きているからだと気づくこと。そして、小さなゆっくりとした変化が積み重なれば大きな変化になると覚えておくこと。

宿命本能を抑えるには、**ゆっくりとした変化でも、変わっているということを意識するといい。**

●**小さな進歩を追いかけよう。**毎年少しずつ変化していれば、数十年で大きな変化が生まれる。

●**知識をアップデートしよう。**賞味期限がすぐに切れる知識もある。テクノロジー、国、社会、文化、宗教は刻々と変わり続けている。

●**おじいさんやおばあさんに話を聞こう。**価値観がどれほど変わるかを改めて確認したかったら、自分のおじいさんやおばあさんの価値観がいまの自分たちとどんなに違っているかを考えるといい。

●**文化が変わった例を集めよう。**いまの文化は昔から変わらないし、これからも同じだと言われたら、逆の事例をあげてみよう。

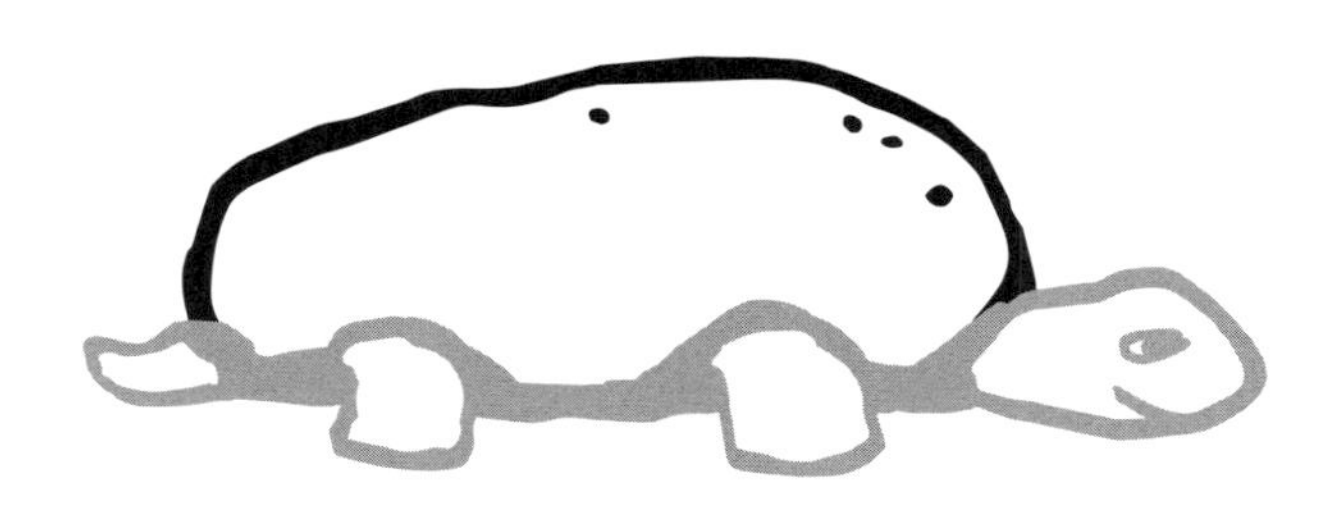

第 8 章

「世界はひとつの切り口で理解できる」

という思い込み

単純化本能

トンカチでくぎを打つように、政策を繰り出してはいけない。
靴とレンガは数字よりあてになる。

誰を信じたらいい？

メディアの言うことを信じて世界の姿を決めつけるなんて、わたしの足の写真を見ただけで、わたしのすべてを理解した気になるようなものだ。もちろん足だってわたしの一部には違いないけれど、自慢できるようなものじゃない。わたしにはもっといいところがある。腕は人並みだけど、ちゃんと動く。顔はまあまあ。足の写真が特にわたしらしくないわけではない。でも、それでわたしのすべてがわかるわけではない。

メディアに頼れないとしたら、どこから情報を手に入れたらいいのだろう？ 誰を信じたらいい？ 専門家はどうだろう？ 狭い分野の研究に人生を捧げている人なら信じられる？ いや、そうとも限らない。

単純化本能

シンプルなものの見方に、わたしたちは惹かれる。賢い考えがパッとひらめくと興奮するし、わかった！理解できた！ と感じられるとうれしい。パッとひらめいたシンプルな解が、ほかのたくさんのことにもピタリと当てはまると思い込んでしまうのは、よくあることだ。すると、世界がシンプルに見えてくる。すべての問題はひとつの原因から生まれているに違いない。だから、なにがなんでもその元凶を取り除かなければならないと思ってしまう。すべての問題がひとつのやり方で解決できると思い込むこともある。すると、異論は許されない。そう考えれば、なにもかもシンプルになる。

でもここに、ひとつちょっとした問題がある。それでは世界をとんでもなく誤解してしまうということだ。そんなふうに、世の中のさまざまな問題にひとつの原因とひとつの解答を当てはめてしまう傾向を、わたしは「単純化本能」と呼んでいる。

たとえば、「自由市場」と言えばシンプルで美しい概念に思えるけれど、それだけを信じ込めば、世界をひとつの切り口でしか見られなくなってしまう。すべての問題の元凶は政府の介入にある、と考えてしまうのだ。だから、政府の介入にはなにがなんでも反対したくなるし、市場の力を自由に発揮させれば万事うまくいくと思ってしまう。減税も規制緩和もかならず支持しなければならない、と決めつけることになる。

それと同じように、「平等」というシンプルで美しい概念もまた、「格差」があらゆる問題の元凶だという、単純すぎる考え方につながる。すると、どんな場合にも格差はよくないし、資源の再配分によってなんでも解決できると思い込んでしまう。だからなにがなんでも再配分に賛成したくなる。

そんなふうに世界をただひとつの切り口で見れば、あれこれ悩まずにすむし、時間の節約になる。問題の本質をいちから学ばなくてもはなから答えは出ているし、その分ほかのことに頭を使える。でも、世界を本当に理解しようと思ったら、このやり方は役に立たない。ただひとつの解にやみくもに賛成したり、どんなときでもかならず反対したりしていると、自分の見方に合わない情報から目を背けることになる。それでは現実を理解できない。

むしろ、自分が肩入れしている考え方の弱みをいつも探したほうがいい。これは自分の専門分野でも当てはまる。自分の意見に合わない新しい情報や、専門以外の情報を進んで仕入れよう。自分に賛成してくれる人ばかりと話したり、自分の考えを裏付ける例を集めたりするより、意見が合わない人や反対してくれる人に会い、自分と違う考えを取り入れよう。それが世界を理解するすばらしいヒントになる。

わたしも何度となく世界について誤解してきた。現実を知ることで自分の間違いに気づくこともたまにはある。でも、たいていは意見の違う人と話し、理解しようとするうちに自分の間違いに気づくほうが多い。

そんなにいろいろな意見を聞きまわってるほどヒマじゃないって？　だったら、間違った意見をたくさん溜め込むのをやめて、少しでいいから正しい意見を集めよう。

世界をひとつだけの切り口で見てしまうのには、大きく2つの理由があると思う。ひとつは、みなさんもおわかりのように政治思想だ。これについては、あとで話すことにしよう。もうひとつは専門知識だ。

その道のプロ——専門家と活動家

わたしは「その道のプロ」を心から尊敬している。専門家の知識に頼らなければ世界を理解できないし、みんなが専門家に話を聞くべきだと思っている。たとえば、人口調査のプロは例外なく、世界人口が１００億人から１２０億人のあいだで天井を打つと言っている。わたしはそのデータを信頼している。歴史家と先史人口学者と考古学者が口を揃えて、１８００年まで女性ひとりあたりの子供の数は平均5人以上で、そのうち2人しか生き延びられなかったと言えば、そのデータも信じる。経済成長の要因について、経済学者の中でも意見が食い違っていたら、ここは注意したほうがいいとわかる。役に立つデータが十分に揃っていないか、単純な説明がつかないのだろうと考えられるからだ。

とはいえ、その道のプロにも限界はある。まずあたりまえだが、その道のプロは自分の専門分野以外のことについてはプロではない。本物のプロでも自称プロでも、なかなかそう自覚できないものだ。誰でも自分を物知りだと思いたいし、人から頼りにされたい。何かに飛びぬけて優れていれば、「だいたいのことは普通の人よりできるだろう」と考えてしまう。その気持ちはわかる。

だけど……

ものすごく数字に強い人たち（科学好きの集まる「アメージング・ミーティング」に参加した超頭のいい人たち）でも、わたしのクイズには普通の人並みに間違っていた。教育レベルの高い（世界有数の科学専門誌「ネイチャー」を講読しているような）人でも、普通の人並みか、普通の人より間違いが多い。

ひとつの分野を深く極めた専門家たちもまた、みんなと同じようにクイズに間違っている。リンダウ・ノーベル賞受賞者会議というノーベル賞受賞者と研究者との交流の場が、ドイツのリンダウ島で毎年開かれている。わたしは2014年にこの会議に招かれて、大勢の若手研究者やノーベル物理学賞と医学賞受賞者を前に講演することになった。参加者はそれぞれの分野で名の知れた学者ばかりだったが、子供の予防接種についてのクイズは、それまでで最悪の正解率だった。正解したのはわずか8%。この結果を見てからは、頭のいい専門家でも自分の研究領域から一歩外に出ると何も知らないのだと心するようになった。

頭がいいからと言って、世界の事実を知っているわけではない。数字に強くても、教育レベルが高くても、たとえノーベル賞受賞者でも、例外ではない。その道のプロは、その道のことしか知らない。

それに、「プロ」とは言っても、自分の専門領域のことさえ知らない人もいる。活動家の多くはその道のプロを自称する。わたしはこれまでにありとあらゆる活動家の会合で講演してきた。世界をよくするには、正しい知識を備えた活動家の存在が欠かせないと思っているからだ。たとえば、わたしは女性の権利を熱烈に支援している。このあいだ、女性の権利についての会議に招かれて講演した。ストックホルムで行われたこの会議には、292人の勇敢な若いフェミニストが世界中から集まった。みな、女性がもっといい教育を受けられるようにと考える人たちばかりだ。それなのに、世界の30歳女性が受けている学校教育の期間は、同じ歳の男性より1年短いだけだと知っていたのは、わずか8%だった。

女子の教育がいまのままでいいなどと言うつもりはまったくない。レベル1の国、特にいくつかの国では、小学校に通えない女の子は多いし、中等教育と高等教育になると女子には手が届かない。とはいえ、60億人が生活するレベル2と3と4の国では、女子の就学率は男子並みか、男子より高い。すごいじゃないか！女性の教育を支援する活動家ならこのことを知っておくべきだし、盛大に喜んでいいはずだ。

そんな例はほかにもたくさんある。女性の権利を支援する活動家だけの話じゃない。わたしがこれまでに出会った活動家はほとんどみんな、自分が力を注いできた社会問題を、実際より大げさに語っていた。わざとやっている人もいるかもしれないが、おそらくほとんどは自分でも気づかずに大げさに語っているのだろう。

質問11　1996年には、トラとジャイアントパンダとクロサイはいずれも絶滅危惧種として指定されていました。この3つのうち、当時よりも絶滅の危機に瀕している動物はいくつでしょう？

A　2つ
B　ひとつ
C　ゼロ

質問11の正解率

1996年には、トラとジャイアントパンダとクロサイはいずれも絶滅危惧種として指定されていました。
この3つのうち、当時よりも絶滅の危機に瀕している動物はいくつでしょう？(答え: ゼロ)

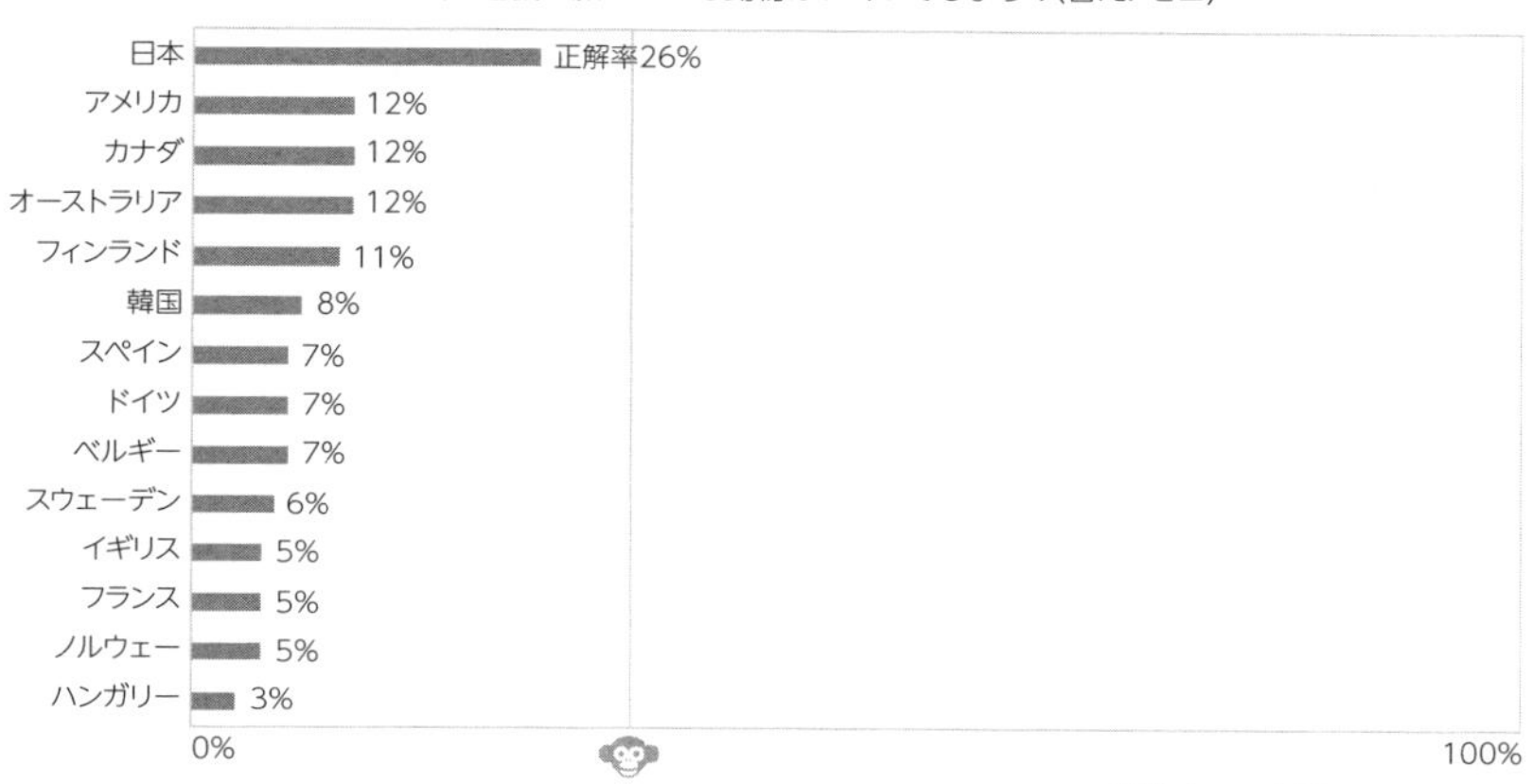

出典: Ipsos MORI[1]、Novus[1]

人間は地球上のいたるところで天然資源を荒らしてきた。自然は破壊され、多くの動物が絶滅の危機に追いやられた。そのことは間違いない。しかし、絶滅しそうな生き物とその生息環境を必死に守ろうとする活動家もまた、さっき話した女性教育の活動家と同じ間違いを犯しがちだ。人々に自分たちの主張を訴えようとするあまり、進歩に目が行かなくなってしまうのだ。

深刻な問題こそ、正確なデータをもとに議論すべきだ。世界中のすべての絶滅危惧種が載ったレッドリストを見るといい。世界中の優れた研究者が力を合わせてさまざまな野生動物の数を記録し、トレンドを観測して、このリストを更新している。レッドリストと世界自然保護基金のデータを見れば、一部の地域や分類によっては数が減っているケースもあるが、野生のトラとジャイアントパンダとクロサイの数はいずれもこの数年で増えている。

ストックホルムの人たちは寄付をして買ったパンダ保護のシールを家のドアに貼っている。それはいいことだと思う。でも、自分たちの支援に効果があったことを知っているスウェーデン人は6%しかいない。

人権も、動物保護も、女性の教育も、環境への認識も、災害救助も、そのほかの多くの分野も進歩してきた。どの分野でも、状況が悪化していると活動家が訴えてきたからこそ、人々の意識が高まった。だから、こうした進歩は活動家のおかげでもある。それでも、もし活動家がひとつの見方に固執せず、進歩を認めて、手を差し伸べてくる人たちと積極的にわかり合おうとしていたならば、はるかに多くのことが成し遂げられていたかもしれない。いまだに問題は山積みだと言われるより、前に進んでいると聞くほうが元気が出る。ユニセフ、セーブ・ザ・チルドレン、アムネスティ、人権と環境保護団体は、そんな協力のチャンスをみすみす逃している。

トンカチとくぎ

「子供にトンカチを持たせると、なんでもくぎに見える」ということわざがある。

貴重な専門知識を持っていたら、それを使いたくなるのはあたりまえだ。努力して身につけた知識やスキルを専門分野以外のことにも使いたいと考える専門家もいる。たとえば、数学の専門家は数字にこだわってしまうことがある。気候変動の活動家は太陽光発電に関することなら何にでも口を出したがる。医師は、予防に力を注いだほうがいい場合にも治療を勧めてしまうことがある。

専門知識が邪魔をすると、実際に効果のある解決法が見えなくなる。その知識が問題解決の一部に役立つことはあっても、すべての問題が彼らの専門知識で解決できるわけはない。さまざまな角度から世界を見たほうがいい。

＊数字だけがすべてではない

わたしは数字が好きだが、数字に取りつかれているわけではない。データは超がつくほど大好物だけど、それだけを頼りにしているわけでもない。数字の裏にある現実、たとえば人々の生活を見せてくれるデータなら喜んで取り入れるというだけだ。仮説を検証するためにデータは必要だが、仮説をどこからひらめくかというと、人と話したり、話を聞いたり、観察したりすることからだ。世界を理解するのに数字は欠かせないけれど、数字いじりだけで引き出された結論は疑ってかかったほうがいい。

1994年から2004年までモザンビークの首相を務めたパスコアル・モクンビは、2002年にストックホルムを訪れ、モザンビークが急激な経済発展を遂げているとわたしに教えてくれた。どうしてそう断言できるのですかと尋ねてみた。モザンビークの経済統計はあまりあてにならなかったからだ。ひとりあたりのGDPがわかるんだろうか？

「もちろん、数字は見ているよ」と首相は言う。「でも、数字が間違っていることもある。だから毎年メイデーのお祭りをしっかり観察することにしたのさ。モザンビーク最大のお祭りだからね。市民の足元を見て、どんな靴を履いているかを観察するんだ。お祭りの日には、みんなめかし込んで出かける。友達の靴を借りたりできない。友達もおしゃれして祭りに繰り出すからね。だからいつもじっと足元を見てるんだ。裸足か、ボロ靴か、それともいい靴を履いているか。それで前の年と比べてみる」

「国中を回るときにも、建築現場を見る。新しい土台に雑草が生えていたら、よくないしるしだ。どんどんレンガが積み上がっていたら、カネを投資に回す余裕があるとわかる。日々の暮らしに使う以上のカネがあるってことだ」

賢い首相は数字も見るけれど、それ以外のことも観察している。人類の進歩の中でもいちばん価値のある大切なものは、もちろん数字だけでは測れない。病に苦しむ人の数は推測できる。暮らしがどれほど豊かになっているかも、数字で測ることができる。だが、経済発展の最終的な目的は個人の自由だし、それはなかなか数字で表せない。人類の進歩を数字で表すという考え方そのものが変だと感じる人も多い。わたしもそう思う。この世の人生のすべての機微を数字に表すことなんて絶対にできない。

数字がなければ、世界は理解できない。でも、数字だけでは世界はわからない。

＊医療でなにもかも解決できるわけではない

医療の専門家の中には、医療についてひとつの凝り固まった見方しかできない人や、特定の治療法にこだわる人がいる。

1950年代にデンマーク人医師のハルフダン・マーラーは、世界保健機構に結核の根絶法を指南した。それは単純なアイデアだった。まず、レントゲン機を備え付けたバスでインドの農村を回る。国民全員を検査して、すべての結核患者に治療を受けさせる。インド全土で結核を一網打尽にすればいい！　だが、この計画は大失敗に終わる。村人を怒らせてしまったからだ。さまざまな病気を抱えて、いますぐに助けが必要な村人たちのところに、待ち望んだ医師と看護師を乗せたバスがやってきた。それなのに、医師たちは骨折を治療してくれるわけでも、下痢で死にそうな人に水分を補給するわけでも、出産を助けるわけでもなく、聞いたこともない病気の検査のためにレントゲンを撮ろうとした。

ひとつの病気に絞って手っ取り早く根絶しようとした試みは大失敗に終わったが、そこから学んだことがあった。ひとつの病気に的を絞るより、地域の中で総合的な医療を提供し、それを改善していくほうが得策だとわかったのだ。

医療業界の一翼を担う大手製薬会社の利益はこのところ減り続けている。ほとんどの製薬会社は、寿命を延ばすような革命的な新薬の開発ばかりに目が行っている。「これからの成功の鍵を握るのは、新薬ではなく新しいビジネスモデルです。ビジネスモデルの転換ができれば、世界全体の寿命が延び、みなさんの懐も豊かになりますよ」と、わたしはいつも製薬会社に呼びかけている。大手製薬会社はレベル2と3の国にうまく参入できていない。そこは何億人という患者が待つ、巨大な市場だ。インドのケーララ州の私立病院にいた糖尿病患者も、既存の薬を必要としていたが、もっと安くならないと買えないと言っていた。製薬会社が国や患者によって値段をうまく変えることができたら、開発済みの薬で大儲けができるはずなのだ。

妊婦の死亡率に詳しい専門家の中でも、トンカチとくぎのことわざを理解している人には、貧しい母親の命を救うには何がいちばん有効かが見えている。それは看護師を訓練して帝王切開をすることでもなければ、出血多量や感染症に対応することでもない。妊婦の命を救うには、地元の病院への交通手段を整備することがいちばんだ。病院があっても妊婦がそこにたどり着けなければ、何の役にも立たない。救急車もなく、救急車が通れる道路もなければ意味がない。それと同じで、いい教育に必要なのは、教科書をたくさん与えることでも教師を増やすことでもない。学びにいちばん大きく影響するのは、電気だ。電気があれば、日が暮れたあとに宿題ができる。

産婦人科医が触れなかったこと

貧困地域で性病のデータを集めている産婦人科医と話したときのことだ。みんなプロなので、患者の身体のあちこちに触ることも平気だし、性行為についてあれこれと聞くことにも慣れている。わたしが知りたかったのは、特定の所得層に多い性感染症があるのかということだった。そこで、問診票に所得についての質問を入れてもらえませんかと頼んだ。すると、医師たちはわたしを見てこう言った。「えぇっ? 収入なんて聞けませんよ。そんなプライベートなこと」。性病のプロたちが手を触れようとしなかったのは、患者の財布だった。

その数年後、世界銀行で所得調査を統括しているチームに会ったとき、調査票に性行為についての質問を入れてくれませんかと聞いてみた。その時もまだ、所得と性行為のあいだに何か関連があるのかを知りたかったのだ。またもや同じ反応が返ってきた。「収入についてなら、犯罪に近いことだって聞き出せる。でも、セックスの質問なんて絶対に無理」と言う。

どこに線を引くかは人それぞれで、不思議なものだ。その線の中では自分の振る舞いがもっともらしく見えてしまうというのも、面白い。

政治思想

大きな志は人々をひとつに結びつけ、理想の社会を築こうという気にさせてくれる。政治思想のおかげで、わたしたちは自由な民主主義を手に入れたし、公的な健康保険を受けられるようにもなった。

でも、その道のプロや活動家と同じように、特定の政治思想に凝り固まると、ひとつの考え方や解決策にとらわれて、かえって社会に害を与えてしまう。

自由市場や平等といった、ひとつの考え方だけに凝り固まって、効果を測定せず、効き目のある手を打つこともしなくなると、バカバカしい結末が訪れる。キューバやアメリカの現実を見ればわかるだろう。

キューバ――貧乏人の中でいちばん健康

わたしは1993年にしばらくキューバで仕事をした。4万人がかかった死にいたる病を調査していたのだ。フィデル・カストロ大統領にも何度か会ったし、厚生省には知識も能力もある熱心な人たちが数多くいた。彼らは自由のきかないシステムの中で最善を尽くしていた。わたしは昔からキューバにとても興味があった。でも、共産主義国（モザンビーク）に暮らした経験があったので、キューバが理想郷でないことはわかっていたし、滞在中も幻想を抱いたりはしなかった。

キューバでは次から次にアホかと思うようなことに遭遇した。暗闇で光る密造酒をつくるのに、テレビのブラウン管に水と砂糖を入れ、発酵には赤ちゃんのうんちを菌がわりに使って醸造する。すると有害物質の混ざったアルコールのできあがりだ。ホテルはそもそも宿泊客を想定していないので、食べ物がない。わたしたちは、お年寄りの家まで行って配給の食べ残しをもらった。お年寄りならひとり分の配給を全部食べ切れないと思ったからだ。キューバ人の同僚は、マイアミに住むいとこにクリスマスカードを送ったら、子供たちが大学に行けなくなると言っていた。

わたしはフィデル・カストロから直接許可をもらわなければ、自分の調査方法を許してもらえなかった。ほかにもとっておきの話があるが、それは秘密。ここでは、わたしがキューバに行った理由とそこで発見したことだけをお話ししよう。

1991年のおわりに、ピナール・デル・リオのタバコ畑の農民たちが色盲になり、手足の感覚を失った。キューバの感染症研究者がこの神経症状を調査したが原因がわからず、外部の助けを求めることにした。ソ連がちょうど崩壊した頃で、ソ連から助けてもらうことはできなかったので、貧しい農民に広がる神経系の病気を研究した論文をあたったところ、わたしに行きついたのだ。キューバ政治局のコンチータ・ウエルゴが空港でわたしを出迎えてくれた。初日にフィデル・カストロが武装した警官と共にやってきて、品定めするように、わたしの周りを回りながらじろじろと見つめた。セメントむき出しの床に、彼の黒いスニーカーの足音がコツコツと響いた。

調査は3カ月にわたった。貧しい農民たちの病気の原因は、(噂と違って)闇市の食べ物に混じった有害物質でもなければ、細菌による代謝異常でもなかった。グローバル経済が引き起こした単純な栄養不足が原因だったのだ。それまではずっと、ソ連の船がイモを積んでキューバにやってきては、キューバ産の砂糖と葉巻を積んで帰っていた。だが、そのソ連船が、やってこなくなったのだ。すべての食べ物が配給制になり、厳しく管理されるようになった。人々は少しでも栄養のあるものを子供たちや妊婦や老人に食べさせて、大人たちは米と砂糖だけでがまんした。この調査結果を伝えるときには、かなり気を遣った。というのも、政府の計画がお粗末だったから国民に十分な食べ物が行きわたっていないと言うようなものだからだ。計画経済は失敗に終わったのだ。彼らはわたしに礼を言い、わたしは家に送り返された。

1年後、また首都ハバナに呼ばれて厚生省で講演することになった。トピックは「グローバルな視点から見たキューバの健康」だ。この時までにキューバ政府はベネズエラ政府の助けを得て、国民に十分な食べ物を配れるようになっていた。

そこで、わたしがつくった健康と富のバブルチャートの中で、キューバが特殊な位置にいることを示して見せた。所得はアメリカの4分の1なのに、子供の生存率はアメリカと同じくらい高かったのだ。わたしが話し終えるとすぐに厚生大臣が壇上に飛び乗って、鼻高々にこうまとめ上げた。「キューバ人は貧乏人の中でいちばん健康だ！」。大きな拍手が起こり、それが講演の締めくくりになった。

でも、みんなが大臣と同じ感想を持ったわけではなかった。飲み物を取りに行こうとすると、若者がわたしの腕に手をかけた。人込みの中からやんわりとわたしを脇に連れ出して、健康の統計を研究している者ですが、と自己紹介してくれた。それからわたしの耳元に口を寄せて、こうささやいた。「先生のデータは正しいんですが、大臣は完全に勘違いしてますよ」。まるで謎かけをするようにわたしを見て、その謎に自分で答えた。「キューバ人は貧乏人の中でいちばん健康なんじゃなくて、健康な人たちの中でいちばん貧乏なだけです」

彼はわたしの腕を放し、笑顔を浮かべてさっと立ち去った。もちろん、彼は正しい。大臣はキューバ政府の一方的な視点からしか、状況が見えていなかった。だが、違う見方もできる。貧乏人の中でいちばん健康だからって喜んでいいのだろうか？　ほかの健康な国の人たちと同じくらい、キューバ人だって金持ちにな

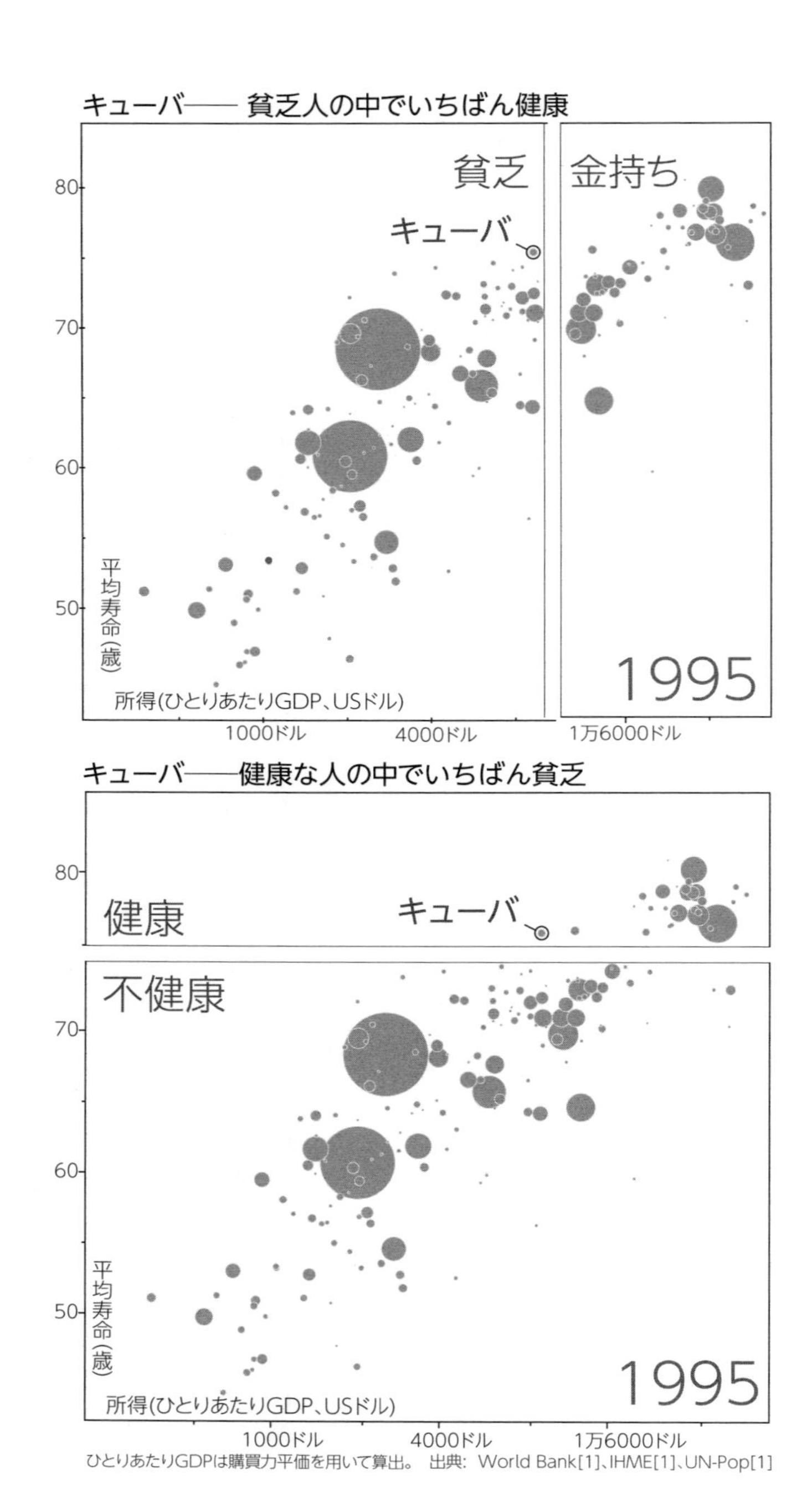

ひとりあたりGDPは購買力平価を用いて算出。 出典: World Bank[1]、IHME[1]、UN-Pop[1]

り、自由になって当然なのでは？

アメリカ——金持ちの中でいちばん不健康

では、アメリカに目を移してみよう。キューバはひとつの思想にこだわるあまり、健康な国の中でいちばん貧乏になっている。逆にアメリカは豊かな国の中でいちばん不健康だ。

特定の政治思想を信奉する人は、アメリカとキューバを比べたがる。どちらか一方はなにもかも正しくて、どちらか一方はすべてにおいて間違っていると言い張る。キューバよりアメリカに住みたいなら、キューバ政府のやることなすことすべてに反対すべきだし、キューバ政府が受け入れないものを支持すべきだと言う。つまりなにがなんでも自由市場の味方をしなければならないということになる。断っておくが、わたしだってどちらかを選ばなくちゃならないとしたら、間違いなくアメリカを選ぶだろう。でも、さっきみたいな考え方は意味がないと思う。ひとつの見方に凝り固まりすぎて、物事を誤解してしまう。アメリカをほかの国と比べるなら、レベル3の共産主義国のキューバではなく、レベル4の資本主義国と比べるべきだ。アメリカの政治家が事実に基づいて物事を判断したいなら、政治思想で決めるのではなく数字を見て決めるべきだ。わたしが住む場所を選べるとしたら、政治思想ではなく、その国が人々に何を届けているかで選ぶだろう。

アメリカ人ひとりあたりの医療費は、ほかのレベル4の資本主義国の倍以上だ。ほかの国が3600ドル程度なのに対して、アメリカは9400ドルも使っている。それなのに、アメリカ人の平均寿命はほかの国よりも3歳短い。アメリカ人ひとりあたりの医療費は世界一高いが、アメリカより平均寿命の長い国は39カ国もある。

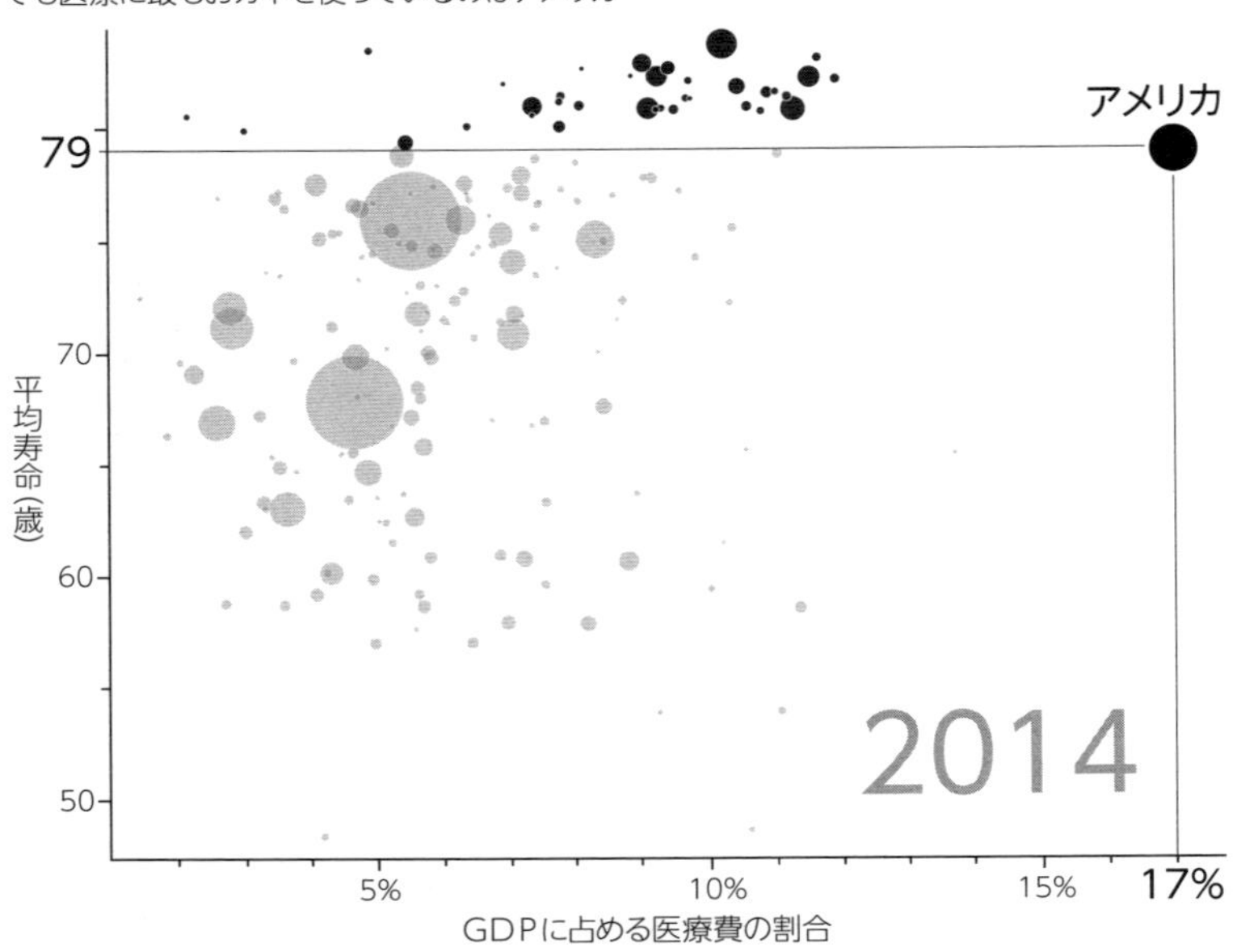

アメリカ人は、極端な社会主義国家と自分たちを比べるより、自分たちと生活レベルの変わらないほかの資本主義国と比べて見たほうがいい。その上で、同じくらいの費用で、同じ水準の医療を受けられないのはなぜかと自問すべきだ。ちょっと考えれば、その理由はすぐにわかる。ほかのほとんどのレベル4の国民があたりまえに受けている公的健康保険制度がないからだ。現在のアメリカの医療制度のもとでは、保険に加入している金持ちは必要以上に医者に通って医療費を押し上げ、逆に貧乏人は、簡単で安い治療も受けられず、寿命をまっとうできない。医師たちは必要も意味もない治療に時間を使い、救えるはずの命を救うことも、治すべき病気の治療もできなくなっている。悲惨なほどに、医師の時間が無駄に使われているのだ。

実を言えば、豊かな国の中でアメリカと同じくらい平均寿命の短い国は、少数だがいくつかある。金持ちの湾岸産油国、オマーン、サウジアラビア、バーレーン、アラブ首長国連邦、そしてクウェートだ。だが、これらの国の歴史はほかのレベル4の国とまったく違う。彼らが石油で金持ちになりはじめたのは1960年代。それ以前は、国民は貧しく文字も読めなかった。医療制度がつくられたのは、ここ2世代のあいだだ。アメリカと違って、政府の介入をなんでも疑うようなこともない。あと数年で寿命がアメリカより延びても不思議はない。アメリカは西欧諸国にそれみたことかと言われると反発するだろうが、アラブ諸国からならまだ抵抗なく学べるかもしれない。

キューバの共産主義制度は、ひとつのものの見方にとらわれてしまうことの危うさをよく表している。中央政府が国民の問題をすべて解決できるという考え方は、一見理にかなっているようで、実はまったくおかしな話だ。キューバの非効率や貧困や自由のなさを見て、政府が社会を計画するようなことが絶対に許されてはならないと決めつけたくなる気持ちはわかる。

アメリカの医療制度もまた、ひとつのものの見方にとらわれてしまった、悲惨な例だ。市場が国家のすべての問題を解決できるという考え方も、一見理にかなっているようで、実はまったくおかしな話だ。アメリカの格差と医療の結果を見て、公的サービスを民間企業に任せて競争させるようなことはあってはならないと決めつけたくなる気持ちもわかる。

民間か、政府かという議論への答えは、ほとんどの場合、二者択一ではない。ケースバイケースだし、両方正しい。規制と自由のちょうどいいバランスを見つけることが大切だし、それは難しい。

＊民主主義でさえ、それだけではすべてを解決できない

炎上覚悟で言わせてもらおう。わたしはもちろん、国家を運営する手法として自由な民主主義がいちばん優れていると心から信じている。でもそう信じるあまり、民主主義が、平和や社会の進歩や健康の改善や経済成長といった、いろいろないいことをもたらすと思い込んでしまう人は多い。民主主義でなければ、そういった恩恵を受けられないと勘違いしてしまう人もいる。でも、聞きたくないかもしれないが、ひとこと言わせてほしい。証拠を見れば、このような考え方は間違っている。

急激な経済発展と社会的進歩を遂げた国のほとんどは、民主主義ではない。韓国は（産油国以外で）世界のどの国よりも急速にレベル1からレベル3に進歩したが、ずっと軍の独裁政治が続いていた。２０１２年から２０１６年のあいだに経済が急拡大した10カ国のうち、９カ国は民主主義のレベルがかなり低い国だ。民主主義でなければ経済は成長しないし国民の健康も向上しないという説は、現実とはかけ離れている。民主主義を目指すのは構わない。だが、ほかのさまざまな目標を達成するのに、民主主義が最もよい手段だとは言えない。

ただひとつの指標がよければ、ほかのさまざまな面もよくなるというわけではない。ひとりあたりＧＤＰも、子供の死亡率も（キューバのように）、個人の自由も（アメリカのように）、それだけを見てすべてがわかるわけではない。国家の進歩をひとつの切り口だけで測ることはできない。現実ははるかに複雑なのだ。

数字がなくては世界はわからないし、数字だけでも世界は理解できない。政府がなければ国は運営できないけれど、政府がすべての問題を解決できるわけではない。いつも民間に任せたほうがいいわけでもなければ、いつも公的機関に任せるほうがいいわけでもない。ひとつの指標がいい社会であることを示しているか

らといって、ほかのすべての面がいいわけではない。どちらか一方が正しくて、もう一方がかならず間違っているわけではない。どちらもいいし、ケースバイケースなのだ。

ファクトフルネス

ファクトフルネスとは……ひとつの視点だけでは世界を理解できないと知ること。さまざまな角度から問題を見たほうが物事を正確に理解できるし、現実的な解を見つけることができる。

単純化本能を抑えるには、なんでも**トンカチで叩くのではなく、さまざまな道具の入った工具箱**を準備したほうがいい。

●**自分の考え方を検証しよう。**あなたが肩入れしている考え方が正しいことを示す例ばかりを集めてはいけない。あなたと意見の合わない人に考え方を検証してもらい、自分の弱点を見つけよう。

●**知ったかぶりはやめよう。**自分の専門分野以外のことを、知った気にならないほうがいい。知らないことがあると謙虚に認めよう。その道のプロも、専門分野以外のことは案外知らないものだ。

●**めったやたらとトンカチを振り回すのはやめよう。**何かひとつの道具が器用に使える人は、それを何度でも使いたくなるものだ。ひとつの問題を深く掘り下げると、その問題が必要以上に重要に思えたり、自分の解がいいものに思えたりすることがある。でも、ひとつの道具がすべてに使えるわけではない。あなたのやり方がトンカチだとしたら、ねじ回しやレンチや巻き尺を持った人を探すといい。違う分野の人たちの意見に心を開いてほしい。

●**数字は大切だが、数字だけに頼ってはいけない。**数字を見なければ世界を知ることはできないが、数字だけでは世界を理解できない。数字が人々の生活について何を教えてくれるかを読み取ろう。

●**単純なものの見方と単純な答えには警戒しよう。**歴史を振り返ると、単純な理想論で残虐な行為を正当化した独裁者の例にはことかかない。複雑さを喜んで受け入れよう。違う考え方を組み合わせよう。妥協もいとわないでほしい。ケースバイケースで問題に取り組もう。

第 9 章

「誰かを責めれば物事は解決する」

という思い込み

犯人捜し本能

奇跡の洗濯機と小さな製薬会社の超高速機械について。

おばあちゃんを叩きのめそうぜ

それは、カロリンスカ医科大学での講義中の出来事だった。大手製薬会社は、マラリアや眠り病やそのほかの最も貧しい人たちがかかる病気について、まったくと言っていいほど何の研究もしていない、とわたしが説明していたときだ。

いちばん前に座っていた学生が、こう言った。「製薬会社の連中の顔に一発食らわしてやろうぜ」

わたしはこう聞いてみた。

「なるほど。実はこの秋にノバルティスに行くことになってるんだ（ノバルティスはスイスの巨大製薬会社で、わたしは講演に招かれていた）。誰に一発食らわせたらいいのかと、それが何の役に立つのかを教えてくれたら、やってみてもいいよ。誰の顔を狙ったらいいんだい？　社員なら誰でもいいのかな？」

「いや、ダメダメ。いちばん偉い奴じゃないと」と学生。

「そっか。じゃ、ダニエル・バスラだな」と当時のＣＥＯの名前を出した。「ダニエルなら知り合いだよ。秋に会ったら、一発お見舞いしたほうがいいのかな？　それで万事オーケーってこと？　一発食らったら心を入れかえて研究の優先順位を変えてくれるかな？」

学生はさらに突っ込んできた。「いや、取締役全員に一発食らわせないと」

「そりゃいいかも。その日の午後は取締役会で話すことになりそうだからね。ってことは、午前中ダニエルに会うときはおとなしくして、取締役会の部屋に入ったら歩き回ってひとりでも多くにパンチを食らわせばいいってわけだな。もちろん、全員を叩きのめす時間はないと思うけど……殴り合いなんてやったことないし、警備員がいるから、３人か４人殴ったら止められるだろうな。でも、やってみるべきかな？　そしたら取締役会が研究方針を改めてくれるかな?」

「まさか」別の学生が言った。「ノバルティスは上場企業ですよ。方針を決めるのはCEOでも取締役会でもないでしょう。株主ですよね。取締役が方針を変えても、株主は別の取締役を選ぶだけですよ」

「たしかに」とわたし。「株主が望むから、会社は金持ちの病気にカネを使うんだね。そうすれば元がとれるから」

では、社員も上司も取締役も悪くないってことだ。

「じゃあ」最初に一発食らわそうと言った学生を見ながら言った。「ノバルティスの株主は誰かな?」

「金持ちですよね」と肩をすくめる。

「違う。製薬会社の株価はすごく安定しているからね。株式市場が上がったり下がったりしても、原油価格が動いても、製薬会社の株は底堅いんだ。景気に連動する銘柄ならば、消費が増えたり減ったりすると株価も動くが、がん患者にはいつだって治療が必要だから製薬会社の株価はあまり変動しない。そんな安全な株を持ってるのは誰だろう?」

学生の目がわたしに集まる。その顔には大きなはてなマークが浮かんでいる。

「退職年金だよ」

シ〜ン。

「ってことは、一発食らわす相手がいないんだ。わたしは株主に会わないからねぇ。でも君たちなら会える。今週末はおばあちゃんの家に行って顔に一発食らわせてくるといいよ。誰かを罰したいなら、安定株を持ちたがる欲深なお年寄りを責めるといい」

「そうそう、君たちが去年の夏休みに貧乏旅行に出かけたとき、おばあちゃんにお小遣いをもらっただろ？ならそれも返したほうがいいな。おばあちゃんがノバルティスにそのカネを突っ返して、貧しい人たちの健康に投資しろって言えるからね。あぁ、でももう使っちゃったのなら、自分の顔に一発食らわさないといけなくなるね」

犯人捜し本能

なにか悪い事が起きたとき、単純明快な理由を見つけたくなる傾向が、犯人捜し本能だ。わたしも最近ついそうしたくなることがあった。ホテルでシャワーを浴びているとき、湯の温度を上げようとしてハンドルを目いっぱい回してしまった。最初はなんともなかったが、すぐに熱湯が出てきてやけどしそうになった。まず配管工に頭にきて、それからホテルの支配人に、そして隣の部屋で冷水を流している客に怒りの矛先を向けた。でも、誰も悪くない。誰かがわざとわたしを傷つけようとしたわけでもなければ、気遣いが足りないわけでもなかった。悪いのはおそらくわたしで、もっとゆっくりとハンドルを回して湯の温度をちょっとずつ上げていけばよかっただけだ。

物事がうまくいかないと、誰かがわざと悪いことを仕組んだように思いがちだ。誰かの意思で物事は起きると信じたいものだし、一人ひとりに社会を動かす力と手立てがあると信じていれば、おのずとそう考えるようになるだろう。個人が社会を動かしていると考えれば、社会は得体の知れないものだという恐怖心を取り払える。

わたしたちは犯人捜し本能のせいで、個人なり集団なりが実際より影響力があると勘違いしてしまう。誰かを責めたいという本能から、事実に基づいて本当の世界を見ることができなくなってしまう。誰かを責めることに気持ちが向くと、学びが止まる。一発食らわす相手が見つかったら、そのほかの理由を見つけようとしなくなるからだ。そうなると、問題解決から遠のいてしまったり、また同じ失敗をしでかしたりすることになる。誰かが悪いと責めることで、複雑な真実から目をそらし、正しいことに力を注げなくなってしまう。

たとえば、飛行機事故を睡眠不足のパイロットのせいにしても、次の事故は防げない。次の事故を防ぐには、なぜパイロットはウトウトしてしまったのかを探るべきだろう。今後どうしたら睡眠不足のパイロットに操縦させないようにできるだろう? パイロットのウトウトを見つけた時点で考えるのをやめてしまったら、そこから先に進めない。世界の深刻な問題を理解するためには、問題を引き起こすシステムを見直さないといけない。犯人捜しをしている場合ではない。

物事がうまくいっているときにも、犯人捜し本能はわき上がる。「誰かのせいにしたい」気持ちは、責めるときも褒めるときも同じなのだ。物事がうまくいくと、誰かひとりの功績にしたり、単純な理由を見つけたくなってしまう。でも、ここでもたいていの場合、物事ははるかに複雑なのだ。

もし本当に世界を変えたいのなら、肝に銘じておこう。犯人捜し本能は役に立たないと。

犯人は誰だ?

犯人捜しには、その人の好みが表れる。人は自分の思い込みに合う悪者を探そうとする。では、世の中でいちばん悪者扱いされる人たちを見てみよう。悪どいビジネスマン、嘘つきジャーナリスト、そしてガイジンだ。

ビジネスマン

わたしはいつも事実を見るように心がけてはいるけれど、それでも先入観に負けてしまうことがある。ある日ユニセフから依頼を受けて、アンゴラに送るマラリアの薬の入札者について調べることになった。わたしはこの製薬会社をあたまから疑ってかかっていた。価格は妙だったし、詐欺に違いないと意気込んだ。悪徳企業がユニセフから甘い汁を吸うつもりだな。よし、いっちょ化けの皮を剝いでやるか。

いま思えば、なぜそんな先入観を持ってしまったのか不思議だ。子供の頃にドナルドダックのマンガばかり読んでいたから、強欲なおじさんのスクルージ・マックダックのことが刷り込まれてしまったのかもしれない。さっき話した学生たちと同じで、わたしも昔は製薬会社について深く考えていなかったのかもしれない。

話を戻すと、ユニセフは製薬会社と10年契約を結んで薬品を買い入れる。どの製薬会社にするかは競争入札で決めている。長期にわたって大量に買い入れてもらえば製薬会社にとってはありがたいので、入札価格はかなり割安になる。とはいえ今回は、スイスのルガーノにあるリボファームという小さな家族経営の会社が、ありえないほど安い価格で入札していた。1錠あたりの値段が、原料価格よりも安かったのだ。

わたしは現地に飛んで、内実を調べることになった。まずチューリッヒに行き、そこから小型機でルガーノの小さな空港に降り立った。安物の服を着た出迎えの人が待っているだろうくらいに思っていたら、リムジンに乗せられて敷居の高そうな超豪華ホテルに連れて行かれた。つい、妻に電話して、「シーツが絹だぞ」と言ってしまったほどだ。

翌朝迎えが来て、わたしは工場に向かった。工場長と握手を交わしたあと、すぐに本題に入った。「ブダペストから原料を買って錠剤をつくり、それを包装して箱に入れてコンテナ船に積んで、ジェノバに送り届けるんですよね。どうしたら原料価格より安い値段で、そんなことができるんですか？　ハンガリー人から何か特別な割引でももらってるんですか？」

「原料の仕入れ価格はみなさんと同じですよ」と工場長。

「でも、リムジンで迎えてくれたじゃないですか？　どこからそんなカネが出るんですか？」

工場長はにっこりした。

「あぁ、こういうことなんです。わたしたちは数年前に、ロボット化によって製薬業界が変わると気づきました。そこで、世界最速の錠剤製造機を自分たちで開発して、ここに小さな工場を建てたんです。製造以外のプロセスも隅々まで自動化しています。大企業の工場も、うちと比べたら手工芸店みたいなものですよ。まず、ブダペストに原料を注文します。月曜に電車で原料が届きます。水曜の午後にはアンゴラ行きの1年分のマラリアの薬が箱づめされ発送できるようになっています。木曜の朝には薬がジェノバに到着します。ユニセフが薬をチェックして受領書にサインしたら、その日のうちに代金がわたしたちのチューリッヒの口座に振り込まれます」

「でも、おかしいじゃありませんか。売り値のほうが原価より安いんでしょう？」

「おっしゃるとおり。でも、原料の仕入先への支払いは30日後で、ユニセフは4日後に代金を支払ってくれます。だからおカネが口座に眠っている26日間は金利が稼げるんです」

そうだったのか。言葉が見つからなかった。そんなやり方があるなんて思いもしなかった。わたしの頭の中はすっかり、ユニセフは正義の味方で、製薬会社は悪どいことを考えている敵役ってことになっていた。小さな企業にそんな革新的な力があるなんて、まったく想像がつかなかった。安上がりなやり方を実現できる、すごい力を持った企業だったのだ。彼らもまた正義の味方だった。

ジャーナリスト

知識人や政治家はもっともらしくメディアを責めるし、真実を報道してないと訴える。わたしも前の章ではメディアを批判しているように聞こえたかもしれない。でも、ジャーナリストを責めるより、こう問いかけてみるべきだろう。メディアはなぜ、世界を歪んだ見方で報道するのか、と。ジャーナリストは本当に歪んだ見方を押し付けたいのだろうか？　それとも、ほかに理由があるのだろうか？（断っておくが、意図的に流されるフェイクニュースについてここで話すつもりはない。それはまったく別の話で、ジャーナリズムとはなんの関係もない。それに、わたしたちが世界を歪んだ目で見てしまうのは、フェイクニュースのせいだけじゃない。間違った世界の見方はいまに始まったことではなく、ずっと前からそうだった）。

2013年に、例のチンパンジークイズの結果をネット上で発表した。すると、その話題がすぐにBBCとCNNでトップニュースになった。どちらの局も例のクイズを自社のウェブサイトに上げて、視聴者が自分でテストを受けられるようにした。そこには何千というコメントが寄せられて、どうしてランダムな回答よりも正解率が低いのかについて視聴者がいろんな理由を披露してくれていた。

その中で、気になったコメントがあった。「メディアの人間はぜったいに誰も正解できないと思う」

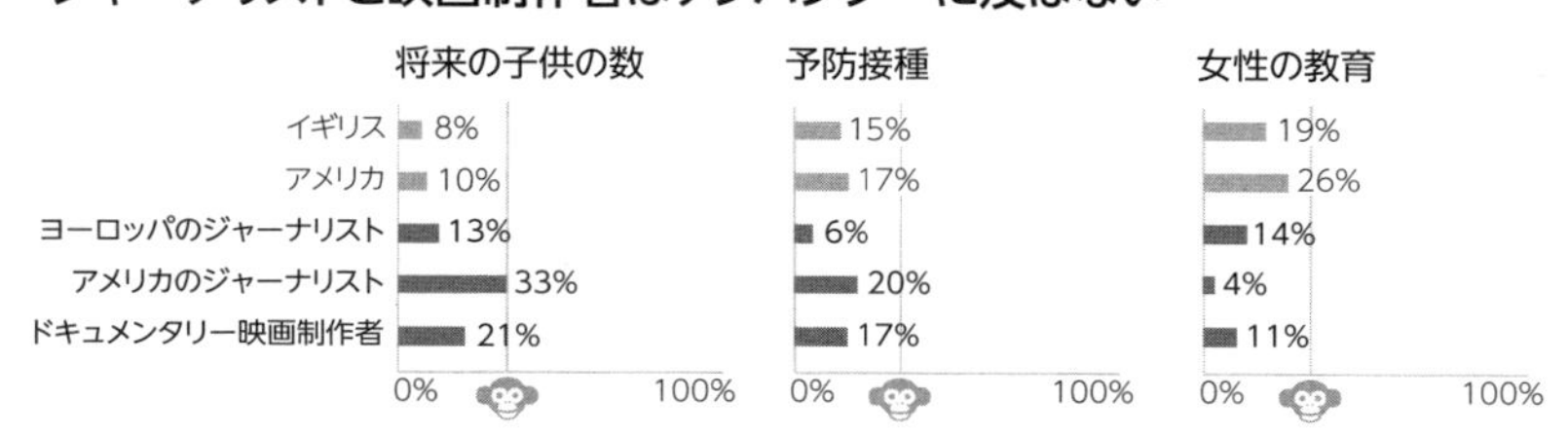

出典: Ipsos MORI[1]、Novus[1]、Gapminder[27]

こりゃ面白いと思って、実際にメディアの人に試してみようと思ったが、調査会社はジャーナリストたちにクイズを受けさせるのは無理だと言った。雇い主であるメディア企業が許してくれないらしい。もちろん、それは仕方がなかった。権威を脅かされたらいやだろうし、大手メディア企業のジャーナリストがチンパンジー以下だと知られたらみっともないのだろう。

でも、無理と言われるとますますやりたくなるのがわたしの性分だ。その年、わたしはメディアが主催する2つの会合で講演する予定が入っていたので、そこにクイズを持って行った。持ち時間が20分しかなかったので、全部は質問できなかったが、いくつかはできた。上がその結果だ。有名なドキュメンタリー映画の制作者が集まる会合での結果もここに入れてある。このときは、BBC、PBS、ナショナルジオグラフィック、ディスカバリーチャンネルなどのプロデューサーが集まっていた。

講演を聞いていたジャーナリストと映画制作者は、一般の人たちよりも世界を知っていて、チンパンジーよりも知らないようだ。

ほかの分野のジャーナリストたちがもっと正解できるとは思えないし、別の質問をしても正解率は低いままだろう。だからといって、ジャーナリストが悪いというわけではない。先ほどのクイズの結果はほとんどのジャーナリストやドキュメンタリー映画制作者に当てはまるはずだ。ということは、彼らは知識不足なだけで、悪気があるわけではない。嘘をついているわけでもない。わざとわたしたちを間違った方向に導こうとして、分断された世界をドラマチックに報道しているのではない。「自然の逆襲」なんてタイトルをつけるのも、意味ありげなピアノのメロディに重々しいナレーションをかぶせるのも、悪企みがあってやっているわけではないのだ。ジャーナリストに悪意はないし、彼らを責めても意味がない。世界のことを教えてくれるジャーナリストや映画制作者たちもまた、世界を誤解している。メディアを悪者にしても仕方がない。彼らもわたしたちと同じで、とんでもない勘違いをしているのだから。

西洋のメディアは自由で、プロらしく、真実を追求しているかもしれないが、権力から独立しているからといって世界を正しくとらえているとは限らない。一つひとつの報道は正しくても、ジャーナリストがどの話題を選ぶかによって、全体像が違って見えることもある。メディアは中立的ではないし、中立的でありえない。わたしたちも中立性を期待すべきではない。

ジャーナリストのクイズの結果は悲惨なものだった。悲惨さの度合いでいくと、飛行機事故といい勝負だ。でも、睡眠不足のパイロットを責めても意味がないのと同じで、ジャーナリストを責めてもどうにもならない。むしろ、ジャーナリストの世界の見方がどうして歪んでいるのかを理解しよう（正解：人間には誰しもドラマチックな本能があるから）。そして、歪んだニュースやドラマチックな報道をしてしまう背景にはどんな組織的な要因があるのかを知るよう努力すべきだろう（部分的な答え：視聴者の目を引きつけられなければクビになってしまうから）。

それが理解できたら、メディアにああしろこうしろと要求するのは現実的でも適切でもないとわかるだろう。メディアは現実を映し出す鏡にはなれない。事実に基づいた世界の見方をメディアに教えてもらおうなど考えるのは、友達の撮った写真をGPSの代わりにして外国を観光するようなものだ。

難民

２０１５年、救命ボートでヨーロッパに向かおうとした４０００人の難民が、地中海で命を落とした。観光地の海岸に打ち上げられた子供たちの遺体の映像は、恐怖と同情を呼んだ。大変な悲劇だ。ヨーロッパでもそれ以外の地域でも、レベル４の国でのんびりと暮らしていたわたしたちは、こう考えはじめた。どうしてこんなことが起きるんだろう？　誰が悪いんだ？

まもなく悪者がわかった。残酷で欲深い密輸業者が、命の危険にさらされた家族からひとり１０００ユーロを取って救命ボートに乗せたのだ。そこでわたしたちは考えるのをやめ、ヨーロッパの救命隊が荒れ狂う海から難民を救う映像を見て、やれやれとほっとしたのだった。

でも、難民たちはなぜ安全な飛行機やフェリーでヨーロッパに向かわず、リビアやトルコまで陸路を旅してそれからボロボロのゴムボートに命を預けたのだろう？　EU加盟国はすべてジュネーブ条約に署名している。条約に従えば、内戦が続くシリアからの難民には保護を求める権利があるはずだ。なのに、なぜ飛行機やフェリーを使わないのだろう？　この質問を、ジャーナリストにも、友達にも、難民受け入れに関係する人たちにも聞いてみたが、その中で最も賢く親切な人でも、筋の通らない答えしか思いつかないようだった。

飛行機に乗るおカネがないのだろうか？　でも、ゴムボートに乗るためにひとり１０００ユーロを払っていたのはわかっている。ネットで調べてみると、トルコからスウェーデンまでだって、リビアからロンドンまでだって、50ユーロもしないチケットがたくさんあった。

空港まで行く手段がない？　それも違う。難民の多くはトルコやレバノンまで行っているし、空港までなら簡単に行けたはずだ。チケットを買うおカネもあるし、飛行機も満席じゃない。ところが、チェックインの窓口で、航空会社のスタッフに搭乗を拒否されるのだ。なぜだろう？

２００１年のＥＵ指令が、不法移民に対抗する手段を加盟国に与えていた。指令には、航空会社やフェリー会社は、入国許可書類のない人をヨーロッパに運び込んだ場合には、母国に送り返す費用をすべて負担することが定められていた。もちろん、ジュネーブ条約に基づいて保護を求める難民は例外とされていたし、当てはまるのは不法移民だけのはずだった。だがそんな例外には意味がない。航空会社の搭乗窓口のスタッフが一瞬で相手が難民か不法移民かを見分けられるわけがない。大使館だって難民審査に少なくとも8カ月はかかるのだ。空港でそれができるはずがない。ＥＵ指令は一見理にかなっているように見えたが、実際には航空会社はビザのない乗客を誰も搭乗させなくなった。そして難民がビザを手に入れるのはほぼ不可能だ。トルコやリビアの大使館には、難民申請を処理するだけの人手はない。シリア難民は、理論上はジュネーブ条約にのっとってヨーロッパに入国する権利があっても、実際には飛行機に乗ることはできず、海を渡るほかなかったのだ。

ではどうしてボロボロのゴムボートなのだろう？　この理由にもＥＵの方針が絡んでいる。到着したボートは没収されてしまうのだ。だから、ボートは1回限りしか使えない。密輸業者は使い捨てのボートにカネをかけるほどの余裕はない。１９４３年に数日間で７２２０人のユダヤ人難民をデンマークからスウェーデンへ運んだ漁船のような、まともな船を準備したくてもできないのだ。

ヨーロッパ政府はジュネーブ条約に従って、厳しい内戦で引き裂かれた国の難民からの申請を受け入れ、保護していると言う。しかし、ＥＵの移民政策はジュネーブ条約を骨抜きにし、実際には密輸業者が支配する交通市場を生み出した。このことは、秘密でもなんでもない。それが見えないとしたら、思考停止しているか、相当ぼんやりしているに違いない。

ガイジン

第5章で紹介したインド人の官僚を覚えていらっしゃるだろうか？　地球温暖化の責任をインドと中国に押し付けるのは断固間違っていると言った、あの男性のことを。第5章では彼の話をもとに、ひとりあたりの量を見ることの大切さを説明した。だが、別の角度から見てみると、彼の話は、犯人捜しによってシステム全体を俯瞰できなくなることのいい例でもある。

「地球温暖化を引き起こしているのはインドや中国やそのほかの所得レベルの上がっている国だ。その国の人たちはがまんして貧しい暮らしを続けるべきだ」という考え方は、西洋では驚くほどあたりまえになっている。バンクーバーの大学でグローバルトレンドについて講演したとき、弁の立つ学生が声に絶望をにじませてこう言った。「あの人たちがあのまま生活してたら、地球が持ちません。あの人たちに発展を続けさせてたらダメなんです。あの人たちの国の排気ガスで地球が死んでしまいます」。まるで、西洋人がリモコンひとつでほかの国の数十億人の生活を操作できるかのように話しているのを聞いて、わたしはいつもあきれてしまう。周りを見回したが、ほかの学生たちはあたりまえのように聞いていた。みんなあの学生に賛成していたのだ。

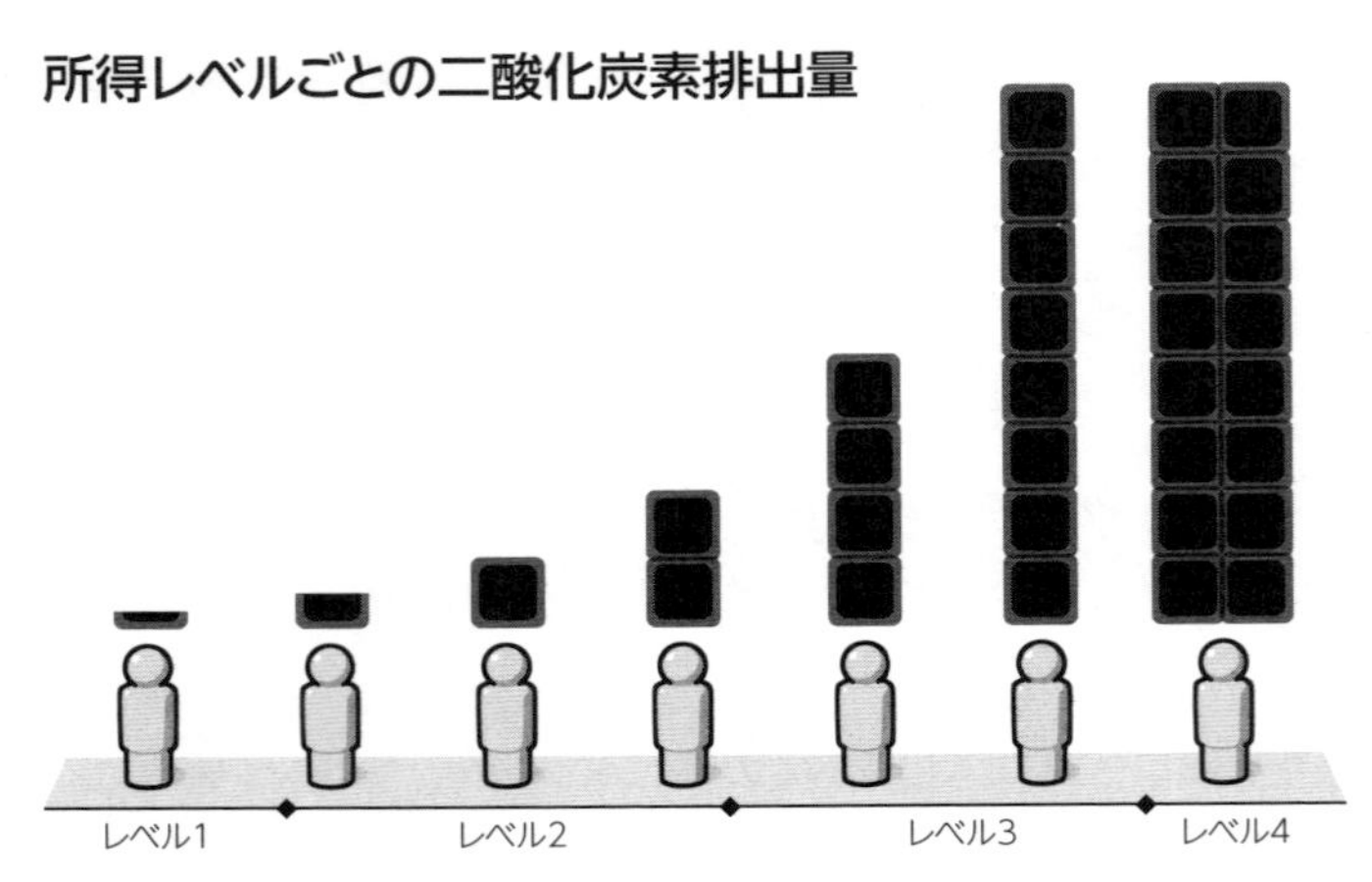

人間によって大気に蓄積されてきた二酸化炭素の大部分は、現在レベル4にいる国々がこの50年間に放出してきたものだ。カナダのひとりあたり二酸化炭素排出量は、いまでも中国の2倍にのぼるし、インドと比べると8倍にものぼる。世界を金持ち順に並べて、いちばん上の10億人が毎年どれほどの化石燃料を燃やしているかをご存じだろうか？　全体の半分以上だ。次に金持ちな10億人が残りの半分を燃やし、その次の10億人が残りの半分を燃やし……と続いていく。いちばん貧しい10億人は、全体のたった1％しか使っていない。

いちばん貧しい10億人がレベル1からレベル2になるには、少なくともあと20年はかかる。すると、彼らによる二酸化炭素の排出量はおよそ2％ぶん増える。この層がレベル3と4になるには、さらに数十年が必要だろう。

こうした状況を見れば、西洋にいるわたしたちがまさしく犯人捜し本能にとらわれて、自分たちの責任を他人に押し付けようとしているかがわかる。「あの人たち」は「わたしたち」のようには暮らせないと西洋人は言う。でも本当は、「わたしたち」はいままでの「わたしたち」の暮らしを続けることはできない、というほうが正しい。

ガイジン病

人間の身体の中で、いちばん大きな部分を占めるのは皮膚だ。近代医学が発達する前、最悪の皮膚病は梅毒（ばいどく）だった。痛がゆい水ぶくれから始まって、ただれが骨まで届き、骨が見えてしまう。気味の悪い見た目と耐えられないほどの痛みを引き起こすこの病気は、国によって呼び名が違っていた。ロシアではポーランド病と呼ばれ、ポーランドではドイツ病と呼ばれた。ドイツではフランス病。フランスではイタリア病。イタリアはやり返したかったのか、フランス病と呼んでいた。

誰かに罪を着せたいという本能は、人間によほど深く根付いているのだろう。原因不明の痛みをスウェーデン人がスウェーデン病と呼ぶなんて考えられないし、ロシア人がロシア病と呼ぶこともない。それが人間というものだ。わたしたちは他人を責めたがるし、その病気を持ったガイジンがひとりでもやってきたら、出身国全体に喜んで罪をなすりつける。これにて一件落着にしたいのだ。

犯人はほかにいる

犯人捜し本能は、良くも悪くも、個人の影響力を実際よりも大きく見せてしまう。とりわけ政治指導者やＣＥＯはよく、実力以上に力があると言いたがる。

＊強力なリーダー？

たとえば、毛沢東は間違いなく非凡な力を持ったリーダーで、その行動は10億人の人生に大きな影響を与えた。だから、アジアの出生率が低いことを見せるとたいてい、「毛沢東のひとりっ子政策のせいだ」と誰かが言い出す。しかし、これは間違いだ。そもそも、悪名高いひとりっ子政策は毛沢東が亡くなった後に導入された。そして、ひとりっ子政策は、みんなが思うほど出生率に影響していない。女性ひとりあたりの子供の数が6人から3人へと大幅に減ったのは、ひとりっ子政策が始まる前の10年間だった。ひとりっ子政策が続いた36年間に、中国で女性ひとりあたりの子供の数が1・5人を下回ることはなかったが、そんな政策のないウクライナやタイや韓国では女性ひとりあたりの子供の数は1・5人を下回った。香港にいたっては、女性ひとりあたりの子供の数はひとりを下回った。つまり、出生率の低下にはひとりっ子政策以外の要因があるということだ。女性が子供を生むかどうかを決める要因は、すでにこの本で示した通りだ。偉い男性から命令されても、ではそうしましょうとはならない。

ローマ教皇は、世界中の10億人とも言われるカトリック信者の性行動に大きな影響を与えると思われている。しかし、教皇たちは数代にわたって避妊具の使用をはっきりと批判しているのに、カトリックが多数派の国では60％の人が避妊具を利用している。そのほかの国は58％。つまり、カトリックであろうとなかろうと、それほど変わりはない。ローマ教皇は道徳面で世界最大の権威を持つ存在だが、子供を生むかどうかには影響を与えられないということだ。どうやら、政治指導者も道徳的権威者も、寝室での夫婦の行為をリモコンで操作することはできないようだ。

修道女リンダの扉の裏側

アフリカの最も貧しい農村部で、基本的な医療サービスの多くを支えているのは、いまだに修道女たちだ。わたしの頼れる協力者になってくれたのは、そうした働き者で賢く現実的な修道女たちだった。

タンザニアで働いていた修道女のリンダは敬虔なカトリック教徒で、いつも黒ずくめの修道服に身を包み、日に3度祈りを捧げていた。リンダの部屋の扉はいつも開いていた。扉が閉まるのは、健康についての相談のときだけだった。扉の外側には、ピカピカの教皇のポスターが貼ってあった。ある日、わたしがリンダの部屋にいるときに、人に聞かれたくない話を議論しはじめた。リンダはすっと立ち上がって扉を閉めた。その時初めて、扉の内側を見た。そこには別の大きなポスターが貼ってあり、その上に数百個ものコンドームの袋がくっ付いていた。リンダは振り向いて、わたしの驚いた表情を見ると、にっこりと笑った。彼女は修道女たちに対するわたしの先入観を見透かすと、いつも同じ笑顔を見せてくれた。「エイズ予防と避妊のために、みんなこれが必要なのよ」。彼女はさらりとそう言った。そしてまた、議論に戻ったのだった。

中絶については、出生率と状況は違っている。ひとりっ子政策は中絶には影響した。強制的な中絶や不妊手術が数多く行われた。いまだに世界中で、中絶を弾劾する宗教の犠牲になっているのは、女性であり少女たちだ。中絶を違法にしても中絶がなくなるわけではなく、中絶がより危険になり、女性が命を落とすリスクが高まるだけだ。

名もなきヒーローたち

物事がうまく行かないときには、「犯人を捜すよりシステムを見直したほうがいい」と訴えてきた。では、物事がうまくいったときはどうだろう？ そんなときには「社会基盤とテクノロジーという2種類のシステムのおかげだ」と思ったほうがいい。

人類の成功はたいてい力のある偉大なリーダーのおかげとされ、普通の人たちはその陰に隠れてしまう。でもわたしは、普通の人を讃えたい。世界の発展に貢献してきた名もなきヒーローを讃えて、パレードをしようじゃないか。

社会基盤

社会や経済の発展が止まっているのは、とてつもなく破壊的なリーダーがいたり、紛争が起きているほんの少数の国だ。それ以外の場所では、悲しいくらいに無能な大統領のいる国でも進歩している。一国のリーダーなんてそれほど重要じゃないんじゃないかと思ってしまうほどだ。おそらくその見方は正しい。国を進歩させるのは、社会を築いてくれる数多くの人々だ。

朝、顔を洗うときに蛇口から温かいお湯が流れてくると、奇跡のように感じることがある。奇跡を起こしてくれた人たちに、わたしは心の中で感謝する。配管工のみなさん、ありがとう。そんな感謝スイッチが入ったときには、何を見ても感動して、誰かれかまわず感謝したくなる。公務員、看護師、教師、弁護士、警官、消防士、電気工事の人、会計士、受付係。社会の土台になるさまざまなサービスの網をつくってくれているのは、こうした名もなき人たちだ。物事がうまく行っているときに讃えるべきは、この人たちなのだ。

２０１４年にわたしはエボラ出血熱と闘うためリベリアに向かった。もしここでエボラを止めなければ世界中に広がって、10億もの命が犠牲になり、歴史上のどんな感染症よりも大きな害を及ぼすと思ったからだ。死にいたるエボラウィルスとの闘いに勝てたのは、強いリーダーのおかげではないし、国境なき医師団やユニセフといった有名な組織のおかげでもない。名もなき普通の政府の職員や地元の医療スタッフが、地域活動を通して、いにしえからの葬儀の風習をほんの数日で変えさせたからだ。彼らが命を賭けて死にかけた患者を治療したからだ。面倒で危険で細かい作業を通して、エボラ患者と接触した人たちを突き止め隔離したからだ。社会を機能させている、勇敢で辛抱強い人たちが注目されることはめったにない。でも、本当の救世主はそんな人たちだ。

テクノロジー

産業革命は数十億人の命を救った。でもそれは、より良いリーダーがいたからではなく、洗濯機や洗剤が発明されたからだ。

わが家に初めて洗濯機がやってきたのは、わたしが４歳のときだった。それは母にとって最高の日だった。

父と母は洗濯機を買うために何年もおカネを貯めていた。洗濯機のお披露目会に招かれた祖母は、母以上に喜んでいた。祖母はずっと薪で湯をわかし、洗濯物を手で洗っていた。とうとう電気がその仕事をしてくれる！　祖母は興奮して、洗濯機の前に椅子を置き、洗濯機が回っているあいだ中うっとりしながら眺めていた。祖母にとって、洗濯機は奇跡だったのだ。

母とわたしにとっても、洗濯機は奇跡だった。魔法の機械だったのだ。その日、母はわたしにこう言った。「ハンス、汚れ物は洗濯機の中に入れたからね。あとはこの機械が洗ってくれるのよ。さあ、図書館に行きましょう」。洗濯機がやってきて、本が読めるようになった。工業化バンザイ。鉄工所さんありがとう。発電所さん感謝します。洗剤メーカーさん、お疲れさま。おかげで本を読む時間ができました。

現在20億人が洗濯機を持てるようになり、多くの母親は本を読む時間ができた。洗濯をしてくれるのは、どの家でもたいてい母親なのだから。

質問12　いくらかでも電気が使える人は、世界にどのくらいいるでしょう？

A　20％
B　50％
C　80％

電気は基本的な生活基盤で、世界の大多数、つまりレベル2と3と4にいるほとんどの人にはすでに届いている。それなのに、この質問に正解したのは4人にひとりだった（国別の正解率は付録にした）。正解はいつもの通り、いちばんポジティブなものだ。80％の人にはいくらかでも電気が届いている。供給は不安定だし停電もよくあるが、世界はいいほうに向かっている。電気の通じる地域は少しずつ増えている。ひとつ、またひとつと家に明かりがともっている。

現実的に考えてみようじゃないか。いまも洗濯物を手で洗っている世界中の50億人は、何を望んでいるのだろう？　彼らがどんなことをしてでも手に入れたいと思っているものは何だろう？　彼らが「経済成長を控えます」なんて自分から言い出すのを期待するのは、ばかばかしいほど非現実的だとわかるはずだ。洗濯機、照明、まともな下水道設備、食べ物を保存できる冷蔵庫、目の悪い人にはメガネ、糖尿病ならインシュリン、家族との旅行のための交通手段を、わたしたちと同じように彼らが欲しがるのはあたりまえだ。

そうしたものをすべて手放して、ジーンズやシーツを手洗いする覚悟が、あなたにはあるのだろうか？　あなたにそれができないのなら、どうして彼らに不便でもがまんしろなんて言えるのだろう？　犯人を捜し出して責任を押し付けても仕方がない。とてつもなく深刻な地球温暖化のリスクから地球を守りたい？　だったら必要なのは、現実的な計画だ。110億人全員が望んだ生活を送れるような新しいテクノロジーを開発することに、力を注ぐべきなのだ。みんながわたしたちと同じレベル4の生活を送り、全員がいまより快適に暮らせるようなスマートな解決策を見出さなければならない。

誰を責めたらいい？

最も貧しい人たちがかかりやすい病気が研究されないことについて、責めるべき相手はCEOでも取締役でも株主でもない。彼らを責めたところで、何の得にもならない。

それと同じように、メディアが嘘をついているとか(嘘をついているわけではない)、歪んだ世界観を植え付けようとしているとか(確かに歪んでいるかもしれないが、わざとではない)責めたくなっても、そんな衝動に負けてはいけない。専門家が自分の狭い分野や領域にとらわれすぎているとか、考え方が間違っているとか(間違うこともあるが、たいていは善意からだ)責めるのもやめよう。どんなことであっても、ひとりの人やひとつのグループだけを責めないようにしよう。なぜなら、犯人を見つけたとたん、考えるのをやめてしまうからだ。そして、ほとんどの場合、物事ははるかに複雑だ。だから、犯人よりもシステムに注目しよう。世界を本当に変えたければ、現実の仕組みを理解することが必要だ。誰かの顔に一発パンチを食らわすなんてことは忘れたほうがいい。

ファクトフルネス

ファクトフルネスとは……誰かが見せしめとばかりに責められていたら、それに気づくこと。誰かを責めるとほかの原因に目が向かなくなり、将来同じ間違いを防げなくなる。

犯人捜し本能を抑えるためには、誰かに責任を求める癖を断

ち切るといい。

●**犯人ではなく、原因を探そう。**物事がうまく行かないときに、責めるべき人やグループを捜してはいけない。誰かがわざと仕掛けなくても、悪いことは起きる。その状況を生み出した、絡み合った複数の原因やシステムを理解することに力を注ぐべきだ。

●**ヒーローではなく、社会を機能させている仕組みに目をむけよう。**物事がうまくいったのは自分のおかげだと言う人がいたら、その人が何もしなくても、いずれ同じことになっていたかどうかを考えてみるといい。社会の仕組みを支える人たちの功績をもっと認めよう。

第10章

「いますぐ手を打たないと大変なことになる」
という思い込み

焦り本能

「いまやらなければ取り返しがつかない」という焦りが、
思考も行動も停止させてしまうことについて。

道路封鎖

「感染しないなら、どうして先生は子供と奥さんを避難させたんですか？」

モザンビークのナカラの市長は少し離れた机の向こうから、じっとわたしを見つめた。窓の外を見ると息をのむほど美しい夕陽がナカラの大地に沈もうとしていた。ここナカラでは数万人が極度の貧困の中で暮らしている。でも医師はひとりだけ。わたしだ。

その日の早くに、わたしはメンバという北部の海岸沿いにある貧しい村から戻ってきた。メンバでは数百人が原因不明の深刻な病気にかかっていて、発症直後から足が完全に麻痺したり、ひどい場合には目が見えなくなったりしていた。わたしはこの手でその患者たちを診てきたところだった。市長の言い分はもっともだ。わたしは、この病気が感染しないとは言い切れなかった。前夜は一睡もせずに教科書を読み返してやっと、目の前の症状は教科書に書かれていないものだと確認した。感染症ではなくなんらかの毒物が原因ではないかと疑ってはいたが、確信はなかった。だから妻に子供を連れてこの地区から出るように言ったのだ。

答えられずにいると、市長が先に口を開いた。「感染症なら、すぐに手を打たなければ。病気が都市に届く前に防がないと、大変なことになる」

市長は頭の中で最悪の事態を思い浮かべ、その想像はすぐにわたしにも伝わった。

市長は思い立ったらただちに行動する人だ。立ち上がってこう言った。「軍に道路封鎖を要請して、北からのバスを入れないようにすべきかな？」

「そうですね。そのほうがいいと思います。何か手を打たないと」とわたしは答えた。

市長はすぐに電話をかけに行った。

翌朝、メンバの村に日が昇る頃、20人の女性と幼い子供たちが作物を売るためナカラの市場に行くバスを待っていた。バスが来ないと知った女性と子供は海岸に歩いて行って、漁師にナカラまで船に乗せてほしいと頼んだ。小さなボートに全員が乗り込み、南に向けて海岸沿いを下った。漁師は、これまでいちばん簡単にカネを稼げたぞと内心ホクホクだったはずだ。

ところが、ボートは波にさらわれ、泳げない母親と子供たちと漁師までも、全員が溺れてしまった。

その午後、わたしは例の奇妙な病気の調査を続けるためにまた北に向かい、封鎖された道路を通り抜けたメンバに入ろうとしたとき、人々が海から死体を引き上げて道路脇に並べているのが見えた。わたしは海岸に駆け降りたが、もう手遅れだった。幼い少年の遺体を抱えた男性に聞いてみた。「どうして母親と子供たちはみんなでこんなボロ船に乗り込んだんですか?」

「今朝バスが来なかったんですよ」。その男性が教えてくれた。数分経ってからも、自分がしてしまったことをわたしはまだ理解できずにいた。いまもまだ、わたしは自分を許すことができない。どうして市長に「何か手を打たないと」なんて言ってしまったんだろう?

漁師を責めることはできなかった。どうしても市場に行かなければならない人なら、道路が封鎖されれば、ボートに頼るのはあたりまえだった。予期できたはずじゃないか。

その日どうやって仕事をしたのかまったく覚えていないし、そのあとしばらくわたしはショックで茫然としていた。このことは35年間誰にも話せなかった。

それでもなお、わたしは調査を続け、とうとう麻痺の原因を突き止めた。予想通り、毒物が原因だった。しかし、村人は新しい食べ物は口に入れていなかった。この地域の主食はキャッサバというイモで、食べる前には3日かけて毒を抜くことになっている。そのことは昔から知られていたので、キャッサバの毒にあたる人もいなかったし、中毒症状がどんなものかも知られていなかった。

その年は国中が大変な凶作で、政府はこれまでにない高値でキャッサバを買いまくっていた。貧乏な農家は突然、大金を稼いで貧困から抜け出せるかもしれないとあって、作物を全部売り払った。何もかも売り尽くして、農民は腹ペコのまま家に帰る。あまりにもお腹が空いて、がまんできずに毒抜きしていないキャッサバの根を引き抜いて食べてしまったのだ。わたしがこのことに気づいたのは、忘れもしない１９８１年8月21日の夜8時。この発見がわたしを変えた。わたしは僻地の医師から研究者に転身し、その後10年にわたって経済と社会と毒と食べ物との関わり合いを研究することになった。

それから14年後の１９９５年。コンゴ民主共和国の首都キンシャサでは、エボラ出血熱がキクウィットの街で大流行しているという報告を、閣僚たちが受けていた。閣僚たちはおびえていた。何か手を打たなければと感じていた。そこで、道路を封鎖した。

するとまた、予想外のことが起きた。首都にキャッサバが届かなくなってしまったのだ。これまでキャッサバを加工して都会に届けてきた農村地帯は、エボラが流行していた地域の隣だった。都市に住む人たちは次に有力な産地からありったけのキャッサバを買い入れた。価格は高騰し、さてどうなっただろう？　手足が麻痺し目が見えなくなる、原因不明の症状が広がったのだ。

それから19年後の２０１４年、リベリア北部の農村でエボラが流行した。豊かな国から来た経験不足の医療関係者はみな震えあがり、一斉に同じことを思いついた。道路を封鎖しろ！

しかし、リベリア厚生省の官僚たちは賢かった。これまでの経験から、道路封鎖の危うさがわかっていたのだ。農村部の人たちが切り捨てられたと感じて、政府への信頼が損なわれることを官僚は心配していた。信頼が失われれば、とんでもない惨事になる。エボラを抑え込むには、接触者をたどって隔離するしかない。そのためには、感染者が誰と接触したかを包み隠さず正直に話してもらわなければならない。調査員は貧しいスラム街に入って、愛する家族を亡くしたばかりの人に、故人が死ぬ前に誰と接触した可能性があるかを聞かなければならないのだ。もちろん、聞き取りを受けている人もたいていの場合は故人に接触していて、エボラに感染している可能性がある。恐れが広がり、噂が噂を呼ぶ中で、焦りに任せて過激な手を打っても効果はない。力任せのやみくもな対策では感染経路はたどれない。冷静で地道な細かい作業を通して、感染経路を掘り起こすしかない。亡くなった家族に愛人が何人もいたことを隠す人がたったひとりでもいたら、何千人もの命が危険にさらされる。

恐れに支配され、時間に追われて最悪のケースが頭に浮かぶと、人は愚かな判断をしてしまう。一刻も早く手を打たなければという焦りから、冷静に分析する力が失われてしまうのだ。

1981年のナカラに戻ろう。わたしは病気の原因を突き止めることには慎重を期して何日もかけていたのに、道路封鎖によって何が起きるかを一瞬たりとも考えなかった。焦り、恐れ、感染症のリスクばかりに気を取られて、深く考え抜くことができなくなっていた。何か手を打たなければならないという焦りから、大変な失敗をしてしまったのだ。

焦り本能

いつやるか？　いまでしょ！　いますぐにファクトフルネスを学ぼう！　明日じゃ遅すぎる！

読者のみなさんはとうとう最後の教えまでたどりついた。ここでやらなければあとはない。ファクトフルネスを実践して、世界を正しく見られるようになるか。それとも本を読み終えたら何もしないか。どちらかを選べるのはいま、この時だけ。このチャンスを逃すと次はない。

だから、いま、この瞬間に決めるんだ！　今日から考え方を変えよう！　一生世界を知らずに過ごしたくなかったら、いますぐ行動しよう！


なんて言葉をどこかで聞いたことがあるはずだ。販売員からかもしれないし、活動家からかもしれない。どちらもこの手の言い回しをよく使う。いまやらないと、もう次はない——それが焦り本能を引き出すコツなのだ。いますぐ決めろとせかされると、批判的に考える力が失われ、拙速に判断し行動してしまう。

ひと息つこう。そんな口車に乗ってはいけない。いまじゃないとダメなんてことはないし、チャンスは一度きりじゃない。この本をいったん脇に置いて、別のことをしてもぜんぜん大丈夫。1週間後でも、1カ月後でも、1年後でも、また続きを読めばいいし、大切なポイントはもう一度おさらいすればいい。それでも遅くない。逆にそうしたほうが、一度に詰め込むより身につきやすい。

目の前に危機が迫っていると感じると、焦り本能のせいですぐに動きたくなるものだ。遠い昔はその本能が人間を守ってくれた。草むらにライオンが隠れているとしたら、じっくり考えている時間はない。わたしたちの祖先は、一息ついてじっくりと確率を計算したりしなかった。不十分な情報を基に、その場で判断し行動していた。いまでも焦り本能が必要になることはある。たとえば、突然目の前に車が飛び出してきたら、すぐに避けたほうがいい。でも、現代の生活では差し迫った危機はほとんどなくなり、もっと複雑で抽象的な問題にぶつかることのほうがはるかに多い。焦り本能はむしろわたしたちの理解を妨げてしまう。焦り本能がプレッシャーになり、ほかの本能も抑えが効かなくなる。正しい分析ができなくなり、拙速に判断したくなり、隅々まで考え抜く前に過激な手を打ちたくなってしまうのだ。

反対に、遠い未来のリスクとなると、誰も焦らず、すぐに手を打たなければとも感じないものだ。実際、先のこととなると、みんなびっくりするほどいいかげんだったりする。老後に備えて十分な貯金をしている人が少ないのは、遠い先のことを誰もあまり考えたがらないからだ。

先の長い課題に取り組んでいる活動家にとっては、人々が将来のリスクに鈍感だということは、大きな問題だ。どうしたら人々の目を覚ませることができるのだろう？ どうしたら人々を突き動かすことができるだろう？ まず、不確かな未来のリスクを目の前に差し迫ったものだと感じさせる。そして、いまこそ重要な問題を解決する千載一遇のチャンスだと思わせるといい。つまり、焦り本能を引き出さなければならないのだ。

焦り本能を刺激して人々を行動させることはできるけれど、それが不必要なストレスになったり、間違った判断につながったりすることもある。社会貢献活動への信頼や信用が失われてしまうことにもなりかねない。緊急警報に慣れっこになると、本当の緊急事態に気づけなくなる。緊急でもないのに緊急だと訴えて行動を迫る活動家は、イソップ物語のオオカミ少年のようなものだ。あのお話の結末はご存じだろう。本当にオオカミが来ても信用してもらえず、羊はすべて食われてしまう。

焦り本能を抑えよう。本日限定！ 特別大セール！

いますぐ行動しろと言われると、わたしは警戒してしまう。冷静に考えさせまいとしているように聞こえてしまうのだ。

焦りは好都合？

質問13 グローバルな気候の専門家は、これからの100年で、地球の平均気温はどうなると考えているでしょう？

A 暖かくなる
B 変わらない
C 寒くなる

「みんなが震え上がるようなことをやらないと」。元アメリカ副大統領のアル・ゴアは、開口いちばんそう言った。地球温暖化について人々に教えるにはどうしたらいいかを2人で話したときだった。初めてアル・ゴアに会ったのは2009年で、ロサンゼルスのTED会場の舞台裏だった。二酸化炭素の排出量がこのまま増え続けたら最悪の場合どんな悲惨なことになるかを、お得意のバブルチャートで見せてくれないかとアル・ゴアに頼まれた。

その頃、地球温暖化を世間に知らしめ、みずから行動を起こしていたアル・ゴアをわたしはすごいと思っていたし、いまもそう思っている。先ほどの質問にみなさんは正解されたはずだ。この質問だけは、どこでも正解率がチンパンジーより高い（フィンランドとハンガリーとノルウェーでは94％、カナダとアメリカでは81％、日本では76％だった)。専門家が劇的な温暖化を予測していることを、ほとんどの人が知っていた。これほど認知度が高いのは、アル・ゴアのおかげだと言っても間違いじゃない。2015年に温暖化対策としてパリ協定が締結されたのもまた、アル・ゴアが運動を始めてくれたおかげだ。ゴアはわたしのヒーローだったし、いまでもそうだ。地球温暖化に急いで手を打つ必要があることには100％賛同するし、ゴアと一緒に働けると思っただけで心がウキウキした。

それでも、ゴアの頼みに応えることはできなかった。

恐れを煽るのはいやなのだ。かつて戦争の恐怖に焦りが上乗せされたわたしは、ロシア人のパイロットが血を流していると錯覚してしまった。感染症の恐れと焦りが一緒になって、道路を封鎖し、母親と子供と漁師を溺死させてしまった。恐れと焦りは愚かで過激な判断につながり、予想もしない副作用を生む。地球温暖化は切実な問題だからこそ、愚かな判断につながるようなことはしたくない。必要なのは総合的な分析と、考え抜いた決断と、段階的な行動と、慎重な評価なのだ。

わたしは誇張が嫌いだ。厳密な調査に基づくデータの信頼性を傷つけたくない。温暖化を示すデータは本物だし、その大部分は温室効果ガスによるものだということも証明されている。温室効果ガスの原因は、たとえば化石燃料を燃やすといった人間の活動だ。また、いますぐに広範囲に手を打つほうが、どうしようもなくなってから動くよりはるかに安上がりにすむことも証明されている。でも、もし誇張がバレてしまったら、誰からもそっぽを向かれてしまう。

わたしは、最悪のシナリオを見せるなら、いちばん可能性の高いシナリオと、最高のシナリオも見せたいと言い張った。最悪のシナリオだけを取り上げて、科学的根拠に基づく予測を超えて作り話のような未来の姿を見せるなんて、わたしたちの使命とは違いすぎる。人々に基本的な事実を知ってもらうことが、ギャップマインダーの目標だ。信頼を損なうようなことはしたくなかった。それでもアル・ゴアは、専門家の予想の上をいくような恐ろしげなバブルチャートをつくってほしいと迫る。何度か頼まれて、最後にわたしはきっぱりと断った。「副大統領。予想はなしです。バブルチャートもつくりません」

未来予想といっても、比較的簡単に予測できることもあれば、そうでないこともある。1週間より先の天気予報は、当たったためしがない。国の経済成長と失業率も、驚くほど予測が難しい。それは複雑だからだ。そこには考慮すべき要因が多く、変化の速度も速い。1週間先には温度も風速も湿度もそれ以外の要因も大きく変わっている。1カ月先には何億、何兆ドルもの資金が何億回とやりとりされている。

それとは対照的に、人口動態は何十年も先までかなり正確に予測できる。人の生と死の仕組みは極めて単純だからだ。子供は生まれて育ち、大人になって子供を産み、やがて死んでゆく。ひとサイクルはおよそ70年。

とはいえ、未来にはかならず見えない部分がある。だから未来のことを語るときはいつも、どのくらい見えていないかを正直にはっきりさせたほうがいい。最もドラマチックな予測を選りすぐって、最悪のシナリオがまるで確実であるかのように見せるべきじゃない。誇張はかならず見抜かれる。真ん中あたりの予測を見せるべきだし、最高のシナリオから最悪のシナリオまでどれほどの幅があるのかを見せたほうがいい。もし数字を丸めて見せる場合には、自分たちの不利になるように丸めたほうがいい。それなら評判に傷がつかない。「あいつらはこじつけしか言わないから、聞いても仕方ない」なんて言われずにすむ。

データにこだわる

初めてアル・ゴアと話をしてからかなり長いあいだ、わたしは彼の言葉を頭の中で何度も反すうした。はっきり言っておくが、わたしは地球温暖化を心から気にかけている。2014年のエボラの流行と同じくらい、温暖化も差し迫った問題だと思っている。最悪の予想だけをさも確実かのように取り上げて、運動を盛り上げたい気持ちはわかる。でも、地球温暖化を気にかけるならなおさら、ありそうもないシナリオを取り上げて人々を恐がらせるのはやめたほうがいい。ほとんどの人は地球が温暖化していることを認めている。ことさらに強調しても、すでに開いた扉を蹴破ろうとするようなものだ。世間を説得する段階はもう終わった。これからは、問題解決に向けて行動することに力を注いだほうがいい。恐れと焦りに動かされるより、データと客観的な分析に基づいて行動すべきだ。

では、どうしたら温暖化を止められる？　実は簡単だ。温室効果ガスを大量に排出している人が、いますぐにやめればいい。それが誰かはもうわかっている。誰よりも大量に二酸化炭素を排出しているのは、レベル4の人たちだ。だからそこから手をつければいい。そのうえで正確なデータを揃えて、進歩をきちんと計測しよう。

アル・ゴアと話したあとに、わたしは地球温暖化についてのデータを探ってみた。だが、意外なことにデータを見つけるのに苦労した。精彩な衛星写真のおかげで、北極の氷河が日々どう変化しているかは追跡できる。この画像を見れば、恐ろしいほどのスピードで氷河が年々減っていることがはっきりとわかる。温暖化の現状はここから見てとれる。だが、原因を追跡するためのデータ、おもに二酸化炭素の排出データとなると、驚くほど少なかった。

レベル4の国のひとりあたりGDPなら、4半期ごとに数字が公表され、それが厳密に記録されている。しかし二酸化炭素の排出データとなると、2年に一度しか発表されない。そこで、わたしはスウェーデン政府にハッパをかけることにした。温室効果ガスのデータを4半期ごとに発表するよう、2009年に働きかけた。地球温暖化を気にかけていると言うなら、きちんと測定すべきじゃないか？ 進歩を記録していなければ、この問題を真剣に考えているなんて言えないはずだ。

だから、スウェーデンが2014年以来、温室効果ガスの排出量を四半期ごとに公表していることはとても誇らしい（4半期ごとのデータを公表したのはスウェーデンが世界で初めてで、そうしている国はいまだにスウェーデンだけだ）。これぞ、ファクトフルネスの実践だ。最近では韓国の統計家がストックホルムを訪れて、同じことができないかと検討していた。

地球温暖化は無視も否定もできない深刻な世界的リスクだし、レベル4にいる大半の人はそのことを知っている。でも、深刻だからといって、根拠の薄い最悪のシナリオと終末の予言などを振りかざしてはいけない。

いますぐ行動を！ という訴えには、データを改善することから始めるのがいちばんいい。

恐れにつけこむ

地球温暖化についての本は、いまも次から次へと出版されている。多くの活動家は、地球温暖化こそ世界にとってなにより切実な問題だと信じて疑わない。温暖化がほかのすべてのグローバルな問題を引き起こしているかのように、温暖化に関係することをなんでも責め立てる。

彼らは、シリアの内戦、ＩＳＩＳ、エボラ、ＨＩＶ、サメの襲来など、その日の目を引くニュースを手当たり次第に温暖化と結びつけ、危機感を煽ろうとする。しかしこうしたニュースとは違って、温暖化は長期的に取り組むべき問題だ。確固とした科学的な証拠に基づく主張もたまにはあるが、かなり無理のある、証明されていない仮説であることも多い。未来の危機をさし迫ったものに感じさせたいという気持ちはわたしにもわかる。それでも、彼らの手法には賛成できない。

わたしがいちばんイヤなのは、世間に注目されようとして、「温暖化難民」などという言葉をつくり出すやり方だ。温暖化と人口移動の関連性は低い。温暖化難民というコンセプトはでっちあげだ。幅広い人々の支援を築くために、「難民」という言葉から連想される恐れを温暖化問題に利用しているにすぎない。

地球温暖化の活動家にそう言うと、大げさな話やでっちあげで恐れや焦りを引き出しても許されるはずだと返される。そうでもしなければ、遠い未来のリスクのために人は動いてくれない、と言うのだ。目的が正しければどんな手段を使ってもいいと彼らは思っている。それでは目先の効果しかないとわたしは思う。

オオカミが来たといつも叫んでいると、誰からも信用されなくなるし、評判に傷がつく。真摯に気候を研究する人たちにも、活動そのものにとっても損になる。そのせいで、地球温暖化のような重要な問題から人々の心が離れてしまっては困る。戦争や紛争、貧困、移民といった問題をすべて地球温暖化のせいにすれば、ほかの原因に目が向かなくなってしまい、本当の問題解決のために行動できなくなってしまう。オオカミ少年のように、誰も耳を貸してくれなくなっては元も子もない。信頼を失えば、闘いには勝てない。

しかも、過激な誇張に活動家自身がとらわれてしまうことも多い。人を巻き込むために話を盛っているうちに、それが誇張であることを忘れてしまい、現実的な解決策に目が向かなくなってしまうのだ。地球温暖化に真剣に取り組むつもりなら、頭の中できちんと整理をつけたほうがいい。温暖化を心から気にかけるのはいいが、自分自身が発する気の滅入るような訴えにとらわれないでほしい。最悪のシナリオを考えるのは結構だが、そこに不確実な要素が多く含まれていることを肝に銘じておくべきだ。世間を盛り上げたいなら、自分の頭を冷やして賢く判断し、理にかなった行動を取ってほしい。信頼を失わないよう、くれぐれも注意しよう。

エボラ

第3章で書いたが、2014年に西アフリカでエボラが流行したとき、初めのうちはわたしはその深刻さがわかっていなかった。患者数が倍々で増えているのを見てやっと、大変なことになると気づいた。だが、これまでになく差し迫った恐ろしい状況の中でも、わたしは過去の失敗を繰り返すまいと心に決め、本能や恐れに動かされるのではなく、データに基づいて行動しようと自分に誓った。

世界保健機構（WHO）とアメリカ疾病予防管理センター（CDC）が公表していた「感染の疑いのある人」のグラフは、かなりあやふやな数字が基になっていた。「感染の疑い」とは感染が確認されていないということだ。元データはとにかく問題が多かった。たとえば、ある時点でエボラの疑いありとされ、結局エボラ以外の病気で亡くなっていたことがわかってもまだ、「感染の疑いのある人」として数えられていた。エボラへの恐怖が増すにつれ、誰もが疑わしく見えてきて、「感染の疑いのある人」の数もますます増えた。エボラへの対処が忙しくなると、日常的な医療はおろそかになり、普通の病気の治療が追い付かず、エボラ以外の原因で亡くなる人がどんどん増えていった。そんな死者たちもまた、「感染の疑いのある人」として扱われていた。そんなわけで、「感染の疑いのある人」のグラフはますます右肩上がりに上がっていき、実際に確認された感染者数とかけ離れていった。

進捗を測れなければ、自分たちの対策が効いているのかどうかわからない。だからわたしは、リベリアの厚生省に着くとすぐに、感染が確認された人の数を聞き出して、全体像をつかもうとした。血液サンプルは別々の4つの研究室に送られていて、それぞれの研究室の記録はエクセルに乱雑に打ち込まれていた。しかし、まだ4カ所の数字は集計されていないことが、その日のうちにわかった。その頃、リベリアには数百人もの医療関係者が世界中から集まり、ソフトウェアの開発者は役にも立たないエボラアプリを開発し続けていた（開発者はアプリという「トンカチ」で、エボラという「くぎ」を必死に叩こうとしていた）。しかし、そうした対策が効いているかどうかを測っている人はいなかった。

許可を得たあとで、ストックホルムにいるオーラに4つのエクセルの表を送った。オーラはその表を整理して、手作業で集計した。そこで奇妙なことを発見したオーラは、もう一度同じ手順を繰り返して間違いがないかを確かめた。オーラは間違っていなかった。危機が差し迫っていると感じたら、最初にやるべきなのはオオカミが来たと叫ぶことではなく、データを整理することだ。

誰もが驚いたことに、集計されたデータを見ると、感染が確認された人の数は2週間前にピークを打ち、それ以降は減っていた。逆に、感染の疑いのある人の数は増えていた。一方、現場ではリベリアの人たちの習慣を変えることに成功し、人々は必要のない接触を避けるようになっていた。握手もハグもしなくなっていたのだ。生活習慣の変化に加えて、店舗、公共の建物、救急車、病院、葬儀場、それ以外のあらゆる場所で衛生管理を徹底したことの効き目が出始めていた。対策は効いていた。でも、オーラがその表を送ってくれるまで、誰もそれに気づいていなかった。わたしたちは明るいニュースに喜び、仕事に戻った。対策が功を奏していることを知って、ますますがんばろうと背中を押されたのだった。

世界保健機構に感染者数が減っているグラフを送ると、次の報告書でそれが公表された。なのにアメリカ疾病予防管理センター（CDC）はまだ「感染の疑いのある人」の右肩上がりのグラフを発表し続けていた。手を貸してくれる人たちに対して、緊迫感を持続させたかったのだろう。善意からそうしたのはわかるが、それでは間違った場所に資金や支援が向かってしまう。しかも、長期的には感染症研究データへの信頼性に傷をつけることになる。そのほうがさらに深刻な問題だ。

とはいえ、CDCの判断について、現場のわたしたちはとやかく言える立場にはない。幅跳びの選手が自分で記録を測ることは許されない。それと同じで、現場で対策にあたる組織は、どのデータを公表するかを自分たちで決めてはいけない。現場の人たちは、資金欲しさにデータを捏造するかもしれないからだ。だから、データの信頼性を担保するには、進捗を測るのを現場だけに任せないほうがいい。

エボラ危機がどれほど深刻かを教えてくれたのは、データだった。最初のデータでは、感染の疑いのある人の数が、3週間ごとに2倍になっていた。そして、エボラへの対策が効いていることを教えてくれたのもまた、データだった。確認された感染者数は減っていたのだ。データがすべての鍵だった。これからも、どこかで感染症が猛威をふるったときには、データが鍵になるはずだ。だからデータそのものの信頼性と、データを計測し発表する人たちの信頼性を守ることが、とても大切になる。わたしたちはデータを使って真実を語らなければならない。たとえ善意からだとしても、拙速に行動を呼びかけてはいけない。

いつやるか？ いまでしょ！

世界の見方を歪めてしまう最悪の本能のひとつが、焦り本能だ。ほかの本能についても、この本の中で最悪だと言ってしまったが、焦り本能だけは特に注意したほうがいい。もしかすると、ほかのすべての本能も焦りに含まれるかもしれない。ドラマチックすぎる世界が頭の中に広がると、かならず危機感やプレッシャーを感じてしまう。「いましかない」という焦りはストレスのもとになったり、逆に無関心につながってしまう。「なんでもいいからとにかく変えなくては。分析は後回し。行動あるのみ」と感じたり、逆に「何をやってもダメ。自分にできることはない。あきらめよう」という気持ちになる。どちらの場合も、考えることをやめ、本能に負け、愚かな判断をしてしまうことになる。

心配すべき5つのグローバルなリスク

グローバルな危機が目の前にあることは、間違いない。世界のなにもかもがうまくいっていて問題はひとつもないと言っているわけではない。問題から目をそらしても、心は落ち着かない。わたしがいちばん心配している5つのリスクは、感染症の世界的な流行、金融危機、世界大戦、地球温暖化、そして極度の貧困だ。なぜこの5つを特に心配しているかと言えば、実際に起きる可能性が高いからだ。最初の3つはこれまでに起きたことがあるし、あとの2つは現在進行中だ。どの危機が起きても、大勢の人が苦しみ、数年、または数十年にわたって人類の進歩が止まってしまう。もしこれらの危機を切り抜けられなかったら、ほかのこともすべてダメになってしまう。これらの危機を避けるには、人々が力を合わせて、小さな歩みを重ねるしかない（この5つに加えて、6番目のリスクがある。それは、見えないリスクだ。わたしたちが考えてもみなかった何かが、苦しみや荒廃を引き起こす可能性はある。そんな予想外の何かが起きる可能性はある。ただし、どんなものだか予想もつかないような、自分たちにはどうしようもないリスクを心配しても意味はない。とはいえ、新しいリスクにはつねに興味を持ち、警戒を怠らないほうがいい。そうすれば、何かが起きてもすぐに対応できる)。

感染症の世界的な流行

第一次世界大戦中に世界中に広がったスペインかぜで、5000万人が命を落とした。大戦の犠牲者よりも、スペインかぜで亡くなった人のほうが多かった。4年にわたる戦争で人々の体力が落ちていたこともあるだろう。スペインかぜの流行で、世界の平均寿命は33歳から23歳へと10年も縮まった。第2章で紹介した世界の平均寿命のグラフに谷があるのはそのせいだ。

感染症の専門家のあいだではいまも、新種のインフルエンザが最大の脅威だというのは共通の認識になっている。その理由は、インフルエンザの感染経路にある。インフルエンザウィルスは目に見えない粒子になって空気感染する。感染者が地下鉄に乗ると、同じ車両の人は全員感染する可能性がある。接触しなくても感染するし、同じ場所に触らなくても感染する。あっという間に広がるインフルエンザのような感染症は、エボラやＨＩＶ・エイズのような病気よりもはるかに大きな脅威になる。感染力が強くどんな対策も効かないウィルスからあらゆる手で自分たちを守ることは、あたりまえだがかなり重要だ。

金融危機

グローバル化した世界では、金融バブルがはじけると悲劇が起きる。国の経済が崩壊し、多くの人が仕事を失う。不満が爆発した市民は過激な対策を求めるようになる。ふたたび世界最大級の金融機関が破たんすれば、2008年の金融危機よりもさらに悲惨な事態になるかもしれない。グローバル経済全体が壊滅する可能性もある。

世界で最も優秀な経済学者でさえ、先の金融危機を予測できず、その後の回復についても毎年のように予測を外していた。それは、システムが複雑すぎて正確な予測ができないからだ。予期せぬ金融危機が起きる可能性はいつでもある。もし金融システムがもっと単純なら、将来の金融危機を避ける方法を思いつけるかもしれない。

第三次世界大戦

わたしは多くの国や文化の違う人たちと関係を築くことに人生を費やしてきた。違う国の人と知り合うのは楽しいし、世界をより安全にするには個人の関係が欠かせない。人間には暴力で報復したがる愚かな本能がある。なにより邪悪なのは、戦争に訴える本能だ。こうした本能に対抗できるのは、人と人との個人的な関係だ。

オリンピックも、国際貿易も、交換留学も、自由なインターネットも、人種や国家の境を越えて人と人が出会う機会だ。そんな機会がたくさんあるといい。個人の関係が、世界平和を維持するためのセーフティネットになる。世界が平和でなければ、「持続可能な開発目標」もただの絵に描いた餅でしかない。力にものを言わせてきたプライドの高い国家が、市場での支配力が弱まったときに他国を攻撃する可能性はある。それを外交努力だけで防ぐのは難しい。古臭い西洋の国は新しい世界の一部になれるよう、新たな道を探さなければならないし、わたしたち個人はそのきっかけをつくることができる。

地球温暖化

温暖化が途方もない脅威だということは、最悪のシナリオを見なくてもわかる。大気のような地球の共有資源を管理するには、世界に尊重される統治機構が必要になる。グローバルな基準に全員が従わなければ、共有資源は管理できない。

それは不可能ではない。世界が力を合わせたおかげで、オゾン層破壊物質と有鉛ガソリンのどちらも、この20年間でほぼ完全に廃止できた。温暖化への対策には、強力な国際組織がきちんと機能することが必要になる（もちろん、国連のことだ）。異なる所得レベルのさまざまな人たちが生きていくために、世界がひとつになって取り組む姿勢も大切になる。「レベル1にいる10億人は電気を利用するな」なんて言うようでは、世界がひとつになって力を合わせていることにはならない。二酸化炭素の大部分を排出している豊かな国は、貧しい国を非難するよりも、自分たちがまず率先して排出量を減らしたほうがいい。レベル1の人たちが電気を使えるようになったとしても、世界全体の排出量はほとんど増えないのだから。

極度の貧困

ここまで話してきたリスクは、起きる可能性は高いが、その悲惨さが予測できないものだ。その意味で、極度の貧困は実はリスクではない。極度の貧困によって生み出される苦しみはある程度予測できるし、未来のことでもない。極度の貧困は、目の前の現実だ。いま、まさに日々起きている苦しみなのだ。エボラが流行するのも、極度に貧しい地域だ。それは病気の初期に対応できるような医療サービスがないからだ。内戦が起きるのもまた、貧困地域だ。貧困地域の若者はのどから手が出るほど食べ物と仕事を欲しがり、失うものは何もない。だから残酷なゲリラ活動にみずから参加するようになる。そこに悪循環が生まれる。貧困が内戦を引き起こし、内戦は貧困につながる。アフガニスタンと中部アフリカでは紛争のせいで既存の開発プロジェクトはすべて止まっている。極度の貧困が残る数少ない地域にテロリストは隠れる。内戦地域ではどんな人道的活動も難しくなる。

この数十年は歴史の中で比較的平和な時期で、この平和が世界の繁栄につながってきた。極度の貧困から抜け出せない人の割合は、これまでで最も低くなっている。それでもまだ、少なくとも8億人が取り残されている。いまこの世界で8億人が苦しんでいることはわかっている。どうしたらこの8億人を救えるかもわかっている。

必要なのは、平和、学校教育、すべての人への基本的な保険医療、電気、清潔な水、トイレ、避妊具、そして市場経済に参加するための小口信用（マイクロクレジット）だ。貧困の撲滅にイノベーションは必要ない。ほかの場所で効果のあった対策を、極度の貧困にある人たちに届ければいい。あとは最後の一歩を詰めるだけだ。早く動けばそれだけ、問題が小さいうちに抑えられる。極度の貧困にある限り、大家族は続き、家族の頭数は増え続ける。レベル1にいる10億人が、人間らしく暮らすための必需品を届けることに、いますぐ力を注ぐべきだ。

救い出すのがいちばん難しいのは、政府統治力が弱い国の、暴力や武装勢力から逃れられない人たちだ。貧困から抜け出すには、安全をもたらしてくれるなんらかの武力が必要になる。銃と権限を持つ警官がか弱い市民を暴力から守り、教師が次世代の子供たちを安心して教えられる環境がいる。

わたしはそれでも希望をもっている。次の世代の人たちは、長い長いリレーの最終走者のようなものだ。極度の貧困との闘いは、1800年から続く、マラソンのような長距離レースだ。次の世代はゴールテープを切れるチャンスがある。バトンを受け取り、ゴールに駆け込み、ガッツポーズを取るのは、次の世代だ。このレースは絶対に完走しなければならない。闘いに勝った暁には、盛大なパーティで祝いたい。

わたしは、何がいちばん深刻な問題かをわかっていれば安心できる。ここにあげた5つの大きなリスクこそ、わたしたちがいま力を注がなければならない問題だ。この問題に取り組むには、客観的で独立したデータが欠かせない。グローバルな協調とリソースの提供も必要だ。そして、小さな歩みを重ね、計測と評価を繰り返しながら進んでいくしかない。過激な行動に出てはいけない。どんな社会貢献に携わっていても、すべての活動家はこの5つのリスクを肝に銘じておいたほうがいい。このリスクに関しては、オオカミ少年になってはいけない。

みなさんに、心配しなくていいですよとは言えない。正しいリスクについて心配してほしい。ニュースから目をそらし、活動家の呼びかけを無視していいとも思わない。ただし、雑音には耳を貸さず、深刻なグローバルリスクに目を向け続けてほしい。

恐がらなくていいとも言えない。でも、頭を冷やして世界の人々と力を合わせ、こうしたリスクを減らす手助けをしてほしい。焦り本能を抑えよう。すべてのドラマチックな本能を抑えよう。ドラマチックすぎる世界で現実離れした問題に頭を悩ませる必要はない。本物の問題に注目し、どうしたら解決できるかを考えよう。

ファクトフルネス

ファクトフルネスとは……「いますぐに決めなければならない」と感じたら、自分の焦りに気づくこと。いま決めなければならないようなことはめったにないと知ること。

焦り本能を抑えるには、小さな一歩を重ねるといい。

- **深呼吸しよう。**焦り本能が顔を出すと、ほかの本能も引き出されて冷静に分析できなくなる。そんな時には時間をかけて、情報をもっと手に入れよう。いまやらなければ二度とできないなんてことはめったにないし、答えは二者択一ではない。
- **データにこだわろう。**緊急で重要なことならなおさら、データを見るべきだ。一見重要そうだが正確でないデータや、正確であっても重要でないデータには注意しよう。正確で重要なデータだけを取り入れよう。

●占い師に気をつけよう。 未来についての予測は不確かなものだ。不確かであることを認めない予測は疑ったほうがいい。予測には幅があることを心に留め、決して最高のシナリオと最悪のシナリオだけではないことを覚えておこう。極端な予測がこれまでどのくらい当たっていたかを考えよう。

●過激な対策に注意しよう。 大胆な対策を取ったらどんな副作用があるかを考えてほしい。その対策の効果が本当に証明されているかに気をつけよう。地道に一歩一歩進みながら、効果を測定したほうがいい。ドラマチックな対策よりも、たいていは地道な一歩に効果がある。

第11章

ファクトフルネスを実践しよう

ファクトフルネスのおかげでわたしがどう命拾いしたか

「逃げたほうがいいかも」若い教師がわたしの耳元でささやいた。

頭に2つのことがよぎった。もし教師がわたしを置いて逃げたら、目の前で頭から湯気を出しながら迫ってくる人たちと話す手立てはなくなる。わたしは教師の腕を離すまいと、ギュッとつかんだ。

もうひとつ頭に浮かんだのは、タンザニアの賢い知事が教えてくれたことだ。

「もし誰かが大なたを振り回して迫ってきたら、背を向けちゃいけませんよ。どっしり構えていないと。相手の目をまっすぐ見つめて、どうしたんだと聞きなさい」

1989年のことだった。わたしは、当時のザイール、いまのコンゴ民主共和国のバンドゥンドゥ州にあるマカンガという人里離れた貧しい村にいた。コンゾと呼ばれる流行の神経麻痺症状を調査するチームの一員だった。この病気を何年も前にモザンビークで初めて発見したのがわたしだったのだ。

今回の研究プロジェクトは準備に2年もかかってやっと実現したものだった。さまざまな認可、運転手、通訳、研究機器など、すべてを綿密に準備してきた。でも、致命的なミスをひとつ犯してしまった。わたしたちがここで何をしたいのかとその理由をきちんと村人に説明していなかったのだ。わたしは村人全員に聞き取り調査を行って、食べ物のサンプルに加えて、血液と尿も採取したかった。村長が村人に説明をする際に、わたしもその場にいるべきだった。

その朝、わたしがテントの中で黙々と細かい準備をしていると、村人が集まってきたのがわかった。ガヤガヤと声がする。どうも揉めているようだ。でも、わたしは採血器の準備に気を取られていた。なんとかディーゼル発電機を動かして、遠心分離機を作動できた。機械の音がうるさかったので、スイッチを切ってはじめて、テントの外の大声に気づいた。わたしが準備に気を取られていたほんの一瞬のあいだに、外の様子は変わっていた。わたしは背をかがめて、小さな出口から外に出た。テントの中は暗かったので、外に出て立ち上がると一瞬何も見えなかった。目が慣れると、50人ほどの村人が殺気立っていた。わたしを指さしている村人もいる。男が2人、筋骨隆々とした腕を上げて、バカでかいなたを振り回している。

通訳を務めていた教師がわたしに逃げようとささやいたのは、その時だ。左右に目をやったが、逃げ場はない。わたしをつかまえる気なら、いつでも押さえつけてなたで切り殺せる。

「どうしたんだ?」教師に聞いた。

「あなたが村人の血を売るつもりだって思われたみたいです。だましてるって。村長だけにカネを渡して、自分たちの血で何か毒みたいなものをつくるんじゃないかって。自分たちの血を盗むなんてとんでもないって言ってます」

まずい。困った。教師に通訳してくれないかと頼んで、群衆のほうに向き直った。「説明させてもらえませんか?」と村人に頼む。「みなさんが望むなら、いますぐこの村から出ていきます。それとも、なぜここに来たかを説明するほうがいいですか?」

「じゃあ、聞かせろ」と村人たちと言う(人里離れた村ではほかにやることもないので、まず話を聞いてから殺してもいいと思ったのかもしれない)。なたを振り回していた男たちを、群衆がなだめた。「話を聞こう」

先に説明しておくべきだったのだ。調査のために村に入るときは、村人を尊重し、一歩ずつ時間をかけて準備を進めなければならない。まずは村人に疑問に思うことをなんでも話してもらい、こちらが疑問に答えることが先だったのに。

最初に、コンゾという病気を調査していることを説明した。以前にモザンビークとタンザニアでコンゾを調査したときの写真があったので、それを村人に見せた。村人たちはその写真にくぎ付けになった。「キャッサバの食べ方が病気に関係しているようなんです」と言った。

「違う、違う」と村人たち。

「それが正しいかどうかを調べるために、ここに来ました。もし原因がわかれば、みなさんがもうこの病気にかからなくてすむんです」

この村の子供たちの多くが、コンゾにかかっていた。村に到着してすぐにそのことに気づいた。わたしたちのジープの横について、目をきらきらさせながら一緒に走っている子供たちの後ろに、取り残されている子供がいた。ここに集まった群衆の中にも、足をひきずっている、典型的な症状の子供を何人か見た。

村人たちはぼそぼそと相談を始めた。なたを持った男のうち、凶暴そうなほうがまた大声をあげる。額に大きな傷跡のあるその男の目は血走っていた。

その時、50歳くらいの裸足の女性が前に進み出た。ツカツカとわたしのほうに歩み寄り、それから村人たちのほうに振り向いて、両手を広げて大きな声でこう言った。

「わかった? 筋が通ってるじゃないの。黙って! この先生の言ってること、もっともでしょ。血液検査しなくちゃ。はしかでみんなが死んだの、覚えてる? 子供もたくさん亡くなった。そのあと、お医者さんが来て予防接種してくれたじゃない。そしたらはしかで子供が死ななくなったでしょ。わかった?」

村人たちが負けじと言い返す。「あぁ、はしかのワクチンは効いたさ。でもこいつは俺たちの血を盗もうとしてる！」

裸足の女性は一息ついて、もう一歩群衆に近寄った。「ちょっとあんたたち。はしかのワクチンがどうやってできたと思ってんの？　木になるとでも？　地面から引っこ抜くと思ってんの？　この先生がやってるのがそれだよ。調査だよ、チョ・ウ・サ」。女性は「調査」と繰り返しながら、わたしを指さした。「そうやって、病気を治す方法を見つけるのさ。わかったかい？」

コンゴの果ての山奥で、この女性はまるで科学大臣のように堂々と科学研究の大切さを説いていた。「うちの孫は、この**コンゾ**って病気で一生手足が不自由になったんだ。医者は治せないって言ってる。でもこの先生が調査してくれたら、あの病気を止められるかもしれないんだよ。はしかみたいにね。もう子供や孫が不自由な身体にならなくてすむんだ。あたしは賛成だね。あたしたち、マカンガの人間にはこの先生の調査ってやつが必要なんだよ」

圧倒的な演説だった。しかも、その女性は事実を歪めたりしなかった。そして説得力があった。これまで何度も見てきた芯の強いアフリカ女性と同じように、この女性も「どうだ見てなさい」というように左手の袖をまくり上げた。わたしのほうに向き直ると、関節の血管のあたりを指さしながら、わたしの目を見てこう言った。「さあ、先生。採血して」

なたを持った男たちは、腕を降ろして帰って行った。5、6人はぶつぶつ言いながらどこかに行ってしまった。それ以外の村人たちは女性の後ろに並んで採血させてくれた。大声はやんで、普通の話し声が聞こえるようになり、怒った顔は珍しいものを見るような笑顔に変わった。

それ以来ずっと、あの勇気ある賢い女性への感謝を忘れたことはない。長年わたしは世間の知識不足と闘ってきて、やっといま、ファクトフルネスとは何かを具体的に説明できるようになった。あの女性がしたことは、まさにファクトフルネスだった。群れになった村人たちのドラマチックな本能をすべて理解し、本能を抑えることを助け、筋の通った主張で村人を説得した。あのときは注射器や血液や病気への恐れから、村人の恐怖本能が引き出されていた。パターン化本能がわたしをズルいヨーロッパ人のように見せていた。犯人捜し本能から、村人は血を盗みに来た邪悪な医者を懲らしめたがった。焦り本能から、村人は深く考えずに判断を下してしまった。

そのプレッシャーの中で、あの女性は前に進み出て、人々を説得した。それが学校教育のおかげでないことは確かだ。あの女性は村を出たことはないはずだし、文字も読めなかったと思う。どう考えても統計学なんて聞いたこともないだろうし、統計を学んだこともないはずだ。でもあの女性には勇気があった。そのうえ、緊張が極限まで高まる中で、冷静に考え、誰もが納得できる道理を完璧な言葉で表現することができた。あの女性のファクトフルネスのおかげで、わたしは命拾いした。あの女性が、あの状況でファクトフルでいられるとしたら、高度な教育を受け、この本を読み終えたあなたにも、同じことができるはずだ。

ファクトフルネスを使ってみよう

日々の生活でファクトフルネスはどう使えるだろう？ 教育で、ビジネスで、報道で、組織やコミュニティの中で、そして個人として、ファクトフルネスをどう実践したらいいのだろう？

教育

スウェーデンに火山はない。だが、公的な資金で火山を研究している地質学者はいる。学校でも普通に火山について教えている。ここ北半球にいる天文学者も、南半球でしか見られない星について学ぶし、学校でも南半球の星について教えている。なぜだろう？ そうしたものが世界の一部だからだ。

それならなぜ、医者と看護師は異なる所得レベルの人たちがどんな病気にかかるのかを学ばないのだろう？ 変わりゆく世界の基本的な最新知識を、どうして学校や企業研修で教えないのだろう？

最新の事実に基づく世界の見方は、子供たちにこそ教えるべきだ。4つの地域の4つの所得レベルで人々がどんな暮らしをしているかを教えるべきだ。ファクトフルネスを実践できるよう、子供たちを訓練するべきだ。この本の各章のおわりに箇条書きにしたことを、大まかなルールとして使うといい。そうすれば世界のニュースがファクトフルネスの視点で見えるようになる。メディアや活動家や販売員が過激な話題でドラマチックな本能を引き出そうとしていることもわかるようになる。批判的思考を教えている学校は多いが、ファクトフルネスも批判的思考のひとつと言ってもいい。それが次の世代を知識不足から守ることになる。

- 世界には健康と所得のレベルがさまざまに違う国があることと、そのほとんどは中程度だということを子供たちに教えよう。
- 自分たちの国の社会と経済が、世界の中でどのあたりに位置するかを教え、それがどう変わっているかを教えよう。
- 自分たちの国がいまの所得レベルになるまでに、どんなふうに進歩してきたのかを教えよう。その知識を使って、ほかの国の人たちがいまどんな生活を送っているかを理解しよう。

●貧しい国の所得レベルは上がっていて、物事はいい方向に向かっていることを教えよう。

●自分たちの国は進歩していないと誤解しないよう、昔の生活が実際にどんなものだったのかを教えよう。

●反対に見える2つのことが、両立することを教えよう。世界では悪いことも起きているけれど、たくさんのことがよくなっていることを伝えよう。

●ニュースの見方を教えよう。本能に訴えかけようとするメディアの手口を見抜けるようになれば、悪いニュースを見ても不安になったり絶望したりしないですむ。

●文化や宗教のステレオタイプは世界を理解するのに役に立たないことを教えよう。

●数字でけむに巻かれないよう、どんな手口にだまされやすいかを教えよう。

●世界は変わり続けていることと、死ぬまでずっと知識と世界の見方をアップデートし続けなければならないことを教えよう。

なによりも、謙虚さと好奇心を持つことを子供たちに教えよう。

謙虚であるということは、本能を抑えて事実を正しく見ることがどれほど難しいかに気づくことだ。自分の知識が限られていることを認めることだ。堂々と「知りません」と言えることだ。新しい事実を発見したら、喜んで意見を変えられることだ。謙虚になると、心が楽になる。何もかも知っていなくちゃならないというプレッシャーがなくなるし、いつも自分の意見を弁護しなければと感じなくていい。

好奇心があるということは、新しい情報を積極的に探し、受け入れるということだ。自分の考えに合わない事実を大切にし、その裏にある意味を理解しようと努めることだ。答えを間違っても恥とは思わず、間違いをきっかけに興味を持つことだ。「どうしてそんな事実も知らなかったんだろう？　この間違いから何を学べるだろう？　あの人たちはバカじゃないのに、どうしてこんなことをしているんだろう」と考えてみることだ。好奇心を持つと心がワクワクする。好奇心があれば、いつも何か面白いことを発見し続けられる。

世界は変わり続けている。知識不足の大人が多いという問題は、次の世代を教育するだけでは解決できない。学校で学ぶことは、学校を出て10年や20年もすれば時代遅れになってしまう。だから、大人の知識をアップデートする方法も見つけなければならない。自動車に欠陥があったら、リコールされる。メーカーから「お客様の自動車を回収してブレーキを修理いたします」なんて手紙をもらうわけだ。学校で教わった事実が時代遅れになったら、学校から謝罪の手紙を受け取ってもいいくらいだ。「申し訳ございませんが、お客様に教えたことはもう真実ではありません。お客様の脳を回収して、無料でアップグレードいたします」

でも、そんな手紙はこないので、職場がこの問題に取り組んだほうがいい。「この教材を最後まで読んで、テストに答えてください。世界経済フォーラムやほかの国際会議で恥をかかないために」と教えることはできるはずだ。

ソンブレロの代わりにドル・ストリートを教えよう

子供たちは幼稚園の頃から外国や宗教について学びはじめる。かわいらしい世界地図には民族衣装を着た人たちが描かれている。民族衣装を見せるのは、子供たちに他国の文化を伝え、尊重することを教えるためだろう。そうしたイラストに悪気がないのはわかっているが、「あの人たち」は違うと勘違いしてしまう子供もいる。ほかの国の人たちは昔ながらの原始的な生活を送っているように見えてしまうのだ。もちろん、時と場合によっては大きなソンブレロをかぶるメキシコ人もいるけれど、いまどきあんな大きなソンブレロを頭に乗せているのは、観光客のほうだ。

民族衣装の代わりに、子供たちにドル・ストリートを見せたほうがいい。普通の人たちがどんな暮らしをしているかを教えよう。もしあなたが教師なら、子供たちをウェブ上のドル・ストリートに「旅行」させてほしい。同じ国の中の違いや、違う国のあいだの共通点を子供たちに見つけさせよう。http://www.dollar-street.org

ビジネス

履歴書にひとつでもタイプミスがあったら、おそらく雇ってもらえない。それなのに、例のクイズで10億人の居場所を間違ってしまうような人でも、仕事はもらえる。昇進だってできる。

西洋の多国籍企業や金融機関で働く人たちはいまだに、ずっと昔に刷り込まれた、時代遅れの歪んだ世界の見方に従ってビジネスを行おうとしている。

でも、世界を理解することはますますビジネスに欠かせなくなっているし、理解しようと思えば簡単に理解できる環境になってきた。わたしたちの多くは世界中の消費者や、企業や、仕事仲間や、クライアントと関わっている。数十年前なら世界を知ることはいまほど大切ではなかったし、信頼できるグローバルな統計も、それを入手する手段もなかった。いまならどんなトピックについても、信頼できるデータが簡単に手に入る。これまではそうじゃなかった。とんでもない勘違いとの闘いを始めたとき、わたしの相棒になってくれたのはコピー機だった。でもいまならインターネットにどんなデータもある。採用でも、生産でも、マーケティングでも、投資でも、企業経営者や社員が事実に基づく世界の見方に従って行動することは、これまでになく簡単になったし、これまでになく重要にもなっている。

グローバル化した市場をデータに基づいて理解することは、ビジネスの世界ではあたりまえになった。でも、世界の見方が現実と正反対なら、細切れのデータを見ても正しい結論は導けない。データが間違っていたり、なかったりするのと同じことになる。世界についての知識テストをしてみるまで、誰もが自分はいい線いっていると思い込んでいる。

もしヨーロッパやアメリカの大企業で営業とマーケティングを統括する立場なら、未来の市場はアジアとアフリカにあることを理解していなければならない。

採用担当者なら、欧米企業というだけで外国人を簡単に採用できる時代は終わったことを知っておいたほうがいい。たとえば、真のグローバル企業になったグーグルとマイクロソフトには、「アメリカ臭」がほとんどない。グーグルやマイクロソフトで働くアジアやアフリカの社員は、まぎれもないグローバル企業の一員だ。グーグルのサンダー・ピチャイCEOとマイクロソフトのサティア・ナデラCEOはどちらもインドで生まれ育っている。

わたしは講演でいつも、ヨーロッパ企業には「ヨーロッパ臭さ」を抑えたほうがいい（「ロゴにアルプスを入れるのはやめましょう」とか）と勧めているし、社員はともかく本社はどこか別の場所に移したほうがいいと伝えている。

製造業の責任者なら、グローバル化はまだ終わっていないことを知っておく必要がある。数十年前、欧米企業は工業品の製造を海外移転したほうがいいことに気づいた。そこで、同じ品質のものが半分の値段でつくれるレベル2の国、いわゆる新興国に製造を移した。とはいえ、グローバル化は一度限りの出来事ではなく、継続的なプロセスだ。繊維産業はヨーロッパからバングラデシュやカンボジアに移ったが、こうしたレベル2の国がさらに豊かになってレベル3になれば、繊維産業はまた別の場所に移っていくだろう。いま、繊維産業が盛んな国は、製造がアフリカ諸国に移るにつれて、別の産業に参入しなければならないし、それができなければ経済が停滞してしまう。

投資判断にあたっては、植民地時代のアフリカのイメージ(いまだにメディアが伝えているアフリカのイメージ)を頭から消してほしい。いまのガーナ、ナイジェリア、ケニアは最高の投資先になることを知っておいたほうがいい。

産業界も近いうちに、誤字脱字より事実を知らないことのほうが深刻だと気づくはずだ。そして、社員と顧客が定期的に世界の見方をアップデートすることに、企業は力を入れるようになるだろう。

ジャーナリスト、活動家、政治家

ジャーナリストも活動家も政治家も人間だ。わざと嘘をついているわけではない。彼ら自身がドラマチックな世界の見方にとらわれているのだ。みんなと同じように、彼らもまた定期的に知識をアップデートして、事実に基づく考え方を身につけなければならない。

ジャーナリストは、より真実に近い世界をわたしたちに見せる助けになれる。なんらかの統計を紹介するときは、過去のトレンドと合わせて見せることで、物事の重要性を正しく伝えることができる。一部のジャーナリストは、新しい取り組みを始めているようだ。悪いニュースのほうが記憶に残りやすいので、明るいニュースを増やすこともしている。彼らは悪いニュースばかりを流す習慣を変えて、ジャーナリズムをより意味のあるものにしようと試みている。それがどれほど効果があるかは、いまの時点ではまだわからないが。

世界の本当の姿を見せるのは、ジャーナリストの役割ではないし、活動家や政治家の目標でもない。ワクワクするような話やドラマチックなニュースに、わたしたち消費者はいつも気を取られてしまう。ジャーナリストや活動家も、日常より非日常に注目するし、ゆっくりと変わっていくものよりも新しいものや一時的なことに目が向いてしまう。

いくら良心的な報道機関であっても、中立性を保ってドラマチックでない世界の姿を伝えることは難しいだろう。そんな報道は、正しくても退屈すぎる。メディアが退屈な方向に行くとは思えない。ファクトフルネスの視点でニュースを受け止められるかどうかは、わたしたち消費者次第だ。世界を理解するのにニュースは役に立たないと気づくかどうかは、わたしたちにかかっている。

自分の組織

年に一度、各国の厚生大臣が世界保健会議に集まる。それぞれの国の医療制度を検討し現状を比較したあとで、お茶の時間になる。ある時、コーヒー休憩のあいだにメキシコの厚生大臣がわたしの耳元でこうささやいた。「わたしがメキシコの平均数値を気にするのは年に一日だけ。今日だけなんだ。あとの364日は国内の格差ばかりを気にしている」

わたしはこの本で、人々が世界についての事実をどれほど知らないかを語ってきた。世界についての事実だけでなく、国内の事実についても同じことが言えると思う。どの地域でも、どの組織でも、同じように決まって見過ごされてきた事実があるはずだ。

各地域の事実についての質問はこの本ではあまり紹介しなかったが、世界の事実についての質問と同じような結果になると思われる。たとえば、スウェーデンではこんな質問をした。

現在、スウェーデンで65歳以上の人の数は、全体の20％です。10年後にこの割合はどうなっているでしょう？

A　20％
B　30％
C　40％

正解は20％。変化なしだ。でも正しい答えを選んだスウェーデン人は10％だけだった。これからの10年を計画する際に、この基本的な事実がわかっていないと話にならない。これまでの20年にスウェーデン人は耳にタコができるほど高齢化について聞かされてきた。実際、過去20年間は高齢者人口が増えていた。そのままのペースで高齢化が進むとみんなが思い込んでいるのだ。

ほかにも聞いてみたい質問はたくさんある。地域のことや、違う分野のことについても聞いてみたい。いま自分たちが住んでいる街の未来を決めるような、基本的な人口分布やトレンドをどのくらいの住人が知っているだろう？　まだ聞いていないので、結果はわからない。でも、おそらくほとんどの人が知らないのではないだろうか？

あなた自身の専門分野についてはどうだろう？　北欧周辺の海洋学を研究しているとしたら、バルト海の基本的な事実について知っているだろうか？　林業に携わる人なら、山火事が増えているか、または減っているかを知っているだろうか？　直近の山火事による損失は過去の山火事と比べて大きいか、小さいかを知っているだろうか？

事実についての質問をしてみれば、知識不足が果てしなく表に出るはずだ。だから、まずは質問から始めてみよう。それが最初の一歩になる。この本と同じやり方で、自分の組織の中の知識不足を見つけるといい。組織にとってのいちばん大切な事実から聞いてみよう。どのくらい多くの人がそれを知っているかを調べてみよう。

ちょっと質問しにくいと感じる人もいると思う。仕事仲間や友達の知識を探るようなことをしたら気分を害してしまったり、もし答えが間違っていたら気まずかったりするのでは？　実際にやってみた経験から言うと、そんなことはない。同僚や友人はすごく面白がってくれた。本当の世界の姿に気づいて喜ぶ人は多い。ほとんどの人は心から学びたいと感じている。こちらが謙虚になって、みんなの知識を調べてみることで、好奇心と新しい視点が次々と引き出されるかもしれない。

最後にひとこと

わたしは知識不足と闘い、事実に基づく世界の見方を広げることに人生を捧げてきた。時にはイライラすることもあったが、最高に心がときめく、喜びに満ちた生き方だった。本当の世界の姿を知ることは、生きていく上で役に立つし意義のあることだ。その知識をほかの人たちに広める仕事に、心からやりがいを感じてきた。それに、この歳になってやっと、真の知識を広めて人々の世界の見方を変えることがなぜこれほど大変なのかがわかり始めた。いまそのことにゾクゾクするほど興奮している。

世界中のすべての人が、事実に基づいて世界を見る日がいつかやって来るだろうか？　大きな変革はなかなか想像できないものだ。でも、そんな日がやってきてもおかしくないし、いつかきっとやってくると思っている。理由は2つ。ひとつは、正確なＧＰＳが道案内の役に立つのと同じで、事実に基づいて世界を見ることが人生の役に立つからだ。もうひとつは、もっと大切なことだ。事実に基づいて世界を見ると、心が穏やかになる。ドラマチックに世界を見るよりも、ストレスが少ないし、気分も少しは軽くなる。ドラマチックな見方はあまりにも後ろ向きで心が冷えてしまう。

事実に基づいて世界を見れば、世の中もそれほど悪くないと思えてくる。これからも世界を良くし続けるためにわたしたちに何ができるかも、そこから見えてくるはずだ。

ファクトフルネスの大まかなルール

1. 分断本能を抑えるには…

大半の人がどこにいるかを探そう

2. ネガティブ本能を抑えるには…

悪いニュースのほうが
広まりやすいと覚えておこう

3. 直線本能を抑えるには…

直線もいつかは曲がることを知ろう

4. 恐怖本能を抑えるには…

リスクを計算しよう

5. 過大視本能を抑えるには…

数字を比較しよう

6. パターン化本能を抑えるには…

分類を疑おう

7. 宿命本能を抑えるには…

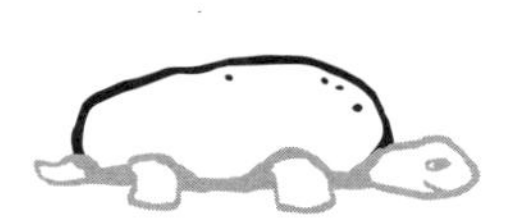

ゆっくりとした変化でも
変化していることを心に留めよう

8. 単純化本能を抑えるには…

ひとつの知識がすべてに
応用できないことを覚えておこう

9. 犯人捜し本能を抑えるには…

誰かを責めても
問題は解決しないと肝に銘じよう

10. 焦り本能を抑えるには…

小さな一歩を重ねよう

おわりに

父とわたしたち夫婦の3人で一緒に本を書こうと決めたのは、2015年9月のことだった。翌年の2月5日、父は末期のすい臓がんを宣告された。もう手の施しようがないほど進んでいた。余命はあと2カ月から3カ月。緩和治療が奇跡的にうまくいったとしても、1年ほどしか持たないだろうと診断された。

父は宣告を受けたときにはショックで動転したものの、すぐに気を取り直して残された時間をどう生きるかを考え抜いた。母や家族や友人とまだしばらくは一緒にいられる。とはいえ、いつ病状が変わってもおかしくなかった。その週のうちに、翌年までに予定されていた67の講演をすべてキャンセルし、テレビ出演もラジオ出演も映画制作も取りやめた。苦渋の選択だったけれど、そうするしかないと本人もわかっていた。

ほかの仕事をすべてあきらめてもいいと思えたのは、ひとつの希望があったからだ。それがこの本の執筆だった。講演やらなにやらの仕事に邪魔をされずに本の執筆ができることは、父にとってなによりの創造的な刺激と知的な喜びになった。それは、余命いくばくという悲しみの中での、一筋の光だった。

父には言いたいことが山ほどあった。わたしたちは熱に浮かされたように、たった数カ月で膨大な資料をまとめあげた。父の人生、わたしたちが一緒にやってきた仕事、そして最新のアイデアについて、分厚い本が一冊書けるだけの材料がそろった。世界を知りたいという父の好奇心と情熱は、最期の最期まで消えることはなかった。

本の大筋が決まり、3人で執筆にとりかかった。長年一緒に大胆なプロジェクトに挑戦してきたわたしたちには、独特な仕事の進め方があった。いつも頭から湯気を出しながら、事実や概念をどうしたらいちばんわかりやすく説明できるかについて、あーでもないこーでもないと遠慮なく言い争うのが、わたしたち流だった。でも、父の病気がわかってからは、これまでのように気を遣わずに思ったことをポンポンと言い合うことができなくなっていた。いつものように仕事が進まなくなって、もう無理だとあきらめそうになったこともある。

2017年2月2日、木曜日の夜、容態が急変した。父は書き込みだらけの原稿を手に持ったまま救急車に乗せられて、病院に搬送された。父が息を引き取ったのは、それから4日後。2月7日の早朝だった。最期の数日はその原稿が父のお守りがわりになっていた。病院のベッドでオーラと話し合い、出版社に出すメールの内容を指示していた。「こんな本にしたいと狙っていた通りの中身になった。わたしたちが一緒にやってきたことがとうとう本になったんだ。読者のみんなが楽しんで世界を知る助けになると思う」。父はそう書いた。

父が亡くなったことを発表するとたちまち、友人や仕事仲間や世界中のファンからたくさんのお悔やみの言葉が届いた。インターネットには父を讃えるコメントがあふれた。カロリンスカ医科大学でお別れの会を開き、ウプサラ城で葬儀を行うことにした。どちらも父の人柄が偲ばれる会だった。父は勇敢で、革新的で、真面目で、サーカスが大好きだった。友人にも仕事仲間にも家族にも愛された。お別れ会ではもちろん、曲芸もあった。友達が舞台で剣飲み芸を披露してくれたし（この本の初めのレントゲン写真に登場した、あの友達だ）、わたしたちの息子のテッドは、アイスホッケーのスティックとヘルメットを使って、自分で編み出した手品を見せてくれた。締めくくりには、みんなでフランク・シナトラの「マイ・ウェイ」を歌って、父を見送った。この歌を選んだのには、わけがある。父がいつも「わが道を行って」いたからでもあるけれど、もうひとつ数年前に面白い出来事があったからだ。

父は音楽にはあまり興味がなく、自分はものすごい音痴だといつも言い張っていた。でもいちばん下の弟のマグヌスは、一度だけ父の歌を聞いたことがあった。父は、ポケットの携帯からマグヌスに電話をかけていたことにまったく気づかず、4分間も留守電に声を残していた。それは、運転しながら、「マイ・ウェイ」をのどが枯れるほど大声で歌っている声だった。あれやこれやのグローバルな危機に心を痛めていたあの父が、仕事に向かいながら楽しそうに歌を歌っていたのだ。父の中にはいつも、相反する2つの想いがあった。世界を心配する気持ちと、あふれるほどの人生への喜びだ。その2つを同時に抱えた人だった。

父と一緒に仕事をしはじめてから、18年。父の講演の原稿を書き、TEDトークを監修し、そのひとこと一言について何時間も、時には何カ月もいやというほど話し合ってきた。父の経験談は残らず繰り返し聞いてきたし、いろいろな形でその話を記録してきた。

父が亡くなる前の最期の数カ月は執筆作業が辛かったけれど、亡くなったすぐあとにこの本に取り組むことで、不思議に心が癒された。この大切な仕事を仕上げながら、耳に聞こえてくるのはいつも父の声だった。父はまだ旅立ってなんかいなくて、わたしたちの側にいるような気持ちになった。この本を完成させることが、父とずっと一緒にいることになるし、父の思い出を大事にすることになると思った。

父が生きていたら、この本の宣伝活動に大活躍したことだろう。でも、がんの宣告を受けたときから、それが叶わないことはわかっていた。父に代わって、わたしたちが大切な使命を引き継ぐことになった。父が人生をかけて広めようとした「事実に基づく世界の見方」は、わたしたちの中に生きている。そしていま、この本を読み終えたみなさんの中に、父の想いが生きていることを願っている。

アンナ・ロスリング・ロンランドとオーラ・ロスリング
スウェーデン・ストックホルムにて　2018年

謝辞

わたしが世界について学んだことのほとんどは、データを調べたり、コンピュータの前に座って研究論文を読んだりして得たものではない。もちろん、たくさんデータを調べたり、論文を読んできたりしたけれど、世界を本当に知ることができたのは、誰かと一緒に過ごしたり、話し合ったりした経験からだ。幸運なことに、わたしは世界中を旅し、学び、あらゆる大陸の、あらゆる宗教の、あらゆる所得階層の人たちと仕事をする機会に恵まれた。グローバル企業の経営者からも、ストックホルムの博士課程の学生からも、わたしは学んできた。アフリカで極度の貧困の中に生きる女性からも、世界の果ての寒村に暮らすカトリックの修道女からも、バンガロールの医学生からも学んだ。ナイジェリア、タンザニア、ベトナム、イラン、パキスタンの学者からも。エドゥアルド・モンドラーネからメリンダ・ゲイツまで、さまざまな思考家からも学ぶことができた。ここで、わたしに学びの機会を与えてくれたすべての人に感謝したい。みなさんがわたしの人生を豊かですばらしいものにしてくれた。学校で教わったのとはまったく違う世界を見せてくれて、ありがとう。

世界について知ることは、ひと仕事だ。でも、その知識を本にするとなると、また別の努力が必要になる。この本が実現したのは、いつものチームが縁の下で支えてくれていたからだ。ギャップマインダーで働く熱心でクリエイティブな仲間たち一人ひとりに感謝したい。わたしが講演で使った資料のすべてをつくってくれたのは、この仲間たちだった。

出版エージェントのマックス・ブロックマンは賢い助言と支えを与えてくれた。イギリスではホダーのドラモンド・モワールが、アメリカではマクミランのウィル・シュワルブが、この本の編集を担当してくれた。この本を信じて、優しく静かにわたしたちを導いてくれたこと、この本をより良いものにするためにアドバイスをくれたことに、心から感謝する。ハーラル・フルトクビストが、海外エージェントを雇うよう助言してくれて、本当に助かった。スウェーデンで編集を担当してくれたリチャード・ヘロルドは執筆当初から最後までずっと役に立つアドバイスを与え続けてくれた。コピー・エディターのビル・ワーホップとブリン・クラークのいい意見にも助けられた。この本が読みやすいものになっているとしたら、それはデボラ・クルーのおかげだ。著者は3人もいて、言いたいことはそれぞれ山ほどあった。その3人の文章をまとめるという大役を、デボラは勇敢にも引き受けてくれた。わたしたちの望みを一生懸命に聞き入れ、忍耐強く文章を直してくれた。上手に手早く、そしてユーモアを忘れずに、わたしたちの奇妙なスウェーデン英語を整えてくれたのだ。デボラは英語を直してくれたばかりか、無数のデータと逸話と一般論を、ひとつの物語にまとめてくれた。わたしたちの親友になってくれたデボラに心から感謝している。

孫のマックス、テッド、エバにも、お礼を言いたい。君たちのパパとママ、アンナとオーラとたくさんの夜と週末を過ごさせてもらったね。君たちがこの本を読めるようになったとき、わたしたちの仕事を見て少しは許してくれることを願っているよ。12歳のマックスは、わたしのオフィスで何時間も研究についてわたしと話し合い、原稿の手直しを手伝ってくれた。10歳のテッドはドル・ストリートに載せる写真を撮り、例のチンパンジークイズを同級生に聞き、わたしの代わりにニューヨークに行って国連人口賞を受け取ってくれた。8歳のエバは資料の見栄えをよくするアイデアを出してくれたり、この本のイラストやデザインについて意見をくれた。

スウェーデン語に〝stå ut.〟という表現がある。「耐える」とか、「踏みとどまる」とかいう意味だ。わたしの家族、友達、仕事仲間が、長年わたしに「耐えて」くれたことに、心から感謝している。わたしがどれほど感謝しているかを、彼らがわかってくれていることを願っている。わたしは仕事のせいで家にいないことが多かったし、家にいたとしてもいつもせわしなく動き回っていた。家族や友達と一緒にいるときでも、気が散ったりイライラしていることも多かった。起きているあいだはほとんどずっと仕事をしていたし、仕事中のわたしは近しい人にとってムカつく存在だったと思う。奇特にもそんなわたしの友達や仕事仲間になってくれたすべての人に感謝を送りたい。そんな中からひとりの名前をあげるのは気が引けるが、ハンス・ヴィグセルには特別にありがたく思っている。誰も注目していない頃からギャップマインダーを盛んに支援してくれ、最期までわたしの側で、なんとかわたしを生かし続けようと必死に努力してくれた。

誰よりも、家族にありがとうと言いたい。愛と忍耐を惜しみなく注いでくれた妻のアニエッタに、心の底から感謝している。妻は初恋の人であり、妻であり、人生の友だった。アンナとオーラ、マグヌス、そしてその妻にも感謝している。孫のドリス、スティグ、ラース、テッド、エバ、ティキ、そしてミノへ。いつも未来への希望を与えてくれてありがとう。

オーラ、アンナ、そしてわたしから、次の人たちにありがとうと言わせてほしい。

イエリエン・アブラハムソン、クリスティアン・アールステッド、ヨハン・アルドール、クリス・アンダーソン、オーラ・アワド、ユリア・バフラー、カール・ヨハン・バックマン、シャイダ・バディエ、モーセス・バディオ、ティム・ベイカー、ウルリカ・ベイカー、ジャン・ピエール・バネア・マヨンブ、アーチー・バロン、アルイージョ・バロス、ルーク・バオ、リーナス・ベントソン、オマル・ベンジェルン、ラッセ・ベリ、アナ・ベリストローム、スタファン・ベリストローム、アニタ・ベリスヴェン、BGC3、ビル&メリンダ・ゲイツ財団、サリ・ビター、ペレ・ビャーク、ステファン・ブロム、アンダース・ボリン、スタファン・ブレマー、ロビン・ブリテン・ロング、ペーテル・ビアス、アルトゥル・カマラ、ピーター・カールソン、ポール・チュン、チェ・ソンギュ、マリオ・コズビー、アンドレア・カーティス、イェルン・デルヴァート、キキ・デルヴァート、アリサ・デレヴォ、ヌコサザナ・ドラミニ・ズマ、モハメド・ダンバー、ネルソン・ダンバー、ダニエル・エック、アンナ・ミア・エックストローム、ジアッド・アル・ハティーブ、マッツ・エルセン、マーティン・エリクソン、アーリン・パーション財団、ピーター・エーヴェルス、モソカ・ファラ、ベン・フォーソン、ペア・フェルンストローム、ギュンター・フィンク、スティーヴン・フィッシャー、リュック・フォーサイス、アンダース・フランケンベリ、ハイシャン・フー、ミヌー・フォーグレサング、ビル・ゲイツ、メリンダ・ゲイツ、ジョージ・ガフリリス、アンナ・ゲッダ、リッキー・ジュヴエール、マルクス・ジアネスコ、ニルス・ピーター・グレディッチ、グーグル、グーグル・パブリックデータ・チーム、イエオリ・ゴットマルク、エーリク・グリーン、アン・シャルロッテ・イレンラム、カタリーナ・ホグストローマー、スヴェン・ホグストローマー、ニーナ・ハルデン、ラスムス・ハルベリ、エスター・ハンブリオン、モナ・ハンマミとアブダビのルッキング・アヘッド・チーム、ケイティ・ハンプソン、ハンス・ハンソン、ペア・ヘグネス、デイヴィッド・ハーディーズ、ダン・ヒルマン、マチアス・ヘイベリ、ウルフ・ヘイベリ、マグヌス・ヘグルンド、アダム・ホーム、アヌ・ホースマン、マティアス・ホークス、アッベ・イブラヒム、IHCAR、イケア財団、ディケナ・ジャクソン、オスカー・ヤルクビクとTranskriber-ing.nuチーム、ケント・ヨーナー、ヨクニック財団、クラース・ヨハンソン、ヤン・オロフ・ヨハンソン、クララ・ヨハンソン、ヤン・イェルンマルク、オーサ・カールソン、リンリー・チオナ・カールトン、アラン・ケイ、ハリス・シャー・ハタック、タリク・ホハール、ニコラス・チェルストローム・モーツェク、トム・クロンホーファー、アスリ・クラーニ、ヒューゴ・ラーゲルクランツ、マーガレット・オルニャ・ラムヌ、スタファン・ランディン、ダニエル・ラピダス、アンナ・ロスリング・ラーソン、イェスパー・ラーソン、パリ・レホラ、マーティン・リドルト、ビクター・リドルト、ヘンリク・リンダール、マチアス・リンドブラッド、マティアス・リンドグレン、ラース・リンドクヴィスト、アン・リンドストランド、ペア・リス、テレンス・ロー、ホカン・ロベル、ペア・ロフベリ、アンナ・マリアン・ランドベリ、カリン・ブルン・ランドグレン、マックス・ルンドクヴィスト、ラファエル・ルザーノ、マークス・マウレー、エヴァ・マグヌッソン、ラース・マグヌッソン、ヤコブ・マルムロス、ニヘレワ・マセリナ、マリサ・マイアー、ブランコ・ミラノヴィチ、ゾリア・ミラー、カタユーン・モアザミ、シボニ・モカンビ、アンダース・モーリン、ジャネット・レイ・ジョンソン・モンドラーネ、ルイ・モニエ、アベラ・エムポベラ、ポール・ミュレ、クリス・マレー、ヒシャム・ナジャム、サハル・ネジャット、マーサ・ニコルソン、アンダース・ノードストローム、レナート・ノードストローム、マリー・ノードストローム、トルバート・ニェンスワ、ヨハン・ナイストランド、マーティン・オーマン、マックス・オーワード、グードルン・オストビー、ウィル・ペイジ、フランソワ・ペレティエ、カール・ヨハン・ペアソン、ステファン・ペアソン、モンス・ピーターソン、ステファン・スワートリング・ピーターソン、ティアゴ・ポルト、ポストコード財団、アラシュ・プルノーリ、アミル・ラーナマ、ヨアヒム・レツラフ、ハンナ・リッチー、インゲヤード・ルース、アンダース・ローンルンド、ドヴィド・ローンルンド、キャン・ローンルンド、トマス・ローンルンド、マックス・ローサーとワールド・イン・データ・チーム、マグヌス・ロスリング、ピア・ロスリング、シリ・アース・ルスタッド、ローヴェ・サリーン、シャビエル・サラ・イ・マルティン、フィア・スティーナ・サンドルンド、イアン・ソーンダーズ、ドミトリー・シェホフツォフとベイラー・ソフトウェア、ハーパル・シャーギル、シーダ、ヨルン・スミッツ、コジモ・スパーダ、ケイティ・スタントン、ボウ・ステンソン、カリン・ストランド、エーリク・スワンソン、アミルホセイン・タキアン、ロリーン・ズィネブ・ノーラ・ロリーン・タルハーウィー、マヌエル・タメス、アンドレアス・フォロ・トレフセン、エドワード・トゥフタ、トーキルド・トゥレスカー、国連開発計画、ヘンリック・ウーダル、バス・ファン・レーウェン、ヨハン・ヴェスタールンド一家、セザール・ヴィクトリア、ヨハン・フォン・スレーブ、アリーム・ワルジ、ヤコブ・ヴァレンベリ、イーヴァ・ヴァルスタム、ロルフ・ヴィドグレン、ジョン・ウィルモス、アグネス・ヴォルド、フレドリク・ヴォルセンとそのチーム、世界保健機構、ワールド・ウィ・ウォント・チーム、タンチェン・ヨウ、グオファ・チェン、そしてチャン・チョンシン。みなさんに感謝する。

　マティアス・リンドグレンはギャップマインダーの経済と人口動態の歴史的推移を担当してくれた。大学の学生や博士課程の学生からも、わたしは多くを学んだ。わたしたちを学校に招いてくれて、快くクイズを受けてくれた先生方や生徒のみなさんにも感謝している。わたしたちを助けてくれた世界中のすばらしいコンサルタントのみなさん、ジミー・ウェールズとウィキペディアのボランティア編集者たち、そしてドル・ストリートの家族たちと写真家全員にお礼を言いたい。

ギャップマインダー財団のこれまでの理事と現理事たちは、いつも賢い助言を与えてくれた。ハンス・ヴィグセル、クリスタ・グンナーソン、ボウ・スンドグレン、グン・ブリット・アンダーソン、そしてヘレナ・ノーデンステット（ヘレナはファクトチェックも手伝ってくれた）に感謝する。そして、ギャップマインダーの天才チーム、アンジー・スカーズカ、ガブリエラ・サ、ヤスパー・ヘーファー、クララ・エルスヴィク、ミカエル・アレヴィウス、そしてオロフ・グランストロームのみんなにお礼を言いたい。わたしたちが本を完成させているあいだに、チームリーダーのフェルナンダ・ドラモンドはギャップマインダーの無料教育データをつくることに多大な時間と労力をつぎ込んでくれた。その上、この本の原稿を読んで貴重な意見をくれた。フェルナンダ、ありがとう。

最後に、すばらしい家族と友人たちに心から感謝する。辛抱強くわたしたちを見守り、助けてくれてありがとう。みなさんはわたしたちの支えです。みなさんがいなければ、この本は存在しませんでした。本当にありがとう。

訳者あとがき

『ファクトフルネス』の著者、ハンス・ロスリングは医師であり、公衆衛生の専門家であり、またTEDトークの人気スピーカーでもあります。動くバブルチャートを両手で追いかけながら、コミカルに早口で話すハンスの姿を覚えていらっしゃる方も多いのではないでしょうか?

ハンスはスウェーデンのウプサラに生まれ、母国スウェーデンとインドで医学を学び、医師になりました。その後モザンビークのナカラで医師として働き、貧しい人々の間で流行していた神経病の原因を突き止めます。この病気がコンゾです。この本にも当時の経験のいくつかが描かれています。

その後、スウェーデンに戻ってカロリンスカ医科大学で研究と教育に励みました。この頃から、人々の知識不足と闘うことがハンスの人生の使命となったのです。以来、世界の舞台で「事実に基づく世界の見方」を広めることに尽力してきました。

残念なことに、ハンスはこの本の完成を待たずしてこの世を去ってしまいました。残された原稿を完成させたのは、息子のオーラとその妻のアンナです。オーラとアンナはそれまで18年間ハンスと共に人々の知識不足と闘ってきました。この本で紹介したチンパンジークイズを開発し、世界についての事実をわかりやすくチャートで見せる「ギャップマインダー」をつくり出したのは、オーラとアンナの2人です。

この本の「おわりに」にもあるように、ハンスは世界を心配しながらも常に人生の喜びを感じながら前向きに生きていました。それは、本書のさまざまなエピソードからも伝わってきます。いまではハンスの遺志をついで、オーラとアンナの2人が「事実に基づく世界の見方」を広めるために力を尽くしています。

『ファクトフルネス』とは？

ハンスはある時、人々がとんでもなく世界を誤解していることに気づきます。教育レベルの高い人も、世界中を飛び回っているビジネスマンも、またノーベル賞受賞者でさえ、事実に基づいて（ファクトフルに）世界を見ることができていないのです。なぜでしょう？　その理由は、誰もが持っている「分断本能」「ネガティブ本能」「パターン化本能」「焦り本能」など10の本能にありました。この10の本能を抑えなければ、事実に基づいて正しく世界を見ることができません。いまある世界を正しく認識できなければ、社会問題を解決することも、未来を予測することも、危機に対応することもできないでしょう。

この本は、その10の本能を誰にでもわかるように説明し、どうしたらそれらの本能を抑えることができるのかを具体的に教えてくれます。それを学び、本能が引き起こすとんでもない勘違いに気づくことが、ファクトフルな世界の見方、つまり「ファクトフルネス」につながります。

「世界の姿」と「自分の姿」が見えてくる

本書は、関美和と上杉周作の2人で共訳しました。ここで2人がそれぞれこの本をどう読んだかを紹介しようと思います。わたし（関）は、バングラデシュにあるアジア女子大学の運営に関わってきました。アジア女子大学は高等教育の機会のない、いわゆる最貧国の女性にリベラルアーツの教育を授けることを目的として設立されました。ここで学ぶ学生のほとんどは、家族で初めて大学教育を受ける女性です。この大学の運営に関わって初めて、わたしはムスリムの女性たちの現実を知りました。驚いたのは、ムスリム女性の多くが自由で、力を持ち、政界でも経済界でも大活躍していることでした。その姿は、マスコミで伝えられるような、黒いブルカに身を隠して、スポーツも運転も禁じられた女性とは正反対でした。

寄付金のお願いに企業や財団に伺うと、「最貧国の女性は基本的人権もなく初等教育も受けられないのに、大学で教育を受けるなんてよっぽど恵まれた人たちなのでは?」と言われることは少なくありません。かつての最貧国の女性たちのほとんどが初等教育を終えていることは、まったくと言っていいほど知られていないのです。

『ファクトフルネス』はわたしにとって、自分が見たムスリム女性の現実を裏付けてくれる本であると同時に、わたしを含めて多くの善意ある人たちが「世界の姿をありのままに見られないのはどうしてか?」という問いにひとつの答えを出してくれる本でした。

ですが、この本が世の中に残る一冊になるだろうと考える理由は、この本の教えが「世界の姿」だけではなく「自分の姿」を見せてくれるからです。知識不足で傲慢な自分、焦って間違った判断をしてしまう自分、他人をステレオタイプにはめてしまう自分、誰かを責めたくなってしまう自分。そんな自分に気づかせてくれ、少しだけ「待てよ、これは例の本能では?」とブレーキをかける役に立ってくれるのが、ファクトフルネスなのでしょう。

ファクトフルな生活は、おそらくわたしを謙虚にしてくれ、癒してくれるはずです。でもヨガや瞑想や

「マインドフルネス」と同じように、「ファクトフルネス」を習慣にしようと思えば、訓練が必要だとも思います。幸い、本書の最終章には実践編として大まかなルールが紹介されています。しばらくはこのページを手帳に入れて持ち歩こうと思っています。

間違いを認めて許せる空気

2018年7月に、わたし（上杉）は、共著者のひとりのアンナと京都でお会いする機会がありました。話を聞く中で、彼女のこんな言葉が印象的でした。

『ファクトフルネス』を通じて人々に伝えたいのは、情報を批判的に見ることも大事だけれど、自分自身を批判的に見ることも大事だということ」

ネットが普及したことで、情報を疑うことが容易になりました。「マスコミや、大企業や、政治家が言うことは信用ならない」と思ったら、ネットで検索すれば、すぐにもっともらしい「真実」が見つかります。たとえ見つからなくても、自分の頭で考えた「真実」をネットで発信すればいい。ただ、それらの「真実」が事実に基づいているとは限りません。

玉石混淆の情報であふれている社会を生き抜くには、情報を疑う力や、自分の頭で考える力は必要です。間違った情報を鵜呑みにするのは、たしかに愚かなことです。しかしそれを警戒しすぎるあまり、事実に基づいた正しい情報も否定し、事実に基づかない「真実」を鵜呑みにしてしまってはいけません。たとえば本書では、「ワクチンは危険だ」という事実に基づかない「真実」を信じてしまい、ワクチンを子供に受けさせようとしない親がいることについて警鐘を鳴らしています。

事実に基づかない「真実」を鵜呑みにしないためには、情報だけでなく、自分自身を批判的に見る力が欠かせません。「この情報源を信頼していいのか？」と問う前に、「自分は自分を信頼していいのか？」と問うべきなのです。そのセルフチェックに役立つのが、本書で紹介されていた10の本能です。もしどれかの本能が刺激されていたら、「この情報は真実ではない」と決めつける前に、「自分は事実を見る準備ができていない」と考えたいものです。

とはいえ、「自分自身を批判的に見るべきだ」という主張を押し付けすぎるのはいけません。本能に支配されて事実を無視してしまう人をおとしめても、世の中は良くならないからです。必要なのは、誰もが「自分は本能に支配されていた」と過ちを認められる空気をつくることです。そういう空気をつくるためには、本能に支配されていた人や、本能を支配しようとする人を叩くことよりも、許すことのほうが大事です。『ファクトフルネス』がつくろうとしていたのは、まさにそんな空気です。ハンス自身、本能に支配されて何度も間違いを犯してきたし、人の命に関わる間違いもありました。この本の第10章では、モザンビークの道路が封鎖されて起こった悲しい出来事を紹介していますが、それは彼が35年間誰にも話せないほどの過ちでした。でも多くの読者は、彼の過ちを許すことができたのではないでしょうか。

ハンスがモザンビークでの間違いを認められるなら、あなたも本能に支配されて犯した間違いを認められるはずです。それを多くの読者が許せるなら、あなたも本能に支配された誰かを許せるはずです。もし、本書の感想をどこかで書いてくださるのであれば、あなたが以前、本能に支配されてしまったエピソードを添えてみるのはいかがでしょうか。あなたが思うよりも、それを許してくれたり、興味深く思ってくれたりする人は多いはずです。もちろん天国のハンスも、それをとても興味深く読んでくれると思います。

２０１８年12月　関美和、上杉周作

出典

Abouchakra, Rabih, Ibrahim Al Mannaee, and Mona Hammami Hijazi. Looking Ahead: The 50 Trends That Matter. Chart, page 274. Bloomington, IN: Xlibris, 2016.

Allansson, Marie, Erik Melander, and Lotta Themnér. "Organized violence, 1989–2016." Journal of Peace Research 54, no. 4 (2017).

Amnesty. Amnesty International. Death Penalty: Data counting abolitionists for all crimes. 2007–2016. Accessed November 3, 2017. gapm.io/xamndp17.

Ariely, Dan. The Honest Truth About Dishonesty: How We Lie to Everyone, Especially Ourselves. New York: Harper, 2012.(『ずる』)

———. Predictably Irrational: The Hidden Forces That Shape Our Decisions. New York: Harper, 2008.(『予想どおりに不合理』)

———. The Upside of Irrationality: The Unexpected Benefits of Defying Logic at Work and at Home. New York: Harper, 2010.

ATAA (Air Transport Association of America). The Annual Reports of the U.S. Scheduled Airline Industry, 1940–1991. Earlier editions were called Little Known Facts about the Scheduled Air Transport Industry and Air Transport Facts and Figures. http://airlines.org.

Banerjee, Abhijit Vinayak, and Esther Duflo. Poor Economics: A Radical Rethinking of the Way to Fight Global Poverty. New York: PublicAffairs, 2011.

Barro-Lee. Educational Attainment Dataset v2.1. Updated February 4, 2016. See Barro and Lee (2013). Accessed November 7, 2017. http://www.barrolee.com. gapm.io/xbl17.

Barro, Robert J., and Jong-Wha Lee. "A New Data Set of Educational Attainment in the World, 1950–2010." Journal of Development Economics 104 (2013): 184–98.

BBC. Producer Farhana Haider. "How the Danish Jews Escaped the Holocaust." Witness, BBC, Magazine, October 14, 2015. gapm.io/xbbcesc17.

Berners-Lee, Tim. "The next web." TED video, 16:23. Filmed February 2009 in Long Beach, CA. https://www.ted.com/talks/tim_berners_lee_on_the_next_web. gapm.io/x-tim-b-l-ted.

Betts, Alexander, and Paul Collier. Refuge: Rethinking Refugee Policy in a Changing World. New York: Oxford University Press, 2017.

Biraben, Jean-Noel. "An Essay Concerning Mankind's Evolution." Population. Selected

Papers. Table 2. December 1980. As cited in US Census Bureau. gapm.io/xuscbbir.

BJS (Bureau of Justice Statistics). Rand, M.R., et al. "Alcohol and Crime: Data from 2002 to 2008". Washington, DC: Bureau of Justice Statistics, Office of Justice Programs, US Department of Justice, 2010. Page last revised on July 28, 2010. Accessed December 21, 2017. https://www.bjs.gov/content/acf/ac_conclusion.cfm.

Bongaarts, John, and Rodolfo A. Bulatao. "Beyond Six Billion: Forecasting the World's Population." National Research Council. Panel on Population Projections. Committee on Population, Commission on Behavioral and Social Sciences and Education. Washington, D.C. 2000. National Academy Press. https://www.nap.edu/read/9828/chapter/4#38.

Bourguignon, François, and Christian Morrisson. "Inequality Among World Citizens: 1820–1992." American Economic Review 92, no. 4 (September 2002): 727–44.

Bryant, John. "Theories of Fertility Decline and the Evidence from Development Indicators." Population and Development Review 33, no. 1 (March 2007): 101–27.

BTS[1]. (US Bureau of Transportation Statistics). US Air Carrier Safety Data. Total Fatalities. National Transportation Statistics. Table 2-9. Accessed November 24, 2017. gapm.io/xbtsafat.

BTS[2]. Revenue Passenger-Miles (The Number of Passengers and the Distance Flown in Thousands (000)). T-100 Segment data. Accessed November 4, 2017. gapm.io/xbtspass.

Caldwell, J. C. "Three Fertility Compromises and Two Transitions." Population Research and Policy Review 27, no. 4 (2008): 427–46. gapm.io/xcaltfrt.

Carson, Rachel. Silent Spring. Boston: Houghton Mifflin, 1962.

CAS. Database Counter. American Chemical Society, 2017. Accessed December 3, 2017. gapm.io/xcas17.

CDC[1]. (Centers for Disease Control and Prevention). Taubenberger, Jeffery K., and David M. Morens. "1918 Influenza: The Mother of All Pandemics." Emerging Infectious Diseases 12, no. 1 (January 2006): 15–22. gapm.io/xcdcsflu17.

CDC[2]. "Organochlorine Pesticides Overview" Dichlorodiphenyltrichloroethane (DDT). National Biomonitoring Program.

CDC[3]. "Ebola Outbreak in West Africa—Reported Cases Graphs." Centers for Disease Control and Prevention, 2014. gapm.io/xcdceb17.

CDC[4]. Toxicological Profile for DDT, DDE and DDD. https://www.atsdr.cdc.gov/toxprofiles/tp.asp?id=81&tid=20.

CDIAC. "Global, Regional, and National Fossil-Fuel CO2 Emissions." Boden, T.A., G. Marland, and R.J. Andres. 2017. Carbon Dioxide Information Analysis Center, Oak

Ridge National Laboratory, U.S. Department of Energy, Oak Ridge, Tenn., U.S.A. DOI: 10.3334/CDIAC/00001_V2017. gapm.io/xcdiac.

CETAD (Centro de Estudos Tributários e Aduaneiros). “Distribuição da Renda por Centis Ano MARÇO 2017.” Ministério da Fazenda, Brazil, 2017. gapm.io/xbra17.

Cialdini, Robert B. Influence: How and Why People Agree to Things. Boston, MA: Allyn and Bacon, 2001.（『影響力の正体』）

College Board. SAT Total Group Profile Report, 2016. gapm.io/xsat17.

Collier, Paul. The Bottom Billion: Why the Poorest Countries Are Failing and What Can Be Done About It. New York: Oxford University Press, 2007.（『最底辺の 10 億人』）

———. Exodus: How Migration Is Changing Our World. New York: Oxford University Press, 2013.

———. The Plundered Planet: Why We Must—and How We Can—Manage Nature for Global Prosperity. New York: Oxford University Press, 2010.（『収奪の星』）

———. Wars, Guns and Votes: Democracy in Dangerous Places. New York: Random House, 2011.（『民主主義がアフリカ経済を殺す』）

Correlates of War Project. COW Data set v4.0. Based on Sarkees, Meredith Reid, and Frank Wayman (2010). Data set updated 2011. Accessed Dec 3, 2017. http://www.correlatesofwar.org/data-sets/COW-war.

Countdown to 2030. Reproductive, Maternal, Newborn, Child, and Adolescent Health and Nutrition. Data produced by Aluisio Barros and Cesar Victora, Federal University of Pelotas, Brazil, 2017. http://countdown2030.org/.

Crosby, Alfred W. America’s Forgotten Pandemic. Cambridge, UK: Cambridge University Press, 1989.（『史上最悪のインフルエンザ』）

Cummins, Denise. “Why the Gender Difference on SAT Math Doesn’t Matter.” Good Thinking blog, Psychology Today. March 17, 2014.

Davies, D.P. (1985). “Cot Death in Hong Kong: a Rare Problem?” Lancet 1985 Dec 14;2(8468):1346-9. https://www.ncbi.nlm.nih.gov/pubmed/2866397.

DeFries, Ruth. The Big Ratchet: How Humanity Thrives in the Face of Natural Crisis. New York: Basic Books, 2014.

Diamond, Jared. The World Until Yesterday: What Can We Learn from Traditional Societies? London: Viking, 2012.（『昨日までの世界』）

Dobbs, Richard, James Manyika, and Jonathan Woetzel. No Ordinary Disruption: The Four Global Forces Breaking All the Trends. New York: PublicAffairs, 2016.

Dollar Street. Free photos under Creative Commons License CC BY 4.0. By Gapminder, Anna Rosling Rönnlund. 2017. www.dollar-street.org.

Ehrlich, Paul R., and Anne Ehrlich. The Population Bomb. New York: Ballantine, 1968.

EIA (U.S. Energy Information Administration). "Annual passenger travel tends to increase with income." Today in Energy May 11, 2016. https://www.eia.gov/todayinenergy/detail.php?id=26192#

Ellenberg, Jordan. How Not to Be Wrong: The Power of Mathematical Thinking. New York: Penguin, 2014. (『データを正しく見るための数学的思考』)

Elsevier. Reller, Tom. "Elsevier Publishing—A Look at the Numbers, and More." Posted March 22, 2016. Accessed November 26, 2017. https://www.elsevier.com/connect/elsevier-publishing-a-look-at-the-numbers-and-more.

EM-DAT. Centre for Research on the Epidemiology of Disasters (CRED). The International Disaster Database. Debarati Guha-Sapir, Université catholique de Louvain. Accessed November 5, 2017. www.emdat.be.

ENIGH (Encuesta Nacional de Ingresos y Gastos de los Hogares). Nueva serie, Tabulados básicos, 2017. Table 2.3, 2016. gapm.io/xenigh17

EPA (US Environmental Protection Agency). Environment Program, Pesticide Information. gapm.io/xepa17.

EU Council[1]. Council Directive 2002/90/EC of 28 November 2002 "defining the facilitation of unauthorised entry, transit and residence." November, 2002. gapm.io/xeuc90.

EU Council[2]. Council Directive 2001/51/EC of 28 June 2001 "supplementing the provisions of Article 26 of the Convention implementing the Schengen Agreement of 14 June 1985." June, 2001. gapm.io/xeuc51.

FAO[1] (Food and Agriculture Organization of the United Nations). "Food Insecurity in the World 2006." 2006. gapm.io/faoh2006.

FAO[2]. The State of World Fisheries and Aquaculture 2016: Contributing to Food Security and Nutrition for All. Rome: FAO, 2016. Accessed November 29, 2017. http://www.fao.org/3/a-i5555e.pdf. gapm.io/xfaofi.

FAO[3]. "Statistics—Food Security Indicators." Last modified October 31, 2017. Accessed November 29, 2017. gapm.io/xfaofsec.

FAO[4]. FAOSTAT World Total, Yield: Cereals, Total, 1961–2014. Last modified May 17, 2017. Accessed November 29, 2017. gapm.io/xcer.

FAO[5]. "State of the World's Land and Water Resources for Food and Agriculture." SOLAW, FAO, Maps, 2011. gapm.io/xfaowl17.

FBI (Federal Bureau of Investigation). Uniform Crime Reporting Statistics. Crime in the United States. All reported violent crimes and property crimes combined. Accessed October 12, 2017. gapm.io/xfbiu17.

Foresight. Migration and Global Environmental Change. Final Project Report. London:

Government Office for Science, 2011. gapm.io/xcli17.

FRD. Ofcansky, Thomas P., Laverle Bennette Berry, and Library of Congress Federal Research Division. Ethiopia: A Country Study. Washington, DC: Federal Research Division, Library of Congress, 1993. gapm.io/xfdi.

Friedman, Thomas L. The World Is Flat: A Brief History of the Twenty-first Century. New York: Farrar, Straus & Giroux, 2005.（『フラット化する世界』）

Gallup[1]. McCarthy, Justin. "More Americans Say Crime Is Rising in U.S." Gallup News, October 22, 2015. Accessed December 1, 2017. http://news.gallup.com/poll/186308/americans-say-crime-rising.aspx.

Gallup[2]. Brewer, Geoffrey. "Snakes Top List of Americans' Fears." Gallup News, March 19, 2001. Accessed December 17, 2017. http://news.gallup.com/poll/1891/snakes-top-list-americans-fears.aspx.

Gallup[3]. Newport, Frank. "In U.S., Percentage Saying Vaccines Are Vital Dips Slightly." Gallup News, March 6, 2015. gapm.io/xgalvac17.

Gallup[4]. "Concern About Being Victim of Terrorism." U.S. polls, 1995–2017. Gallup News, December 2017. gapm.io/xgal17.

Gallup[5]. McCarthy, Justin. "U.S. Support for Gay Marriage Edges to New High." Gallup News, May 3–7, 2017. gapm.io/xgalga.

Gapminder[1]. Regions, dividing the world into four regions with equal areas. gapm.io/ireg.

Gapminder[2]. GDP per capita—v25. Mainly Maddison data extended by Mattias Lindgren and modified by Ola Rosling to align with World Bank GDP per capita constant PPP 2011, with IMF forecasts from WEO 2017. gapm.io/dgdppc.

Gapminder[3]. Four income levels—v1. gapm.io/elev.

Gapminder[4]. Life expectancy—v9, based on IHME-GBD 2016, UN Population and Mortality.org. Main work by Mattias Lindgren. gapm.io/ilex.

Gapminder[5]. Protected nature—v1, based on World Database on Protected Areas (WDPA), UK-IUCN, UNEP-WCMC. gapm.io/natprot.

Gapminder[6]. Child mortality rate—v10, based on UN-IGME. Downloaded November 10, 2017, gapm.io/itfr.

Gapminder[7]. Total fertility rate—v12. gapm.io/dtfr.

Gapminder[8]. Income mountains—v3. Accessed November 2, 2017. gapm.io/incm.

Gapminder[9]. Extreme poverty rate—v1, rough guestimation of extreme poverty rates of all countries for the period 1800 to 2040, based on the Gapminder Income Mountains dataset. gapm.io/depov.

Gapminder[10]. Household per capita income—v1. gapm.io/ihhinc.

Gapminder[11]. "Don't Panic—End Poverty." BBC documentary featuring Hans Rosling. Directed by Dan Hillman. Wingspan Productions, September 2015.
Gapminder[12]. Legal slavery data—v1. gapm.io/islav.
Gapminder[13]. HIV, newly infected—v2. Historic prevalence estimates before 1990 by Linus Bengtsson and Ziad El-Khatib. gapm.io/dhivnew.
Gapminder[14]. Death penalty abolishment—v1. gapm.io/ideat.
Gapminder[15]. Countries ban leaded gasoline—v1. gapm.io/ibanlead.
Gapminder[16]. Air plane fatalities—v1. Indicator Population—v5—all countries—1800–2100, based on IATA, ICAO[3], BTS[1,2] & ATAA. gapm.io/dpland.
Gapminder[17]. Population—v5—all countries—1800–2100, based on World Population Prospects: 2017 Revision, UN Population Division and mainly Maddison[2] before 1950. gapm.io/dpop.
Gapminder[18]. Undernourishment—v1. gapm.io/dundern.
Gapminder[19]. Feature films—v1. gapm.io/dcultf.
Gapminder[20]. Women's suffrage—v1, based primarily on Wikipedia[4]. gapm.io/dwomsuff.
Gapminder[21]. Literacy rate—v1, based on UNESCO[2] and van Zanden. gapm.io/dliterae.
Gapminder[22]. Internet users—v1. gapm.io/dintus.
Gapminder[23]. Children with some vaccination—v1, based on WHO[1]. gapm.io/dsvacc.
Gapminder[24]. Playable guitars per capita (very rough estimates)—v1. gapm.io/dguitars.
Gapminder[25]. Maternal mortality—v2. gapm.io/dmamo.
Gapminder[26]. "Factpods on Ebola." 1–15. gapm.io/fpebo.
Gapminder[27]. Poll results from events. gapm.io/rrs.
Gapminder[28]. How good are the UN population forecasts? gapm.io/mmpopfut.
Gapminder[29]. The Inevitable Fill-Up. gapm.io/mmfu.
Gapminder[30]. Family size by income level. gapm.io/efinc.
Gapminder[31]. Protected Nature—v1. gapm.io/protnat.
Gapminder[32]. Hans Rosling. "Swine flu alert! News/Death ratio: 8176." Video. May 8, 2009. gapm.io/sftbn.
Gapminder[33]. Average age at first marriage. gapm.io/fmarr.
Gapminder[34]. World Health Chart. www.gapminder.org/whc.
Gapminder[35]. Differences within Africa. gapm.io/eafrdif.
Gapminder[36]. Monitored species. gapm.io/tnwlm.
Gapminder[37]. Food production. gapm.io/tfood.
Gapminder[38]. War deaths. gapm.io/twar.

Gapminder[39]. Textile. gapm.io/ttextile.

Gapminder[40]. Protected nature. gapm.io/protnat.

Gapminder[41]. "Why Boat Refugees Don't Fly!" gapm.io/p16.

Gapminder[42]. Child labour. gapm.io/dchlab.

Gapminder[43]. Gapminder Factfulness Poster, v3.1. Free Teaching Material, Creative Commons License CC BY 4.0. 2017. gapm.io/fposter.

Gapminder[44]. Length of schooling. gapm.io/dsclex.

Gapminder[45]. Recreation spending by income level. gapm.io/tcrecr.

Gapminder[46]. Caries. gapm.io/dcaries.

Gapminder[47]. Fertility rates by income quintile. gapm.io/dtfrq.

Gapminder[48]. Road accidents. gapm.io/droada.

Gapminder[49]. Child drownings by income level. gapm.io/ddrown.

Gapminder[50]. Travel distance. gapm.io/ttravel.

Gapminder[51]. CO2 emissions. gapm.io/tco2.

Gapminder[52]. Natural disasters. gapm.io/tndis.

Gapminder[53]. Fertility rate and income by religion. gapm.io/dtfrr.

GDL[1]. (Global Data Lab). Area data initiated by Jeroen Smits. https://globaldatalab.org/areadata.

GDL[2]. IWI International Wealth Index. https://globaldatalab.org/iwi.

Gilbert et al. (2005). "Infant sleeping position and the sudden infant death syndrome: systematic review of observational studies and historical review of recommendations from 1940 to 2002" Ruth Gilbert, Georgia Salanti, Melissa Harden, Sarah See. International Journal of Epidemiology, Volume 34, Issue 4, 1 August 2005, Pages 874–87. https://doi.org/10.1093/ije/dyi088.

Gilovich, Thomas. How We Know What Isn't So. New York: Macmillan, 1991. (『人間のこの信じやすきもの』)

Gleditsch, Nils Petter. Mot en mer fredelig verden? [Norwegian: Towards a more peaceful world?]. Oslo: Pax, 2016. Figure 1.4. gapm.io/xnpgfred.

Gleditsch, Nils Petter, and Bethany Lacina. "Monitoring trends in global combat: A new dataset of battle deaths." European Journal of Population 21, nos. 2–3 (2005): 145–66. gapm.io/xbat.

Goldberger, Leo. The Rescue of the Danish Jews: Moral Courage Under Stress. New York: New York University Press, 1987.

Good Judgment Project. www.gjopen.com.

Gottschall, Jonathan. The Storytelling Animal: How Stories Make Us Human. Boston and New York: Houghton Mifflin Harcourt, 2012.

Gribble, Gordon W. “Food chemistry and chemophobia.” Food Security 5, no. 1 (February 2013). gapm.io/xfosec.

GSMA. The Mobile Economy 2017. GSM Association, 2017. gapm.io/xgsmame.

GTD. Global Terrorism Database 2017. Accessed December 2, 2017. gapm.io/xgtdb17.

GTF. “The Global Tracking Framework measures the population with access to electricity in both rural and urban areas from 1990–2014.” The World Bank & the International Energy Agency. Global Tracking Framework. Accessed November 29, 2017. http://gtf.esmap.org/results.

Gurven, Michael, and Hillard Kaplan. “Longevity Among Hunter-Gatherers: A Cross-Cultural Examination.” Population and Development Review 33, no. 2 (2007): 321–65. gapm.io/xhun.

Haidt, Jonathan. The Happiness Hypothesis: Finding Modern Truth in Ancient Wisdom. New York: Basic Books, 2006.（『しあわせ仮説』）

———. The Righteous Mind: Why Good People Are Divided by Politics and Religion. New York: Pantheon, 2012.（『社会はなぜ左と右にわかれるのか』）

Hausmann, Ricardo. “How Should We Prevent the Next Financial Crisis?” The Growth Lab, Harvard University, 2015. gapm.io/xecc.

Hausmann, Ricardo, Cesar A. Hidalgo, et al. Atlas of Economic Complexity: Mapping Paths to Prosperity, 2nd ed. Cambridge, MA: MIT Press, 2013. Accessed November 10, 2017. gapm.io/xatl17.

Hellebrandt, Tomas, and Paulo Mauro. The Future of Worldwide Income Distribution. Peterson Institute for International Economics Working Paper 15-7, April 2015. Accessed November 3, 2017. gapm.io/xpiie17.

HMD (Human Mortality Database). University of California, Berkeley and Max Planck Institute for Demographic Research. Downloaded September 2012. Available at www.mortality.org or www.humanmortality.de.

Högberg, Ulf, and Erik Bergström. “Läkarråd ökade risken för plötslig spädbarnsdöd” [“Physicians’ advice increased the risk of sudden infant death syndrome”]. Läkartidningen 94, no. 48 (1997). gapm.io/xuhsids.

IATA (International Air Transport Association). “Accident Overview.” Table. Fact Sheet Safety. December 2017. gapm.io/xiatas.

ICAO[1] (International Civil Aviation Organization). Convention on International Civil Aviation. Chicago, December 7, 1944. gapm.io/xchicc.

ICAO[2]. Aircraft Accident and Incident Investigation. Convention on International Civil Aviation, Annex 13. International Standards and Recommended Practices, 1955. gapm.io/xchi13.

ICAO[3]. Global Key Figures. Revenue Passenger-Kilometres. Air Transport Monitor. 2017. https://www.icao.int/sustainability/Pages/Air-Traffic-Monitor.aspx.

Ichiseki, Hajime. "Features of disaster-related deaths after the Great East Japan Earthquake." Lancet 381, no. 9862 (January 19, 2013): 204. gapm. io/xjap.

ICP (International Comparison Program). "Purchasing Power Parity $ 2011." gapm.io/x-icpp.

IHME[1] (Institute for Health Metrics and Evaluation). Data Life Expectancy. Global Burden of Disease Study 2016. Institute for Health Metrics and Evaluation, University of Washington, Seattle, September 2017. Accessed October 7, 2017. gapm.io/xihlex.

IHME[2]. "Global Educational Attainment 1970–2015." Accessed May 10, 2017. gapm.io/xihedu.

IHME[3]. "Road injuries as a percentage of all disability." GBD Compare. gapm.io/x-ihaj.

IHME[4]. "Drowning as a percentage of all death ages 5–14, by four development levels." GBD Compare. http://ihmeuw.org/49kq.

IHME[5]. "Drowning, share of all child deaths in ages 5–14, comparing Sweden with average for all highly developed countries." GBD Compare. http://ihmeuw.org/49ks.

IHME[6]. "Local Burden of Disease—Under-5 Mortality." Accessed November 29, 2017. gapm.io/xih5mr.

IHME[7]. "Measles." GBD Compare. 2016. gapm.io/xihels.

IHME[8]. "All causes of death" GBD Compare. 2016. http://ihmeuw.org/49p3.

IHME[9]. "Transport injuries." GBD Compare. 2016. http://ihmeuw.org/49pa.

IHME[10]. "Interpersonal violence." GBD Compare. 2016. http://ihmeuw.org/49pc.

IHME[11]. Data for deaths under age 5 in 2016, attributable to risk factor unsafe water source, from IHME GBD 2016. Accessed December 12, 2017. http://ihmeuw.org/49xs.

ILMC (International Lead Management Center). Lead in Gasoline Phase-Out Report Card, 1990s. International Lead Zinc Research Organization (ILZRO), supported by the International Lead Association (ILA). Accessed October 12, 2017. http://www.ilmc.org/rptcard.pdf.

ILO[1] (International Labour Organization). C029 - Forced Labour Convention, 1930 (No. 29). Accessed December 2, 2017. gapm.io/xiloflc.

ILO[2]. C105 - Abolition of Forced Labour Convention, 1957 (No. 105). Accessed December 2, 2017. gapm.io/xilola.

ILO[3]. Country baselines: Turkmenistan. gapm.io/xiloturkm.

ILO[4]. Country baselines: Uzbekistan. gapm.io/xilouzb.

ILO[5]. Country baselines: North Korea. gapm.io/xilonkorea.
ILO[6]. C182 Worst Forms of Child Labour Convention, 1999 (No. 182). gapm.io/xilo182.
ILO[7]. IPEC. "Global child labour trends 2008 to 2012." Yacouba Diallo, Alex Etienne, and Farhad Mehran. International Programme on the Elimination of Child Labour (IPEC). Geneva: ILO, 2013. gapm.io/xiloi.
ILO[8]. IPEC. Children in employment, child labour and hazardous work, 5–17 years age group, 2000–2012. Page 3, Table 1. International Labour Office; ILO International Programme on the Elimination of Child Labour (IPEC). gapm.io/xiloipe.
ILO[9]. "Programme on the Elimination of Child Labour, World (1950–1995)." International Labour Organization Programme on Estimates and Projections on the Elimination of Child Labour (ILO-EPEAP). Kaushik Basu, 1999. Via OurWorldInData.org/child-labor.
ILO[10]. Living Standard Measurement Survey. LABORSTA Labour Statistics Database. International Labour Organization. gapm.io/xilohhs.
IMDb (Internet Movie Database). Search results for feature films filtered by year. gapm.io/ximdbf.
IMF[1] (International Monetary Fund). GDP per capita, constant prices with forecasts to 2022. World Economic Outlook 2017, October edition. Accessed November 2, 2017. gapm.io/ximfw.
IMF[2]. Archive. World Economic Outlook Database, previous years. gapm.io/ximfwp.
India Census 2011. "State of Literacy." Office of the Registrar General & Census Commissioner, India. 2011. gapm.io/xindc.
International Rhino Foundation. "Between 5,042–5,455 individuals in the wild—Population slowly increasing." Black Rhino. November 5, 2017. https://rhinos.org/state-of-the-rhino/
IPCC[1] (Intergovernmental Panel on Climate Change). Fifth Assessment Report (AR5) Authors and Review Editors. May 27, 2014. gapm.io/xipcca.
IPCC[2]. Fifth Assessment Report (AR5)—Climate Change 2014: Climate Change 2014 Synthesis Report, page 10: "Surface temperature is projected to rise over the 21st century under all assessed emission scenarios." Accessed April 10, 2017. gapm.io/xipcc.
Ipsos MORI[1]. Online polls for Gapminder in 12 countries, August 2017. gapm.io/gt17re.
Ipsos MORI[2]. "Perils of Perception 2015." Ipsos MORI, December 2, 2015. gapm.io/xip15.
Ipsos MORI[3]. "Perils of Perception 2016," Ipsos MORI, December 14, 2016. gapm.io/xip16.
IPUMS (Integrated Public Use Microdata Series International). Version 6.3. gapm.io/

xipums.
ISC (Internet System Consortium). "Internet host count history." gapm.io/xitho.
ISRC. "International Standard Recording Code." Managed by International ISRC Agency. http://isrc.ifpi.org/en/faq.
ITOPF (International Tanker Owners Pollution Federation). "Oil tanker spill statistics 2016." Page 4. Published February 2017. Accessed September 20, 2017. http://www.itopf.com/fileadmin/data/Photos/Publications/Oil_Spill_Stats_2016_low.pdf.
ITRPV. "International Technology Roadmap for Photovoltaic." Workshop at Intersolar Europe, Munich, June 1, 2017. Graph on slide 6. gapm.io/xitrpv.
ITU[1] (International Telecommunication Union). "Mobile cellular subscriptions." World Telecommunication/ICT Development Report and Database. gapm.io/xitumob.
ITU[2]. "ICT Facts and Figures 2017." Individuals using the Internet. Accessed November 27, 2017. gapm.io/xituintern.
IUCN[1] (International Union for Conservation of Nature). Protected Area (Definition 2008). gapm.io/xprarde.
IUCN[2]. Categories of protected areas. gapm.io/x-protareacat.
IUCN[3]. Green, Michael John Beverley, ed. IUCN Directory of South Asian Protected Areas. IUCN, 1990.
IUCN Red List[1]. Goodrich, J., et al., "Panthera tigris (Tiger)." IUCN Red List of Threatened Species 2015: e.T15955A50659951. Accessed December 7, 2017. gapm.io/xiucnr1.
IUCN Red List[2]. Swaisgood, R., D. Wang, and F. Wei. "Ailuropoda melanoleuca (Giant Panda)" (errata version published in 2016). IUCN Red List of Threatened Species 2016: e.T712A121745669. Accessed December 7, 2017. http://dx.doi.org/10.2305/IUCN.UK.2016-2.RLTS.T712A45033386.en.
IUCN Red List[3]. Emslie, R. "Diceros bicornis (Black Rhinoceros, Hook-lipped Rhinoceros)." IUCN Red List of Threatened Species 2012: e.T6557A16980917. Accessed December 7, 2017. http://dx.doi.org/10.2305/IUCN.UK.2012.RLTS.T6557A16980917.en.
IUCN Red List[4]. IUCN. "Table 1: Numbers of threatened species by major groups of organisms (1996–2017)." Last modified September 14, 2017. gapm.io/xiucnr4.
Jacobson, Jodi L. "Environmental Refugees: A Yardstick of Habitability." Worldwatch Paper 86. Washington, DC: Worldwatch Institute, 1988.
Jinha, A. E. "Article 50 million: an estimate of the number of scholarly articles in existence." Learned Publishing 23, no. 10 (2010): 258–63. DOI: 10.1087/20100308. gapm.io/xjinha.

Johnson, N. P., and J. Mueller. "Updating the accounts: global mortality of the 1918–1920 'Spanish' influenza pandemic." Bulletin of the History of Medicine 76, no. 1 (Spring 2002): 105–15.

Kahneman, Daniel. Thinking, Fast and Slow. New York: Farrar, Straus & Giroux, 2011. (『ファスト&スロー』)

Keilman, Nico. "Data quality and accuracy of United Nations population projections, 1950–95." Population Studies 55, no. 2 (2001): 149–64. Posted December 9, 2010. gapm.io/xpaccur.

Klein Goldewijk, Kees. "Total SO2 Emissions." Utrecht University. Based on Paddy (http://cdiac.ornl.gov). May 18, 2013. gapm.io/x-so2em.

Klepac, Petra, et al. "Towards the endgame and beyond: complexities and challenges for the elimination of infectious diseases." Figure 1. Philosophical Transactions of the Royal Society B, June 24, 2013. DOI: 10.1098/rstb.2012.0137. http://rstb.royalsocietypublishing.org/content/368/1623/20120137.

Lafond, F., et al. "How well do experience curves predict technological progress? A method for making distributional forecasts." Navigant Research. 2017. https://arxiv.org/pdf/1703.05979.pdf.

Larson, Heidi J., et al. "The State of Vaccine Confidence 2016: Global Insights Through a 67-Country Survey." EBioMedicine 12 (October 2016): 295–301. Posted September 13, 2016. DOI: 10.1016/j.ebiom.2016.08.042. gapm.io/xvacnf.

Lindgren, Mattias. "Gapminder's long historic time series." published from 2006 to 2016. gapm.io/histdata.

Livi-Bacci, Massimo. A Concise History of World Population. 2nd. ed. Page 22. Maiden, MA: Blackwell, 1989. (『人口の世界史』)

Lozano, Rafael, Krycia Cowling, Emmanuela Gakidou, and Christopher J. L. Murray. "Increased educational attainment and its effect on child mortality in 175 countries between 1970 and 2009: a systematic analysis." Lancet 376, no. 9745 (September 2010): 959–74. DOI: 10.1016/S0140-6736(10)61257-3. gapm.io/xedux.

Maddison[1]. Maddison project maintaining data from Angus Maddison. GDP per capita estimates, via CLIO Infra. Updated by Jutta Bolt and Jan Luiten van Zanden, et al. Accessed December 3, 2017. https://www.clio-infra.eu/Indicators/GDPperCapita.html.

Maddison[2]. Maddison project via CLIO Infra. Filipa Ribeiro da Silva's version revised by Jonathan Fink-Jensen, updated April 29, 2015. https://www.clio-infra.eu/Indicators/TotalPopulation.html.

Magnus & Pia. Mino's parents.

McEvedy, Colin, and Richard Jones. Atlas of World Population History. New York: Facts

on File, 1978. As cited in US Census Bureau. gapm.io/x-pophist.

Mischel, Walter. The Marshmallow Test: Mastering Self-Control. New York: Little, Brown, 2014. (『マシュマロ・テスト』)

Music Trades. "The Annual Census of the Music Industries." 2016. http://www.musictrades.com/census.html.

Myrskylä, M., H. P. Kohler, and F. Billari. "Advances in Development Reverse Fertility Declines." Nature 460, No. 6 (2009): 741–43. DOI: 10.1038/nature08230.

National Biomonitoring Program. Centers for Disease Control and Prevention Organochlorine Pesticides Overview. gapm.io/xpes.

National Police Agency of Japan. Damage Situation and Police Countermeasures Associated with 2011 Tohoku District Off the Pacific Ocean Earthquake September 8, 2017. Emergency Disaster Countermeasures Headquarters. gapm.io/xjapan.

NCI[1] (National Cancer Institute). "Trends in relative survival rates for all childhood cancers, age 20, all races, both sexes SEER (9 areas), 1975–94." Figure 10, p. 9, in L. A. G. Ries, M. A. Smith, et al., eds., "Cancer Incidence and Survival Among Children and Adolescents: United States SEER Program 1975–1995." National Cancer Institute, SEER Program. NIH. Pub. No. 99-4649. Bethesda, MD: 1999. gapm.io/xccs17.

NCI[2]. Childhood cancer rates calculated using the Incidence SEER18 Research Database, November 2016 submission (Katrina/Rita Population Adjustment). https://www.cancer.gov/types/childhood-cancers/child-adolescent-cancers-fact-sheet#r4.

NHTSA (National Highway Traffic Safety Administration). "Alcohol-Impaired Driving from the Traffic Safety Facts, 2016 Data." Table 1. October 2017. gapm.io/xalc.

Nobel Prize in Physiology or Medicine 1948. Paul Herman Müller. gapm.io/xnob.

Novus[1]. Polls for Gapminder in Finland and Norway, April–October 2017. gapm.io/pnovus17a.

Novus[2]. Polls for Gapminder in Sweden, Norway, USA and UK, 2013 to 2017. gapm.io/polls17b.

Novus[3]. Polls for Gapminder in Sweden, April 2017; in USA, November 2013 and September 2016 by GfK Group using KnowledgePanel; in the UK, by NatCen. gapm.io/pollnov17bnovus-17b.

Nuclear Notebook. Kristensen, Hans M., and Robert S. Norris. "The Bulletin of the Atomic Scientists' Nuclear Notebook." Federation of American Scientists. https://thebulletin.org/nuclear-notebook-multimedia.

ODI (Overseas Development Institute). Greenhill, Romilly, Paddy Carter, Chris Hoy, and Marcus Manuel. "Financing the future: how international public finance should fund

a global social compact to eradicate poverty." ODI, 2015. gapm.io/xodi.

OEC. Simoes, Alexander J. G., and César A. Hidalgo. "The Economic Complexity Observatory: An Analytical Tool for Understanding the Dynamics of Economic Development." Workshops at the Twenty-Fifth AAAI Conference on Artificial Intelligence, 2011. Trade in hs92 category 920.2. String Instruments. gapm.io/xoec17. The Economic Complexity Observatory. https://atlas.media.mit.edu/en/.

OECD[1] (Organisation for Economic Co-operation and Development). "Why Is Health Spending in the United States So High?" Chart 4: Health spending per capita by category of care, US and selected OECD countries, 2009. Health at a Glance 2011: OECD Indicators. gapm.io/x-ushealth.

OECD[2]. Air and GHG emissions: Carbon dioxide (CO2), Tonnes/capita, 2000–2014. gapm.io/xoecdco2.

OECD[3]. "Indicators of Immigrant Integration 2015". OECD and European Union, July 2, 2015. gapm.io/xoecdimintegr.

OHDB (Oral Health Database). WHO Collaborating Centre for Education, Training and Research at the Faculty of Odontology, Malmö, Sweden, supported by the WHO Global Oral Health Programme for Oral Health Surveillance and Niigata University, Japan. https://www.mah.se/CAPP/.

Oppenheim Mason, Karen. "Explaining Fertility Transitions." Demography, Vol. 34, No. 4, 1997, pp. 443-54. gapm.io/xferttra.

Ostrom, Elinor. Governing the Commons. Cambridge, UK: Cambridge University Press, 1990.

OurWorldInData[1]. Roser, Max, and Esteban Ortiz-Ospina. "Declining global poverty: share of people living in extreme poverty, 1820–2015, Global Extreme Poverty." Published online at OurWorldInData.org. Accessed November 20, 2017. https://ourworldindata.org/extreme-poverty.

OurWorldInData[2]. Roser, Max, and Esteban Ortiz-Ospina. "When did literacy start growing in Europe?" Published online at OurWorldInData.org. Accessed November 20, 2017. https://ourworldindata.org/literacy.

OurWorldInData[3]. Roser, Max, and Esteban Ortiz-Ospina. "Child Labor." 2017. Published online at OurWorldInData.org. Accessed November 20, 2017. https://ourworldindata.org/child-labor.

OurWorldInData[4]. Roser, Max. "Share of World Population Living in Democracies." 2017. Published online at OurWorldInData.org. Accessed November 26, 2017. https://ourworldindata.org/democracy.

OurWorldInData[5]. Roser, Max. "Ethnographic and Archaeological Evidence on Violent

Deaths." Published online at OurWorldInData.org. Accessed November 26, 2017. https://ourworldindata.org/ethnographic-and-archaeological-evidence-on-violent-deaths.

OurWorldInData[6]. Roser, Max, and Mohamed Nagdy. "Nuclear weapons test." 2017. Published online at OurWorldInData.org. Accessed November 14, 2017. https://ourworldindata.org/nuclear-weapons.

OurWorldInData[7]. Number of parties in multilateral environmental agreements based on UNCTAD United Nations Treaty Collection. Published online at OurWorldInData.org. https://ourworldindata.org/grapher/number-of-parties-env-agreements.

OurWorldInData[8]. Tzvetkova, Sandra. "Not All Deaths Are Equal: How Many Deaths Make a Natural Disaster Newsworthy?" Published online at OurWorldInData.org. Accessed July 19, 2017. https://ourworldindata.org/how-many-deaths-make-a-natural-disaster-newsworthy.

OurWorldInData[9]. Ritchie, Hannah and Max Roser. "Energy Production & Changing Energy Sources", Based on Lafond et al. (2017). Published online at OurWorldInData.org. Accessed December 19, 2017. https:// ourworldindata.org/energy-production-and-changing-energy-sources/.

OurWorldInData[10]. Roser, Max. "Fertility Rate." Published online at OurWorldInData.org. https://ourworldindata.org/fertility-rate.

Paine, R. R., and J. L. Boldsen. "Linking age-at-death distributions and ancient population dynamics: a case study." 2002. In Paleodemography: Age distributions from skeletal samples, ed. R. D. Hoppa and J. W. Vaupel, 169–80. Cambridge, UK: Cambridge University Press.

Paulos, John Allen. Innumeracy: Mathematical Illiteracy and its Consequences. New York: Penguin, 1988.（『数で考えるアタマになる！』）

PDNA. Government of Nepal National Planning Commission. Nepal Earthquake 2015: Post Disaster Needs Assessment, vol. A. Kathmandu: Government of Nepal, 2015. gapm.io/xnep.

Perry, Mark J. "SAT test results confirm pattern that's persisted for 50 years—high school boys are better at math than girls." AEIdeas blog, American Enterprise Institute, September 27, 2016. gapm.io/xsat.

Pew[1]. "Japanese Wary of Nuclear Energy." Pew Research Center, Global Attitudes and Trends, June 5, 2012. gapm.io/xpewnuc.

Pew[2]. "Religious Composition by Country, 2010–2050." Pew Research Center, Religion & Public Life, April 2, 2015 (table). gapm.io/xpewrel1.

Pew[3]. "The Future of World Religions: Population Growth Projections, 2010–2050."

Pew Research Center, Religion & Public Life, April 2, 2015. gapm.io/xpewrel2.
Pinker, Steven. The Better Angels of Our Nature: The Decline of Violence in History and Its Causes. London: Penguin, 2011.（『暴力の人類史』）
———. The Blank Slate: The Modern Denial of Human Nature. New York: Penguin, 2002.（『人間の本性を考える』）
———. How the Mind Works. New York: W.W. Norton, 1997.（『心の仕組み』）
———. The Stuff of Thought. New York: Viking, 2007.（『思考する言語』）
Platt, John R. "Big News: Wild Tiger Populations Are Increasing for the First Time in a Century." Scientific American, April 10, 2016.
PovcalNet "An Online Analysis Tool for Global Poverty Monitoring." Founded by Martin Ravallion, at the World Bank. Accessed November 30, 2017. http://iresearch.worldbank.org/PovcalNet.
PRIO. "The Battle Deaths Dataset version 3.1." Updated in 2006; 1946–2008. See Gleditsch and Lacina (2005), Accessed November 12, 2017. gapm.io/xpriod.
Quétel, Claude. History of Syphilis. Trans. Judith Braddock and Brian Pike. Cambridge, UK: Polity Press, 1990. gapm.io/xsyph.
Raupach M. R., et al. "Sharing a quota on cumulative carbon emissions." Nature Climate Change 4 (2014): 873–79. DOI: 10.1038/nclimate2384. gapm.io/xcar.
Rosling, Hans. "The best stats you've ever seen." TED video, 19:50. Filmed February 2006 in Monterey, CA. https://www.ted.com/talks/hans_rosling_shows_the_best_stats_you_ve_ever_seen. gapm.io/xtedros.
———. "Hans Rosling at World Bank: Open Data." World Bank video, 41:54. Filmed May 22, 2010, in Washington, DC. https://www.youtube.com/watch?v=5OWhcrjxP-E. gapm.io/xwbros.
———. "The Magic Washing Machine." TEDWomen video, 9:15. Filmed December 2010 in Washington, DC. https://www.ted.com/talks/hans_rosling_and_the_magic_washing_machine. gapm.io/tedrosWa.
Rosling, Hans, Yngve Hofvander, and Ulla-Britt Lithell. "Children's Death and Population Growth." Lancet 339 (February 8, 1992): 377–78.
Royal Society of London. Philosophical Transactions of the Royal Society of London. 155 vols. London, 1665–1865. gapm.io/xroys1665.
Sarkees, Meredith Reid, and Frank Wayman. Resort to War: 1816–2007. Washington DC: CQ Press, 2010. gapm.io/xcow17.
SCB (Statistiska Centralbyrån). System of Environmental and Economic Accounts. gapm.io/xscb2.
Schultz, T. Paul. "Why Governments Should Invest More to Educate Girls." World

Development 30, no. 2 (2002): 207–25.
SDL. “Slavery in Domestic Legislation”, a database by Jean Allain and Dr. Marie Lynch at Queen’s University, Belfast. http://www.qub.ac.uk/slavery/.
Senge, Peter M. The Fifth Discipline: The Art & Practice of the Learning Organization. New York: Doubleday, 1990.（『学習する組織』）
Shengmin, Yu, et al. “Study on the Concept of Per Capita Cumulative Emissions and Allocation Options.” Advances in Climate Change Research 2, no. 2 (June 25, 2011): 79–85. gapm.io/xcli11.
SIPRI (Stockholm International Peace Research Institute). Trends in world nuclear forces, 2017. Kile, Shannon N. and Hans M. Kristensen. SIPRI, July 2017. gapm.io/xsipri17.
Smil, Vaclav. Energy Transitions: Global and National Perspectives. 2nd ed. Santa Barbara, CA: Praeger, 2016. gapm.io/xsmilen.
———. Global Catastrophes and Trends: The Next Fifty Years. Cambridge: MIT Press, 2008. gapm.io/xsmilcat.
Spotify. Web API. https://developer.spotify.com/web-api.
Stockholm Declaration. Fifth Global Meeting of the International Dialogue on Peacebuilding and Statebuilding, 2016. https://www.pbsbdialogue.org/en.
Sundberg, Ralph and Erik Melander. “Introducing the UCDP Georeferenced Event Dataset”, Journal of Peace Research, vol. 50, no. 4, (2013): 523-32.
Sundin, Jan, Christer Hogstedt, Jakob Lindberg, and Henrik Moberg. Svenska folkets hälsa i historiskt perspektiv. Barnhälsans historia, page 122. Solna, Sweden: Statens folkhälsoinstitut, 2005. gapm.io/xsfhi5.
Tanigawa, Koichi, et al. “Loss of life after evacuation: lessons learned from the Fukushima accident.” Lancet 379, no. 9819 (March 10, 2012): 889–91. gapm.io/xfuk.
Tavris, Carol, and Elliot Aronson. Mistakes Were Made (But Not by Me): Why We Justify Foolish Beliefs, Bad Decisions, and Hurtful Acts. New York: Harcourt, 2007.（『なぜあの人はあやまちを認めないのか』）
Tetlock, P.E., and D. Gardner. Superforecasting: The Art and Science of Prediction. New York: Crown, 2015.（『超予測力』）
The Economist[1]. “The tragedy of the high seas.” Economist, February 22, 2014. gapm.io/xeconsea.
The Economist[2]. “Democracy Index from the Economist Intelligence Unit.” Accessed December 2, 2017. gapm.io/xecodemi.
Tylleskär, Thorkild. “Konzo—The Walk of the Chameleon.” Video, a group work in global

nutrition, featuring Dr. Jean-Pierre Banea-Mayambu (head of Pronanut), Dr. Desire Tshala-Katumbay (from the neurology clinic at the Centre Neuropsychopathologique, CNPP, Kinshasa), and students in nutrition at Uppsala University, Sweden, 1995. gapm.io/xvkonzo.

UCDP[1] (Uppsala Conflict Data Program). Battle-Related Deaths Dataset, 1989 to 2016, dyadic, version 17.1. See Allansson et al. (2017). http://ucdp.uu.se/downloads.

UCDP[2]. Uppsala Conflict Data Program, Georeferenced Event Dataset (GED) Global version 17.1 (2016), See Sundberg et al (2013). Department of Peace and Conflict Research, Uppsala University, http://ucdp.uu.se/downloads.

UN Comtrade. https://comtrade.un.org/.

UN Statistics Division. "Developing regions". Accessed December 20, 2017. gapm.io/xunsdef.

UN-IGME (United Nations Inter-agency Group for Child Mortality Estimation). "Child Mortality Estimates." Last modified October 19, 2017. http://www.childmortality.org.

UN-Pop[1] (UN Population Division). Population, medium fertility variant. World Population Prospects 2017. United Nations, Department of Economic and Social Affairs, Population Division. https://esa.un.org/unpd/wpp.

UN-Pop[2]. Annual age composition of world population, medium fertility variant. World Population Prospects 2017. UN Population Division. https://esa.un.org/unpd/wpp.

UN-Pop[3]. Indicators: Life expectancy and total fertility rate (medium fertility variant). World Population Prospects 2017. UN Population Division. Accessed September 2, 2017. https://esa.un.org/unpd/wpp.

UN-Pop[4]. Annual population by age—Female, medium fertility variant. World Population Prospects 2017. UN Population Division. Accessed November 7, 2017. gapm.io/xpopage.

UN-Pop[5]. World Population Probabilistic Projections. Accessed November 29, 2017. gapm.io/xpopproj.

UN-Pop[6]. "The impact of population momentum on future population growth." Population Facts no. 2017/4 (October, 2017): 1–2. gapm.io/xpopfut.

UN-Pop[7]. Andreev, K., V. Kantorová, and J. Bongaarts. "Demographic components of future population growth." Technical paper no. 2013/3. United Nations DESA Population Division, 2013. gapm.io/xpopfut2.

UN-Pop[8]. Deaths (both sexes combined), medium fertility variant. World Population Prospects 2017. UN Population Division. Accessed December 2, 2017. gapm.io/xpopdeath.

UN-Pop[9]. World Contraceptive Use 2017. World Population Prospects 2017. UN

Population Division, March 2017. Accessed December 2, 2017. gapm.io/xcontr.
UNAIDS. "AIDSinfo." Accessed October 4, 2017. http://aidsinfo.unaids.org.
UNDESA (United Nations Department of Economic and Social Affairs). "Electricity and education: The benefits, barriers, and recommendations for achieving the electrification of primary and secondary schools." December 2014. gapm.io/xdessel.
UNEP[1] (United Nations Environment Programme). Towards a Pollution-Free Planet. Nairobi: United Nations Environment Programme, 2017. gapm.io/xpolfr17.
UNEP[2]. Regional Lead Matrix documents published between 1990 and 2012. gapm.io/xuneplmats.
UNEP[3]. "Leaded Petrol Phase-out: Global Status as at March 2017." Accessed November 29, 2017. gapm.io/xunepppo.
UNEP[4]. Ozone data access center: ODS consumption in ODP tonnes. Data updated November 13, 2017. Accessed November 24, 2017. gapm.io/xods17.
UNEP[5]. The World Database on Protected Areas (WDPA). UNEP, IUCN, and UNEP-WCMC. https://protectedplanet.net.
UNEP[6]. Protected Planet Report 2016. UNEP-WCMC and IUCN, Cambridge, UK, and Gland, Switzerland, 2016. Accessed December 17, 2017. gapm.io/xprotp16.
UNESCO[1] (United Nations Educational, Scientific and Cultural Organization). "Education: Completion rate for primary education (household survey data)." Accessed November 5, 2017. gapm.io/xcomplr.
UNESCO[2]. "Education: Literacy rate." Last modified July 2017. Accessed November 5, 2017. gapm.io/xuislit.
UNESCO[3]. "Education: Out-of-school rate for children of primary school age, female." Accessed November 26, 2017. gapm.io/xuisoutsf.
UNESCO[4]. "Rate of out-of-school children." Accessed November 29, 2017. gapm.io/xoos.
UNESCO[5]. "Reducing global poverty through universal primary and secondary education." June 2017. gapm.io/xprimsecpov.
UNFPA (United Nations Population Fund). "Sexual & reproductive health." Last updated November 16, 2017. http://www.unfpa.org/sexual-reproductive-health.
UNHCR (United Nations High Commissioner for Refugees). "Convention and protocol relating to the status of refugees." UN Refugee Agency, Geneva. gapm.io/xunhcr.
UNICEF-MICS. Multiple Indicator Cluster Surveys. Funded by the United Nations Children's Fund. Accessed November 29, 2017. http://mics.unicef.org.
UNICEF[1]. The State of the World's Children 1995. Oxford, UK: Oxford University Press, 1995. gapm.io/xstchi.

UNICEF[2]. "Narrowing the Gaps—The Power of Investing in the Poorest Children." July 2017. gapm.io/xunicef2.

UNICEF[3]. "Diarrhoea remains a leading killer of young children, despite the availability of a simple treatment solution." Accessed September 11, 2017. gapm.io/xunicef3.

UNICEF[4]. "The State of the World's Children 2013—Children with Disabilities." 2013. gapm.io/x-unicef4.

UNICEF[5]. "Vaccine Procurement Services". https://www.unicef.org/supply/index_54052.html.

UNISDR (United Nations Office for Disaster Risk Reduction). "Heat wave in Europe in 2003: new data shows Italy as the most affected country." UNISDR, 2003. gapm.io/x-unicefC5.

US Census Bureau. Current Population Survey, 2017 Annual Social and Economic Supplement. Table: "FINC01_01. Selected Characteristics of Families by Total Money Income in: 2016," monetary income, all races, all families. gapm.io/xuscb17.

US-CPS. US Census Bureau. Current Population Survey 2016: Family Income in 2016. gapm.io/xuscps17

USAID-DHS[1]. Demographic and Health Surveys (DHS), funded by USAID. https://dhsprogram.com.

USAID-DHS[2]. Bietsch, Kristin, and Charles F. Westoff. Religion and Reproductive Behavior in Sub-Saharan Africa. DHS Analytical Studies No. 48. Rockville, MD: ICF International, 2015. gapm.io/xdhsarel.

van Zanden[1]. van Zanden, Jan Luiten, Joerg Baten, Peter Foldvari, and Bas van Leeuwen. "World Income Inequality: The Changing Shape of Global Inequality 1820–2000." Utrecht University, 2014. http://www.basvanleeuwen.net/bestanden/WorldIncomeInequality.pdf.

van Zanden[2]. van Zanden, Jan Luiten, and Eltjo Buringh. "Rise of the West: Manuscripts and Printed Books in Europe: A long-term perspective from the sixth through eighteenth centuries." Journal of Economic History 69, no. 2 (February 2009): 409–45. gapm.io/xriwe.

van Zanden[3], van Zanden, Jan Luiten, et al., eds. How Was Life? Global Well-Being Since 1820. Paris: OECD Publishing, 2014. gapm.io/x-zanoecd.

WEF (World Economic Forum). "Davos 2015—Sustainable Development: Demystifying the Facts." WEF video, 15:42. Filmed Davos, Switzerland, January 2015. Link to 5 minutes 18 seconds into the presentation, when Hans show the audience results: https://youtu.be/3pVlaEbpJ7k?t=5m18s.

White[1]. White, Matthew. The Great Big Book of Horrible Things. New York: W.W.

Norton, 2011.
White[2]. White, Matthew. Estimates of death tolls in World War II. Necrometrics. http://necrometrics.com/20c5m.htm#Second.
WHO[1] (World Health Organization). "Global Health Observatory data repository: Immunization." Accessed November 2, 2017. gapm.io/xwhoim.
WHO[2]. Safe abortion: Technical & policy guidance for health systems. gapm.io/xabor.
WHO[3]. WHO Ebola Response Team. "Ebola Virus Disease in West Africa—The First 9 Months of the Epidemic and Forward Projections." New England Journal of Medicine 371 (October 6, 2014): 1481–95. gapm.io/xeboresp.
WHO[4]. "Causes of child mortality." Global Health Observatory (GHO) data. Accessed September 12, 2017. gapm.io/xeboresp2.
WHO[5]. "1986–2016: Chernobyl at 30." April 25, 2016. gapm.io/xwhoc30.
WHO[6]. "The use of DDT in malaria vector control: WHO position statement." Global Malaria Programme, World Health Organization, 2011. gapm.io/xwhoddt1.
WHO[7]. "DDT in Indoor Residual Spraying: Human Health Aspects—Environmental Health Criteria 241." World Health Organization, 2011. gapm.io/xwhoddt2.
WHO[8]. "WHO Global Health Workforce Statistics." World Health Organization, 2016. gapm.io/xwhowf.
WHO[9]. Situation updates—Pandemic. gapm.io/xwhopand.
WHO[10]. Global Health Observatory (GHO) data. Tuberculosis (TB). http://www.who.int/gho/tb/.
WHO[11]. "What is multidrug-resistant tuberculosis (MDR-TB) and how do we control it?" gapm.io/xmdrtb.
WHO[12]. "Global Health Expenditure Database." Last updated December 5, 2017. http://apps.who.int/nha/database.
WHO[13]. Ebola situation reports. gapm.io/xebolawho.
WHO[14]. Antimicrobial resistance. gapm.io/xantimicres.
WHO[15]. Neglected tropical diseases. gapm.io/xnegtrop.
WHO[16]. "Evaluation of the international drinking water supply and sanitation decade, 1981-1990." World Health Organization, November 21, 1991. Executive board, eighty-ninth session. Page 4. gapm.io/xwhow90.
WHO[17]. Emergencies preparedness, response. Situation updates—Pandemic (H1N1) 2009. http://www.who.int/csr/disease/swineflu/updates/en/index.html.
WHO[18]. Global Health Observatory (GHO) data. Tuberculosis (TB). http://www.who.int/gho/tb/.
WHO/UNICEF. "Ending Preventable Child Deaths from Pneumonia and Diarrhoea by

2025." World Health Organization/The United Nations Children's Fund (UNICEF), 2013. gapm.io/xpneuDiarr.

WHO/UNICEF JMP (Joint Monitoring Programme). "Drinking water, sanitation and hygiene levels," 2015. https://washdata.org/data.

Wikipedia[1]. "Timeline of abolition of slavery and serfdom." https://en.wikipedia.org/wiki/Timeline_of_abolition_of_slavery_and_serfdom.

Wikipedia[2]. "Capital punishment by country: Abolition chronology." https://en.wikipedia.org/wiki/Capital_punishment_by_country#Abolition_chronology.

Wikipedia[3]. "Feature film: History." https://en.wikipedia.org/wiki/Feature_film#History.

Wikipedia[4]. "Women's suffrage." https://en.wikipedia.org/wiki/Women%27s_suffrage.

Wikipedia[5]. "Sound recording and reproduction: Phonoautograph." https://en.wikipedia.org/wiki/Sound_recording_and_reproduction#Phonautograph.

Wikipedia[6]. "World War II casualties." https://en.wikipedia.org/wiki/World_War_II_casualties.

Wikipedia[7]. "List of terrorist incidents: 1970–present." https://en.wikipedia.org/wiki/List_of_terrorist_incidents#1970-present.

Wikipedia[8]. "Cobratoxin: Multiple sclerosis." https://en.wikipedia.org/wiki/Cobratoxin#cite_note-pmid21999367-8.

Wikipedia[9]. "Charles Waterton." https://en.wikipedia.org/wiki/Charles_Waterton.

Wikipedia[10]. "Recovery position." https://en.wikipedia.org/wiki/Recovery_position.

World Bank[1]. "Indicator GDP per capita, PPP (constant 2011 international $)." International Comparison Program database. Downloaded October 22, 2017. gapm.io/xwb171.

World Bank[2]. "World Bank Country and Lending Groups." Accessed November 6, 2017. gapm.io/xwb172.

World Bank[3]. "Primary completion rate, female (% of relevant age group)." Accessed November 5, 2017. gapm.io/xwb173.

World Bank[4]. "Population of Country Income Groups in 2015—Population, total." Accessed November 7, 2017. gapm.io/xwb174.

World Bank[5]. "Poverty headcount ratio at $1.90 a day (2011 PPP) (% of population)." Development Research Group. Downloaded October 30, 2017. gapm.io/xwb175.

World Bank[6]. "Indicator Access to electricity (% of population)." Sustainable Energy for All (SEforALL) Global Tracking Framework. International Energy Agency and the Energy Sector Management Assistance Program, 2017. gapm.io/xwb176.

World Bank[7]. "Life expectancy at birth, total (years)." United Nations Statistical Division. Population and Vital Statistics Reports (various years). Accessed November 8, 2017.

gapm.io/xwb177.
World Bank[8]. “Improved water source (% of population with access).” WHO/UNICEF Joint Monitoring Programme (JMP) for Water Supply and Sanitation. Accessed November 8, 2017. gapm.io/xwb178.
World Bank[9]. “Immunization, measles (% of children ages 12-23 months).” Accessed November 8, 2017. gapm.io/xwb179.
World Bank[10]. “Prevalence of undernourishment (% of population).” Food and Agriculture Organisation. Accessed November 8, 2017. gapm.io/xwb1710.
World Bank[11]. “Out-of-pocket health expenditure (% of total expenditure on health).” Global Health Expenditure database, 2017. gapm.io/xwb1711.
World Bank[12]. Narayan, Deepa, Raj Patel, et al. Voices of the Poor: Can Anyone Hear Us? New York: Oxford University Press, 2000. gapm.io/xwb1712.
World Bank[13]. “International tourism: number of departures.” Yearbook of Tourism Statistics, Compendium of Tourism Statistics and Data Files, World Tourism Organization, 2017. gapm.io/xwb1713.
World Bank[14]. “Beyond Open Data: A New Challenge from Hans Rosling.” World Bank Video, 1:49:01. Filmed June 8, 2015. gapm.io/xwb1714.
World Bank[15]. Khokhar, Tariq. “Should we continue to use the term ‘developing world’?” The Data blog, World Bank, November 16, 2015. gapm.io/xwb1715.
World Bank[16]. “Income share held by highest 10%.” Development Research Group, 2017. gapm.io/xwb1716.
World Bank[17]. Jolliffe, Dean, and Espen Beer Prydz. “Estimating International Poverty Lines from Comparable National Thresholds.” World Bank Group, 2016. gapm.io/xwb1717.
World Bank[18]. “Mobile cellular subscriptions.” International Telecommunication Union, World Telecommunication/ICT Development Report and Database. Downloaded November 26, 2017. gapm.io/xwb1718.
World Bank[19]. “Individuals using the Internet (% of population).” International Telecommunication Union, World Telecommunication/ICT Development Report and Database. Downloaded November 27, 2017. gapm.io/xwb1719.
World Bank[20]. Global Consumption Database. http://datatopics.worldbank.org/consumption.
World Bank[21]. “School enrollment, primary and secondary (gross), gender parity index (GPI).” United Nations Educational, Scientific, and Cultural Organization (UNESCO) Institute for Statistics, 2017. gapm.io/xwb1721.
World Bank[22]. “Global Consumption Database.” World Bank Group, 2017. gapm.io/

xwb1722.

World Bank[23]. "Physicians (per 1,000 people)." Selected countries and economies: Sweden and Mozambique. World Health Organization, Global Health Workforce Statistics, OECD, 2017. gapm.io/xwb1723.

World Bank[24]. "Health expenditure, total (% of GDP)." World Health Organization Global Health Expenditure Database, 2017. gapm.io/xwb1724.

World Bank[25]. Newhouse, David, Pablo Suarez-Becerra, and Martin C. Evans. "New Estimates of Extreme Poverty for Children—Poverty and Shared Prosperity Report 2016: Taking On Equality." Policy Research Working Paper no. 7845. World Bank, Washington, DC, 2016.

World Bank[26]. World Bank Group, Poverty and Equality Global Practice Group, October 2016. gapm.io/xwb1726.

World Bank[27]. World Bank Open Data Platform. https://data.worldbank.org.

WorldPop. Case Studies—Poverty. gapm.io/xworpopcs.

WWF. Tiger—Facts. 2017. Accessed November 5, 2017. gapm.io/xwwftiger.

YouGov[1]. November–December 2015. Poll results: gapm.io/xyougov15.

YouGov[2]. Poll about fears. 2014. gapm.io/xyougov15.

Zakaria, Fareed. The Future of Freedom: Illiberal Democracy at Home and Abroad. New York: W.W. Norton, 2003.（『民主主義の未来』）

———. The Post-American World. New York: W.W. Norton, 2008.（『アメリカ後の世界』）

脚注

本書を書くにあたって、資料を何度も確認し、データを正しく使うことには徹底的に気を配った。ファクトフルネスについての本で、ファクトを間違えていたら説得力がない。でも、誰にだって間違うことはある。できる限りの努力はしたが、間違いがあるかもしれない。

もし間違いを見つけたら、本書をより良くするためにぜひ教えてほしい。メールアドレスはこちら：factfulness-book@gapminder.org
現在報告されている間違いは、こちらのページにまとめてある：gapminder.org/factfulness/book/mistakes

本書にはページ数に限りがあるので、脚注と出典は一部を抜粋して掲載している。残りはこちらから閲覧できる：gapm.io/ffbn

全般

2017年のデータ。 2017年のデータがない経済指標は、おもに国際通貨基金による世界経済見通し(IMF[1])をもとにギャップマインダーが算出した。2017年の人口のデータは、2017年度の世界人口予測（UN-Pop[1]）をもとに算出している。詳しくはこちら：gapm.io/eext

国の名称について。 本書では、国の過去のデータを紹介する際に、現在の国の名前を用いている。たとえば現在のバングラデシュは、1942年にはイギリス領インド帝国の一部としてイギリスの支配下に置かれていた。当時のインド帝国のうち、現在バングラデシュの国境に含まれる部分のデータを紹介するのに、わたしたちはバングラデシュという名称を使っている。詳しくはこちら：gapm.io/geob

見返し

世界保健チャート（2017年版）。 この本を開いたとき、最初に読者が目にするのはカラフルな世界保健チャート（2017年版）だ。それぞれの丸は国を表している。丸の大きさは人口、色は地域に対応している。横軸はひとりあたりのGDP（購買力平価ベース、2011年国際ドル）、縦軸は平均寿命を表している。人口のデータはUN-Pop[1]、GDPのデータはWorld Bank[1]、平均寿命のデータはIHME[1]によるもの。上記の通り、一部の2017年のデータはギャップマインダーが算出している。このチャートや、出典についての情報はオンラインで無料で閲覧できる：www.gapminder.org/whc

はじめに

レントゲン。 このレントゲンは、ステファン・ブレマーがソフィアヘメット病院で撮影したもの。被写体はハンスの友人の剣飲み芸人、マリアンヌ・マダレン。彼女のウェブサイトはこちら：gapm.io/xsword

クイズ。 本書で出題したクイズ13問はこちらから各言語で閲覧できる：www.gapminder.org/test/2017

オンライン調査。 ギャップマインダーは調査会社のIpsos MORIとNovusの力を借り、14カ国に暮らす1万2000人を調査した。調査はオンライン上で行い、母集団(大人)の傾向を適切に反映するような工夫をしている（Ipsos MORI[1] and Novus[1]）。地球温暖化についての13問目を除いた12問の平均正解数は2.2問だった。本書では小数点を切り捨てて2問とした。詳しくはこちら：gapm.io/rtest17

調査結果。 クイズの問題ごとや国ごとの結果は付録を参照のこと。わたしたちの講義で出題したクイズの結果はこちら：gapm.io/rrs

世界経済フォーラムでの基調講演。 講義の動画は出典内のWEFを参照のこと。クイズの結果発表は5分18秒目。

質問1。 正解はC。低所得国の女子の60%は初等教育を受けることができる。厳密には63.2%だが（World Bank[3]）、誇張を避けるため60%に切り捨てた。詳しくはこちら：gapm.io/q1

質問2。 正解はB。世界の大半の人は中所得国に住んでいる。世界銀行は（World Bank[2]）、ひとりあたりの国民総生産（現在のUSドル）をもとに国々をいくつかのグループに分けている。低所得国に暮らすのは世界の人口の9%。中所得国に暮らすのは世界の人口の76%。残りの16%は高所得国に暮らしている(World Bank[4])。詳しくはこちら：gapm.io/q2

質問3。 正解はC。1日1.9ドル以下で暮らす人の割合は1993年の34%から2013年の10.7%へと減った（World Bank[5]）。「1.9ドル以下」と小数点が入った数字を聞くと、精度が高い調査なのかと思いがちだが、実際には不確定要素がとても多い。そもそも、極度の貧困を測るのはとても難しい。最も貧しい人々の多くは、自給農家か貧しいスラムの住民だ。暮らしはしょっちゅう変わるし、お金の出入りも記録されにくい。しかし、極度の貧困率の「絶対値」は当てにならなくても、「変化」は確実に正しいと言える。調査の誤差は昔もいまも変わらない可能性が高いからだ。極度の貧困率は少なめに見積もって3分の1、多めに見積もって半分に減ったと言える。詳しくはこちら：gapm.io/q3

質問4。 正解はC。保健指標評価研究所によれば、2016年に生まれた人の世界の平均寿命は72.48歳だった（IHME[1]）。国連の予測はそれより少し低く、71.9歳だった（UN-Pop[3]）。誇張を避けるため70%に切り捨てた。詳しくはこちら：gapm.io/q4

質問5。 正解はC。過去10年間、国連は「2100年の子供の数は現在より多くならない」という見方を貫いてきた（UN-Pop[2]）。詳しくはこちら：gapm.io/q5

質問6。 正解はB。国連人口部の専門家の予測は以下の通り（UN-Pop[3]）。これからの人口増加の1%は3700万人の子供（0歳から14歳）の増加によるもの。69%は25億人の大人（15歳から74歳）の増加によるもの。30%は11億人の後期高齢者（75歳以上）の増加によるもの。詳しくはこちら：gapm.io/q6

質問7。 正解はC。国際災害データベースによれば、自然災害による年間死者数は過去100年間で75%減少した（M-DAT）。自然災害は年によってばらつきがあるので、それぞれの年ごとに過去10年間の平均を比べている。過去10年間に（2007年から2016年）、毎年平均8万386人が自然災害で亡くなった。100年前（1907年から1916年）の32万5742人と比べると、25%になっている。詳しくはこちら：gapm.io/q7

質問8。 正解はA。国連によれば、2017年の人口は75億5000万人だった（UN-Pop[1]）。本来なら80億人と数字を繰り上げるべきだが、70億人としているのは地域ごとの人口で四捨五入しているため。ギャップマインダー（Gapminder[1]）は4つの地域の人口を国連の国ごとのデータ（UN-Pop[1]）を基に次のように推定している。アメリカ大陸は10億人、ヨーロッパは8億4000万人、アフリカは13億人、アジアは44億人。詳しくはこちら：gapm.io/q8

質問9。 正解はC。世界中の1歳児の88%がなんらかの病気に対して予防接種を受けている（WHO[1]）。誇張を避けるため80%に切り捨てた。詳しくはこちら：gapm.io/q9

質問10。 正解はA。保健指標評価研究所が188カ国を対象に行った調査によれば（IHME[2]）、世界中の25歳から34歳の女性は平均9.09年の学校教育を受けている。男性は10.21年。また、2010年に146カ国を対象にした別の調査によると、25歳から29歳の女性は平均8.79年の学校教育を受け、男性は9.32年の学校教育を受けている（Barro and Lee (2013)）。詳しくはこちら：gapm.io/q10

質問11。 正解はC。国際自然保護連合が作成したレッドリストによれば、3つの動物のうち、1996年よりさらに絶滅の危機に瀕している動物はひとつもない。たとえばトラ（Panthera tigris）は、1996年に「絶滅危惧（EN）」とされていて、現在も変わらない（IUCN Red List[1]）。野生のトラの数は100年間減り続けていたが、最近は増加傾向にある（WWF and Platt (2016)）。ジャイアントパンダ（Ailuropoda melanoleuca）は、1996年に「絶滅危惧（EN）」とされたが、以来野生の数は増え、2015年には保全状況が「危急（VU）」に改善した。そしてクロサイ（Diceros bicornis）は、以前から「絶滅寸前（CR）」とされていて、現在も変わらない（IUCN Red List[3]）。ただ、国際サイ財団によれば、野生のクロサイの数はゆっくりと増えているという。詳しくはこちら：gapm.io/q11

質問12。 正解はC。世界の人口の85.3%が、いくらかでも電気を使うことができる（GTF）。誇張を避けるため80%に切り捨てた。「電気を使える」の基準がどれくらいかは、調査によってさまざまだ。極端な例をあげると、1週間に平均60回停電しても「電気

を使える家庭」に分類されることもある。だから、質問は「いくらかでも電気を使うことができる」とした。詳しくはこちら：gapm.io/q12

質問13。 正解はA。「気候の専門家」とは、2014年に気候変動に関する政府間パネルが公表した「第5次評価報告書(AR5)」の著者274人のことを指す（IPCC[1]）。報告書には「考えられるすべての温室効果ガスの排出シナリオにおいて、21世紀に地表の温度は上昇すると思われる」と書かれている（IPCC[2]）。詳しくはこちら：gapm.io/q13

目の錯覚。 ミュラー・リヤー錯視を使って認知バイアスを説明するやり方については、ダニエル・カーネマン著『ファスト&スロー』（2014年、村井章子訳、早川書房）から着想を得た。

10種類の本能と認知心理学。 10種類の本能について考えるにあたって、わたしたちは数々の優秀な認知科学者の著作から影響を受けた。特に以下の本は、わたしたちの考え方を根底から覆し、世界の事実をどう伝えるべきかを教えてくれた。

- ダン・アリエリー著『予想どおりに不合理』（2013年、熊谷淳子訳、早川書房）『不合理だからすべてがうまくいく』（2010年、櫻井祐子訳、早川書房）『ずる—嘘とごまかしの行動経済学』（2012年、櫻井祐子訳、早川書房）
- スティーブン・ピンカー著『心の仕組み』（2013年、椋田直子訳、筑摩書房）『思考する言語（2009年、幾島 幸子・桜内 篤子訳、NHK出版）』『人間の本性を考える』（2004年、山下篤子訳、NHK出版）『暴力の人類史』（2015年、幾島幸子・塩原通緒訳、青土社）
- エリオット・アロンソン、キャロル・タヴリス著『なぜあの人はあやまちを認めないのか』（2009年、戸根由紀恵訳、河出書房新社）
- ダニエル・カーネマン著『ファスト&スロー』（2014年、村井章子訳、早川書房）
- ウォルター・ミシェル著『マシュマロ・テスト』（2015年、柴田裕之訳、早川書房）
- フィリップ・E・テトロック、ダン・ガードナー著『超予測力』（2016年、土方奈美訳、早川書房）
- Jonathan Gottschall著“The Storytelling Animal”（2012年）
- ジョナサン・ハイト著『しあわせ仮説』（2011年、藤澤隆史・藤澤玲子訳、新曜社）『社会はなぜ左と右にわかれるのか』（2014年、高橋洋訳、紀伊國屋書店）
- トーマス・ギロビッチ著『人間この信じやすきもの』（1993年、守一雄・守秀子訳、新曜社）

第1章　分断本能

乳幼児死亡率。 1995年の講義で使った乳幼児死亡率はユニセフによるもの（UNICEF[1]）。本書では当初よりも新しいデータを使っている（UN-IGME）。

バブルチャート。 1965年と2017年の女性ひとりあたりの子供の数と、乳幼児生存率の図は国連のデータを参考にした（UN-Pop[1,3,4]、UN-IGME）。インタラクティブなチャー

トは無料でこちらからアクセスできる：gapm.io/voutdwv

低所得国。　ギャップマインダーは、アメリカとスウェーデンの人々を対象に調査を行い、「低所得国、途上国の生活はどんなものだと思うか？」と尋ねてみた。返ってきた答えは、決まって「30 〜 40 年前なら正しい答え」ばかりだった。詳しくはこちら：gapm.io/rdev

また、女子が初等教育を終える割合が 35％を切る国は 3 つしかない。しかし、これらの数字は正確と言うにはほど遠いし、最新のデータでもない。アフガニスタンの 15％は 1993 年、南スーダンの 18％は 2011 年、チャドの 30％は 2011 年のものだ。ソマリア、シリア、リビアには公式の数字がない。この 6 カ国では、男女は極めて不平等だ。しかし、世界中の初等教育を受ける年齢の女子のうち、この 6 カ国に住む女子は 2％しかいない（UN-POP[4]）。ちなみに、この 6 カ国では、多くの男子も学校に通えていない。詳しくはこちら：gapm.io/twmedu

所得レベル。　4 つの所得レベルに暮らす人の数は、PovcalNet と IMF[1] をもとにギャップマインダーが算出した（Gapminder[8]）。所得の計算には購買力平価（2011 年国際ドル）を利用している（ICP）。詳しくはこちら：gapm.io/fwlevels.

ちなみにこのデータは、2016 年のメキシコとアメリカの所得のグラフや、所得ごとの人口分布のグラフにも反映されている（最新の所得調査を参考に、データを一部調整している）。ブラジルのグラフは PovcalNet と世界銀行（World Bank[16]）のデータを CETAD を参考に一部調整している。詳しくはこちら：gapm.io/ffinex

本書では、人々の所得レベルや国の平均所得を比べるときは、グラフの軸に倍増する目盛を利用している。倍増する目盛 (対数目盛) はさまざまな場面で使われている。たとえば、さまざまな大きさの数字を比べるときや、小さい数字同士の小さな差と、大きい数字同士の大きな差が同じくらい重要なときだ。所得が何ドル増えたかよりも、何倍になったかが重要な場合、倍増する目盛は役に立つ。詳しくはこちら：gapm.io/esca

「途上国」。　わたしは以前、世界銀行に「途上国という単語は時代遅れだから、使うのをやめたほうがいい」とハッキリ伝えた。その 5 カ月後、世界銀行は「途上国」という単語を使うのを控えるようにすると発表した。そのときの記事はこちら。https://blogs.worldbank.org/opendata/should-we-continue-use-term-developing-world（World Bank[15]）。

国連の多くの部署はいまだに「途上国」という単語を使っているが、定義はバラバラだ。国連統計部（UN Statistics Division 2017）は「統計上、都合がいいから」という理由で 144 カ国を「途上国」としている。その中にはカタールとシンガポールという、世界で最も健康で豊かな国も含まれている。

数学の点数。　データの一部は Denise Cummins（2014）から抜粋。

極度の貧困。　「極度の貧困（extreme poverty）」は専門用語で、収入が 1 日 1.9 ドル以下である状態を示す。多くのレベル 4 の国では、「貧困」は相対的に定義される。「貧困

ライン」は国が明確に定義したものだったり、社会保障サービスを受けられる基準だったりする。北欧諸国の公式の貧困ラインは、マラウィなど最も貧しい国の貧困ラインと比べると、購買力の大きな差を考慮したとしても20倍の差がある（World Bank[17]）。アメリカの最新の国勢調査によれば、人口の13％は収入が貧困ラインを下回っている。その貧困ラインとは1日約20ドルの収入を指す。豊かな国の最も貧しい人たちが直面する社会的・経済的な苦難を軽んじるべきではない（World Bank[5]）。しかし、それと「極度の貧困」は違う。詳しくはこちら：　gapm.io/tepov

第2章　ネガティブ本能

環境問題。　漁業での乱獲や海洋汚染については、UNEP[1]、FAO[2]、ポール・コリアー『収奪の星』（2012年、村井章子訳、みすず書房）を参考にした。絶滅危惧種のデータは国際自然保護連合が作成したレッドリストを参考にした（IUCN Red List[4]）。詳しくはこちら：gapm.io/tnplu

「世界は良くなっている」「悪くなっている」「あまり変わっていない」の棒グラフ。　このグラフにはYouGov[1]とIspos MORI[1]のデータを併せて使っている。それぞれの調査で、違う国の人々に同じ質問をしたからだ。詳しくはこちら：gapm.io/rbetter

いつデータを信頼するべきか。　第2章では、データを鵜呑みにしてはいけないという話をした。それぞれの種類のデータに対してどのような疑いを持つべきかは、ギャップマインダーが作成したガイドラインを参考にしてほしい：gapm.io/doubt

極度の貧困率のグラフ。　歴史家たちはそれぞれ、1820年頃に極度の貧困に陥っていた人の割合を推定しているが、結果はバラバラだ。ギャップマインダーは、1800年には世界人口のおよそ85％がレベル1の暮らしをしていたと推定している（Gapminder[9]）。1980年以降のデータはPovcalNetによるものだ。また、わたしたちはIMF[1]のデータを使ってPovcalNetによる予測をデータがない2017年にも当てはめている（Gapminder[9]）。中国、インド、中南米、そしてその他の国で極度の貧困が減ったというデータは、World Bank[5]によるもの。詳しくはこちら：gapm.io/vepovt

平均寿命。　平均寿命のデータは保健指標評価研究所によるもの（IHME[1]）。2016年に平均寿命が50歳近くだったのはレソトと中央アフリカ共和国のみ。しかし、特にレベル1と2の国においては、データはとても不確かだ。データをどこまで疑うべきかは、こちらを参考にしてほしい：gapm.io/blexd

エチオピアの飢餓。　掲載した数字はFRDとEM-DATがそれぞれ公表している数字を平均したもの。

レソト。　レソトの人々はソト族と呼ばれていて、ソト族の多くはレソトの外に暮らしている。文中では、レソトの中に暮らすソト族について説明している。

識字率。　スウェーデンの過去の識字率はvan Zanden[2]とOurWorldInData[2]を参考にした。インドの識字率はIndia Census 2011を参考にした。100年前のスウェーデンでも、

現在のインドでも、簡単な字を認識でき、文章をゆっくりと読めれば「識字」ができるということになる。つまり「識字率」は、難しい文章を読むことができる人の割合ではない。詳しくはこちら：gapm.io/tlit

予防接種。 予防接種のデータは世界保健機関によるもの（WHO[1]）。いまやアフガニスタンのような国でも、1歳児の60％以上が複数のワクチンを接種している。これらのワクチンは、スウェーデンがレベル1や2だった頃には開発されていなかった。これは、当時のスウェーデンの平均寿命がいまのアフガニスタンより短かった理由のひとつだ。詳しくはこちら：gapm.io/tvac

32分野の発展。 「減り続けている16の悪いこと」「増え続けている16の良いこと」の元データや、出典についての詳しい情報はこちら：gapm.io/ffimp

ひとりあたりのギターの本数。 このグラフについての詳しい情報はこちら：gapm.io/tcminsg

殺される子供。 暴力が日常的に起きる社会では、子供とはいえ命の保証はない。一般的に、狩猟採集社会では暴力による危険が多い（Gurven and Kaplan（2007）、ダイアモンド（2013）、ピンカー（2015）、OurWorldInData[5]）。かといって、どの狩猟採集社会も似たようなものとは言い切れない。また、極度の貧困に暮らしている人々の中では、文化の違いにかかわらず、「子殺し」が行われることがある。子殺しとは、飢えで食料不足に陥ったとき、親が子を口減らしのために殺すことをいう。昔ながらの村に行き、子殺しをした親から話を聞いた人類学者たちの多くは、「子殺しで子供を失うつらさは、他の原因で子供を失うのと変わらないようだ」と報告している。詳しくはピンカー（2013）を参照のこと。

女子教育。 女子教育と男子教育のデータはユネスコによるもの（UNESCO[5]）。女子に教育を受ける機会を与えることが、どうして人類史上最もすばらしいアイデアのひとつだったのかは、Schultz（2002）に詳しい。

溺れて亡くなる。 現在の溺死についてのデータはIHME[4,5]によるもの。1900年までは、溺死者の20％以上は10歳以下の子供だった。さまざまな予防対策や、スウェーデンライフセービング協会が水泳をすべての学校で義務教育化するよう働きかけたことが功を奏し、子供が溺死する頻度は減った。詳しくはSundin et al.（2005）を参照のこと。

追いつく国々。 世界保健チャートのアニメーション版を見てみれば、ほとんどの国がスウェーデンに追いついてきていることがわかる。また、国同士を比べることもできる。アクセスはこちらから：www.gapminder.org/whc

第3章　直線本能

エボラ。 エボラのデータは世界保健機関によるもの（WHO[3]）。エボラの緊急性を伝えるためにギャップマインダーがつくった配布物はこちら：gapm.io/vebol

人口予測。 人口予測は国連によるもの（UN-Pop[1,2,5]）。国連人口部の人口学専門家

は何十年もの間、人口をかなり正確に予測してきた。コンピューターによる予測が使えなかった時代でも、予測の精度は高かった。未来の子供の数の予測は、過去4回の報告書のすべてで「約20億人」とされている。正確に言うと、2017年の子供の数は19億5000万人で、2100年の子供の数は19億7000万人だ。国連の予測の精度については、Nico Keilman（2010）とBongaarts and Bulatao（2000）を参照のこと。詳しくはこちら：gapm.io/epopf

過去の人口のデータ。 紀元前8000年から現在までの人口のグラフは、経済史学者のマティアス・リンドグレーンが何百もの資料をもとに作成したデータを利用している（Lindgren（2006-2016））。グラフ下部に表記しているのは出典の一部のみ。詳しくはこちら：gapm.io/spop

女性ひとりあたりの子供の数。 本書では「合計特殊出生率」という専門用語を「女性ひとりあたりの子供の数」と表記している。1950年以降のデータは国連（UN-Pop[3]）によるもの。それ以前のデータはギャップマインダーがマティアス・リンドグレーンの研究をもとに作成した（Lindgren（2006-2016）、Gapminder[7]）。2017年から先の点線は国連の出生率中位予測。2099年には女性ひとりあたりの子供の数は1. 96になると予測されている。詳しくはこちら：gapm.io/tbab

未来の世界人口のチャート。 文字と図による説明だけでは、これから人口がどう変化するかはわかりづらいかもしれない。アニメーションを使ったり、模型を使って説明するほうがわかりやすいと思うので、こちらをご覧になってほしい：gapm.io/vidfu（ちなみに、この現象は「人口モメンタム」とも呼ばれる。専門的な説明はUN-Pop[6, 7]を参考に。）詳しくはこちら：gapm.io/efill

過去の女性ひとりあたりの子供の数と、乳幼児死亡率。 1800年以前の出生率と乳幼児死亡率は、主にリヴィ－バッチ（2014）、Paine and Boldsen（2002）、Gurven and Kaplan（2007）を参考に算出した。1800年より前の出生率を知る者はいないが、「女性ひとりあたり子供6人」がよく使われており、おそらく真実に近いだろう。詳しくはこちら：gapm.io/eonb

それぞれの所得レベルにおける1世帯あたりの平均人数のチャート。 このチャートはCountdown to 2030とGDL[1,2]のデータを基にしている。このデータはUNICEF-MICS、USAID-DHS[1]、IPUMSなどが行った何百もの調査の結果だ。詳しくはGapminder[30]を参照のこと。

1世帯あたりの平均人数の変化。 大家族よりも少人数の家族が多数派になる過程については、Rosling et al.（1992）、Oppenheim Mason（1997）、Bryant（2007）、Caldwell（2008）を参照のこと。また、レベル4の中でも所得が飛び抜けて高くなると、女性あたりの子供の数は増加に転じるようだ（Myrskylä et al.（2009））。また、子供の命を救うことで、人口が減ることについてはこちらの動画を参考に：gapm.io/esclfp

直線、S字カーブ、すべり台、コブの形のグラフ。 これらのグラフの多くは国ごとの所

得データを基に作成している（Gapminder[3]）。趣味への支出を表した直線のグラフ、予防接種や冷蔵庫を表したS字カーブのグラフ、女性ひとりあたりの子供の数を表したすべり台のグラフは家庭ごとのデータを基に作成している。どのグラフでも、同じ所得レベルに属する国のあいだにはとても大きな差がある。また、一つひとつ国のレベルが上がるにつれて、グラフとまったく同じ方向に数字が変化することはほとんどない。しかし、すべての国の数十年間の変化を平均すると、グラフの形はだいたい当てはまる。グラフの中の点がそれぞれどの国を表すかは、こちらから確認できる：gapm.io/flinex

見えているのは、グラフのどの部分だろう？　ただの丸でも、限界まで拡大すれば直線に見えてくる。こういった説明の仕方は、ジョーダン・エレンバーグ著『データを正しく見るための数学的思考』（2015年、松浦俊輔訳、日経BP社）を参考にした。詳しくはこちら：gapm.io/fline

第4章　恐怖本能

自然災害。　ネパール地震のデータはPDNAによるもの。2003年のヨーロッパの熱波についてのデータはUNISDRによるもの。その他の災害のデータはEM-DATによるもの。現在バングラデシュで洪水対策に使われている、すばらしいデジタル監視システムはこちら：http://www.ffwc.gov.bd 自然災害について詳しくはこちら：gapm.io/tdis

下痢で亡くなる子供。　汚染水を飲んで下痢になり、亡くなる子供の数は、IHME[11]とWHO[4]のデータを基に推定した。詳しくはこちら：gapm.io/tsan

飛行機事故。　最近の飛行機事故の死亡者数は国際航空運送協会のデータを利用した（IATA）。旅客機の飛行距離のデータは、飛行機事故を減らす目的でつくられた国連の専門機関である、国際民間航空機関のデータを利用した（ICAO[1,2,3]）。飛行機事故について詳しくはこちら：gapm.io/ttranspa

戦争の犠牲者数。　第二次世界大戦の犠牲者数は6500万人。これはWhite[1,2]が算出したもので、さまざまな原因で亡くなった人を含む。その他の戦争の犠牲者数はCorrelates of War Project、Gleditsch、PRIO、UCDP[1]を参考にした。これらの戦争の犠牲者数は、戦いで亡くなった兵士と一般人の死を含むが、餓死者など戦いの外で亡くなった人は含まれない。シリアの死亡者数はUCDP[2]を参考にした。また、過去の戦争の犠牲者のデータを可視化した『Fallen』というインタラクティブ・ドキュメンタリーもおすすめしたい。http://ja.fallen.io/ww2/ ほかにも、1990年以降の犠牲者を比較できるツールはこちら：http://ucdp.uu.se 詳しくはこちら：gapm.io/twar

原子力の恐怖。　東日本大震災のデータは警視庁（National Police Agency of Japan）とIchiseki (2013) によるもの。警視庁によれば、2017年12月時点での東日本大震災の死亡者数は1万5894人で、行方不明者数は2546人。Tanigawa et al. (2012) によると、特に病状が重かった61人の後期高齢者は避難中か避難直後に亡くなった。さらにIchisekiによると、高齢者を多く含む約1600人が避難生活中に亡くなった。Pew[1]が

2012年に行った調査によると、日本人の76%が福島産の食べ物は危険だと答えた。チェルノブイリの調査についてはWHO[5]を参照のこと。核弾頭の数についてはNuclear Notebookというウェブサイトを参考にした。詳しくはこちら：gapm.io/ tnuc

化学物質への恐怖。 化学物質への恐怖の歴史についてはGribble（2013）に詳しい。レイチェル・カーソンの『沈黙の春』からはじまり、その後の化学物質による災害で化学物質恐怖症が広がった経緯が描かれている。またGribbleは、化学物質に対する大げさで事実に基づかない恐怖が、物資のムダ使いに繋がっていると主張している。詳しくはこちら: gapm.io/ffea

子供にワクチンを受けさせない親。 アメリカでは、子供がいる親の4%が、予防接種は大事ではないと考えている（Gallup[3]）。またLarson et alが2016年に67カ国を対象に行った調査によると、67カ国に暮らす人のうち13%が、予防接種に懐疑的だという。国ごとのばらつきは大きかった。フランスやボスニア・ヘルツェゴビナでは35%以上が懐疑的だったが、サウジアラビアやバングラデシュでは0%だった。1990年には、はしかが子供が命を落とす原因の7%だった。しかしワクチンのおかげで、現在は1%になった。また現在、はしかで亡くなる子供の多くはレベル1や2の国の子供だ。予防接種が最近になるまで普及しなかったからだ（IHME[7]、WHO[1]）。詳しくはこちら：gapm.io/tvac

DDT。 1948年に、パウル・ヘルマン・ミュラーは「多数の節足動物に対するDDTの接触毒としての強力な作用の発見」が評価されてノーベル生理学・医学賞を受賞した。DDTを世界で初めて禁止したのはハンガリー（1968年）。それに続いたのはスウェーデンだった（1969年）。アメリカはその3年後にDDTを禁止した（CDC[2]）。その後、DDTを含むさまざまな農薬の利用を減らすべく、158カ国がPOPs条約を結んだ (http://www.pops.int)。1970年以降、アメリカ疾病管理予防センターと経済連携協定はDDTによる人体への害を減らすためのガイドラインを制定している（CDC[4]、EPA)。現在、世界保健機関は貧しい地域でのマラリア対策のため、厳しい安全対策に基づいたDDTの利用を推奨している（WHO[6, 7]）。

テロ。 テロによる死亡者数はグローバル・テロリズム・データベースによるもの（GTD)。所得レベルごとのテロによる死亡者数はギャップマインダーが算出した（Gapminder[3])。テロに関する意識調査はギャラップ社によるもの（Gallup[4])。テロについて詳しくはこちら：gapm.io/tter

飲酒による死。 飲酒による死亡者数は、IHME[9]、NHTSA（2017)、FBI、BJSのデータを基に算出した。

死因とリスク。 この章の最後で紹介している死因ごとの割合は、レベル4の過去10年間のデータを基にしている。どの割合も、それぞれの原因で亡くなった人の数を総死亡者数で割ったものだ。自然災害はEM-DATのデータを、飛行機事故はIATAのデータを、殺人はIHME[10]のデータを、戦争のデータはUCDP[1]を、テロはGTDのデータを利用している。わたしたちが用いた計算方法は完璧ではない。たとえば飛行機事故であれば、

飛行機事故の死亡者数を全死亡者数で割るよりも、飛行機の利用者数で割ったほうが、リスクの計算には役に立つかもしれない。詳しくはこちら：gapm.io/ffear

災害の比較。 OurWorldInData[8] のサイトから “Not All Deaths Are Equal: How Many Deaths Make a Natural Disaster Newsworthy?” を閲覧すれば、災害による死を比べることができる。ギャップマインダーは現在、さまざまな死亡事故や環境問題を取り上げるメディアが、いかに偏った報道をしているかについて調べている。調査が終わり次第、こちらで公開する予定だ：gapm.io/fndr

第5章　過大視本能

ナカラ地区で亡くなった子供の数。 ここで使った出生数と人口のデータは、1970年のモザンビークの人口調査と、ナカラ病院による記録と、UN-IGME of 2017を基にしている。

過大視。 人々が過大視しやすい物事の例は、33カ国を対象に調査を行ったIspos MORI[2,3] によるもの。ジョン・アレン・パウロス著『数で考えるアタマになる！』(2007年、野本陽代訳、草思社）には、数々のおもしろい過大視の例が紹介されている。たとえば、全人類の血液を紅海に流し込むと、海面はどれくらい上昇するか、など。詳しくはこちら：gapm.io/fsize

教育を受けた母親と、子供の生存率の関係。 Lozano, Murray et al. (2010) は1970年から2009年にかけて175カ国で調査を行い、母親が教育を受けていると、その子供の生存率が上がるという結論を出した。詳しくはこちら：gapm.io/tcare

命を救う効果的な方法。 コストをかけずに、最も多くの命を助けることができる施策については、ユニセフを参考にした（UNICEF[2]）。またユニセフは、高度な医療施設におカネを使う前に、どのような基本的な医療の仕組みをまず整備すべきか解説している。

420万人。 最近の乳児の死亡数はUN-IGMEによるもの。1950年の出生数と乳児死亡数はUN-Pop[3] によるもの。

クマと斧。 ハンス・ハンソンという男性が、文中で紹介した事件がそれぞれまったく違った形で報道されていることを指摘し、話題になった。彼は地域の新聞に「DVを無視するなんて何事だ」と投稿し、後にDV常習犯の男性向けに習慣改善のための支援団体をつくった。彼のインタビューはこちらから英語で読める。http://www.causeofdeathwoman.com/the-mens-network

スペインかぜ。 アルフレッド・W・クロスビー著『史上最悪のインフルエンザ』(2009年、西村秀一訳、みすず書房）によると、スペインかぜで亡くなったのは約5000万人。この数字は後にJohnson and Mueller (2002) とCDC[1] によって立証された。1918年の世界の人口は18億4000万人だった。スペインかぜは人類全体の2.7%の命を奪ったということになる。

結核と豚インフルエンザ。 豚インフルエンザのデータはWHO[17]、結核のデータはWHO[10,11]によるもの。詳しくはこちら：gapm.io/bswin

エネルギー源。 エネルギー源の比較データはSmil (2016)によるもの。Smilは、化石燃料への依存がゆっくりと減っていることを語りつつ、食料生産、イノベーション、人口、巨大なリスクについても論じている。

未来の消費者。 第5章の後半で、レベル4の消費者市場がどう変化するかについてのグラフを紹介した。こちらから、インタラクティブなバージョンを試すことができる：gapm.io/incm この分野について詳しい本は、ファリード・ザカリア著『アメリカ後の世界』(2008年、楡井浩一訳、徳間書店)、トーマス・フリードマン著『フラット化する世界』(2010年、伏見威蕃訳、日本経済新聞出版社)など。

ひとりあたりの二酸化炭素排出量。 これに関する中国、アメリカ、ドイツ、インドのデータはCDIACによるもの。詳しくはこちら：gapm.io/tco2

第6章　パターン化本能

アフリカにおける健康と富の格差を示したグラフ。 アフリカにおける健康と富の格差を表したグラフの双方向版はこちら：gapm.io/edafr.

避妊具。 このデータは国連人口基金と国連人口部のデータベースを基にしている(UNFPA[1] and UN-Pop[9])。詳しくはこちら：gapm.io/twmc

ありとあらゆるものは化学物質からできている。 化学製品恐怖症の人たちは、世界を「天然物質（安全）」と「化学物質（工業製品で有害）」の2つに分けて考える。化学物質についての世界最大のデータベース（CAS）を見る限り、世界はそのようには分かれていない。CASには1億3200万の有機物質と合成物質が登録され、それらの特性が記載されている。このデータベースによると、物質の製造者と有害性には関係がない。たとえば、コブラトキシン（CAS登録番号12584-83-7）は天然の毒で、神経システムを麻痺させて最期に呼吸を止めてしまう。詳しくはこちら：gapm.io/tind

サルヒー家。 サルヒ一家についてもっと知りたい人は、こちら：gapm.io/dssah。チュニジアの家の例や、そのほかの家の例がまだまだ少ないと思った方はぜひ、ギャップマインダーに投稿していただきたい。投稿方法については、こちら：http://www.gapminder.org/dollar-street/about

回復体位。 回復体位の歴史については、Högberg と Bergström による論文（1997）とWikipedia[10]をもとにした。

乳幼児突然死症候群（SIDS）。 スウェーデンで乳幼児突然死症候群（SIDS）が増えた原因がうつぶせ寝だったということは、Högberg と Bergström による論文（1997）とGilbertなどの論文（2005）で結論づけられている。香港の論文はDavies（1985）のもの。

第7章　宿命本能

優越感。　ほかの集団に対する優越感についてもっと知りたい方は、ジョナサン・ハイト著『社会はなぜ左と右に分かれるのか——対立を超えるための道徳心理学』（2014年、高橋洋訳、紀伊國屋書店）をお読みいただきたい。詳しくはこちら：gapm.io/fdes

社会と文化は変わる。　世界健康チャートの200年にわたる動きをご覧になりたい方はこちら：www.gapminder.org/whc のPlayボタンをクリックしてほしい。

アフリカは世界に追いつける。　各国と各宗教の平均寿命についてのデータはGapminder[4]を参照のこと。ポール・コリアーは、『最底辺の10億人——最も貧しい人のために本当になすべきことは何か』（2008年6月、中谷和夫訳、日経BP社）の中で、世界で最も貧しい人たちの未来を描いている。紛争地帯にいる極度に貧しい人たちの数は、海外開発研究所（ODI（2015））、世界人口カウンタ（WorldPop）、ワシントン大学保険指標評価研究所（IHME[6]）、国連食糧農業機関（FAO[4]）、ウプサラ紛争データプログラム（UCDP[2]）によるマップをもとに算出した。また、Andreas Forø TollefsenとGudrun Østbyによる紛争地帯に近い場所に暮らす人々の数についての初期調査報告も参考にした（2016年時点で7億4300万人）。この数十年の改善スピードについては、こちら：gapm.io/edafr2

中国、バングラデシュ、ベトナムの進歩。　「アジアとアフリカ諸国がますます増加する人口を養っていくことはできない」という考え方が広まったのは、ポール・エーリックとアン・エーリックの共著による『人口が爆発する！　環境・資源・経済の観点から』（1994年、水谷美穂訳、新曜社）がきっかけだった。飢餓による死者数のデータは、世界的な災害データベースのEM-DATをもとに算出した。紛争と貧困の地図を作製しているのはオスロの国際平和研究所（PRIO）。詳しくはこちら：gapm.io/mpoco グローバルな繊維製品の生産についてはこちら：gapm.io/tmante

国際通貨基金（IMF）による見通し。　国際通貨基金による過去の予測精度についてのわたしたちのコメントは、国際通貨基金による世界経済見通し（IMF[2]）のデータを対象にしている。詳しくはこちら：gapm.io/eecof

イランにおける不妊治療。　わたしをイランに招いてくれたのは、テヘラン医科大学のフセイン・マレク・アフザリ教授だった。アフザリ教授は大学付属の不妊治療クリニックを見学させてくれ、イランにおける家族計画と性教育プログラムについて教えてくれた。家族計画において世界の先端をいくイランとほかの国々との長期的な比較はこちら：gapm.io/vm2.

宗教と出生率。　ほとんどの国では、人口の過半数が世界的な宗教のひとつを信仰していて、チャートを見ればどの国がどの宗教に属しているかがわかる。しかし、どの宗教が多数派かがはっきりしない国も多い。たとえば、ピュー研究所のデータ（Pew[2,3]）に基づいてわたしたちが算出したところ、ニカラグアでは2010年時点で人口の49％がキリスト教徒で、48％がイスラム教徒だった。主要な宗教がはっきりしない81カ国に

ついては、それぞれの宗教を3つの丸で表し、ピュー研究所（Pew[2]）とアメリカ合衆国国際開発庁による人口保険調査（USAID-DHS[2]）のデータに基づいてそれぞれの出生率を推測した。また、各宗教のおよそのひとり当たり所得については、経済協力開発機構およびほかの情報源（GDL[1,2], OECD[3]）から推測した。詳しくはこちら：gapm.io/ereltfr

アジアの価値観。 "Explaining Fertility Transitions"（1997）で、著者のKaren Oppenheim Masonは「普通の家族」という概念が変わってきたことについて述べている。所得水準が上がり生活スタイルが現代的になるにつれ、男女の役割はあっという間に変わる。しかし、親類縁者とのつながりが強い文化では、価値観の変わるスピードは遅くなる。詳しくはこちら：gapm.io/twmi

バングラデシュにあるアジア女子大学。 アジア女子大学のウェブサイトはこちら：http://www.auw.edu.bd

自然保護区域。 自然保護区のデータについては、国連環境計画の世界自然保護区データベース（UNEP[5]）（UNEP[6]）と国際自然保護連合の保護地域データベース（IUCN[1, 2]）を基にした。1911年から1990年までのトレンドについては、Abouchakraらの著したこちらの著書を参考にしている：Looking Ahead: The 50 Trends That Matter（2016）。詳しくはこちら：Gapminder[5]

時代遅れになったチンパンジークイズ。 1990年代にカロリンスカ医科大学の学生たちにクイズを出したところ、ヨーロッパ諸国における人々の健康水準がアジア諸国に劣っていることを知らなかった。2006年に行ったわたしの最初のTEDトークでその結果を紹介している。それから13年後に人々の知識が向上しているかを調べようとしたが、昔使ったクイズはもう使えなかった。ヨーロッパ諸国がアジアに追いついていたからだ。そのトレンドを描いた動くチャートはこちら：gapm.io/vm3

アメリカとスウェーデンにおける文化の変遷。 アメリカの同性婚に対する考え方のデータは、ギャラップの調査（Gallup[5]）をもとにした。

第8章　単純化本能

専門家たちへのクイズの結果。 この章とほかの章であげた専門家グループへのクイズの結果については、こちら：gapm.io/rrs

専門家による予測。 ある分野で秀でた専門知識を持つ人たちでも、普通の人たちと同じくらいクイズに間違えていた。『超予測力――不確実な時代の先を読む10カ条』（2018年、土方奈美訳、早川書房）を書いたフィリップ・E・テトロックとダン・ガードナーにとっては当然の結果だった。テトロックとガードナーはこの著書の中で人々の予測力をシステマチックに測る方法を紹介している。そこで、判断力を鈍らせる要因のひとつとしてあげられたのが、狭い分野の専門性だ。判断力に優れた人の特徴としてあげられているのは、謙虚さ、好奇心、失敗から学ぶ前向きさだった。著者たちによる「優れた判断力プロジェ

クト（Good Judgment project）」のサイトはこちら：www.gjopen.com. このサイトで、予測力の練習もできる。

リンダウ・ノーベル賞受賞者会議。 若い研究者たちがノーベル賞受賞者から学ぶすばらしい機会が、この年に一度の会議だ。この会議を批判するつもりは露ほどもない。ただ、出席者のワクチンに関するクイズでの正解率が低かったことから、「専門知識があるからといってあらゆることに精通しているわけではない」という点を明らかにしようと思っただけだ。リンダウ会議でのわたしの講演についてもっと知りたい方は、こちらを見てほしい：gapm.io/xlindau64.

天然資源の濫用。 共有資源とその濫用防止に関する議論は、ポール・コリアー著『収奪の星——天然資源と貧困削減の経済学』（2012年、村井章子訳、みすず書房）に詳しい。国際自然保護連合のレッドリスト（IUCN Red List[4]）も参考にした。

教育には電気が必要。 より詳しくは、国連経済社会局（UNDESA）のデータや報告書を参照のこと。

アメリカの医療費。 アメリカの医療費に関しては、世界保健機構のデータをもとにしている（WHO[12]）。アメリカの医療費と、そのほかのレベル4にいる資本主義国の医療費の比較は、経済協力開発機構による 報告書 "Why Is Health Spending in the United States So High?" を参考にした（OECD[1]）。この報告書によると、アメリカの医療費はどの分野でもほかの国を上回っており、特に外来診療と治療費が高いのが目立っている。また、費用は高いのに効果は低いことも示されている。最も治療が必要な患者に医師が時間を割くインセンティブがないことがその原因だ。詳しくはこちら：gapm.io/theasp

民主主義。 ポール・コリアーの著作は事実に基づいており、同時に恐しいものでもある。レベル1の国では、民主主義によって、国は安全になるどころか不安定になることは、『民主主義がアフリカ経済を殺す——最底辺の10億人の国で起きている事実』（2010年、甘粕智子訳、日経BP社）に詳しく描かれている。民主主義の問題点についてはさらに、Fareed Zakaria 著の The Future of Freedom: Illiberal Democracy at Home and Abroad でも指摘している。わたしたちはウィンストン・チャーチルの次の言葉を肝に銘じておくべきだろう。「民主主義がまるで完璧か、万能であるかのように偽ることはできない。実際、民主主義は最悪の政治形態だ。ただし、これまでに試されたほかの政治形態で民主主義よりましなものがなかっただけだ」。詳しくはこちら：gapm.io/tgovd

急速な経済成長と民主主義。 この議論のもとになる経済成長のデータは国際通貨基金（IMF[1]）とエコノミスト誌（The Economist[2]）による the Democracy Index 2016 から算出した。この the Democracy Index では、各国の「民主主義の度合い」に1から10までの点数をつけている。最低は北朝鮮の1.8で、最高はノルウェーの9.93。過去5年間に最も急速な経済成長を果たした10カ国と、その「民主主義の度合い」の点数は次の通り：トルクメニスタン1.83、エチオピア3.6、中国3.14、モンゴル6.62、アイル

ランド 9.15、ウズベキスタン 1.95、ミャンマー 4.2、ラオス 2.37、パナマ 7.13、ジョージア 5.93。この 10 カ国のうち、民主主義の度合いが高かった国はひとつだけだった。

第9章　犯人捜し本能

製薬会社が見向きもしない病気。　患者がレベル 1 に集中していて、製薬会社にとって利益にならない病気のリストは、世界保健機構のデータベース（WHO[15]）で見ることができる。エボラは最近までこのリストに載っていた。

システム思考。　ピーター・センゲは企業内での責任のなすり合いを止めて問題の原因を理解することを助けるツールとして、「システム思考」という考え方を提唱した。このシステム思考の考え方は、営利企業だけでなく人間の関わるあらゆる組織で理解の促進のために使うことができる。センゲ著『最強組織の法則――新時代のチームワークとは何か』（1995 年、守部信之訳、徳間書店）を参照。詳しくはこちら：gapm.io/fblame

ユニセフの低コスト。　ユニセフの物流とサプライチェーンは見事にスリム化されている。入札を望む場合は、ユニセフが現時点で探している物資とサービスをこのサイトで見ることができる。：www.unicef.org/supply/index_25947.html ユニセフの調達プロセスについて詳しくはこちら：UNICEF[5]

難民が飛行機を使わない理由。　第二次世界大戦中、スウェーデンはデンマークからの難民を運ぶボートを没収しなかった。このことは、BBC のドキュメンタリー映画 “How the Danish Jews Escaped the Holocaust.（「デンマーク系ユダヤ人はどのようにホロコーストを間逃れたか」）” に詳しい。Goldberger（1987）によると、7220 人のデンマーク系ユダヤ人がボートで逃避し命を救われた。今日、EU 指令によって不法移民をほう助する人はすべて「違法密輸業者」とされ（EU Council[1] Directive 2002/90/EC）、欧州理事会の決定によって「不法移民の輸送手段を没収する」ことが加盟国に許されている（EU Council[2] framework decision）。ジュネーブ条約によって難民の多くは亡命申請の権利を認められているが、実態はそうでない。国連高等難民弁務官事務所（UNHCR）を見てほしい。詳しくはこちら：gapm.io/p16、gapm.io/tpref

二酸化炭素の排出量。　人口の変化に合わせて各国の二酸化炭素排出量の割り当てをどう調整したらいいかについて、研究者たちは答えを出そうと努力している。参考論文はこちら：Shengmin et al. (2011)、Raupach et al. (2014). 詳しくはこちら：gapm.io/eco2a 所得レベル別の二酸化炭素排出量についてさらに知りたい場合は、gapm.io/tco2i を見てほしい。

梅毒。　もしあなたが、いまがいい時代だと思えないようなら、梅毒の画像を探して見ればきっといまの時代に生きられて幸運だと思うはずだ。梅毒のさまざまな呼び名はグラスゴー大学図書館にある Quétel（1990）の論文から引用した。

毛沢東と 10 億の人々。　「10 億人」とは、毛沢東によって人生が変わった人のおおよその人数だ。1949 年には中国の人口は 5 億 5000 万人だった。国連人口部によると、毛沢東が中国を支配した 1949 年から 1976 年に中国では 7 億人が生まれた（UN-Pop[1]）

出生率の低下と独裁的な政治指導者。 1800年以来すべての国で出生率が低下していることについては、こちらの動くチャートを見てほしい：gapm.io/vm4

中絶。 安全な中絶に関する世界保健機構の指針は次の通り：「安全な中絶処置を受けにくくすれば、危険な中絶と望まない出産が増えることになる。危険な中絶によって女性が死亡したり病気になったりするのはほぼすべて、中絶が法律によって厳しく制限されているか、現実的に中絶が受けられないような国で起きている。世界保健機構（WHO[2]）を参照のこと。

社会基盤。 社会基盤がどのように機能しているかを知るには、それを支える人々がどんな仕事をしているかを学べばいい。『貧乏人の経済学――もういちど貧困問題を根っこから考える』（2012年、山形浩生訳、みすず書房）の中で、著者のアビジット・V・バナジーとエステル・デュフロは人々が貧困から抜け出すのに役立つ社会基盤について解説している。詳しくはこちら：gapm.io/tgovin

世界をエボラから救った政府職員。 リベリアのモンロビアでエボラ接触者の捜索に活躍したスタッフのひとりが、モソカ・ファラー医師だ。このような危機における政府職員とその献身について、ファラー医師自身がTEDx Monroviaで語った言葉を聞いてほしい。また彼は、このトークの中で、感染者をたどる際に地域の中で信頼を維持することの大切さについても語っている。その動画はこちら：gapm.io/x1

工業化バンザイ。 奇跡の洗濯機が動いている様子はこちらのTEDトークで見ることができる：gapm.io/vid1

第10章　焦り本能

コンゾ。 コンゾに罹った村人や子供たちの姿は、Thorkild　Tylleskärによる記録映画(1995)で見ることができる。撮影は現在のコンゴ民主共和国、バンドゥンドゥ州にて行われた。詳しくはこちら：gapm.io/x2

いつやるか？　いまでしょ！ よくある営業の手口に騙されてはいけない。そうした手口ついては、ロバート・チャルディーニ著『影響力の正体　説得のカラクリを心理学があばく』（2013年、岩田佳代訳、SBクリエイティブ）に詳しい。

焦り本能。 あやふやな状態を許容しつつ、頭の中に幅広い選択肢を維持しておくことがどれほど難しいかについては、テトロックとガードナー著『超予測力――不確実な時代の先を読む10カ条』（2018年、早川書房、土方奈美訳）に詳しい。

減っている氷河。 米国雪氷データセンター（NSIDC）が配信するグリーンランド・アイス・シート・トゥデイというウェブサイトでは毎日、北極の溶解状態を更新している。URLはこちら：https://nsidc.org/greenland-today

GDPと二酸化炭素排出量の最新データ。 経済協力開発機構は、加盟35カ国のデータを定期的に発表している。2017年12月時点で、最新のGDP成長率のデータは、6週間前に更新されたものだった。それなのに、二酸化炭素排出についての最も新しいデー

タは3年前のものだ（OECD[2]）。スウェーデンでは環境経済勘定（SCB）のウェブサイトで、直近3カ月以内に更新された二酸化炭素排出データを見ることができる。
温暖化難民。 地球温暖化によって難民の数が劇的に増えると主張する研究は多い。イギリス政府科学庁が行った「移民と地球環境変化についての研究」（Migration and Global Environmental Change (Foresight, 2011）によると、このような主張のもとになっている共通前提そのものに基本的な欠陥があることが示されている。まず、前提として頻繁に引用されている研究は2つしかない。ひとつは地球温暖化によって1000万の難民が生まれるというもの。もうひとつは1億5000万の難民が生まれるという推定だ。Box 1.2: "Existing estimates of 'numbers of environmental migrants' tend to be based on one or two sources." を参照。次に、この前提となっている研究は、レベル1と2にいる人々の環境適応能力を過小評価している。人々が地球温暖化に適応するのではなく、移動するしかないと結論づけている。すべての問題の責任を温暖化というひとつの原因になすりつけるのは悪い癖で、これが「温暖化責任論」と呼ばれるものだ。ただし、地球温暖化を否定しても問題は解決できない。これまでも歴史の中で人々が新しい環境に適応してきた多くの事例を念頭に置きながら、これから人間が温暖化とどのように共生していくかを現実的に予測したほうがいい。たとえば、Ruth DeFries 著 The Big Ratchet（2014）はこの予測について描いている。
事実に基づくグローバルな移民と難民の状況については、国連高等難民弁務官事務所の人口統計を見てほしい。ウェブサイトはこちら：http://popstats.unhcr.org/en/overview また、次の書籍も参考になる：Paul Collier 著 Exodus (2013)、Alexander Betts Paul Collier 著 Refuge（2017）
エボラ。 世界保健機構は、2014年以来のエボラ出血熱のすべての発生事例を記録し報告書を公開している（WHO[13]）。世界保健機構のデータには「感染の疑い」のある患者も含まれる。また、アメリカ疾病予防管理センターは引き続き、「感染の疑い」のある患者と「感染が確認されていない」患者の両方を含んだ、実際より多めに見える推定患者数を公開している。
5つのグローバルリスク。 事実に基づくグローバルリスクを数多く列挙しているのはこちらの書籍：Global Catastrophes and Trends: The Next Fifty Years, by Smil（2008）．グローバルリスクの数が5つしかないのは少ないと思った方は、人類の生き残りに関わるあらゆる種類の深刻なリスクと予測できない潜在事象の全体像をこちらで見ることができる：gapm.io/furgr
感染症の流行リスク。 スペインかぜのような感染症が再来するとしたら、大規模ではなく小規模になる可能性のほうが高い。詳しくはこちら：Global Catastrophes and Trends: The Next Fifty Years, by Smil (2008). 食肉産業での抗生物質の使い過ぎ（WHO[14]）には反対すべきだが、同時にDDTで犯した間違いをふたたび犯さないように注意して、過剰な保護を避ける必要もある。抗生物質がもっと安価に手に入れば、救えた命もあったは

ずだ。詳しくはこちら：gapm.io/tgerm

金融危機のリスク。 過去10年間は、外部環境の変動が激しく、特に資本市場は極端な出来事による変動にさらされてきたとリチャード・ドブスらは書いている。ドブスらの書籍はこちら：No Ordinary Disruption（2016). Hausmann（2015）もまた、参考になる。詳しくはこちら：gapm.io/dysec

第三次世界大戦のリスク。 Global Catastrophes and Trends: The Next Fifty Years (2008) の中で, 10年前に著者のSmilは当時すでに新たな6つの世界的トレンドによって紛争が激化の方向に向かうことを予想していた。その6つのトレンドとは、ヨーロッパの地位、日本の凋落、イスラム教の選択、ロシアの方向性、中国の台頭、そしてアメリカの後退だ。詳しくはこちら：gapm.io/dysso

地球温暖化のリスク。 地球温暖化のリスクについては、ポール・コリアー著『収奪の星――天然資源と貧困削減の経済学』（2012年、村井章子訳、みすず書房)、経済学者のエリノア・オストロムの考え、そしてOurWorldInData[7]を参考にした。詳しくはこちら：gapm.io/dysna

極度の貧困のリスク。 極度の貧困のリスクについては、次の情報源を参考にした：世界銀行（World Bank[26])、海外開発研究所（ODI)、オスロ国際平和研究所（PRIO)、ポール・コリアー著『最底辺の10億人――最も貧しい人のために本当になすべきことは何か』（2008年6月、中谷和夫訳、日経BP社)、そしてBBCのドキュメンタリー番組 "Don't Panic—End Poverty" (Gapminder[11] 参照)。オスロ国際平和研究所の暫定的なデータによると、極度の貧困は減っているが、紛争地帯に暮らす極度に貧しい人の数は変わらないか、増えている。現在の紛争が長引けば、極度に貧困な子供たちの大多数はこれからも紛争地帯から抜け出せない。国際援助団体にとっては、長引く紛争が大きな障害になる。このことについては、the Stockholm Declaration（2016）を見てほしい。詳しくはこちら：gapm.io/tepov

第11章　ファクトフルネスを実践しよう

経済の多様化。 マサチューセッツ工科大学は、既存の産業とスキルを使って国家が収入源を多様化することを助ける無料ツールを開発した (https://atlas.media.mit.edu/en/)。詳しくはこちら：gapm.io/x4 またHausmann et al.（2013）も参考になる。

教師たち。 学校で使える無料教材を探したり、事実に基づく世界の見方を教えている教師のコミュニティに入るには、こちらを訪れてほしい：www.gapminder.org/teach

スペルミス（Speling miskates)。 原書ではこの綴りはわざと間違えている。東洋の絨毯には少なくとも一カ所は意図的な乱れがあるという話に発想を得てのことだ。どの絨毯も結び目の少なくともひとつはわざとほつれがある。この話は、わたしたちが人間であって完璧な存在でないことを思い起こさせてくれる例だ。もちろん、この豆知識にはわざと出典をつけていない。

前向きなニュース。　明るいニュースより暗いニュースの方がはるかに多いという問題を解決するには、正反対の2つの取り組み方がある。詳しくはこちら：
https://constructiveinstitute.org と https://www.wikitribune.com/
ローカルな知識不足とデータ。　アラン・スミスのTEDトーク『統計を好きになるべき理由』(Alan Smith's TEDx talk "Why you should love statistics") をぜひとも見てほしい。スミスはイギリスでの勘違いの事例をあげている。ギャップマインダーでは、地域の人口動態が目でみてすぐにわかるような動くマップをつくりをはじめている。サイトはこちら：gapm.io/gswe1　プレイをクリックすると、ストックホルムの人口ほとんどが豊かになり、教育程度が上がっていることがわかる。一方で、ストックホルムの政治議論を聞いていると事実とは逆に格差が広がっているように感じてしまう。

おわりに

グローバルな開発に関する無料データ。　この本を書けたのは、開発に関するデータや研究内容を無料で手に入れることができたからだ。1999年、世界銀行はそれまでで最も包括的なグローバル統計をCD－ROMの形で発表した。それが、「世界開発指標」("World Development Indicators")だ。わたしたちはCD－ROMの中身をわかりやすくバブルチャートにして、ウェブサイトに載せた。世界銀行は少しおかんむりだったが人々は納税という形でデータの料金を支払っているので、中身を公開しても許されるはずだと思っていた。すでに人々のものであるデータを、わたしたちが見やすくしただけだ。それに、「グローバルな市場が適切に機能するには、人々が情報に無料でアクセスできた方がいい」ということに世界銀行も賛成してくれるはずだ。2010年、世界銀行はすべてのデータを無料で公開することを決めた（わたしたちが無料データにこだわっていたことにも、感謝してくれた）。2010年5月に世界銀行のオープンデータ・プラットフォームが公開された時にはわたしたちも祝典に招かれて講演した。それ以来、世界銀行は信頼できるグローバル統計についての主要な情報源になっている。詳しくはこちら：gapm.io/x6
こうした情報の無料公開が可能になったのはすべて、ティム・バーナーズ・リーをはじめとする､無料インターネットを推し進めてくれた初期のビジョナリーたちのおかげだ。ティム・バーナーズ・リーは、ワールド・ワイド・ウェブを発明したしばらくあとにわたしたちに連絡をくれて、つながりあったデータ網が開花する様子を描いた（美しい花の画像を使って）スライドを貸してほしいと言った。わたしたちはすべてのコンテンツを無料で公開しているので､「もちろんお使い下さい」と答えた。ティムはその「花のパワーポイント」を2009年のTEDトークで使って、人々に「次世代ウェブ」のイメージを見せた（その動画はこちら：gapm.io/x6)。また、複数の情報源から集まったデータがひとつになると何が起きるかという例として、ティムはギャップマインダーを使っている（Berners-Lee (2009))。ティムのビジョンは非常に大胆で、わたしたちはまだその初めの段階しか見ていない。

残念ながら、この本では国際エネルギー機関（www.iea.org）のデータはほとんど使っていない。経済協力開発機構も、国際エネルギー機関も、納税者によって支えられているのに、まだ有料のデータが多い。エネルギーについての統計は極めて重要だ。人々が入手しやすいようにそのうち無料化すべきだし、いずれそうなるものと思っている。

付録

あなたの国は何問正解した？

「ギャップマインダーテスト」は2017年に始動した。質問は全部で13問。選択肢はすべてA、B、Cの3択。調査会社のIpsos MORIとNovusに協力してもらい、14カ国で1万2000人に対してクイズを実施した。調査はオンライン上で行い、母集団（大人）の傾向を適切に反映するような工夫をしている。テストを行った国はオーストラリア、ベルギー、カナダ、フィンランド、フランス、ドイツ、ハンガリー、日本、ノルウェー、韓国、スペイン、スウェーデン、イギリス、アメリカ。
本書で出題したクイズ13問はこちらから各言語で閲覧できる：www.gapminder.org/test/2017
結果について詳しくはこちら：www.gapminder.org/test/2017/results
クイズの実施方法や、クイズの正解に関するデータは本書の脚注に掲載している。

低所得国における女子教育

質問1の正解率

現在、低所得国に暮らす女子の何割が、初等教育を修了するでしょう?
(答え: 60%.)

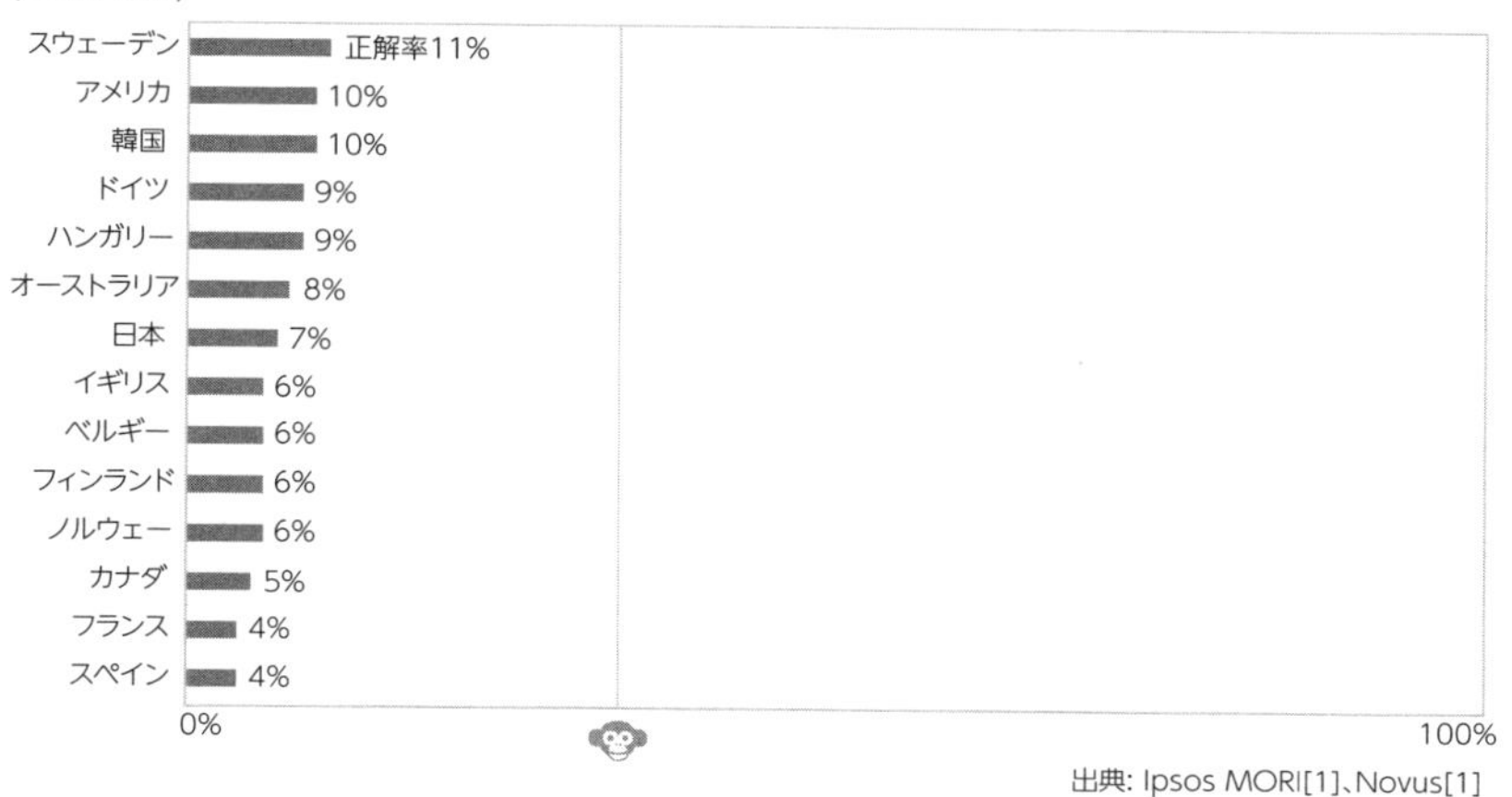

出典: Ipsos MORI[1]、Novus[1]

世界の大半の人の所得

質問2の正解率

世界で最も多くの人が住んでいるのはどこでしょう?
(答え: 中所得国)

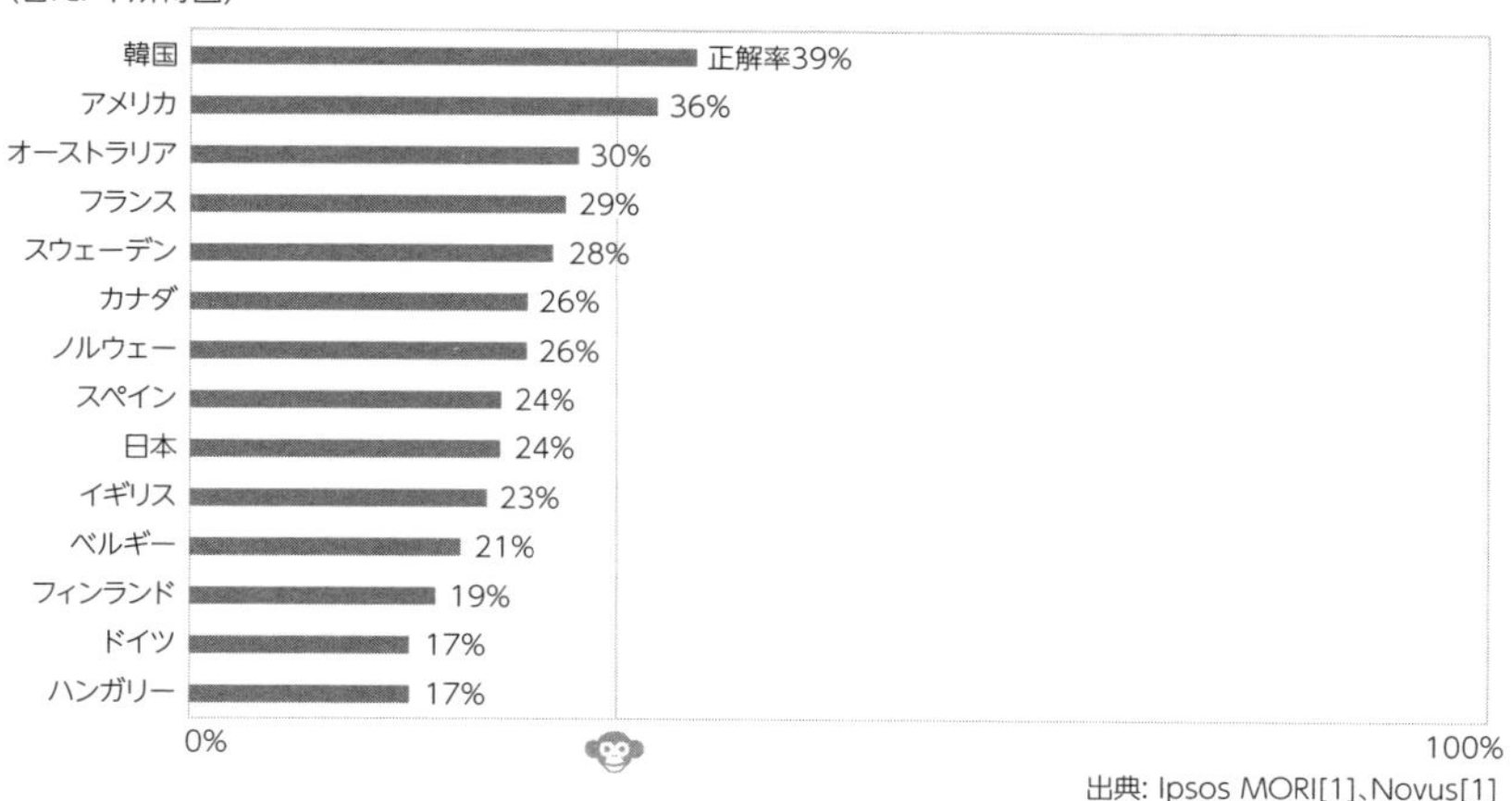

出典: Ipsos MORI[1]、Novus[1]

極度の貧困

質問3の正解率

世界の人口のうち、極度の貧困にある人の割合は、過去20年でどう変わったでしょう?

(答え: 約半分になった)

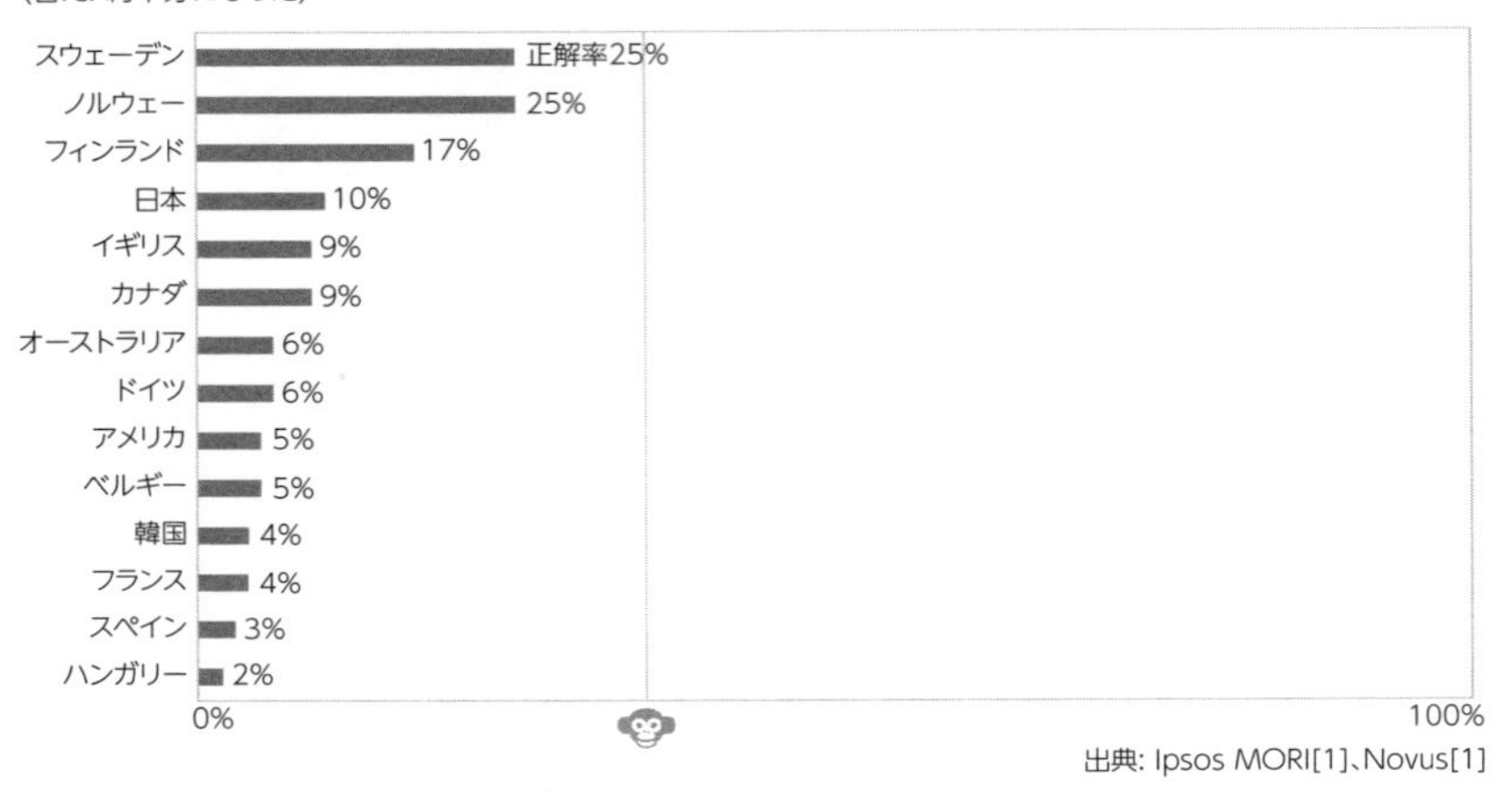

出典: Ipsos MORI[1]、Novus[1]

平均寿命

質問4の正解率

世界の平均寿命は現在およそ何歳でしょう?
(答え: 70歳)

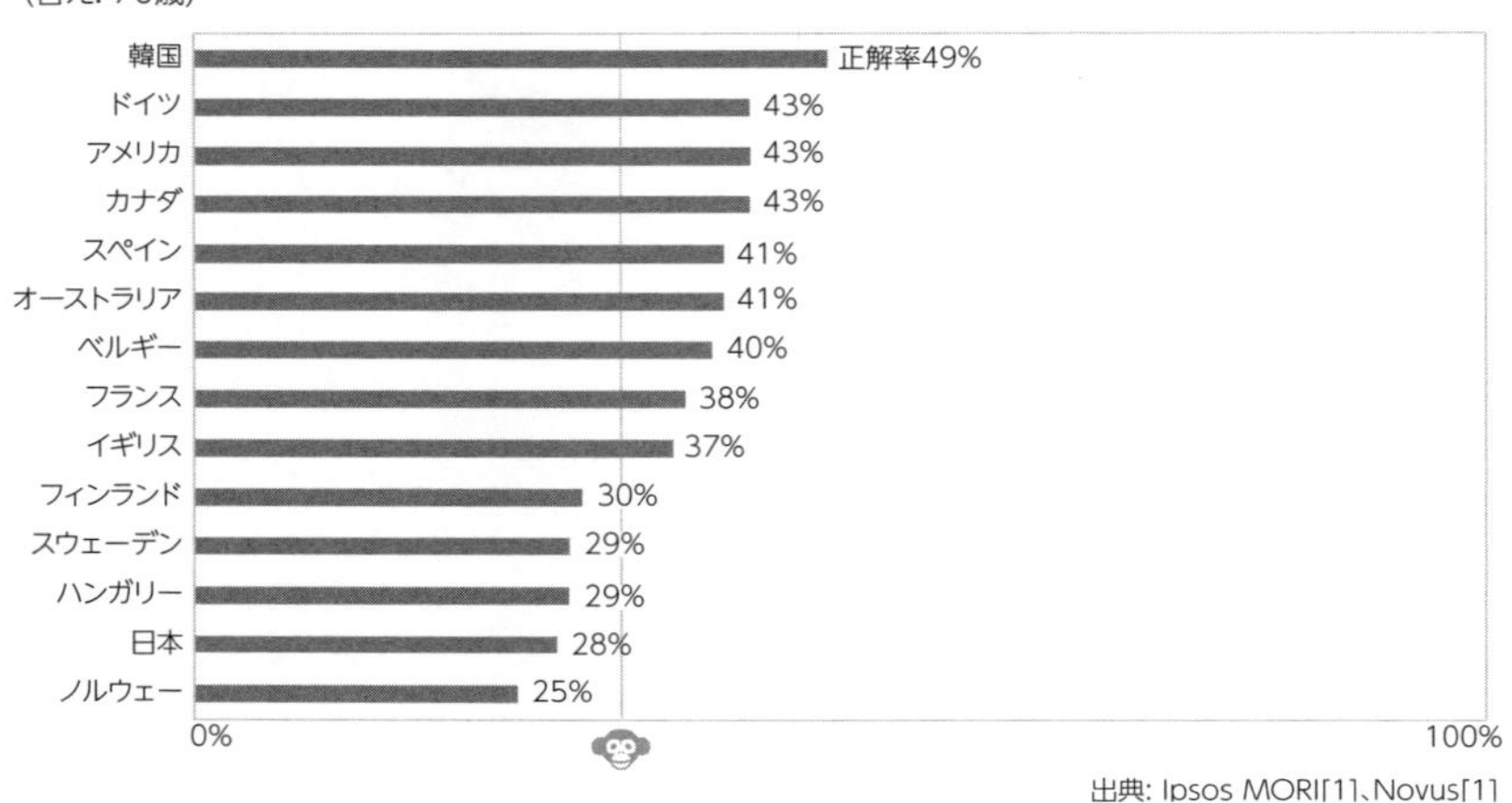

出典: Ipsos MORI[1]、Novus[1]

未来の子供人口*

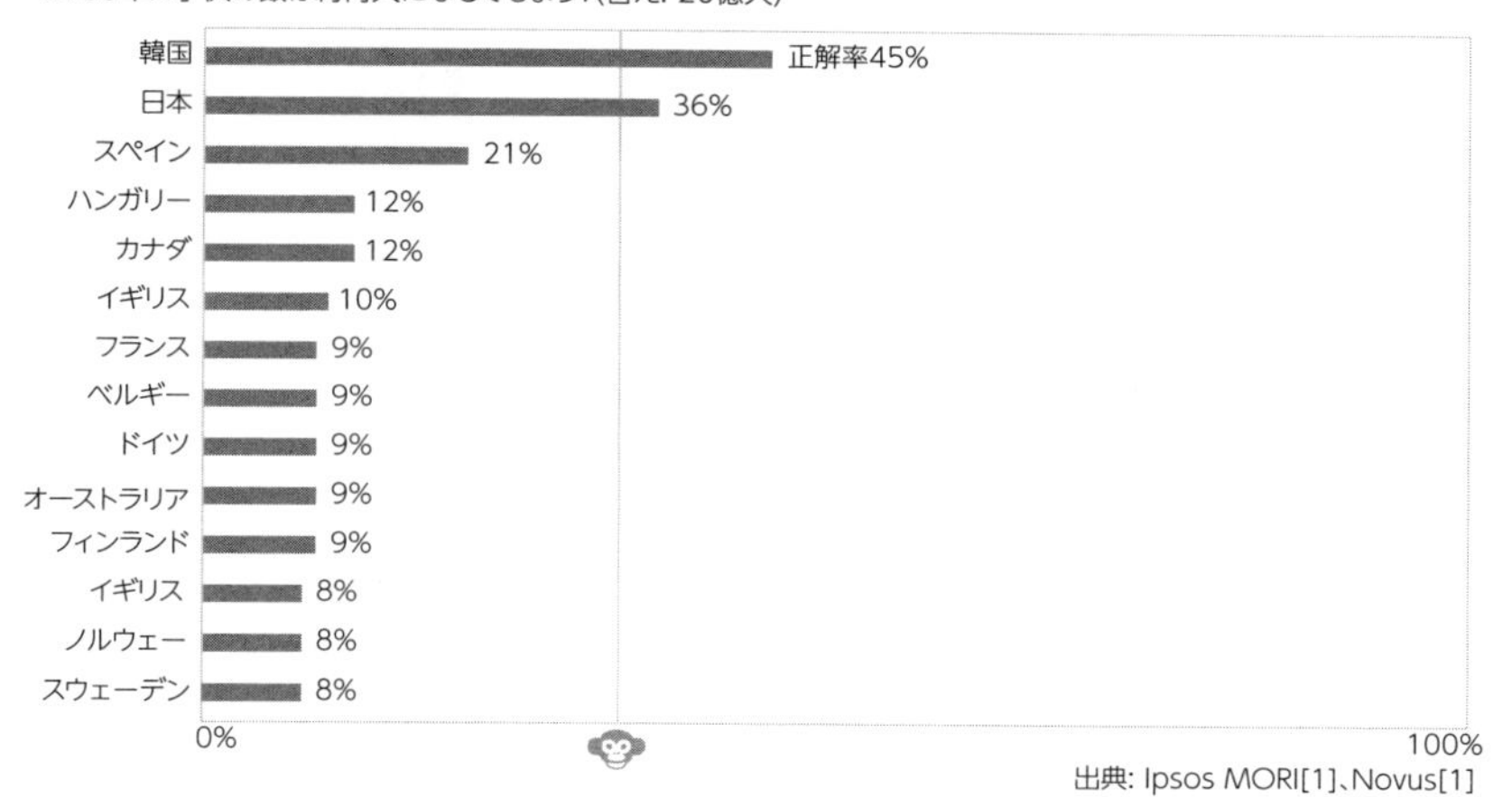

* 韓国と日本はチンパンジーより成績が良かった。なぜかはまだわからない。両国の偏った人口ピラミッドが理由かもしれない。他の国に比べて、出生率の低下が騒がれているからかもしれない。もう少し調べないことにはなんとも言えない。

人口増加の理由

質問6の正解率

国連の予測によると、2100年にはいまより人口が40億人増えるとされています。

人口が増える最も大きな理由は何でしょう? (答え: 大人(15歳から74歳)が増えるから)

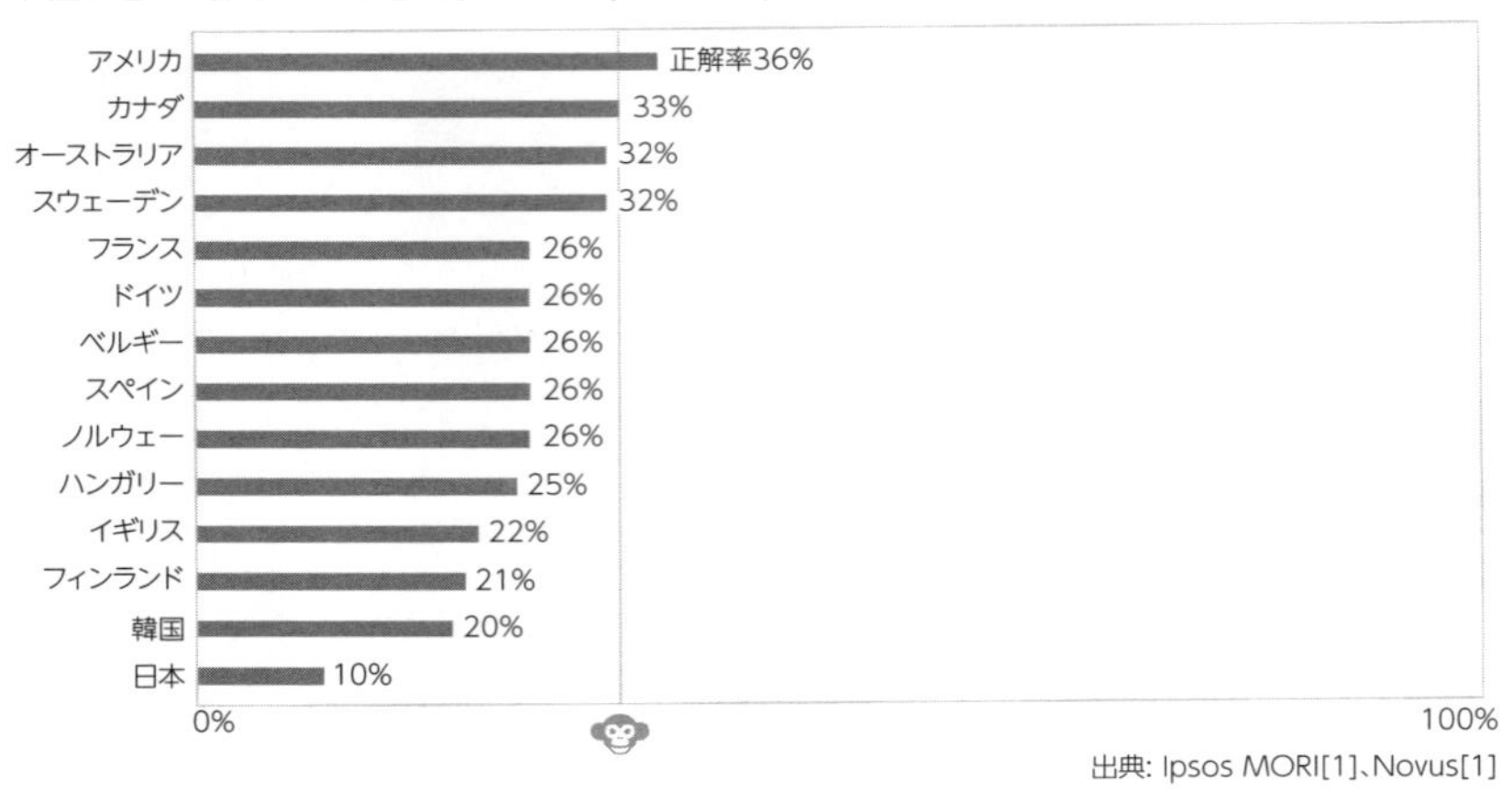

出典: Ipsos MORI[1]、Novus[1]

自然災害

質問7の正解率

自然災害で毎年亡くなる人の数は、過去100年でどう変化したでしょう?
(答え: 半分以下になった)

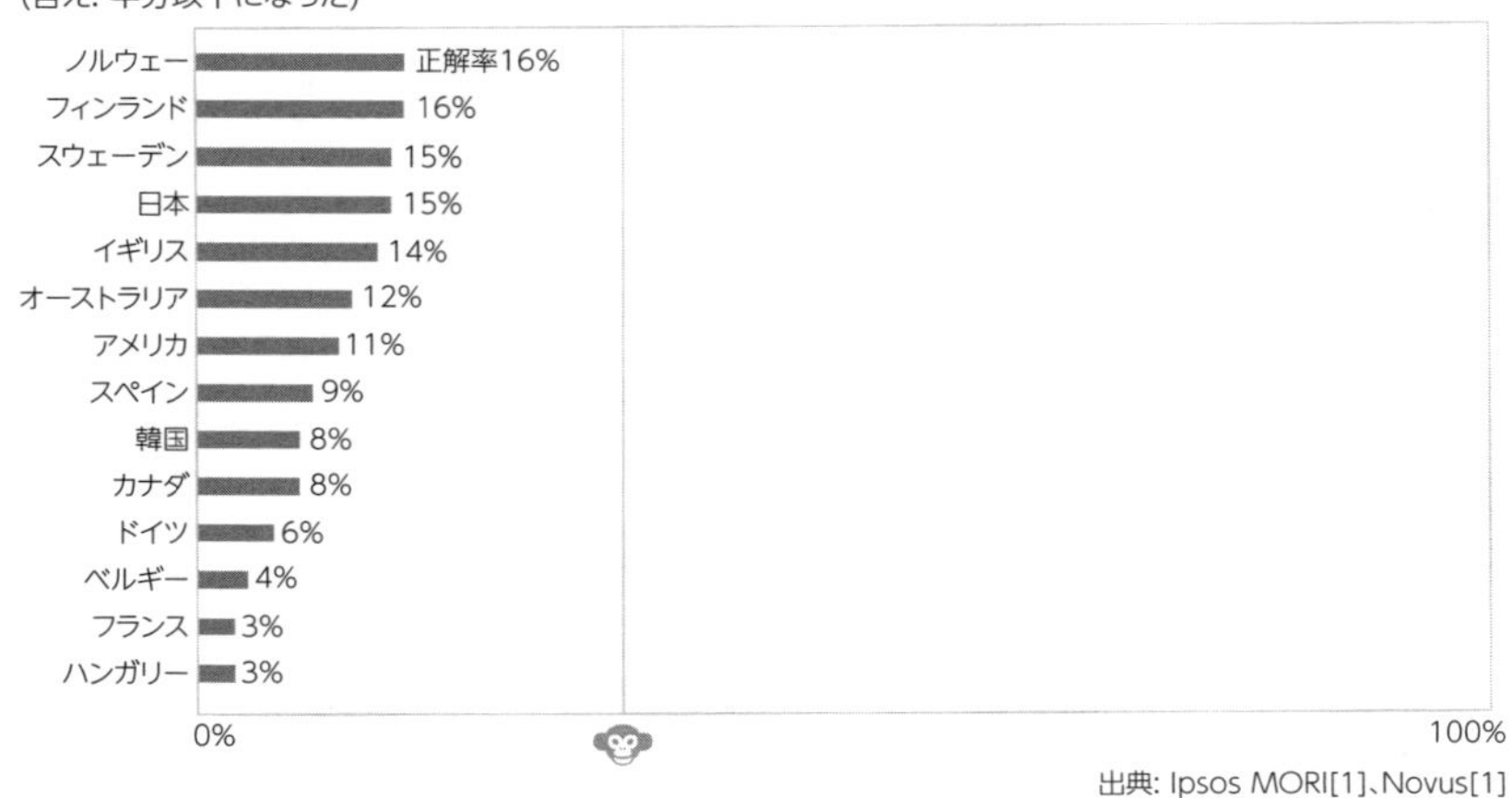

出典: Ipsos MORI[1]、Novus[1]

人口分布

質問8の正解率

現在、世界には約70億人の人がいます。下の地図では、人の印がそれぞれ10億人を表しています。

世界の人口分布を正しく表しているのは3つのうちどれでしょう? (答え: 右の地図の通り)

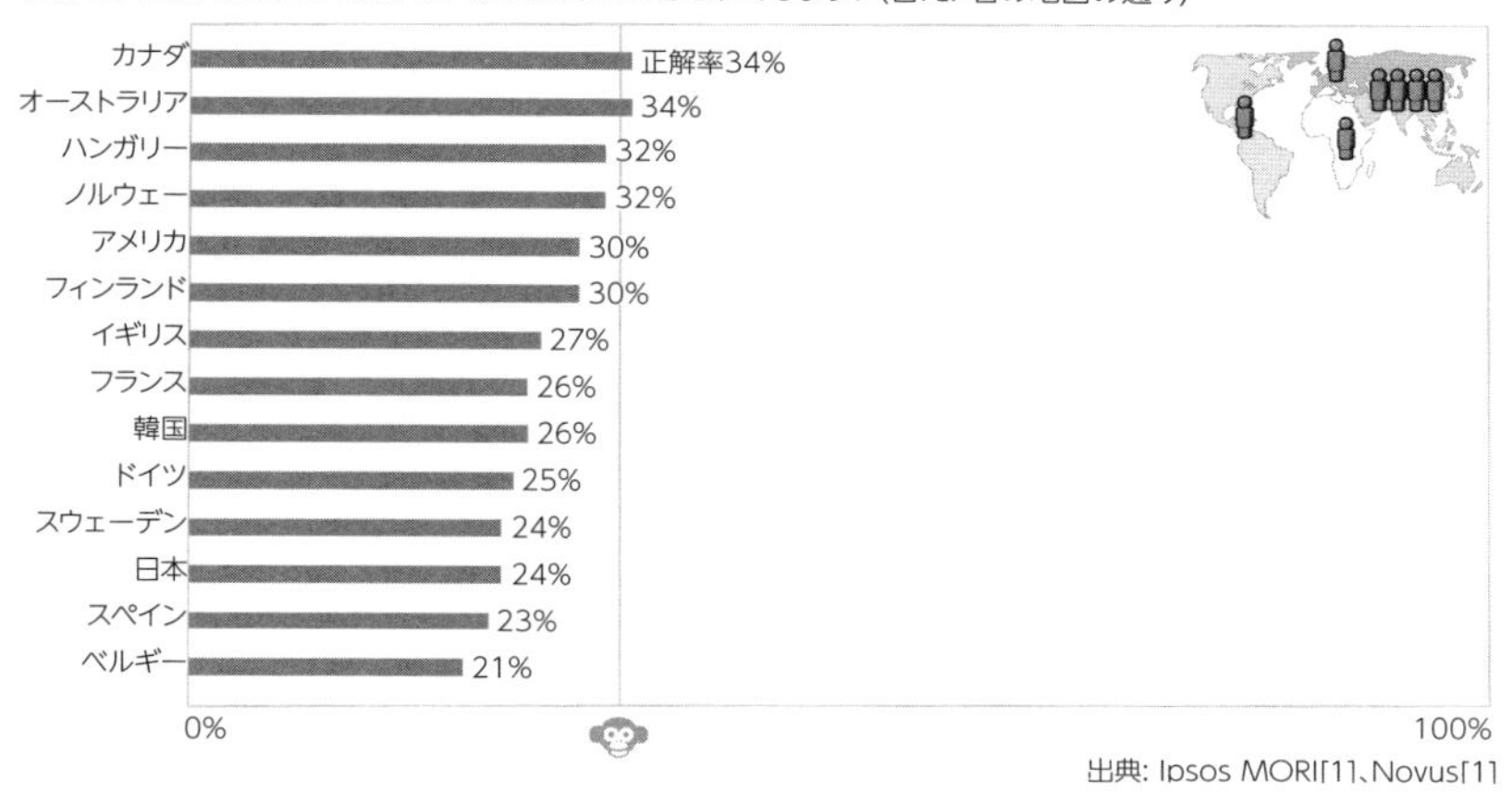

子供の予防接種

質問9の正解率

世界中の1歳児の中で、なんらかの病気に対して予防接種を受けている子供はどのくらいいるでしょう?

(答え: 80%.)

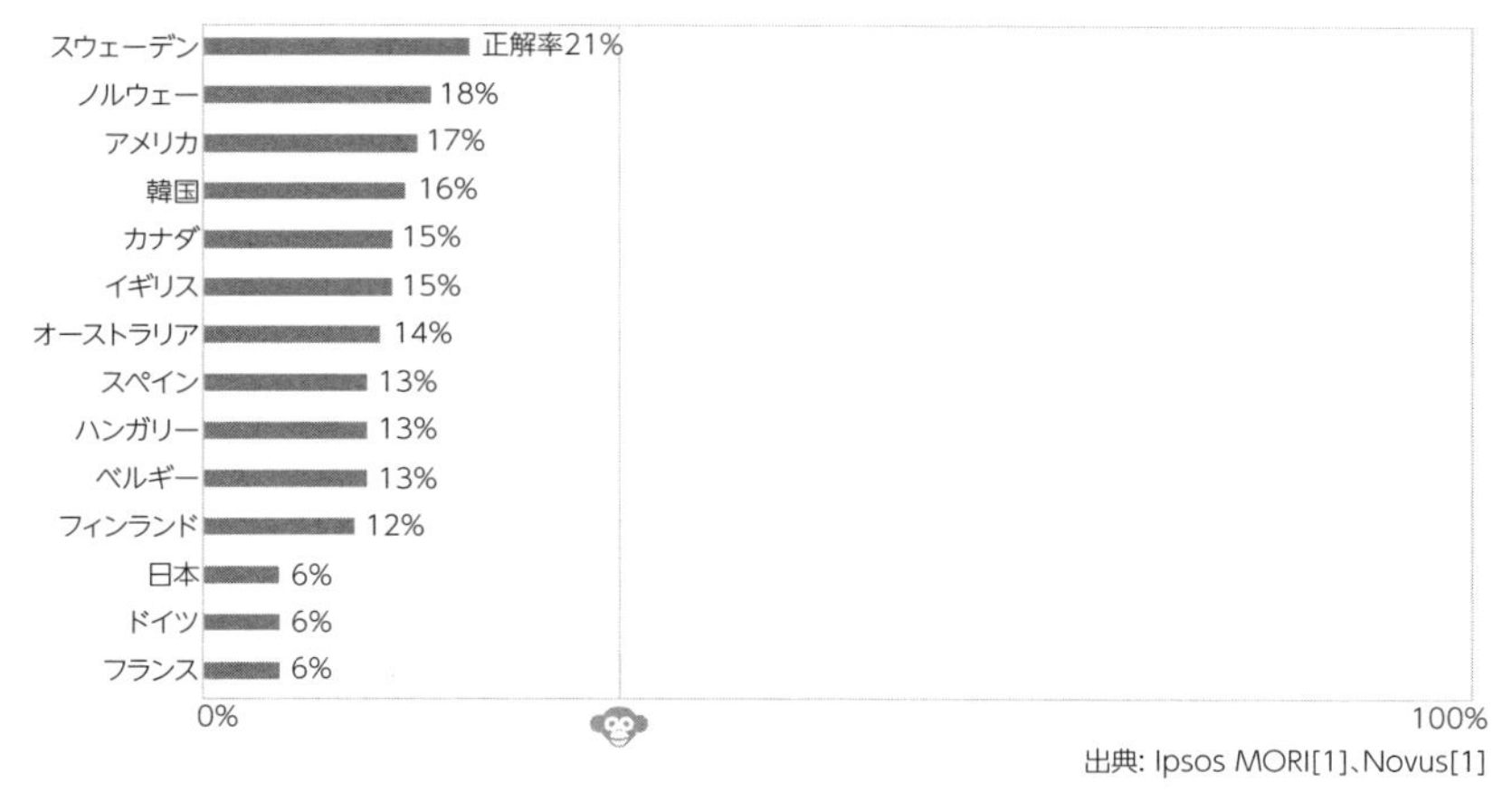

女性の教育

質問10の正解率

世界中の30歳男性は、平均10年間の学校教育を受けています。
同じ年の女性は何年間学校教育を受けているでしょう? (答え: 9年)

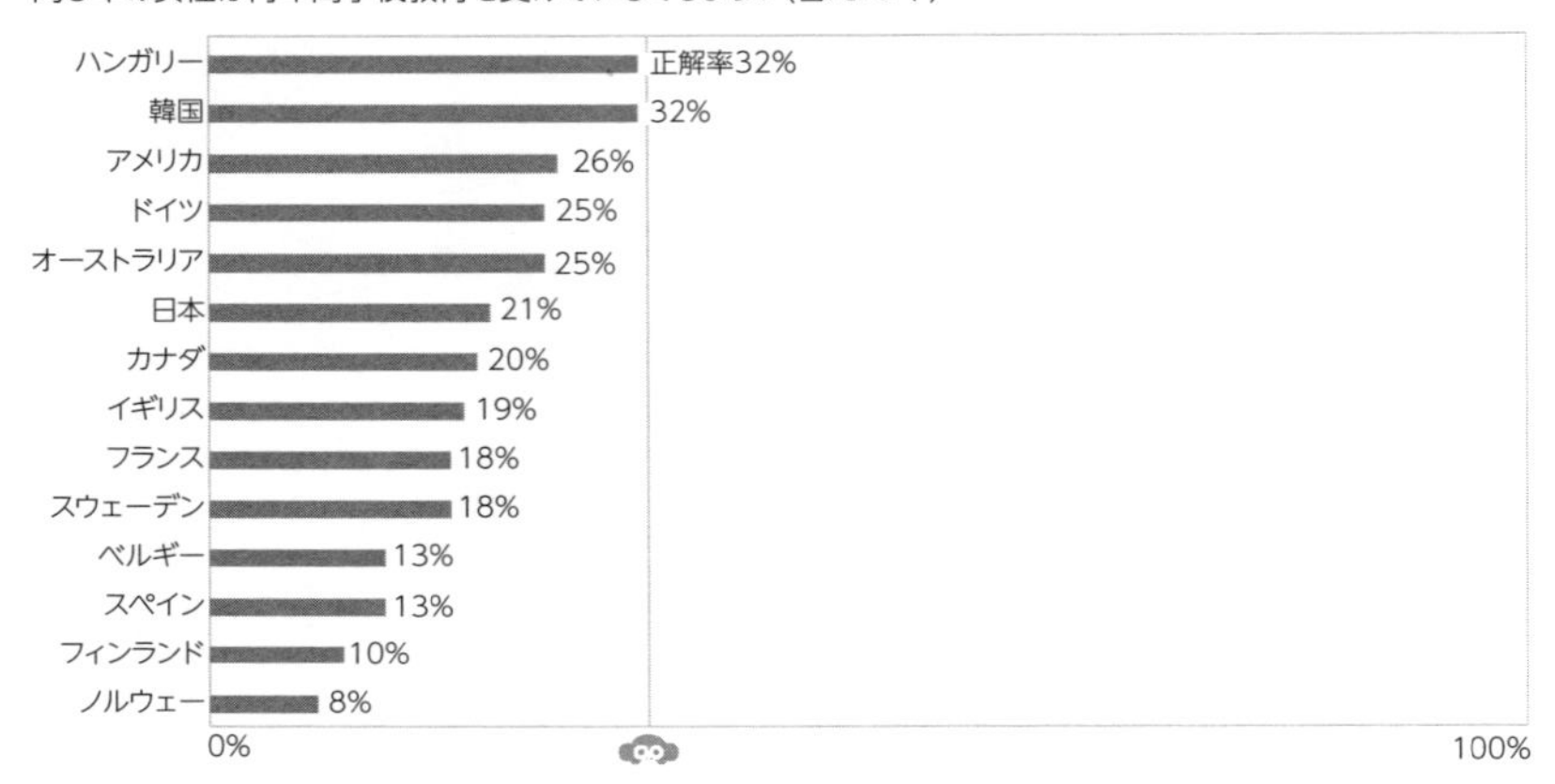

絶滅危惧種

質問11の正解率

1996年には、トラとジャイアントパンダとクロサイはいずれも絶滅危惧種として指定されていました。

この３つのうち、当時よりも絶滅の危機に瀕している動物はいくつでしょう？（答え：ゼロ）

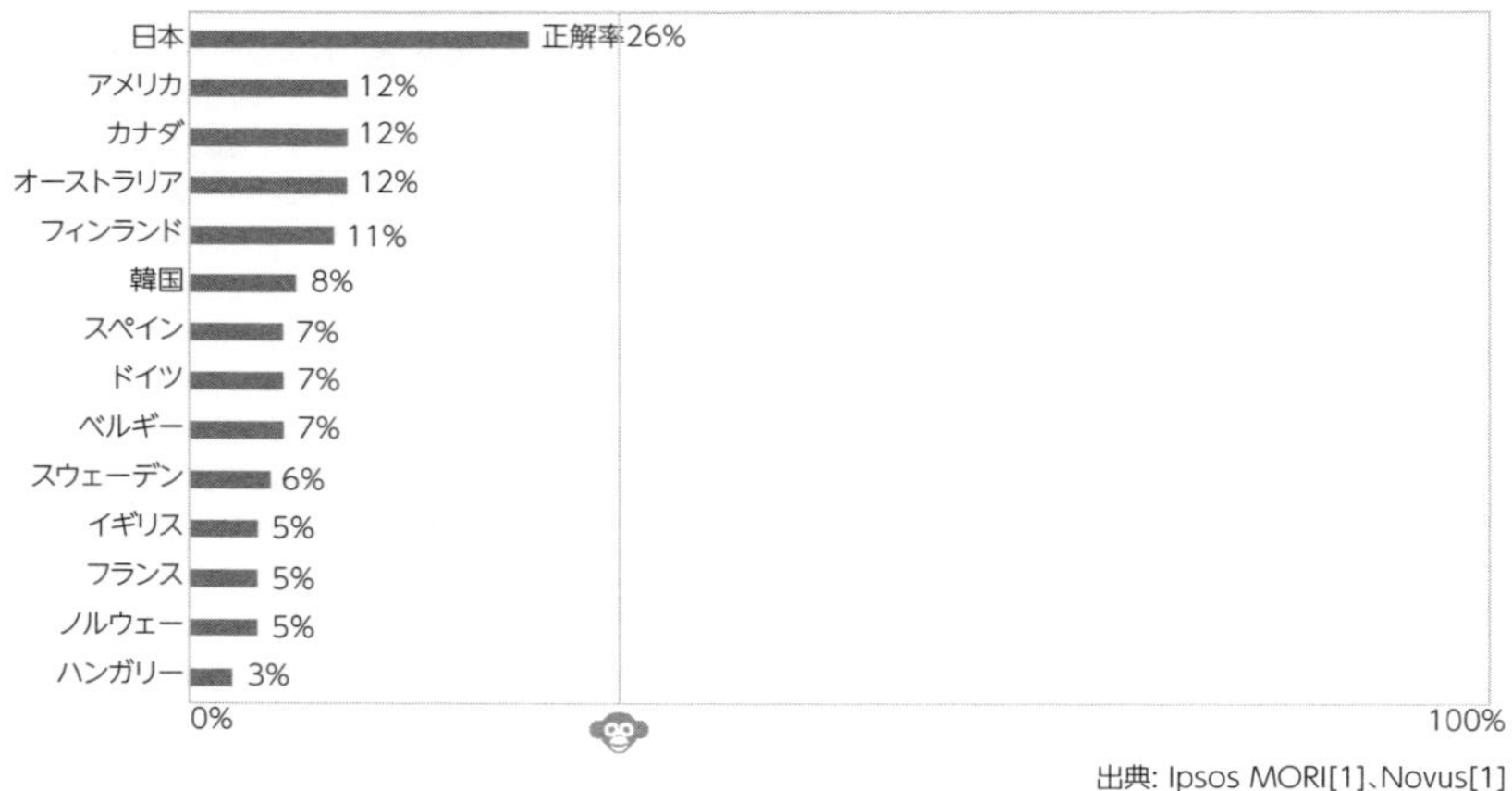

出典: Ipsos MORI[1]、Novus[1]

電気

質問12の正解率

いくらかでも電気が使える人は、世界にどのくらいいるでしょう？
(答え: 80%.)

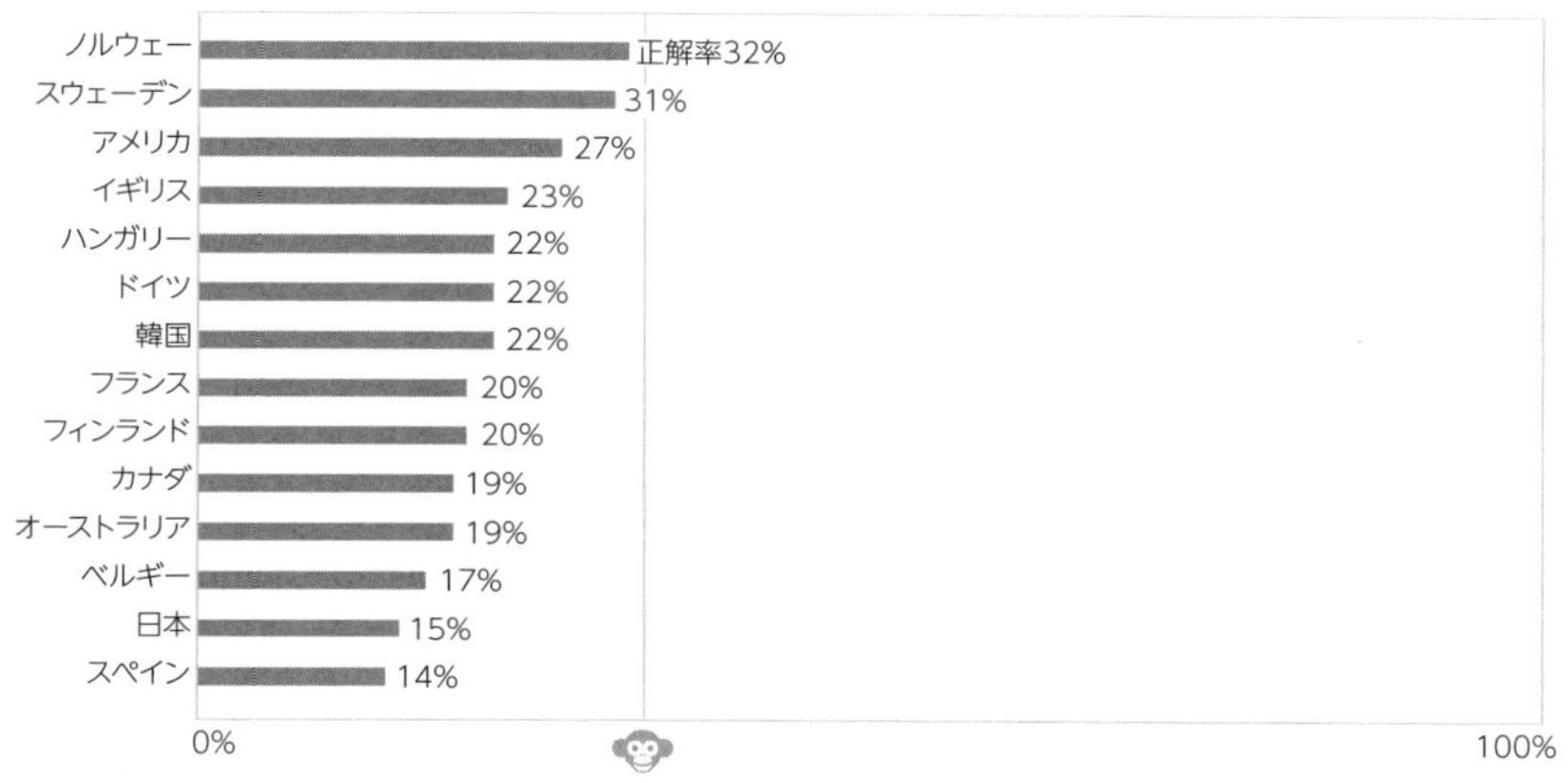

出典: Ipsos MORI[1]、Novus[1]

気候

質問13の正解率

グローバルな気候の専門家は、これからの100年で、地球の平均気温はどうなると考えているでしょう？

(答え: 暖かくなる)

出典: Ipsos MORI[1]、Novus[1]

正解数（最初の12問）

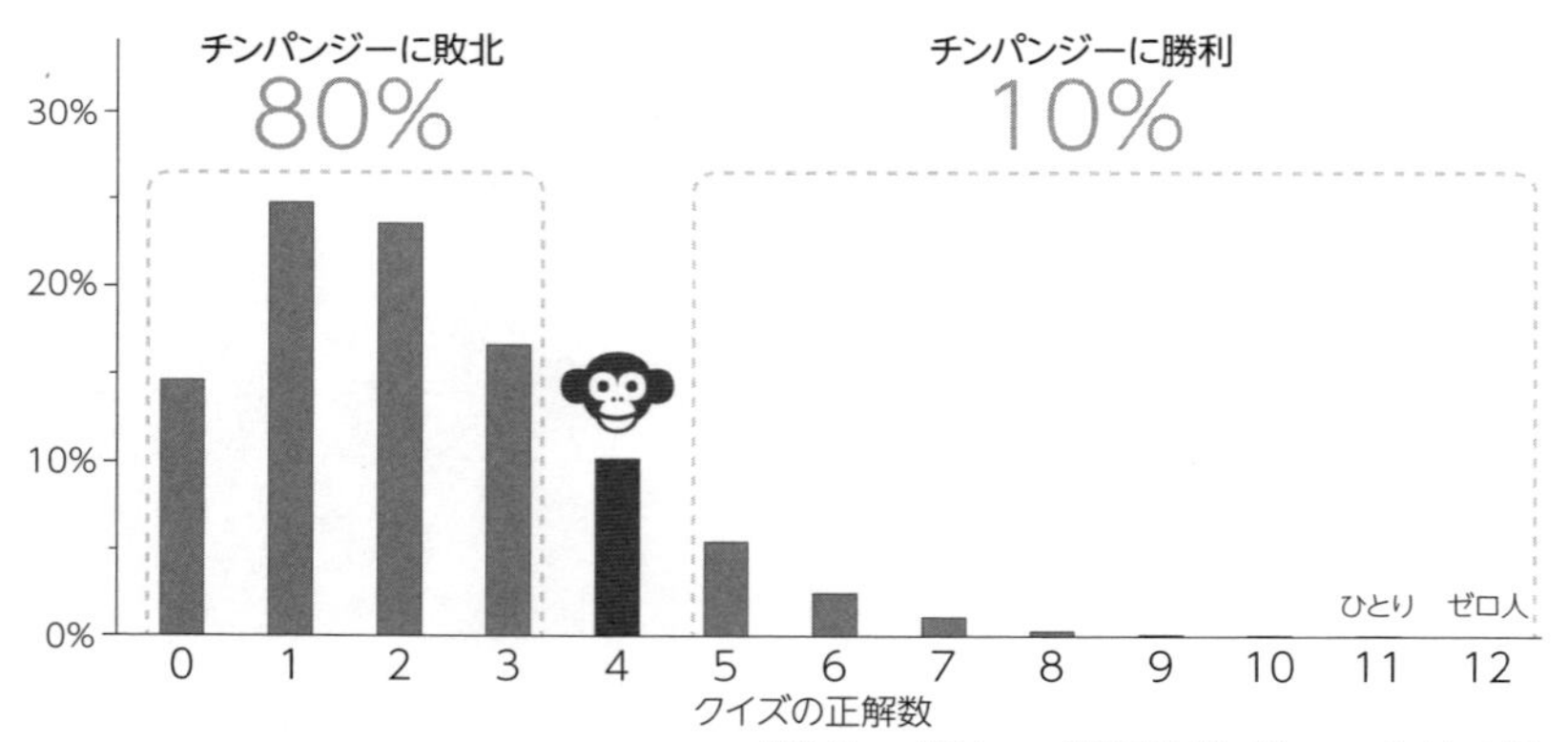

チンパンジーに勝った人はたったの10%
クイズの正解数の分布
(全部で12問。14カ国に住む1万2000人が対象)
チンパンジーに敗北
80%
チンパンジーに勝利
10%
30%
20%
10%
0%
ひとり
ゼロ人
0
1
2
3
4
5
6
7
8
9
10
11
12
クイズの正解数
出典: Novus[1]、Ipsos MORI[1] 詳しくは gapm.io/rtest17

国際統合開発賞を、また 2017 年にはレジメ・スーパーコミュニケーター賞と、金の卵賞を受賞している。

オーラの妻はアンナ・ロスリング・ロンランド。オーラとアンナには 3 人の子供がいる。マックスとテッドとエバだ。

アンナ・ロスリング・ロンランド

アンナは 1975 年にスウェーデンのファールンで生まれた。ルンド大学で社会学を学び、ヨーテボリ大学で写真を学んだ。ギャップマインダーの共同創立者であり、バイス・プレジデントを務めている。

アンナは講演者であり、ギャップマインダーの利用者担当リーダーでもある。ギャップマインダーのさまざまなデータを利用者にわかりやすくするのがアンナの役目だ。アンナはオーラと共にハンスの TED トークやその他の講演を監修してきた。また、ギャップマインダーのグラフィックやスライドを作成し、動くバブルチャートのユーザーインターフェースも設計した。2007 年にトレンダライザーがグーグルに買収されたあと、グーグルでシニア・ユーザビリティデザイナーを務めた。2010 年にギャップマインダーに戻り、新しい無料の教育ツールを開発している。

2016 年に立ち上げられたドル・ストリートはアンナが考案したものだ。2017 年の TED トークのトピックにもなった。

アンナもまたギャップマインダーでの功績が認められ数々の賞を受けている。2017 年にレジメ・スーパーコミュニケーター賞、金の卵賞、またファスト・カンパニー誌の世界を変えるアイデア賞を受賞した。

■著者プロフィール

ハンス・ロスリング

ハンスは1948年にスウェーデンのウプサラで生まれた。ウプサラ大学で統計学と医学を学び、インドのバンガロールにある聖ヨハネ医科大学で公衆衛生を学んだあと、1976年に医師になった。1974年から1984年までの間に合計で18カ月仕事を休み、3人の子供の子育てに100%の時間を注いだ。1979年から1981年まではモザンビークのナカラで地域担当の医師として働き、それまで知られていなかった神経が麻痺する病気を発見した。それがコンゾだ。この病気の調査と研究によって1986年にハンスはウプサラ大学から博士号を取得した。1997年からはストックホルムにあるカロリンスカ医科大学でグローバルヘルスの教授を務めた。専門は、経済発展と農業と貧困と健康のつながりについての研究だった。ハンスはカロリンスカ医科大学で新しい授業科目を開講し、提携研究を立ち上げ、グローバルヘルスについての教科書を共著した。

2005年には、息子のオーラとその妻のアンナと共にギャップマインダー財団を設立した。財団の使命は、とんでもない知識不足と闘い、誰でも理解できるような「事実に基づく世界の見方」を広めることだ。ハンスは金融機関、事業会社、非政府組織で講演を行ってきた。彼の10回のTEDトークは、延べ3500万回も再生されている。

ハンスはまた、世界保健機構、ユニセフ、いくつかの国際援助機関のアドバイザーを務め、スウェーデンで国境なき医師団を立ち上げた。3本のBBCドキュメンタリー番組も制作した。2010年に『統計の楽しみ』、2013年に『パニックにならないで！ 人口についての真実』、そして2015年には『パニックにならないで！ 15年以内に貧困を廃絶する方法』が放送された。ハンスはスウェーデン科学学会の国際分科会メンバーであり、スイスの世界経済フォーラムのグローバル・アジェンダ・ネットワークにも所属していた。2009年にはフォーリン・ポリシー誌からグローバル思想家100人のひとりに選ばれ、2011年にはファスト・カンパニー誌から世界で最もクリエイティブな100人のひとりに選ばれた。また2012年にはタイム誌が選ぶ世界で最も影響力の大きな100人のひとりになった。

ハンスと妻のアニエッタには3人の子供がいる。アンナとオーラとマグヌスだ。ハンスは2017年2月7日に他界した。

オーラ・ロスリング

オーラは1975年にスウェーデンのフディクスバルで生まれた。ギャップマインダー財団の共同創立者であり、2005年から2007年までと、2010年から現在まで財団のディレクターを務めている。

オーラはギャップマインダーのチンパンジークイズを開発し、知識不足を体系的に測定するプロジェクトやその認証プロセスを開発した。データを分析し、ハンスが行うTEDトークや講演の資料をつくってきた。1999年からは「トレンダライザー」として有名になった動くバブルチャートによるツールを開発してきた。世界中の数百万という学生たちが、世界の開発についての歴史と統計を理解するために、このツールを利用している。2007年にグーグルがトレンダライザーを買収し、オーラは2007年から2010年までグーグルのパブリックデータ・チームのリーダーを務めた。その後、ギャップマインダーに戻り、新たな無料教育ツールを開発している。オーラはさまざまな場所で講演を行い、ハンスと共同で行ったTEDトークは数百万回も再生されている。

オーラはギャップマインダーでの功績が認められ数々の賞を受けている。2016年にナイラス

■ 訳者プロフィール

上杉 周作（うえすぎ・しゅうさく）

IT技術者。カーネギーメロン大学でコンピューターサイエンス学士、ヒューマンコンピュータインタラクション修士取得。卒業後、シリコンバレーのPalantir Technologies社にてプログラマー、Quora社にてデザイナー、EdSurge社にてプログラマーを経験。現在はフリーランスプログラマーとして活動するかたわら、不定期で実名ブログ「上杉周作」を更新中。

関 美和（せき・みわ）

翻訳家。杏林大学外国語学部准教授。慶応義塾大学文学部・法学部卒業。電通、スミス・バーニー勤務の後、ハーバード・ビジネス・スクールでMBA取得。モルガン・スタンレー投資銀行を経てクレイ・フィンレイ投資顧問東京支店長を務める。主な翻訳書に、『アイデアの99%』（英治出版）、『TED TALKS』『Airbnb Story』（日経BP社）、『ハーバード式「超」効率仕事術』（早川書房）、『えんぴつの約束』（飛鳥新社）、『シェア』『MAKERS』『ゼロ・トゥ・ワン』（NHK出版）などがある。また、アジア女子大学（バングラデシュ）支援財団の理事も務めている。

ファクトフルネス
FACTFULNESS
10の思い込みを乗り越え、データを基に世界を正しく見る習慣

2019年 1月15日　第1版第 1 刷発行
2019年 2月12日　第1版第 7 刷発行

著　者　ハンス・ロスリング、オーラ・ロスリング、
　　　　アンナ・ロスリング・ロンランド
訳　者　上杉 周作、関 美和
発行者　村上 広樹
発　行　日経BP社
発　売　日経BPマーケティング
　　　　〒105-8308　東京都港区虎ノ門4-3-12
　　　　URL　https://www.nikkeibp.co.jp/books/
装　幀　小口翔平＋永井里実（tobufune）
編　集　中川 ヒロミ
制　作　アーティザンカンパニー株式会社
印刷・製本　図書印刷株式会社

本書籍に関するお問い合わせ、ご連絡は下記にて承ります。
https://nkbp.jp/booksQA

ISBN978-4-8222-8960-7　Printed in Japan 2019

地域ごと、所得ごとの人口分布

このままいけば、2040年の世界はこうなる

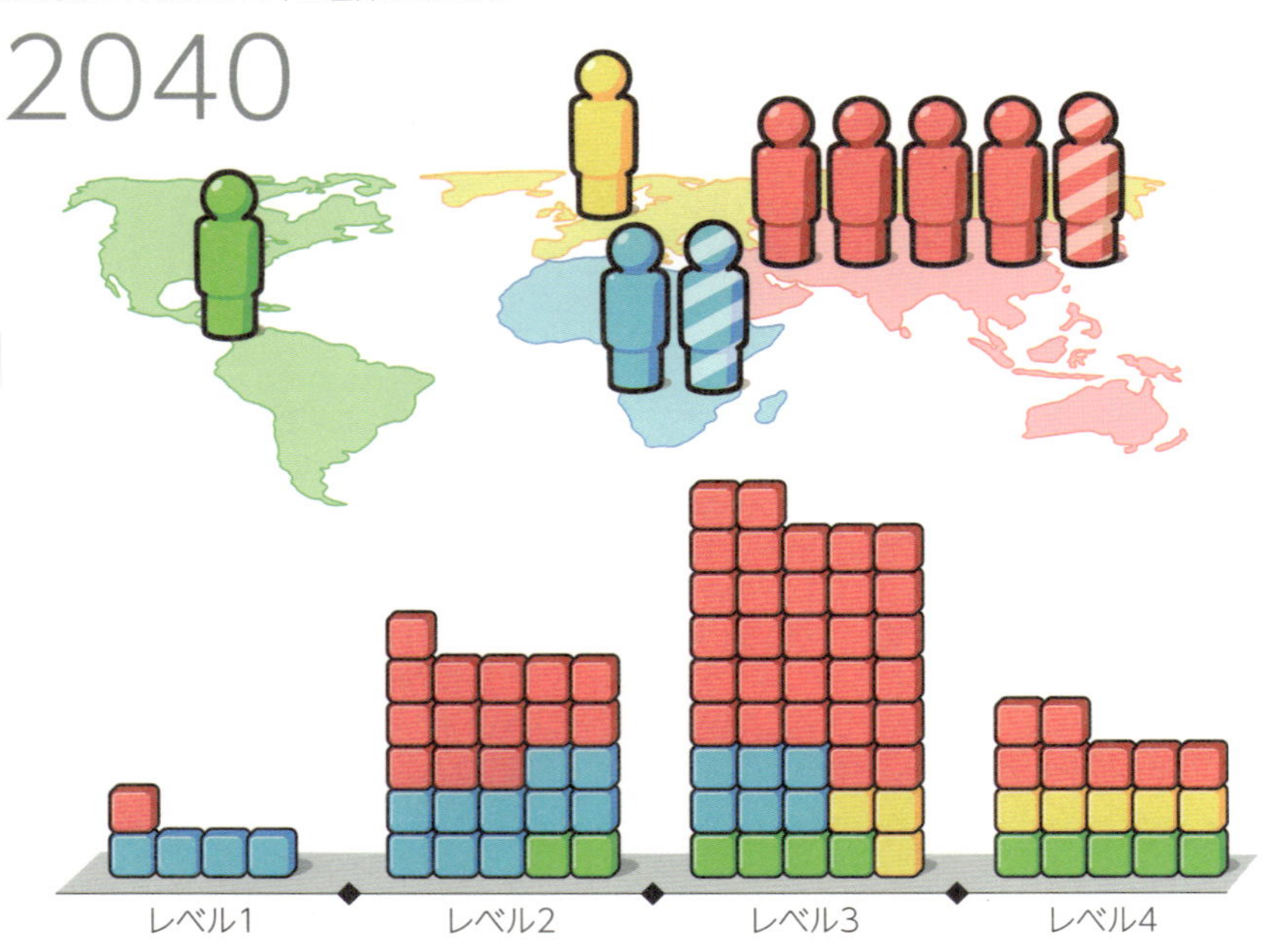

出典: Gapminder[1,3,8]、PovcalNet、UN-Pop[1]、IMF[1]、van